Het ongetemd verlangen

Rosemary Rogers

Het ongetemd verlangen

A. W. Bruna & Zoon
Utrecht/Antwerpen

Oorspronkelijke titel
Dark Fires

Uitgave
Avon Books, New York

Vertaling
drs J.J.P. Boezeman

Omslag
Peter Beeker

ISBN 90 229 5249 5

Boek een

Ginny

Deel een

De prins

1

Het grote leger van Porfirio Díaz lag verspreid rond de wallen van de oude stad Puebla, en, niettegenstaande de hevige gevechten die er geweest waren, was bijna elke man in een goed humeur. Het zou nu nog een kwestie van een dag of twee zijn. Dan zou Puebla in hun handen vallen en dan – op naar Mexico. *Viva Díaz! Viva la revolución!*

Terwijl de schildwachten heen en weer liepen en uitkeken, was de grote meerderheid van het leger óf in slaap óf aan het feestvieren; maar dat laatste, dat deden ze wel heel rustig, want generaal Díaz stond op een strikte discipline.

Achter de plek die de generaal voor zijn eigen hoofdkwartier had uitgezocht, stonden de carreta's en huifkarren van de legertros, samen gehoopt als om bescherming te geven tegen de kou van de nacht. In de geïmproviseerde omheiningen kakelden de kippen; af en toe bewoog zich een koe of een geit onhandig op onzekere poten; hier en daar huilde een baby, die snel tot stilte gesust werd.

De vrouwen spraken onder elkaar, terwijl ze alles klaar maakten voor de nacht, ze lieten hun kleine kookvuurtjes langzaam uitdoven tot gloeiende as.

'Ze zeggen dat generaal Marquez van Mexico City onderweg is om het garnizoen hier te ontzetten.'

'Bah! Die oude lafaard! Hij zou in Mexico gebleven zijn, wanneer ze hem er niet uitgegooid hadden! En vóór hij Puebla bereikt, heeft ónze generaal het al lang in zijn bezit!'

Ginny zat op de grond met haar rug leunend tegen een wagenwiel, ze luisterde maar met een half oor naar wat zij noemde 'kampvuurpraatjes'. Voor het overige luisterde ze naar een bepaalde voetstap; haar ogen tuurden in de verte om de gestalte van een man te ontdekken, die op haar zou komen toelopen met die lenige, panterachtige gratie die zozeer deel van hem uitmaakte. Háár man. Haar echtgenoot. Waarom duurde die bespreking met generaal Díaz zo lang?

Het zwakke licht van de gloeiende houtskool aan haar voeten toonde haar gelaatstrekken in een scherp reliëf, ofschoon haar haren bescheiden bedekt werden door een zwarte sjaal, die bekend staat onder de naam rebozo. Ze was precies zo gekleed als de andere vrouwen, met een wijde rok tot op haar enkels met een rood patroon en een laag uitgesneden blouse, die ternauwernood haar schouders bedekte; maar haar huid die goudbruin getaand was, was toch enkele graden lichter dan die van de andere vrouwen, zelfs in het licht van het vuur; en wanneer men haar ogen nauwkeurig bekeek, die aan de hoeken lichtelijk naar boven liepen, ontwaarde men een diepe, geheimzinnige tint groen. Ze had nogal hoge jukbeenderen, een kuiltje in haar kin, die ze af en toe met vastberadenheid vooruit kon steken en een mond, die elke man zou wilen kussen. 'De mond van een demi-mondaine,' had haar neef Pierre eens gezegd, toen Ginny zestien en nog steeds een kind was, terwijl haar lichaam rijpte tot vrouwelijkheid, haar gedachten vol van haar eerste bal, waar ze voorgesteld zou worden aan de keizer en keizerin van Frankrijk. Wat was er sedertdien een massa gebeurd! Hoe had ze ooit kunnen dromen, zelfs met haar levendige, romantische en jeugdige verbeelding, dat zij – die niets liever wilde dan dansen en flirten en mooie kleren dragen – nu hier zou zitten, gekleed als een Mexicaanse boerin, haar blote voeten onder haar weggestopt, terwijl ze op haar man zat te wachten?

Ginny leunde haar hoofd een beetje vermoeid tegen het wagenwiel, haar rebozo gleed af en liet krullen van kopergoud haar ontsnappen, die zich zacht rond haar gezicht strengelden. Als Steve nu maar wilde komen! Had het enige betekenis, dat generaal Díaz zijn officieren langer dan gewoonlijk vasthield bij hun avondbespreking? Tot nu toe hadden ze hun tijd afgewacht om het garnizoen, dat Puebla nog bezet hield, uit te hongeren, maar nu, met het nieuws van de opmars van Marquez uit het westen, zou de generaal misschien besluiten dat het tijd werd om een eind te maken aan het kat en muis spelletje en dat zijn leger eindelijk zou doorstoten. Het werd ook hoog tijd! Een leger was er om te vechten en niet om te lang op één plaats te blijven hangen. Van hier zouden ze naar Mexico City trekken en daar vandaan . . . 'Ja,' dacht Ginny plotseling, 'het is vreemd om te bedenken, dat daarna alles voorbij zal zijn.' Waar zouden ze dan heengaan? Wat moesten ze doen? Ze was van één ding zeker – dat wát Steve ook mocht besluiten, hij zou haar niet opnieuw achterlaten. Ze hadden alle twee te veel geleden – voor elkaar en om elkaar – om nog eens een scheiding te kunnen verdragen.

'Jij groenogige heks, je hebt kans gezien om mij volslagen gek op je te maken. Jij bent de enige vrouw, die ik ooit echt nodig heb gehad,' had hij haar gezegd in de nacht, dat hij naar Vera Cruz gekomen was om haar hierheen te brengen – de avond vóór het schip, waarop ze passage geboekt had, zou uitvaren. Ze rilde nog bij de gedachte: als het eens een dag eerder was uitgevaren?

'Wat zou je gedaan hebben, als je ontdekt zou hebben, dat ik weg was?'

'Dacht jij, dat ik je zó gemakkelijk zou laten ontsnappen? Ik zou piraat geworden zijn vermoedelijk en jouw schip in de buurt van Monterey onderschept hebben – en ik zou je gedwongen hebben door het water te lopen, jij klein serpent, omdat je geprobeerd had om weg te lopen!'

De gedachte dat hij uiteindelijk toch van haar hield, gaf Ginny een aangename opwinding. Ze hadden al die tijd al van elkaar gehouden, van het begin af, maar geen van hen wilde dat toegeven. Wat hadden ze een massa tijd verspild!

Haar ogen waren gesloten, haar lippen krulden tot een flauwe glimlach, maar de stem van haar echtgenoot maakte dat ze haar mond opende en naar hem keek.

'Wat kun je er toch als een heks uitzien, zelfs wanneer je slaapt, querida mia!' Hij liet zich naast haar neervallen, zijn lippen streken langs haar slaap. 'Mijn God - ik heb een borrel nodig! De generaal wil altijd een groot vuur hebben, zelfs op een avond als deze. En we moeten de kragen van onze tuniek hoog gesloten houden, er mag geen knoop losgemaakt worden.' Terwijl hij nog sprak rukte hij ongeduldig aan de hinderlijke knopen.

'Wanneer je even stil blijft zitten zal ik dat voor je doen - op die manier hoef ik niet alle knopen er weer aan te naaien. En ik zal je ook een borrel bezorgen - je hebt geluk gehad dat ik zo'n goed getrainde soldadera ben!'

Ginny leunde tegen hem aan, haar haren streken in zijn gezicht toen hij zijn arm om haar heen sloeg.

'Je bent een plaaggeest - en je bent veel te mooi om een soldadera te blijven. Dat heeft de generaal zelfs gezegd.'

'De generaal! O, Steve . . .' Ginny's groene ogen gingen wijd open vóór ze haar wimpers naar beneden sloeg, waardoor ze het mengsel van schok en schuld bedekte.

'Ja - de generaal! En kijk niet op die manier van me vandaan of ik zal beginnen te denken, dat je je aan meer hebt schuldig gemaakt dan alleen maar met hem te flirten.'

'Maar ik - ik heb niet geflirt! Het kwam alleen maar omdat door de wind mijn rebozo afwaaide, juist toen hij voorbij kwam rijden, en hij staarde zo doordringend! Wat werd ik verondersteld te doen? Hij lachte naar me en ik lachte terug; ik dacht dat hij wist wie ik was.'

Nog steeds gevangen in de omklemming van Steve's arm, die haar tegen zich aandrukte, zag Ginny dat hij haar bekeek met die halfspottende, halftedere glimlach, die zij zo goed had leren kennen.

'Je bent werkelijk een nest, groenoog,' mompelde hij zacht. 'Ik had gehoopt, dat je uit de buurt van don Porfirio zou kunnen blijven. Zoals het nu is . . .' hij wachtte even, plagerig, en gooide met één beweging van zijn schouders met een zucht van verlichting zijn tuniek van zich af.

'Steve! In 's hemelsnaam! Wat heeft hij gezegd?'

'Je hebt een tamelijk moeilijke situatie veroorzaakt, weet je. Hij wist niet wie je was - dacht jij, dat ik de moeite genomen had om jou voor hem te beschrijven? Maar hij heeft Felix gevraagd om je te zoeken en jou uit te nodigen om vanavond een poosje met hem door te brengen. Het ziet er naar uit, dat hij erg van je onder de indruk was.'

'O - o, nee!'

'O, ja! En kolonel Díaz kreeg toen de moeilijke taak om met alle mogelijke tact uit te leggen, dat je geen Frans hoertje was dat door een van de soldaten was opgepikt. Natuurlijk wist ik van niets tot na afloop van de bespreking, ofschoon ik me al zat af te vragen waarom hij zulke donkere blikken op mij bleef werpen.'

'Hij - hij was toch niet kwaad? Steve, ik geloof dat je me zit te plagen.'

'Helemaal niet, liefste. Ik ben laat omdat hij me vroeg te blijven nadat hij de anderen had weggestuurd. En hij zei me, in niet mis te verstane bewoordingen, dat hij niet kon goedkeuren dat mijn vrouw het leger volgde als een gewone soldadera. Tenslotte, zo herinnerde hij mij bars, ben ik een officier en jij bent een dochter van een senator van de Verenigde Staten. Wat moet dat worden wanneer we triomfantelijk Puebla en daarna Mexico City zelf binnentrekken? Wat gebeurt er wanneer de buitenlandse kranten het verhaal te pakken krijgen?' Zijn langzame manier van spreken, zijn sarcastische stem deden haar huiveren van bezorgdheid. Was hij echt boos op haar? Was de generaal werkelijk zo boos geweest?

Ze had zijn tuniek opgeraapt en die automatisch opgevouwen, terwijl ze met haar hand de plooien gladstreek. Het was al wat ze kon doen om zich te dwingen hem onvervaard in zijn harde blauwe ogen te kijken.

'Nou? En als ze dat doen?'

'De generaal wil niet, dat de wereld denkt dat Mexico een land van barbaren is. En in andere landen volgen de vrouwen van officieren hun mannen niet op hun veldtochten!'

'Je gaat me toch niet wegsturen! Hij is geen . . .'

De sarcastische ondertoon in zijn stem verdween, toen hij zijn lange, bruine vingers onder haar kin legde en die ietwat ophief.

'Ik stuur je nergens heen, mijn liefste. Maar ik ben bang dat jij, nadat we Puebla genomen hebben, een nieuwe baan zult hebben.'

'Ik weet niet . . .'

'Wanneer je je mond wilt houden, kan ik doorgaan met de verklaring. De generaal heeft een secretaresse nodig, zegt hij. Iemand, die zijn papieren in orde kan houden, een passabel handschrift heeft en die kan vertalen. Met andere woorden: je zult officieel aan zijn staf worden toegevoegd - en je lieftallige aanwezigheid zal van nu af aan het hoofdkwartier van generaal Díaz opluisteren. Je weet dat we krijgsgevangenen maken, die geen woord Spaans kunnen spreken. Jij kunt Duits en Italiaans spreken, is het niet? En je Frans, chérie, is altijd uitstekend geweest. Misschien denkt don Porfirio wel, dat een aardige vrouw een verzachtende invloed zal hebben en de krantenmensen zullen zeker onder de indruk komen.'

'Maar - maar wanneer kunnen we dan bij elkaar zijn?'

Nu lachte hij en boog zich voorover om haar licht te kussen.

'Ik heb bevel gekregen om te zorgen voor een passend verblijf voor jou, madame, waar we ook heen gaan. En omdat ik gelukkig je echtgenoot ben, is het mij toegestaan dat kwartier met jou te delen - althans 's nachts! Je zult dus geen excuus hebben om je plichten tegenover mij uit de weg te gaan.'

'Ben je niet boos?'

'Wat zou je doen, wanneer ik het wél was?'

Haar ogen flitsten. 'Je bevechten op leven en dood! Vooral omdat het echt mijn schuld niet was!'

Hij draaide haar haren als een touw rond zijn pols en trok haar naar zich toe.

'Je bent een kleine vuurspuwende kat. God mag weten hoe ik het met je uithoud. Maar probeer alsjeblieft je driftbuien onder bedwang te houden, en je taal, wanneer je in de buurt van de generaal bent. Hij is een erg conventionele man onder al dat staal en die grootdoenerij. Hij verwacht een dame.'

'Als het moet kan ik me als een dame gedragen!' Ginny trok een gezicht, wriemelde haar lichaam dichter tegen het zijne en sloeg haar armen om zijn hals.

'Maar vannacht niet - en niet met jou,' fluisterde ze in het ogenblik vóór zijn lippen de hare namen.

Er bestond een vreemde band tussen hen, een band van hartstocht en van iets dat dieper ging dan hartstocht - iets dat gesmeed was in de anderhalf jaar dat ze elkaar bevochten en gewantrouwd hadden en ze toch niet bij machte geweest waren om aan elkaar te weerstaan.

Steve Morgan was de eerste minnaar van Ginny geweest, hij had haar genomen met een tederheid en bezorgdheid die des te verbluffender waren, gezien zijn luchthartige, zelfzuchtige relaties met vrouwen. Ze was toen al meer dan half verliefd op hem geweest, tot zijn hardheid en wreedheid haar meisjesachtige liefde in haat veranderd hadden en ze geleerd had hem te vrezen, toen hij haar ontvoerd had. Ze was bang voor zijn starre, arrogante buien en zijn wreedheid, wanneer ze niet wilde toegeven. En toch was hij - zelfs toen - niet alleen haar meester, maar ook haar minnaar, en haar lichaam had zijn liefdesbetuigingen beantwoord, zelfs wanneer haar geest in opstand kwam tegen de ongevoelige manier waarop hij haar gebruikt had. Pas veel later - na de schok die ze kreeg, toen ze hoorde dat Steve Morgan in Mexico bekend was als Esteban Alvarado van de rijke en aanzienlijke familie Alvarado en nadat hun huwelijk onder drang van zijn grootvader gesloten was, realiseerde Ginny zich dat ze van hem hield.

'Niets zal ons meer scheiden - niets,' zei Ginny plotseling in zich zelf. Ze wist niet, waarom ze dit zei of welke onbestemde angst haar beslopen had, toen ze bijna op het punt stond om in slaap te vallen. Onder de dekens die hen bedekten bewoog Ginny haar lichaam dichter naar het zijne en ze voelde zijn armen instinctmatig steviger om haar heen. Eindelijk waren ze weer samen en hoewel er morgen rond Puebla gevochten zou worden, had ze nu de overtuiging dat Steve met zijn natuurlijke roekeloosheid in een veldslag, nu terwille van haar voorzichtig zou zijn.

Nu generaal Marquez onderweg was en trachtte meer mannen en geld bijeen te krijgen voor de verloren zaak van keizer Maximiliaan, moest Puebla, na maanden van belegering, nú genomen worden.

Voor Ginny, die met de stafofficieren van generaal Díaz wachtte in het kleine lemen gebouw, dat hij voor zijn hoofdkwartier gevorderd had, had de koele, heldere dag een gevoel van een vage onwerkelijkheid. Niettegenstaande de spanning vonden de mannen nog de tijd om grapjes met haar te maken en haar te plagen, ze gaven haar de bijnaam, 'la teniente', althans wanneer de generaal niet in de buurt was. 'Passend' gekleed in een erg eenvoudige witte mousseline jurk, haar haren streng uit haar gezicht weggetrokken en samengebonden in haar nek, bemerkte Ginny, dat ze óf van de deur naar het raam liep in de kleine zijkamer óf probeerde papieren te sorteren in zwart gelakte dozen. De generaal verwachtte nu spoedig te kunnen vertrekken - dat was wel duidelijk. Maar zou de inname van Puebla werkelijk zo gemakkelijk zijn als hij verwachtte?

De hele morgen kwamen koeriers op beschuimde paarden aan met rapporten voor de generaal over het verloop van de slag. 's Middags kwam kolonel Felix Díaz het hoofdkwartier binnen voor nadere orders, met een geruststellend glimlachje voor Ginny.

'Tegen de avond zijn we er,' fluisterde hij haar toe vóór hij in het bureau van de generaal verdween. Zijn vastberaden woorden en zijn vriendelijke glimlach deden haar een zucht van verlichting slaken.

Even later riep de generaal zelf haar in zijn kantoor en met een flauwe glimlach op zijn gezicht, dicteerde hij een brief naar El Presidente Juarez met het bericht, dat er nu onderhandeld werd over de voorwaarden tot overgave van Puebla met generaal Noriega en dat ze de stad in naam van El Presidente vandaag nog zouden innemen - de 4e april 1867.

Toen de brief eenmaal gezegeld en verpakt was en aan een jonge officier gegeven was om die te bezorgen, leunde generaal Díaz achterover in zijn stoel, stak een sigaar op en bestudeerde met de ongegeneerde nieuwgierigheid van de Latijnse man, de jonge vrouw die tegenover hem zat.

'Zo - dus u bent de vrouw van Esteban Alvarado. Ik moet bekennen, señora, dat ik iemand - wel, verschillend - verwacht had. En vooral sedert die schurk Felix mij verteld heeft, dat u de bruid was die door don Francisco Alvarado zelf voor Esteban was uitgekozen!' Hij lachte voluit toen Ginny onbedwingbaar begon te blozen. 'Maar ik had kunnen raden, dat u een schoonheid zou zijn, toen kapitein Alvarado zo dolgraag naar Vera Cruz en terug wilde rijden - een ruzie tussen geliefden, is het niet? En nu kunt u beiden het niet verdragen om weer van elkaar gescheiden te zijn, veronderstel ik. Enfin, nu ik u gezien heb, kan ik het begrijpen.'

Zijn bruine ogen verrieden een onverholen bewondering en Ginny wist niet zeker hoe ze moest reageren.

'U bent al te vriendelijk, generaal,' zei ze bedeesd en zijn tanden bliksemden wit onder zijn neerhangende snor.

'U moet me les geven in de manieren en de gracieuze dingen van het gezelschapsleven, señora. Ik heb de grootste tijd van mijn leven als soldaat doorgebracht, ziet u, maar ik ben van plan om meer te zijn - misschien later, hè? Esteban heeft me verteld dat u opgevoed bent in Frankrijk en in Europa hebt rondgereisd . . . later, wanneer we meer tijd hebben, moet u me eens over Europa vertellen; natuurlijk met toestemming van uw echtgenoot,' voegde hij eraan toe met een plagerige fonkeling in zijn ogen.

Heel veel later die avond, toen ze aan een koud souper zaten in een kleine bovenkamer van een van de beste posadas in Puebla, vertelde Ginny alles aan Steve over haar prettige middag bij de generaal. Door de gedeeltelijk openstaande vensters drongen feestgeluiden en geschreeuw tot hen door. De soldaten van Díaz vierden hun overwinning op de manier, gebruikelijk bij triomferende legers.

'Weet je wel zeker, dat je niet liever bij hen daar beneden bent?' vroeg Ginny plagend terwijl ze aan een volgend glas van de uitstekende Franse champagne nipte, die Steve als zijn aandeel in de buit had veroverd. Zij stond bij de haard.

'Ik ben bang dat de generaal andere ideeën heeft, waar het zijn officieren betreft,' teemde hij en trok een wenkbrauw op. 'En behalve dat, querida, heeft verkrachting zijn aantrekkingskracht verloren in de laatste tijd.' Ze keek hoe hij zijn glas leegdronk en het op tafel zette. Ze stond in haar hemdje en keek hoe zijn ogen donker leken te worden, terwijl ze langzaam over haar lichaam dwaalden, dat zich aftekende tegen het haardvuur.

Hier in deze kleine kamer, afgescheiden van iedereen, voelde Ginny toch instinctmatig dat zij moest ophouden om voor hem te poseren en ze holde snel op haar blote voeten de kamer door om zich tegen haar echtgenoot aan te werpen en hem stevig vast te houden, haar armen om zijn hals geslagen.

'Steve ...' maar ze kon haar wazige angst niet onder woorden brengen; hoe kon ze ook, wanneer ze niet wist waarvoor ze bang was of waarom? Ze had een vreemd voorgevoel alsof een klapperende vleugel langs haar wang streek ... Ze voelde alleen maar, met een soort diepgewortelde, primitieve vrouwelijkheid, dat ze dicht bij hem wilde zijn, dat zijn armen haar altijd zó zouden vasthouden.

'Baby, wat is er? Je zit toch nergens over in?' Zo meteen zou hij haar misschien vertellen, dat ze tenslotte toch niet met het leger mee mocht naar Mexico en dat zou ze niet kunnen verdragen!

'Niets ... het is niets,' fluisterde zij tegen zijn lippen. Dan dwong ze zich om haar schuin staande ogen plagend naar hem op te slaan om zijn onderzoekende blik te ontmoeten. 'Misschien wilde ik me zelf alleen maar geruststellen, dat je míj nog steeds wilt verkrachten!'

Hij droeg haar naar het bed en het vuur brandde vanzelf uit tot een hoopje gloeiende as vóór ze in slaap vielen.

Toen de morgen aanbrak waren de nauwelijks bewuste angsten van Ginny verdwenen voor de werkelijkheid van de dag, die voor hen lag. Steve moest vroeg weg, na een haastig ontbijt, om de soldaten van zijn eigen compagnie bijeen te harken, die nog steeds feestvierden; maar Ginny had de tijd om op haar gemak toilet te maken voor ze naar beneden ging om zich bij de generaal en de rest van zijn staf te voegen.

Ze ontdekte dat ze diezelfde dag nog naar Mexico City zouden oprukken; het was onvermijdelijk dat de stad zou vallen, evenals Puebla, en dan ...

Zij hadden nog niet veel over de toekomst gepraat, zij en Steve, maar die zou toch komen. Wat hij ook wilde gaan doen, wat hij ook mocht besluiten te doen. Ginny herinnerde zich een vluchtige opmerking van hem over een ranch in de buurt van Monterey en ze hoopte dat hij haar daarheen zou voeren. 'Ik ben een getrouwde vrouw,' bedacht ze plotseling, 'maar ik voel me veel meer zijn maîtresse.' En dat wilde ze zo houden. Deze gedachten hielden Ginny bezig, terwijl haar vingers handig de kostbare papieren van de generaal sorteerden. Teniente, de vorige klerk, had alles met een zucht van verlichting aan señora Alvarado overgedragen. Naarmate de ochtend voortschreed merkte Ginny, dat het hoofdkwartier van generaal Díaz een en al activiteit was, vooral na een slag. Een uitgeslapen leider; hij gunde zijn mannen hun uren van feestvreugde na een overwinning – en dan nog een paar uur om weer op verhaal te komen. Intussen ijsbeerden de gevangenen van enige betekenis in hun cellen, ze luisterden naar het feestgedruis buiten en vroegen zich af wat hun lot zou zijn. Tegen de tijd dat ze bij de generaal voorgeleid werden of bij een van zijn adjudanten, verkeerden ze gewoonlijk in ootmoedige en soms heel angstige stemming.

Het moeilijkste dat Ginny die eerste dag te doen kreeg, waren de vertalingen, die van haar gevraagd werden. Onder de verdedigers van Puebla waren enkele Fransen geweest, mannen die met Mexicaanse dames getrouwd waren en verkozen hadden om in Mexico te blijven en voor de keizer te vechten. Wanneer zij met haar vloeiend Frans geconfronteerd werden, beschouwden ze haar natuurlijk als een verraadster en ze had alle mogelijke moeite om een koel gezicht te blijven tonen tijdens de ondervragingen, die door kolonel Felix Díaz zelf geleid werden.

Zij bleef, met de staf van de generaal, in Puebla, terwijl zijn leger laat in de middag de weg naar San Lorenzo insloeg - vastbesloten om generaal Marquez uit zijn schuilhoek te jagen. En Steve ging mee.

2

Voor Ginny leek het of de tijd nog nooit zo langzaam gegaan was. Het was nu midden mei en generaal Díaz had zijn hoofdkwartier gevestigd in de kleine stad, die ontstaan was rond het heiligdom van de Maagd van Guadalupe; de torenspitsen van de massieve kathedraal leken klein tegen de achtergrond van de heuvel van Tepeyac. Tussen het stadje Guadalupe en de prachtige stad Mexico zelf, sloegen de rusteloze soldaten van Díaz hun kamp op en wachtten.

Don Porfirio benaderde alles wat hij deed met behoedzaamheid. Hij hield zijn soldaten bezig met de jacht op verspreide imperialisten in de kleine dorpjes en stadjes en hij wachtte, terwijl de vooraanstaande burgers van Mexico City ruzie maakten met generaal Marquez en de overige generaals van de danig ingekrompen keizerlijke legers, die de weg terug gevonden hadden naar de betrekkelijke veiligheid van Mexico City zelf.

De generaal genoot van de aanwezigheid van een knappe vrouw in zijn overigens sobere hoofdkwartier en hij was trots op Ginny's aanpassingsvermogen en haar kennis van vreemde talen. Een gelukkige man die zo'n bewonderenswaardige vrouw gevonden had, die nog mooi was bovendien! Don Porfirio had dat meer dan eens aan Steve gezegd.

'Ik heb zo'n idee, mijn schat, dat de generaal wilde dat hij jou het eerst ondekt had,' was het laconieke commentaar van Steve op een avond. 'Ik heb hem nog nooit zo complimenteus horen doen tegen welke andere vrouw dan ook. En nu heeft hij me nog bevorderd tot majoor en ordonnansofficier gemaakt, waardoor ik je dikwijls alleen zal moeten laten. Ik vraag het me wel eens af!'

'Steve! Dat meen je tòch niet ernstig?'

Ze richtte zich op een elleboog op om onderzoekend in zijn gezicht te turen en was opgelucht toen ze zag dat hij glimlachte.

'Ik ben ernstig over die promotie en die benoeming tot ordonnansofficier – maar ik moet toegeven dat het gedeeltelijk mijn eigen wil was. Ik word zo verdomd rusteloos wanneer ik met een leger moet zitten wachten, me af te vragen wat ik nu eens zal gaan doen, vooral omdat jij, mijn engel, overdag het altijd zo druk hebt.'

'Maar zal dat betekenen dat je dagen en dagen weg zult zijn?' klaagde zij. 'Ik – dan ga ik dood van verveling.'

'Je kunt de harten en hoofden op hol brengen van alle jonge officieren – en van don Porfirio zelf, om nog niet te spreken van de Amerikaanse legioensoldaten, die juist ingekwartierd zijn in Texcoco.'

'Je hebt gezegd dat je me zou slaan, als je me naar een andere man zag kijken!'

'En dat zal ik ook, wanneer ik je betrap. Je kunt dus maar beter discreet blijven.'

Ze bleef in zijn ogen kijken. Wat was ze mooi! dacht Steve. Haar groene ogen met die zigeunerachtige stand, haar perzik-gouden lichaam, rozig in het haardvuur; het magnifieke kopergouden haar, dat als een gordijn aan weerszijden van haar gezicht hing, toen ze hem zo ernstig aanstaarde. De gedachte dat zij subtiel, zonder dat hij het wist, onder zijn huid gekropen was en nu een macht kon uitoefenen waarvoor hij zelf soms bang was!

Te bedenken dat juist deze vrouw onder alle vrouwen die hij gekend had, de macht bezat om hem een primitieve, wilde jaloezie te bezorgen en dat voor de eerste keer in zijn leven – die hem kon laten bekennen, zelfs tegenover zich zelf, dat hij zonder haar niet kon leven! Het was waar; sedert hun eerste ontmoeting had ze onbewust bezit van hem genomen, tot het eindelijk als een donderslag tot hem doordrong dat hij inderdaad van haar hield.

In het verleden was hij met een ingeboren egoïsme met vrouwen omgegaan en nu ontdekte hij dat hij moeite deed om deze te begrijpen; om haar stemmingen aan te voelen. Wat? Heel zacht trok hij haar lichaam naar zich toe en begon haar te strelen, zonder woorden; hij voelde het lichte trillen van haar vlees onder zijn vingers tot ze plotseling haar hoofd liet zakken en met een zachte zucht van overgave tegen zijn schouder leunde.

Sedert hij ooit toegegeven had dat hij van haar hield, was een van de slagbomen tussen hen weggevallen. Wat ze nu nodig hadden was tijd. Tijd om zich aan elkaar aan te passen, om elkaar beter te leren begrijpen; tijd om alle andere barrières neer te halen. Met die nieuwe tederheid die hij haar begon te tonen, streek Steve haar haren van haar voorhoofd weg en draaide zijn hoofd om om zachte kussen te drukken op haar hals en haar wang. Ze wist plotseling, in een vlaag van intuïtie, dat hij haar onbehagen had aangevoeld maar haar niet wilde pressen. Hij was begonnen haar afzondering als individu te respecteren.

'Ik houd van je, Steve. Alleen van jou.'

'Dat weet ik, liefste. En ik houd van jou.'

Andere woorden waren niet nodig. Op ogenblikken zoals deze, ofschoon ze woorden gebruikten die de banale woorden van geliefden waren, verspreid over de gehele wereld, kon zij nog ternauwernood geloven, dat ze er werkelijk in geslaagd was te maken, dat deze man van haar hield. Het had altijd geleken alsof hij zich heel gemakkelijk van haar kon losmaken, om haar aan te kijken met die spottende, bijtende halve glimlach op zijn gezicht, alsof ze hem slechts matig interesseerde en hij zich enkel met haar amuseerde. Hoe dikwijls had hij haar in het verleden verteld, welke prijs hij stelde op zijn vrijheid en zijn onafhankelijkheid van alle banden?

Maar in de armen van haar echtgenoot, wiens stem zachte lieve woordjes in haar oor fluisterde, liet Ginny haar onbestemde angst varen, terwijl zij zich geheel en volslagen overgaf aan de hartstocht die zelfs zijn geringste aanraking bij haar kon opwekken. Onverschillig hoe dikwijls en hoe ver hij ook moest reizen, Steve zou altijd bij haar terugkomen en Ginny zou altijd op hem wachten. Het lot had hen samengebracht en de liefde zou hen samen blijven binden.

Steve vertrok vroeg in de ochtend en toen de stoffige koerier uit Queretaro aankwam, zat Ginny al verschanst achter de eenvoudige houten tafel, die als bureau voor haar dienst deed in de kamer die toegang gaf tot het bureau van generaal Díaz. Queretaro was gevallen en de keizer had zijn sabel overgegeven aan generaal Escobedo. Ze waren verraden, zo werd er gefluisterd, door niemand minder dan kolonel Miguel Lopez, een van de meest vertrouwde 'vrienden' van de ex-keizer – Miguel, die er altijd prat op gegaan was dat hij een opportunist was; de man met een voet in beide kampen. Miguel, die op zijn eigen manier haar vriend was geweest en middelaar om haar weer met Steve te verenigen. Was het mogelijk dat hij altijd al een dubbelspion was geweest, die in het geheim voor de revolutie werkte?

Ginny zat in gedachten verloren, terneergeslagen ondanks het feit dat ze wist, dat dit nieuws een sneller einde van de oorlog betekende.

Plotseling bracht een onmiskenbare Amerikaanse stem haar met een ruk tot de werkelijkheid terug.

'Neemt u mij niet kwalijk, madame, maar een van de soldaten daarbuiten zei, dat u Frans kon spreken.'

De gebaarde man die voor haar stond, was lang en droeg een vertrouwd blauw uniform met de distinctieven van een kapitein op zijn schouders en ook op de pet, die hij afgezet had en in zijn hand hield.

Zonder iets te zien had Ginny naar haar papieren zitten staren die haar bureau overdekten, maar nu, terwijl ze opkeek, sperden haar groene ogen zich open en ze voelde het bloed uit haar gezicht wegtrekken. Nog voor ze een woord had kunnen uitbrengen liet de kapitein met de blonde baard een uitroep van verbazing horen.

'Ginny! Ginny Brandon!'

Ze voelde de kamer rondom haar draaien en alleen door een monumentale wilsuiting was het mogelijk om zich zelf onder bedwang te krijgen en een ogenschijnlijk onverstoorde houding aan te nemen.

'Het is Carl Hoskins, is het niet? Ik – ik kan nauwelijks ontkennen wat een verrassing het is jou hier te zien. De laatste keer dat ik je zag . . .'

Hij steunde met beide handen op haar bureau, boog zich voorover en zijn ogen verslonden elke centimeter van haar gezicht en figuur alsof hij niet kon geloven dat zij het werkelijk was.

'Ik verliet mijn betrekking bij jouw vader, toen we in Californië aankwamen. Ik heb een tijdje dienst gedaan als US Marshal, toen we hoorden . . . dat wil zeggen . . .' Hij struikelde over zijn woorden, hij bloosde van verlegenheid en ze merkte onbewogen op, dat zijn baard niets afdeed aan zijn Nordische knappe uiterlijk. Was het pas twee jaar geleden dat zij zich bijzonder tot Carl Hoskins voelde aangetrokken? Zijn plotselinge aanwezigheid hier was onverklaarbaar . . . Over toeval gesproken!

Tegen deze tijd was de kleur weer teruggestroomd in haar wangen, ofschoon ze nog steeds té verbaasd was om zich daarvan bewust te zijn.

'Maar wat doe je in 's hemelsnaam hier? En in uniform?'

'Grote goden!' Carl vergat zijn manieren en bleef haar aanstaren, zich niet bewust van de blikken die de Mexicaanse officieren in de kamer, die zich zelf allemaal benoemd hadden als de onofficiële beschermers van 'la teniente'. 'Ginny Brandon – ik kan niet geloven . . .'

'U kunt beter ophouden met me zo aan te staren, kapitein,' merkte zij scherp op, waarbij iets van haar vroegere ongeduld in haar optreden merkbaar werd. 'En u hebt me nog steeds niet uitgelegd wat u hier doet en in dat uniform! Bent u voor zaken gekomen?'

Hij richtte zich op, probeerde zich kennelijk weer onder bedwang te krijgen, maar het leek alsof hij zijn ogen niet kon afhouden van haar gezicht.

'Ik – ik maak deel uit van het Amerikaanse Erelegioen onder het commando van kolonel Green om president Juarez te helpen. We zijn zo juist verplaatst naar Texcoco. Maar om jou hier te vinden, op deze plaats – wel, je vader dacht toen hij hoorde dat je uit Mexico City verdwenen was, dat je gevangen genomen was of teruggegaan was naar Frankrijk . . . Lieve hemel, Ginny,' barstte hij plotseling uit, 'heb je er geen idee van hoeveel zorgen iedereen zich maakte? Nadat mevrouw Brandon teruggekomen was, helemaal hysterisch van zorgen en verdriet, vertelde zij aan je vader dat je ontvoerd was, hij liet me beëdigen als marshal en toen heb ik me bij de Texas Rangers gevoegd, die zich vrijwillig beschikbaar hadden gesteld om te proberen jou te vinden. We hadden je een paar keer bijna ingehaald, maar . . .'

Plotseling was Ginny blij dat Steve weg was; dat hij hier in Mexico bekend stond als Esteban Alvarado. Haar groene ogen vernauwden zich toen ze haar hoofd achterover hield om Carl te bekijken.

'Waarom zouden we over het verleden praten, wanneer dat alles al zo lang geleden is? Zoals je kunt zien, ben ik hier volkomen veilig. En het werk dat ik doe, vind ik leuk; ik heb eindelijk het gevoel dat ik me nuttig maak.'

Carl fronste zijn wenkbrauwen. Ginny Brandon! Ginny met de lachende groene ogen, de plagende, verleidelijke mond, die zowel een dame was als een brutale coquette. Hij was halfgek geweest van een jaloerse frustratie toen ze de wagentrein in El Paso met die Fransman verlaten had; en later, toen hij hoorde dat ze met geweld ontvoerd was door de man die hij altijd gehaat en gewantrouwd had, hadden zijn jaloezie en woede geen grenzen gekend. Hij

was vast besloten om Steve Morgan te vinden en hem te doden - om hem na te jagen als de misdadiger, die hij was, en de liefelijke dochter van de senator te bevrijden.
'Ik kan me nog niet voorstellen dat jij het bent,' mompelde hij nu. 'Jij moet de vrouwelijke luitenant zijn waar een van mijn soldaten over sprak. Hij zei dat de laatste toevoeging aan de staf van generaal Díaz een goudharige vrouw was, die er uitzag als een Europese, maar in werkelijkheid een Spaanse was, een creoolse - hoe kon iemand jou voor een Mexicaanse houden?'
'Bent u dan alleen maar uit nieuwsgierigheid hier gekomen? In dat geval, kapitein Hoskins, laat mij die dan bevredigen, zodat u dat ook aan uw mannen duidelijk kunt maken wat mijn positie hier is. Ik ben toegevoegd aan de staf van de generaal, maar niet in een militaire verbintenis. En dan moogt u even goed weten ...' haar groene ogen sloten zich even en keken toen weer recht in de zijne. 'Ik ben getrouwd met majoor Esteban Alvarado, die een van de stafofficieren van de generaal is.'
Carl wierp haar een blik vol verbluft ongeloof gemengd met kwaadheid toe.
'Dat meen je toch niet ernstig? Je vader heeft, toen ik hem een paar maanden terug gesproken heb, helemaal niet gezegd...'
'Hij heeft niets over mijn huwelijk gezegd omdat hij daarvan nog niets afwist! Er was hier oorlog - pas kort geleden heb ik tijd gehad om zelf een brief te schrijven. Maar bent u bij dat Erelegioen gegaan teneinde míj te kunnen vinden of uit een soort vaderlandslievend plichtsgevoel?'
Hij had het fatsoen om te blozen.
'Ik had me al voor het leger aangemeld, toen ik deze kans aangeboden kreeg,' zei hij stijf. 'Maar ik moet toegeven dat je vader uiting gaf aan zijn angsten en zijn bezorgdheid om jouw veiligheid, toen ik hem sprak vóór ik Californië verliet. Kun je hem dat kwalijk nemen? Hij had maandenlang niets van je gehoord. En nu deel je me mee dat je getrouwd bent en dat je vader van niets weet. In 's hemelsnaam, Ginny, wat is er in je gevaren?'
Er klonk boosheid door in haar stem, terwijl ze hem bleef aanstaren en haar ogen harder werden.
'Ik vrees, dat het jou nauwelijks iets aangaat, is het wel? Ik ben getrouwd - en Mexicaanse door adoptie.' Ze zag een vreemde onplooibare, stijfkoppige trek over het gezicht van Carl komen, alsof hij weigerde haar te geloven en haar kwaadheid nam toe, ofschoon ze moeite deed om haar stem in bedwang te houden. 'Echt, Carl, je schijnt te vergeten dat ik niet meer het groene schaap ben dat je twee jaar geleden gekend hebt! Ik ben hier uit vrije wil en ik ben gelukkig.'
'Nu, dan ben ik je een excuus schuldig en mijn gelukwensen. Het spijt me, Ginny. Het was alleen maar het feit dat ik je hier zag, dat me een soort schok bezorgde.'
Ze schonk hem een zwakke glimlach, eindelijk.
'Dat jij hier plotseling voor mijn neus stond, was ook voor mij een grote verrassing! Maar wat doe je hier in werkelijkheid, Carl? Je bent toch zeker niet dat hele eind komen rijden om naar een vrouw te kijken, over wie je mannen kletsten?'

Hij bloosde onder zijn gebruinde huid.

'Ik had dat er niet moeten uitgooien, vrees ik. Ik ben hier voor zaken. Kolonel Green heeft me gestuurd met een bericht voor generaal Díaz. Zie je, niemand van ons spreekt vlot Frans en het schijnt dat we hier binnenkort een zeer hoge bezoeker krijgen – een Russische prins.'

'Een Russische Prins?' Deze keer werden haar wenkbrauwen van verbazing boogjes. 'Maar waarom zou in 's hemelsnaam een Russische prins hierheen komen, juist hier en in een tijd als deze?'

'Prins Sahrkanov is de laatste maanden in Washington geweest om te onderhandelen over de verkoop van Alaska aan de Verenigde Staten. Al die tijd is het een geheim gebleven, maar ik meen dat minister Seward het nieuws al aan de pers heeft doorgegeven, zodat ik niets vertel wat ik niet zou mogen.'

'Alaska! Ik heb altijd gedacht, dat daar niets dan sneeuw en ijs was.'

'Dat denken heel wat mensen, maar Seward schijnt het gevoel te hebben, gezien de nabijheid tot de Verenigde Staten, dat we maar beter dat territorium in eigen handen kunnen hebben, in plaats van in die van een vreemde mogendheid.'

'Maar waarom komt die prins dan hier?'

'O...' Carl Hoskins haalde achteloos zijn schouders op, ofschoon hij heimelijk blij was dat hij nu eindelijk de volle aandacht van Ginny kreeg. 'Die man houdt van oorlogen, geloof ik. Hij is dus met de volle instemming van president Juarez hier als waarnemer. Ik heb zelfs het gevoel dat kolonel Green bang is, dat de prins vrijwillig aan gevechten wil deelnemen – hij heeft als schutter nogal een reputatie, geloof ik.'

'Ik weet wel zeker, dat vechten in een echte oorlog een groot verschil is met duelleren,' antwoordde Ginny verstoord. Daarna, aan haar plichten denkend, zei ze nadenkend: 'Ik denk, dat ik de generaal maar moeten laten weten dat jij hier bent! Ik ben bang dat hij het vanmorgen erg druk heeft – heb je gehoord, dat Queretaro eindelijk gevallen is? Maar met het oog op wat je me juist verteld hebt..' Ze verdween in het bureau van de generaal. De jonge Mexicaanse officier, met wie ze even gesproken had, kwam naar Carl toe en bood hem glimlachend een stoel aan. 'Dus u bent een oude vriend van señora Alvarado? Ik vermoed, dat het een verrassing voor u was haar hier te vinden? Generaal Díaz zweert dat hij niet weet hoe hij het zonder haar zou moeten stellen. Het is gelukkig dat ze zoveel talen kent.'

'Haar echtgenoot moet zich wel een buitengewoon gelukkig man vinden,' waagde Carl en de glimlach van de Mexicaan verbreedde zich.

'Aha, Esteban Alvarado is een van de meest benijde officieren onder het commando van de generaal! Vooral doordat hij een vrouw heeft, die niet bang is hem in de oorlog te volgen. Jammer, dat hij er nu niet is.'

Kapitein Hoskins leek veel meer met zich zelf ingenomen, toen hij een half uur later het bureau van generaal Díaz verliet. Omdat Ginny de officiële vertaalster was van generaal Díaz, schreef de beleefdheid al voor, dat hij haar diensten niet kon weigeren aan kolonel Green, die een bondgenoot was. En het feit dat El Presidente zelf toestemming had gegeven voor het bezoek van de Rus, was een voldoende aanwijzing voor het gewicht van de man. Wat generaal Díaz zelf mocht denken over het eigenmachtig ingrijpen van de president om toe te stemmen in de aanwezigheid van een vreemdeling hier, zonder eerst de commanderende generaal te raadplegen, hield Díaz maar voor zich, ofschoon Ginny wel het geërgerde samentrekken van zijn lippen had opgemerkt.

Ze was blij dat Steve weg was en ook onredelijk geërgerd en in de war. Carl Hoskins, notabene! Waarom moest die hier komen opdagen? Alle gevoelens van onbehagen, waarvan ze dacht dat die allang waren weggevaagd, kwamen weer terug om haar te plagen en nu had ze niet eens de troost van de aanwezigheid van Steve en diens armen 's nachts om haar heen. Ze was bang bij de gedachte hoe nieuw en hoe fragiel hun huwelijk nog steeds was. Ze hielden van elkaar, ja, maar ze waren nog niet lang genoeg dicht bijeen geweest om elkaar volledig te vertrouwen. Liefde maakte je kwetsbaar...

3

Liefde! Nog vóór de week om was, werd Ginny al ziek bij het horen van dit woord. Sedert ze met Carl meegegaan was voor een diner met kolonel Green en zijn officieren, was ze geplaagd geworden door liefdesverklaringen. De helft van de mannen van het regiment waren verliefd op haar, althans zo leek het uit de bloemen en briefjes, die constant bezorgd werden of naar de kleine posada gestuurd werden, waar ze logeerde.

Ze beklaagde zich bij kolonel Díaz, die plagend lachte en heel onsympathiek was.

'Aha, maar ik heb begrepen dat u heel goed in staat bent om voor u zelf te zorgen, wanneer een van uw bewonderaars zich mocht vergeten, is dat niet zo, chica? En laten we in de tussentijd niet ongastvrij zijn tegenover onze Amerikaanse bondgenoten. Zonder twijfel doet u hen denken aan de meisjes, die ze thuis hebben achtergelaten.'

'En wat denkt u dat mijn echtgenoot wel zal zeggen wanneer hij terugkomt en – en dit hele gedoe aantreft? Ik kan u net zo goed vertellen dat hij altijd al verdenkingen tegenover kapitein Hoskins gekoesterd heeft en nu, wanneer hij terugkomt en Carl voortdurend over de vloer vindt...'

'Dan zal Esteban opnieuw ontdekken wat een aantrekkelijke vrouw, hij het geluk heeft gehad te trouwen!' Kolonel Díaz knipoogde tegen Ginny. 'Voor welk van hen zit je het meest over in, kleintje?'

'Hoe kunt u zoiets vragen!' Ze wierp hem een boze, verwijtende blik toe, maar hij lachte slechts en klopte haar op de schouder.

'Kom, kom, u kunt de humor van dit alles toch wel zien? Die arme Americano's hebben een mooie vrouw nodig om mee te flirten en te bewonderen. En wanneer die Rus hier komt, zullen we hem met trots laten zien, dat we ook in Mexico mooie en geraffineerde vrouwen hebben, zoals u.'

'Ik begin bang te worden voor zijn komst, geloof me gerust,' antwoordde Ginny grimmig.

De kleine kamer, die ze met Steve gedeeld had, kwam Ginny ondraaglijk eenzaam voor, vooral sedert sommige Amerikanen de gewoonte gekregen hadden om de kleine cantina daar beneden te bezoeken, meestal in de hoop een glimp van haar op te vangen. En ze was zo doodmoe van het pareren van de vragen van Carl; zijn voortdurend ongeloof in haar verzekeringen dat ze inderdaad heel gelukkig getrouwd was uit eigen vrije wil.

'In godsnaam, Ginny, heb je overdacht wat je later wilt gaan doen? Hoe en op welke manier je wilt leven? Je vader zal nauwelijks gelukkig zijn te weten . . .'

'Dat ik met een Mexicaan getrouwd bent? Nu, dat ben ik, en er is niets, dat hij, noch iemand anders, eraan kan doen. In 's hemelsnaam, Carl, wanneer je doorgaat met mijn persoonlijke zaken te bespreken dan zag ik liever dat er aan alle discussie tussen ons een eind komt!'

Toen hij besefte dat ze werkelijk kwaad op hem was, maakte hij zijn verontschuldigingen en bezwoer haar, dat hij alleen haar belangen op het oog had.

'Ik houd nog steeds van je, Ginny! Ik kan het niet helpen. Je hebt me van het begin af betoverd en er is een tijd geweest, dat weet ik zeker, dat je ook van mij begon te houden!'

Bij zich zelf moest ze toegeven, dat ze inderdaad Carl aan het lijntje gehouden had, en het waren dan ook haar eigen schuldgevoelens, die maakten dat ze hem nog steeds bleef ontmoeten. Ze moest ook toegeven, dat het prettig en geruststellend was om af en toe een begeleider te hebben. En wanneer ze aardig deed tegen Carl, zou hij misschien aan haar vader vertellen dat ze hier tevreden was - misschien zou hij dan de vogelvrijverklaarde Steve Morgan vergeten, die hij gehaat had en nog steeds bitter bleef haten. Ze moest zich ervan verzekeren, dat Carl nooit zou ontdekken dat Steve en haar echtgenoot een en dezelfde persoon waren, ofschoon er ogenblikken waren dat ze zich zenuwachtig afvroeg of Steve al die bezorgdheid voor hem wel op prijs zou stellen.

Ginny had de gewoonte aangenomen om haar kamer te ontvluchten om naar de wagens en de keukenvuren te gaan. Hier, weer gekleed in haar oudste en gemakkelijkste kleren, haar haren verborgen door een rebozo, zat ze bij de andere vrouwen en praatte over de oorlog, over mannen, en zelfs bij sommige gelegenheden over kinderen. De vrouwen plaagden haar over de tijd, dat zij ook een kind zou hebben. Ze was tenslotte getrouwd - het was hoog tijd!

'Je moet een bezoek brengen aan de kerk van de Maagd van Guadalupe,' zei een van de vrouwen ernstig tot Ginny. 'Kijk eens naar Consuelo hier - zie je hoe zwaar ze is? Manuel begon zich al af te vragen of ze misschien onvruchtbaar was, en ze hield dus een novena en nu kunnen we allemaal het resultaat zien!'

'Maar ik wil nu nog geen kind - Esteban is zo'n rusteloze man, hij wil reizen en ik wil met hem mee.'

'Aha, maar je zult je toch wel ergens willen vestigen, wanneer de oorlog voorbij is? Er gaat niets boven de verantwoordelijkheid voor een kind om een man zich te doen vestigen - vraag het mij maar!'

Carmencita had al acht kinderen en was pas getrouwd met haar vierde echtgenoot, zodat haar opmerking een luid gelach veroorzaakte dat ze hoofdschuddend langs zich heen liet gaan.

De volgende avond ging Ginny toch met een paar vrouwen naar de enorme kathedraal van de Zwarte Maagd, die aan de voet van de Tepeyac stond, waar een arme boerin de Maagd op de top van de berg had gezien.

Er was een fiesta wegens de naamdag van Dolores Bautista, die een van de vriendinnen van Ginny was onder al die vrouwen, die de wettige vrouw was van niemand minder dan de schurkachtig uitziende ex-guerrilla Manolo, nu sergeant in het leger.

'Nadat we naar de kerk geweest zijn doet u toch mee aan onze fiesta, is het niet, doña Genia?'

Ginny schudde wanhopig haar hoofd, omdat Dolores nog altijd vasthield aan de gewoonte om dat 'doña' voor haar naam te plaatsen.

'Alleen, wanneer je in 's hemelsnaam vergeet dat ik iemand anders ben dan de soldadera die ik was vóór don Porfirio er zo - zo star over ging doen!' zei Ginny uitdagend. Maar de volgende minuut glimlachte ze en omhelsde de gebruinde Dolores en liet in de hand van het meisje een cadeautje glijden dat ze voor haar gevonden had - een dun gouden halskettinkje met een klein, met pareltjes afgezet, medaillon van Onze Lieve Vrouw van Guadalupe zelf. Ze had het in Vera Cruz gekocht met de bedoeling het aan Sonya, haar stiefmoeder, te geven wanneer ze terug zou gaan naar Californië; maar gelukkig was Steve gekomen om haar met zich mee te nemen.

'Voor vanavond ga ik me nergens zorgen over maken - ik wil een prettige avond hebben,' fluisterde Ginny bij zich zelf toen ze met een paar van de andere vrouwen op weg ging - een giechelende menigte op blote voeten, waarin ze zich kon verliezen.

Ze kon een glimlach niet onderdrukken bij de gedachte wat Carl zou zeggen, wanneer hij haar nu zag! Arme Carl, af en toe kon hij zo verschrikkelijk bazig doen!

Ze liepen tegen de heuvel op naar de kathedraal en riepen opgewekt antwoorden naar de brutale grapjes van de soldaten, die passeerden. Een groepje Amerikanen bleef staan om te vragen of de señoritas geen begeleiding nodig hadden en Ginny, die voelde dat ze tussen de rest niet te herkennen was, voegde zich bij het koor van kreten: 'Maak dat je weg komt, gringo's, wij kunnen even goed vechten als jullie!'

De kerk was vol. Er was een late avondmis aan de gang en de vrouwen zwegen toen ze de kerk binnenglipten en trokken hun rebozo's dichter om hun hoofd. Halverwege de mis voelde Ginny een vreemde sensatie - ze kreeg het gevoel dat ze aangestaard werd. Ze boog haar hoofd en tuurde met haar ogen tussen haar vingers door, die ze voor haar gezicht geslagen had, zelfs al zei ze bij zich zelf, dat ze kinderachtig en dwaas was. Ongetwijfeld had een man de vrouwen herkend, die als soldadera's in een groep zaten en hij staarde hen nu brutaal aan. Waarom kreeg ze plotseling het gevoel alsof er een koude wind door de kerk joeg, die haar deed huiveren?

Het was onmogelijk om hier gezichten te onderscheiden of enkelingen te herkennen, want het was erg donker in de kerk, met uitzondering van het verlichte altaar. Maar het gevoel dat ze gadegeslagen werd maakte haar zo van streek, dat ze begon te verlangen naar het einde van de mis. Het volgende ogenblik boog Manuela, die naast Ginny was neergeknield, haar hoofd dichterbij om te fluisteren.

'Ik geloof, dat een van ons een bewonderaar heeft! Kijk - die twee hidalgo's die daar bij die rechtse pilaar staan - ik zweer dat één van die twee zijn ogen de hele avond niet van ons heeft afgehouden!'

Manuela, die weelderig overvloedig zwart haar had, waarop ze ongehoord trots was, droeg slechts een witte kanten mantilla, in plaats van de warme rebozo, die Ginny en de anderen droegen. Ietwat trots schudde ze haar hoofd.

'We moeten ze kwijt raken vóór we terug in het kamp zijn, of je man zal beginnen te vechten!' waarschuwde Carmencita het meisje, dat alleen maar glimlachte.

'Laat dat maar aan haar over om mannen op te merken, zelfs in de kerk!' snoof Carmencita. Ginny zei niets ofschoon ze inderdaad de twee mannen had opgemerkt, die Manuela had aangewezen en die staarden inderdaad. Maar het was althans niemand, die ze kende. Met opzet weigerde Ginny om in hun richting te kijken, ze hield haar ogen neergeslagen en bedekte haar gezicht met haar handen.

Met een gevoel van opluchting verliet ze met de anderen de kerk. Buiten bleven ze staan om een kruis te maken met wijwater en toen besloot Dolores plotseling, dat ze nog een kaars moest opsteken en spoedde zich de kerk weer in en liet hen buiten wachten.

'Kijk - ze komen naar buiten - ze kijken weer deze kant op.'

De onverbeterlijke Manuela raakte Ginny's arm met haar elleboog en ja, de twee goedgeklede mannen, waarvan de donkere kleding opviel in de menigte, die hoofdzakelijk uit boeren en soldado's bestond, waren de kerk uitgekomen en stonden nu de vrouwen gade te slaan, hun gezichten waren onherkenbaar in de schaduw van hun brede hoedranden.

'Oef!' gromde Carmencita. 'Waarschijnlijk zijn het Norteamericano's of een paar haciendado's, die uit de stad hierheen geglipt zijn om eens rond te kijken. Ik ben half en half van plan om een van onze jongens hen eens goed te laten bekijken en hen te ondervragen!'

'Och, laat hen met rust, ze doen geen kwaad, ze kijken alleen maar!'

Manuela trok de mantilla van haar hoofd en drapeerde die achteloos rond haar schouders met een aanstellerige huivering.

'Zo meteen houden ze ons nog voor een troep puta's,' gromde Maria Torres. 'Kom mee, laten we op weg gaan.'

Een van de mannen liet zijn vriend staan en kwam op hen toelopen, de vrouwen begonnen zenuwachtig te giechelen. Instinctmatig deed Ginny een paar passen achteruit tot achter het groepje vrouwen en hield haar hoofd omlaag.

'Neemt u me niet kwalijk, señorita's.'

Er volgde weer gegiechel van de vrouwen, maar Carmencita, ouder en driester dan de rest, zette haar handen op haar heupen en keek de heer aan.

'En waarom denkt u, dat we niet allemaal getrouwde vrouwen zijn, die de kerk bezoeken om een beetje vrede en rust te vinden hè?'

'Indien u dat bent, dan vraag ik u excuus – maar gelooft u mij, ik bedoelde niets oneerbiedigs, dames, door u te benaderen. Mijn vriend en ik . . .'

'Ah, ja, uw vriend! Waarom is hij zo verlegen? Stuurt hij u altijd uit om zijn vuile karweitjes op te knappen?'

'Gelooft u me, señorita's,' de man nam zwierig zijn hoed van zijn hoofd en boog diep met een soort ouderwetse beleefdheid, die zelfs Carmencita imponeerde, 'mijn vriend zou nu bij me zijn en zijn complimenten bij de mijne voegen, indien hij onze taal kende. Maar ongelukkig genoeg kent hij die niet. Hij is hier op bezoek en erg verlangend om kennis te maken met enkele van onze mooie Mexicaanse señorita's.'

'Inderdaad! Wat u probeert te zeggen op uw beleefde breedsprakige manier, is, dat u en uw vriend dachten dat wij een troep puta's waren, die hun vrije avond hadden, is het niet?' De stem van Carmencita klonk krijgslustig, maar Manuela met tuitende volle rode lippen, elleboogde haar opzij.

'Geef de señor een kans om het uit te leggen vóór jij je conclusies trekt, Carmen! Ik weet zeker, dat hij ons, echte soldadero's, niet voor gewone puta's zou houden!'

'Dames, laat me nog eens herhalen dat noch mijn vriend, noch ik, iets beledigends bedoeld hebben. We vroegen ons alleen af of een paar van u zou willen overwegen om met twee eenzame mannen iets te gaan drinken – of misschien eten, wanneer u dat prettiger zoudt vinden. We zijn alleen maar op zoek naar gezelschap natuurlijk en niets anders!'

'O ja, natuurlijk! Dat is alles wat zulke mooie heren ooit van ons zouden willen!' zei Carmencita grof en liet een rauwe lach horen.

'Nou ja, het is wel duidelijk dat de heren jou niet willen hebben,' zei Manuela scherp. Met zachtere stem voegde ze eraan toe: 'Echt, señor, uw vriendelijkheid vleit ons, maar ik weet niet – wie van ons u in gedachten had, toen u uw vriendelijke uitnodiging deed?'

'Señorita, met dergelijk magnifiek en ravezwart haar zoals het uwe, wie zou dat kunnen weerstaan? Maar mijn vriend – hij vond de verlegenheid van uw vriendin daarginds zeer boeiend.'

Met stokkende adem keek Ginny op en zag dat ze allemaal naar haar keken, de ogen van de vrouwen ondeugend, die van de man vreemd doordringend, alsof hij trachtte door de vermomming heen te kijken, die haar dicht omgeslagen rebozo haar bezorgde.

In het Mestizo-dialect zei ze koeltjes: 'Ik kan natuurlijk niet namens de anderen spreken, maar de belangstelling van uw vriend vind ik niet vleiend. Ik ben een getrouwde vrouw, señor, en alleen de attenties van mijn echtgenoot interesseren me!'

'Ja, ja, Genia en haar man zijn nog altijd twee tortelduiven, ze zijn altijd samen!'

En op dat ogenblik kwam tot Ginny's intense opluchting, Dolores de kerk uitrennen om zich bij hen te voegen, lichtelijk buiten adem. Ze keek nieuwsgierig naar de heer, die nu een beetje onzeker voor hen stond.

'Laten we naar het kamp teruggaan. Manuela kan blijven als ze dat wil. En ik wens u goedenavond, señor, en meer geluk ergens anders!'

Carmencita boog spottend haar hoofd en begon de heuvel af te lopen, terwijl Ginny, met een laatste koele blik op de heer, Dolores een arm gaf en haar volgde. Zelfs Manuela ging mee, lichtelijk pruilend.

'We hadden toch wel eventjes kunnen blijven,' mopperde ze. 'Ik zou wel hebben willen zien hoe die "vriend" eruit zag!'

'Geloof me nou maar, dat je in het kamp vanavond meer plezier zult hebben - ik mocht die twee niet, ook niet de manier waarop ze staarden terwijl de mis aan de gang was!'

Tenslotte hadden ze toch een heel feest - het eten gekruid met chili en weggespoeld met tequila, dat buitgemaakt was toen het leger Puebla innam. En tegen de tijd dat de gitaren en violen inzetten en het dansen begon, ging het eerdere humeur van Ginny over in vrolijkheid.

De dansen van Mexico leken haar in het bloed te zitten en wanneer ze danste kon ze alles vergeten en zich met een hartstochtelijke overgave uitleveren aan de wilde ritmische muziek. Vanavond had Ginny, zoals gewoonlijk, geen gebrek aan partners en niettegenstaande de koelte van de nacht, was ze weldra verplicht om haar rebozo af te doen, waarbij ze haar haren los over haar schouders liet hangen, zoals de andere vrouwen. Helemaal weg in de dans, had ze geen idee wat een uitdagend beeld ze opleverde, haar haren als een rood-gouden vlam, haar rok dwarrelde rond haar benen, waarvan de kuiten en enkels te zien waren.

Een paar Amerikaanse soldaten, die juist van patrouille terugkwamen, bleven staan en keken verlangend, ofschoon hun ogen zich met een schok opensperden toen ze de vrouw met het koperen haar zagen, die afstak tegen de anderen, zowel door haar haren als door de manier waarop ze zich in de dans gooide.

Er waren ook nog anderen die haar herkenden - Carl Hoskins, die kolonel Green begeleidde, was ternauwernood in staat zijn woede en afschuw in te tomen; generaal Díaz zelf, met een halve glimlach verborgen onder zijn volle snor, die hij nadenkend streelde; zijn broer, de kolonel, trok slechts in een geveinsde ontzetting zijn wenkbrauwen op.

'Ze kan aan het dansen geen weerstand bieden, onze kleine Genia. Zou je niet zeggen dat ze een echte Mexicaanse is?'

'Ze is een zigeunerin - ik vermoed Russisch of Hongaars. En, bij God, de mooiste vrouw die ik ooit gezien heb op dit of elk ander continent!'

De man die met zo'n overtuiging gesproken had, sprak Frans, zijn hoofd licht gebogen naar zijn metgezel, terwijl zijn ogen op de dansenden gericht bleven. Nu voegde hij eraan toe: 'Wat denkt u, señor? Heb ik in het begin niet de juiste keus gemaakt? Wij Russen kunnen altijd ware gratie en schoonheid herkennen, ook als die zorgvuldig verborgen is!'

'Zoals de dame mij buiten de kerk zo koeltjes meedeelde, is ze een getrouwde vrouw, Hoogheid. En Mexicaanse echtgenoten zijn berucht om hun jaloezie.'

'Aha - maar haar echtgenoot is niet hier, is het wel? En zij is een dame -

dat is het wat haar des te boeiender maakt. U zegt dat ze mijn tolk wordt, wanneer u weggaat? Ik heb ook een duivels geluk, is het niet?'

'Wees voorzichtig, prins. Van de Mexicaanse vrouwen wordt gezegd, dat ze kleine dolken bij zich dragen om hun eer te verdedigen.'

De prins gooide slechts zijn hoofd achterover en lachte, zijn vreemde blauw-groene ogen weerkaatsten het licht van het vuur.

'Dat doen onze Russische zigeunerinnen ook! Maar u behoeft u geen zorgen te maken, señor Lerdo. In dit geval heb ik reden voor discretie. Geloof me, de dame zal van mij niets anders dan respect ondervinden.'

4

De eerste ontmoeting tussen Ginny en prins Nikolai Ivan Vassilyvitch Sahrkanov kon nauwelijks onder minder gunstige omstandigheden hebben plaats gevonden, zoals generaal Díaz zelf haar onder het oog bracht met een ietwat aangenomen houding van strengheid.

'Maar waarom moest hij eerder komen dat hij verwacht werd? En hoe moest ik weten dat de heer die bij hem was señor Sebastian Lerdo de Tejada zelf was?'

'Het feit, dat El Presidente zijn meest vertrouwde kabinetslid zendt ter begroeting van de prins, moet u al een idee geven van diens belangrijkheid! Werkelijk, señora, u had moeilijk een slechter moment kunnen uitkiezen om deel te nemen aan een fiesta met de soldadera's! U hebt nog geluk gehad, dat de prins geen slechte indruk van u kreeg.'

'Dat zal dan wel,' mompelde ze een beetje opstandig en de generaal schonk haar een van zijn plotselinge innemende glimlachjes.

'Kom kom, señora, ik ben niet echt boos op u, ofschoon ik moet toegeven, dat ik gisteravond een beetje verstoord was. Het viel ongelukkig dat de prins met een dergelijk groot gevolg opdaagde met inbegrip van die hardnekkige kapitein Hoskins van u!'

'Ik zou erg gelukkig zijn, indien kapitein Hoskins besloot om nooit meer met me te praten!' zei Ginny stekelig.

Maar ze moest later wel toegeven, dat ze een beetje indiscreet geweest was. De prins was de beleefdheid zelf geweest, maar ze had de blik in zijn fletse ogen herkend - ogen, waarvan de hardheid de uitdrukking van beleefdheid op zijn gezicht loochenden. Tegen wil en dank, op blote voeten, met haren die op haar rug hingen, werd Ginny aan de prins voorgesteld en zag ze zijn onderzoekende blik voor de eerste keer. Kolonel Green was er duidelijk verlegen mee, Carl Hoskins was woedend en señor Lerdo geamuseerd.

De prins was een knappe man met bruin haar, glad geschoren, behalve dan zijn modieuze bakkebaarden en er ongetwijfeld aan gewend om de harten van vrouwen voor zich in te nemen met zijn vleierij en zijn ietwat arrogante air van de meester te zijn. Kennelijk was hij ook gewend om altijd zijn zin te krijgen, en het was hij dan ook, die besloot dat ze op hun eerste middag moesten gaan rijden.

'Ik vermoed dat u even prachtig rijdt als danst, madame,' zei hij, terwijl zijn ogen over haar ronddwaalden, die op een of andere manier de beleefde vleierij in zijn toon logenstraften. Niet op haar gemak constateerde ze, dat zijn ogen haar nooit loslieten, zelfs wanneer ze interessante plekken aanwees, waarbij zij haar stem zo koel deed klinken als ze maar durfde.

Niettegenstaande haar koele optreden en de strenge stijl die ze gekozen had voor haar japon en haar kapsel, deed de prins alsof hij het niet merkte. Wanneer hij haar aansprak, was zijn toon achteloos beleefd en correct met alleen af en toe een ondertoon van spot, alsof hij haar wilde laten weten dat hij haar spelletje doorzag.

'Het stuk ongeluk!' dacht Ginny woedend die avond. 'Waarschijnlijk denkt hij, dat ik een pose aanneem van "moeilijk te krijgen", om daardoor zijn belangstelling te wekken.' Ze was blij, dat hij niet had aangehouden, toen ze zijn uitnodiging voor een diner op die avond afsloeg. En niettegenstaande dat Carl Hoskins zo dichtbij was, wenste ze dat Steve terug zou komen. Waarom moest hij zo lang wegblijven? Het was moeilijk om geduldig te zijn, omdat ze hem zo vreselijk miste. Vooral nu, nu ze alleen was en gevoelens van angst en onredelijke voorgevoelens haar schenen te omringen maakten dat haar hoofd bonsde.

Het was echter ongelukkig, dat niet alles zo gemakkelijk en ongecompliceerd was als ze zich trachtte wijs te maken op die eerste avond. Want prins Sahrkanov was een subtiele en nogal onthutsende man, helemaal niet gemakkelijk om te hanteren of te doorgronden. Carl Hoskins was nog een probleem.

Carl was te kwaad op haar en te verliefd om lang weg te blijven. Wanneer Ginny niet samen was met de prins, kon ze er zeker van zijn dat ze Carl ergens zou tegenkomen, zelfs al leunde hij maar tegen de deur van het hoofdkwartier van de generaal, zijn blik op haar somber en teleurgesteld.

'God, Ginny, wat voor soort vrouw ben jij geworden? Hoe kun je je afgeven met dat soort vrouwen, en dansen op de manier zoals je die avond deed? En nu heb je een prins, die achter je aan loopt!'

'Integendeel, ík bén het die gedwongen achter de prins moet aanlopen,' antwoordde Ginny hem scherp, haar gezicht blozend van ergernis. Carl was te enerverend! Sedert ze geweigerd had hem als minnaar te accepteren, had hij nogal nadrukkelijk geprobeerd om de rol van een broer te spelen, maar de onverholen lust in zijn ogen, wanneer hij haar aankeek, verried hem.

'En met wat voor soort man ben jij eigenlijk getrouwd?' vroeg hij nu. 'Waarom blijft hij zo lang weg?'

'Carl, hij is soldaat! Hij heeft zijn orders uit te voeren. En wil je alsjeblieft niet opnieuw over dat onderwerp beginnen. Hoeveel keer heb ik je al gezegd, dat ik van mijn man houd? Ik ben van plan om getrouwd te blijven en waarschijnlijk zal ik in Mexico gaan wonen.'

'Je praat onzin! Je vader – in 's hemelsnaam, ben je hem niet iets verschuldigd? Hoe kun je je zelf begraven in een afgelegen ongeciviliseerd land met een man . . .'

'Zo is het genoeg, Carl! En tot je je manieren verbeterd hebt, wil ik verder niet met je praten.'

Bij deze gelegenheid kwam de prins haar te hulp, die, zonder zijn gewone escorte, het hoofdkwartier van de generaal binnen kwam stappen; zijn ogen werden plotseling staalhard toen ze op Carl Hoskins vielen.

'Heeft de kapitein u weer lastig gevallen? Zal ik kolonel Green vragen om hem ergens anders over te plaatsen?'

'Weet u zeker, dat de kolonel zover zal gaan om u tegemoet te komen, mijnheer?'

Ze kon het niet laten om hem haar klauwen te doen zien en hij schonk haar een glimlach van spottende waardering.

'Misschien heb ik meer invloed dan u denkt, madame! Kom . . .' hij pakte haar pols op zijn bekende heerszuchtige manier en begon met haar naar buiten te lopen – 'ik geloof, dat het tijd is om u een verrassing te bezorgen,' zei hij geheimzinnig. Beleefd hielp hij haar in het kleine open rijtuigje dat kolonel Green ter beschikking had gesteld van zijn aanzienlijke bezoeker.

Een deel van de verrassing van prins Sahrkanov bestond uit een bezoek aan Cuernevaca, dat Ginny al eens eerder bezocht had, toen de keizer daar nog resideerde. La Borda, het 'zomerpaleis' was nu het hoofdkwartier van kolonel Luis Adiego, die tijdig op de hoogte gebracht was van het bezoek van de prins.

'Uw bagage is uit Acapulco aangekomen.' Terwijl ze dit vertaalde wierp Ginny een verbaasde en geïrriteerde blik op haar metgezel. Was hij echt van plan om lang in Mexico te blijven? Wat was hij van plan? Ze begon de prins te wantrouwen.

Het was al laat die middag en hij was van plan om hier te dineren als gast van kolonel Adiego. Met háár wensen in deze zaak was in het geheel geen rekening gehouden – feitelijk behandelden ze haar tot Ginny's toenemende woede – alsof ze een soldaat was, die onder bevel geplaatst was.

De prins leek vastbesloten haar te tonen, dat hij haar echt nodig had als zijn tolk, want hij hield haar bezig, terwijl ze rondgeleid werden door het huis van de vroegere keizer. Het leek alsof hij ieder woord wilde verstaan, dat de onderdanige kolonel Adiego uitte.

Haar voeten deden pijn tegen de tijd dat ze uitgenodigd werden om uit te rusten in de comfortabele patio, waar de staf van de kolonel voor koele dronken zorgde.

'O, tussen haakjes, wilt u de kolonel vragen of er vanmiddag landgenoten van mij zijn aangekomen?'

Tandenknarsend bracht ze de vraag over en de kolonel deelde haar in een uitbarsting van welsprekendheid mee, dat er inderdaad vier Russische matrozen gekomen waren met de bagage van de prins en dat zijn lijfarts, graaf Chernikoff, er ook was en nu in zijn kamer lag te rusten.

'Vandaag lijkt u niet zo gelukkig te zijn, kleintje,' gaf de prins als commentaar en trok een wenkbrauw op. 'Misschien zal de ontmoeting met de graaf u wat opvrolijken – u zult hem een bijzonder interressante man vinden, die erg bereisd is!' Misschien ontdekt u nog wel wederzijdse kennissen!' Ze voelde, dat zijn woorden een verborgen bedoeling hadden, maar ze hapte niet.

'Mijn vriend, de graaf, begint zijn leeftijd te voelen, vrees ik,' zei de prins op zijn temerige, half-spottende toon. 'Maar u zult hem charmant vinden en een excellent causeur. Hij zal wel vlug hierkomen, ongetwijfeld.'

Ginny had een gebogen, ouderwetse man verwacht - een oude man. Maar niettegenstaande de woorden van de prins was de graaf lang, goed gebouwd en had een merkwaardig glad gezicht zonder rimpels, niettegenstaande zijn staalgrijze haar en snor. Hij kwam met vlugge en bijna zwierige passen het huis uit en zijn ogen, een bijzonder staalgrijs, leken zich in Ginny's gezicht te boren en wel zó lang, dat ze voelde dat ze begon te blozen.

Graaf Chernikoff verontschuldigde zich voor zijn grofheid en boog zich galant over haar hand.

'U moet me vergeven, mademoiselle! Maar enkele ogenblikken kon ik nauwelijks geloven . . . ja, inderdaad, de gelijkenis is opvallend!'

Ginny was volkomen verbijsterd en haar ogen werden groter toen ze van het glimlachende gezicht van de graaf naar het ironische gezicht van de prins keek.

'Maar - u zegt dat ik op iemand lijk, monsieur le comte? Iemand die u gekend hebt?'

'Maar natuurlijk! Heeft de prins u dat niet gezegd? Alleen maar om uw frisse jeugdige gezicht te zien heb ik zoveel mijl afgelegd op verschrikkelijke wegen, mademoiselle! Maar - het loonde de moeite - veel meer dan ik kan zeggen, hè Ivan? Liefje, u bent het evenbeeld van uw moeder, toen die uw leeftijd had.'

'Mijn - mijn moeder?' Ginny fluisterde de woorden en ontdekte dat haar ogen gekluisterd bleven aan het gezicht van de oudere man. En hij scheen inderdaad afkerig te zijn om zich van haar te verwijderen, want hij trok bewust een stoel dichterbij en ging naast haar zitten met een enkel excuuswoordje voor de prins.

'Uw moeder - ja, inderdaad, mijn kind! U wilt me wel vergeven dat ik u zo noem? Ik heb uw moeder gekend. En uw beste tante Caroline - een opmerkelijk hartelijke en verstandige vrouw. Ik had de eer haar een bezoek te brengen kort vóór ik de prins naar Amerika vergezelde.'

'Misschien, kolonel, zoudt u mij de eer willen aandoen om mij uw collectie geweren te laten zien, waarover u al gesproken hebt? Ik geloof, dat we deze twee maar moeten overlaten om zich te verdiepen in - zullen we zeggen, wat oude herinneringen?'

Het Engels van de prins had een zwaar accent, maar de kolonel die ook wat Engels sprak, kon hem verstaan en Ginny wierp hem een boze blik toe. Waarom had hij haar als tolk willen hebben?

'U moet niet boos zijn op Ivan. Ik was het, mademoiselle, die op deze ontmoeting heb aangedrongen.'

De zachte stem van de graaf Chernikoff deed Ginny's gezicht weer naar hem toekeren met een diep frons op haar voorhoofd.

'U moet me vergeven, dat ik moet bekennen dat - dat ik het niet begrijp! In feite: ik moet bekennen dat ik volslagen confuus ben! Bedoelt u te zeggen, dat u en de prins – dat mijn aanwezigheid hier allemaal *gearrangeerd* was?'

In haar stem begon een ondergrond van kwaadheid te komen en de graaf stak zijn hand uit en raakte de hare vol begrip aan.

'Lieve, heb een beetje geduld met mijn afdwalingen en ik zal alles uitleggen, ik begrijp uw schok; ja, en zelfs uw boosheid. Maar wanneer ik één verzoek mag doen: wilt u mij alstublieft eerst aanhoren vóór u vragen begint te stellen. Doe een oude man een plezier, iemand die uw moeder nog gekend en bewonderd heeft. Al kunt u zich mij dan niet meer herinneren, ik heb u één keer gezien, toen u nog een baby was.'

Waarom keek hij haar op zo'n vreemde manier aan? Wat ging hij haar vertellen?

'U moet proberen om me te vertrouwen – u moet zorgvuldig luisteren en geloof me, mijn kind, dat, hoe wild het ook moge klinken, hoe ongeloofwaardig ook, elk woord van het verhaal dat ik ga vertellen de absolute waarheid is. Ik had gewacht tot u meerderjarig zou zijn om het u te vertellen, maar toen ik naar Parijs ging, vertelde uw tante mij dat u naar Amerika vertrokken was. Een hartelijke en goedwillende vrouw, uw tante, maar ze had niet . . . enfin, wat gebeurd is, is gebeurd, maar mijn plicht blijft.'

Haar ijskoude handen tegen haar gezicht gedrukt, luisterde Ginny met groeiende verbazing, daarna met ongeloof.

'Uw moeder was Genevieve La Croix . . .'

Op die manier begon hij. En plotseling, terwijl de oude graaf langzaam verder sprak, soms naar woorden zoekend, vond Ginny haar moeder – die ze zich enkel herinnerde als de ziekelijke schaduw van een vrouw, die in bed lag met haar gezicht van het licht afgewend – weer levendig en jong worden, even jong en opgewekt en vol levenslust als zij nu zelf was.

De lieftallige Genevieve – zo jong, zo stijfhoofdig; ze was vast besloten om de eisen van haar hart en haar jonge lichaam te volgen, evenals Ginny, haar dochter, nu – jaren later – ook deed.

'Ze ontmoetten elkaar heel toevallig, ziet u, in de kahedraal van Notre Dame – en hij kon zijn ogen niet van haar gezicht afhouden . . . Ze was natuurlijk erg jong, pas zestien, en nog onder de hoede van de goede nonnen in haar kostschool; maar ja, wanneer je jong bent en verliefd en vastbesloten . . . Ze vonden wegen om elkaar te ontmoeten, natuurlijk. Een vriendin van haar, een jonge getrouwde vrouw met een romantisch hart, vond hun een plaats waar ze elkaar konden ontmoeten. En dat was het begin. Ik was uitgekozen om zijn metgezel te zijn, maar ik vrees dat ik in die dagen ook jong en roekeloos was, en ofschoon ik wist dat het hoogst ongeschikt was en dat het niet kon blijven duren, schaam ik me te moeten zeggen, dat er niets was, dat ik kon doen om te voorkomen wat er gebeurde.'

Hij ging haar iets naars vertellen, iets dat haar angst zou aanjagen – of had ze in haar hart al begrepen waar de oude man heen wilde? Die realiseerde zich wat een schok het voor deze jonge vrouw zou zijn om de feiten over haar moeder te horen en het ergst van al, dat ze te horen zou krijgen, dat de man, die ze al die jaren voor haar vader gehouden had, helemaal niet haar echte vader was . . .

'Mijn kind, omdat je zelf jong bent, weet ik zeker dat je het zult begrijpen wat er tussen deze twee jongen mensen gebeurde, die zo dolverliefd op elkaar waren! En vergeet niet, dit alles gebeurde zóveel jaren geleden – toen was het voor jongere mensen veel moeilijker om de ingevingen van hun hart te volgen. Wat ik probeer te zeggen is, dat het ten slotte allemaal uitkwam, zoals ik altijd al geweten en gevreesd had. De familie van jouw moeder ontdekte het en ze werd haastig uitgehuwelijkt aan de jonge Amerikaan, die haar zo aanbeden had, maar die onder andere omstandigheden totaal ongeschikt bevonden zou zijn. Met hem ging ze naar Amerika natuurlijk en daar werd je geboren, in New Orleans.'

Alsof ze gedwongen werd zei Ginny met lippen, die plotseling verstijfd waren: 'En – en hij – mijn – '

'Jouw vader, je *echte* vader, liefste kind, was de toenmalige Tsarevitch. Hij is nu Tsaar van Rusland.'

Iets in de pedante, bijna voldane wijze waarin de graaf deze aankondiging deed, maakte dat Ginny rechtop ging zitten, gegrepen door een gevoel van onwerkelijkheid, van ongeloof.

'O, nee! Nee! Ik heb naar u geluisterd – ik heb geprobeerd om u niet te onderbreken – maar dit is echt te veel voor me om te bevatten! U kunt niet zomaar in mijn leven verschijnen, na al die jaren, en me kalmpjes meedelen dat mijn vader mijn vader niet is, dat ik onwettig ben en dat mijn echte vader . . . Nee, het is onmogelijk! En wat ook uw motieven mogen zijn om me dit te vertellen, dit wilde sprookjesverhaal, graaf Chernikoff, dan kan ik me alleen maar voorstellen, dat . . .'

'Stil, mijn kind.'

Met een steviger stem ging hij verder.

'Je moet luisteren – je moet het hele verhaal horen! Je vader kon onmogelijk de ingevingen van zijn hart volgen en met Genevieve trouwen, ofschoon dat nu precies was wat hij wilde doen, hij was zo waanzinnig verliefd op haar! *Zijn* vader zou het nooit toestaan – en haar familie ook niet. Wat een schandaal zou dat verzoorzaakt hebben, wat een ramp voor Rusland! Nee – Alexander ging terug naar Rusland, toen hij praktisch gedwongen werd omdat te doen en uiteindelijk trouwde hij met de prinses, met wie hij toen al verloofd was. Maar zijn eerste liefde vergat hij nooit. Weet je dat hij nog steeds een miniatuur van haar heeft, dat hij altijd bij zich draagt? Ze maakten hem wijs dat Genevieve in Amerika tevredenheid gevonden had, zoal geen geluk – alle pogingen om iets omtrent haar te ontdekken, door jouw tante Celine, werden altijd beantwoord met dezelfde woorden: "Genevieve is gelukkig – laat haar met rust terwille van haar zelf!" Wat konden we doen? Slechts bij toeval hoorde ik later, dat je moeder naar Frankrijk gevlucht was, met jou – en dat ze heel jong gestorven was.'

'Maar . . . o God . . . zelfs als kind vroeg ik me af waarom Maman altijd zo bleek zag, zo ongelukkig! Ik probeerde verhalen te verzinnen over een of ander geheim in haar leven en vroeg me af, waarom ze papa verlaten had, maar ze zeiden tegen me, dat ik een romantische verbeelding had.'

De graaf zuchtte diep en zijn greep op de handen van Ginny werd zachter, zelfs vertroostend.

'Ze deden wat zij dachten dat het beste voor jou was, mijn kind! En ik deed wat ik dacht, dat het beste was voor mijn vriend, die nu mijn keizer is. Zie je, ik heb hem pas veel later verteld, wat ik, als dokter, al meteen ontdekt had - dat Genevieve zwanger was. Van jou. Ik heb het je tante Caroline verteld - want ik had al bevel gekregen om de tsarevitch terug naar Rusland te brengen op straffe van eeuwigdurende verbanning naar Siberië. Zíj wist wat er gedaan moest worden en het wérd gedaan. Heel veel later heb ik Alexander bekend, dat Genevieve hem een dochter geschonken had. En laat me je zeggen, kind,' voegde hij er met een glimlach aan toe, 'het is een hele toer geweest om je te vinden! De geheime politie van twee landen - zelfs de mensen van Pinkerton in Amerika - en eindelijk hoorden we geruchten, dat je was of geweest was een lid van de hofhouding van de ongelukkige Maximiliaan hier. Je ziet dus . . .'

Deze keer zag ze kans haar handen aan zijn greep te onttrekken en Ginny zat hem nu aan te kijken met de ogen van een opgejaagd dier.

'Nee, nee, ik zie het niet! Het is een schok geweest, ja. Ik ben nog steeds niet bekomen van alles wat u mij gezegd hebt; ik kan het allemaal niet begrijpen - maar tenslotte: wat heb ik er nú mee te maken? U had me met rust kunnen laten. Waarom bent u eigenlijk hier gekomen? Wat verwacht u, dat ik zal doen?'

Alsof hij haar ademloze toespraak niet gehoord had, bleef de graaf Ginny doordringend aanstaren, zoals hij eerder al gedaan had.

'Maar jij lijkt zoveel op haar! Het is bijna griezelig, die gelijkenis! En toch - ja, ik kan in jou ook iets van je vader herkennen! De kin van je moeder was klein en puntig - jij hebt er iets vastberadens in en een kuiltje. En je jukbeenderen zijn Russisch, ja, zelfs de stand van je ogen.'

'Maar ik zie nog steeds niet wat mijn uiterlijk hiermee te maken heeft! Ik lijk op mijn moeder, dat heeft iedereen me gezegd, maar wat maakt dat uit? Waarom moest u me dit alles vertellen?'

Ze zat bijna te snikken van de schok en door een opkomende, verraderlijke angst. Ze wilde niets meer horen; ze wilde niet, ze moest niet luisteren!

'Je moet je toch wel realiseren waarom?' De stem van de oude graaf was onverbiddelijk geworden, zijn ogen waren harder en hij fronste nu zijn wenkbrauwen tegen haar. 'Waarom denk je, dat ik hier ben? Waarom denk je, dat ik bevel kreeg om prins Sahrkanov te vergezellen op zijn missie naar Amerika? Je vader wil je zien.'

5

'Je vader wil je zien . . .

De woorden bleven nadreunen in Ginny's oren, ze werden telkens herhaald in de loop van de vreemde, gespannen avond.

'Mijn lieve kind' zoals de graaf haar maar bleef noemen en niettegenstaande haar gloeiende protesten, niettegenstaande haar heftige en soms boze verwerping van de vreemde feiten, die hij haar had verteld, bleef hij maar glimlachen, welwillend en een beetje vaderlijk, en hij bleef haar 'kind' noemen.

Hij wilde dat ze met hem mee terug ging naar Rusland - hij was gek, duidelijk! Tot haar sprak hij over plicht en verplichtingen, over haar koninklijke afkomst; en nog erger, met een optrekken van zijn wenkbrauw schoof hij haar heftige opmerkingen terzijde, dat zij getrouwd was.

'Maar mijn kind - hoe kon je nu trouwen zonder de toestemming van je vader? Je wettige voogd is natuurlijk senator William Brandon. Wist je niet dat hij zó woedend was toen hij van een Franse kolonel hoorde van jouw huwelijk met een man - mag ik heel eerlijk zijn - een volslagen ongeschikt persoon, een Mexicaan, dat hij het huwelijk natuurlijk onmiddellijk heeft laten annuleren!'

'Maar...' ze had het gevoel of ze verdronk in een zee van watten en haar stem schoot wanhopig naar boven - 'maar ik heb hem geschreven, ik heb hem verteld...'

'Ah, ja, je hebt hem verteld, dat deze señor Alvarado uit een goede familie komt. Niettemin heeft hij het huwelijk laten annuleren.'

'Dat kan hij niet doen! Ik ben éénentwintig!'

'Maar je was zeker geen éénentwintig, mijn kind, toen je je huidige verbintenis sloot. Kom, besef je niet wat je aangeboden wordt? Je bent een prinses. Zelfs wanneer je vader je niet openlijk kan erkennen als zijn dochter, zijn er andere schikkingen die hij wél kan maken. Hij verlangt ernaar voor je te zorgen, toe te zien dat je alles krijgt. Door zijn eigen decreet heb je nu het recht je Prinses Xenia Alexandrovna Romanov te noemen en wacht maar eens tot je het prachtige landgoed ziet dat van jou is! Het ligt niet ver van het zomerpaleis van de tsaar. En je zult natuurlijk een prachtig eigen inkomen hebben! Het is niet nodig te zeggen,' voegde hij eraan toe, waarmee hij door de snelheid van zijn woorden Ginny verhinderde om opnieuw te protesteren, 'dat senator Brandon niet de ware feiten hoeft te weten. Hij weet alleen, dat prins Sahrkanov de wens heeft uitgesproken om jou tot zijn echtgenote te maken en daarvoor heeft hij zijn toestemming al gegeven.'

'O nee!' Deze keer sprong ze overeind vóór hij het kon verhinderen. 'Graaf Chernikoff, ik meen elk woord van wat ik al eerder gezegd heb. Ik ben geen dwaas Europees juffertje, dat zich maar laat bevelen en haar leven netjes laat arrangeren; daarvoor is het te laat! Het kan me niet schelen wat iedereen zegt, zelfs mijn vader niet! Ik ben getrouwd, en ik ben van plan getrouwd te blijven. Ik geloof niet, dat een of andere eigengereide annulering van kracht zal zijn voor een rechtbank hier! En zelfs wanneer ik niet wettig getrouwd zou zijn volgens uw wetten, dan ben ik liever de maîtresse van de man die ik liefheb, dan een prinses te zijn en getrouwd met een man die ik nu al haat!'

'Denk erover, mijn kind. Je zult wel van gedachten veranderen, dat weet ik zeker. En niemand, dat beloof ik je, zal je dwingen tot een huwelijk dat je verafschuwt! Maar stel - uh - dat je echtgenoot besluit dat je hoort te gaan? Stel, dat hij overgehaald kan worden om je te ontslaan van je huwelijksbanden?'

'Mijn echtgenoot wordt niet gemakkelijk overgehaald om iets te doen, dat hij niet wil doen!'

'Aha? Wel, zoals ik al gezegd heb – denk er eens over na, prinses.'

Ze weigerde erover te denken en zei dat ook, maar de graaf glimlachte slechts en zei, dat ze natuurlijk aan shock leed. Het moest evenwel niet hun diner bederven en de rest van de avond.

Graaf Chernikoff kwam wat moeizaam overeind en stak zijn hand naar haar uit.

'Kom – wil je me niet vergeven dat ik een beetje autocratisch deed? Zoals je zegt, ben ik niet gewend aan de gebruiken en manieren van deze nieuwe wereld – noch aan de onafhankelijkheid van haar jonge dames! Maar toch, je bent een Russische prinses, of je wilt of niet, en wil je als zodanig niet de arm van een oude man accepteren? Tijdens het diner zullen we praten en zal ik meer over Rusland vertellen. Misschien neem je dan zelf wel het besluit, dat je ons wel zou willen bezoeken.'

Omdat ze niet wist wat ze anders moest doen en omdat ze tenslotte toch nog gechoqueerd en verdoofd was door alles wat hij haar gezegd had, aanvaardde Ginny eindelijk zijn arm en ging met hem het huis binnen.

Getrouw aan zijn woord beperkte graaf Chernikoff de conversatie tot kleinigheden en beschrijvingen van het leven in Rusland, maar Ginny zou zich minder gespannen gevoeld hebben indien ze niet naast de prins zat en zich niet bewust geweest was van zijn speculerende blikken gedurende de gehele maaltijd. Voor hem voelde ze niets dan verachting en woede. Wat voor soort man was hij? Eerst dacht hij dat zij een soldadera was, hij had geprobeerd om haar buiten de kerk van Guadalupe op te pikken. En al die tijd was hij hier om de onwettige dochter van de tsaar te zoeken – en hij had de onbeschaamdheid gehad om senator Brandon haar hand te vragen voor een huwelijk, zonder haar zelfs gezien te hebben!

Toen het diner afgelopen was, stemde Ginny erin toe, om de gevoelens van kolonel Adiego niet te kwetsen, om zich gedurende enkele ogenblikken bij de mannen op de patio te voegen; maar zodra ze dat gedaan had kreeg ze al spijt, want graaf Chernikoff monopoliseerde de conversatie met de kolonel, waardoor de prins de kans kreeg om zich dichter naar Ginny te buigen, zijn vreemde ogen lachend in de hare.

'Hij heeft het u dus verteld, en nu ben u kwaad op me?'

'Natuurlijk ben ik dat, wat had u anders verwacht? Hoe kon u zo bedrieglijk doen? Ik geloof niet eens dat u een tolk nodig hebt, u wilde alleen maar...'

'Maar ik heb een tolk nodig. Er zijn maar weinig mensen die Engels spreken. En dan, ziet u, ik werd verliefd op uw portret, nog vóór ik u gezien had. Ik herkende u zelfs zonder u te herkennen, hoe paradoxaal dat ook mag klinken – in de kerk. Herinnert u zich dat?'

Haar ogen flitsten hem boos toe.

'Ik herinner me het maar al te goed! En daarna moest u mij hierheen slepen om te luisteren naar – naar dat verhaal, dat ik veel liever nooit gehoord zou hebben!' Ze ging met een lage, boze stem door: 'Waarom kan ik niet met rust gelaten worden? Waarom wil niemand geloven, dat ik hier gelukkig ben en dat ik van mijn man houd?'

'Maar als dat zo is, ma petite, hoe kan het dan uw huwelijk schaden, wanneer u een bezoek aan Rusland zoudt brengen? Ik wil me niet aan u opdringen – maar misschien, op een goede dag, in een omgeving die beter past bij uw schoonheid en uw afkomst, zoudt u misschien tot het besef komen . . .'

'Welk besef?'

Hij gaf haar een grijns die zowel spottend was als een belofte inhield.

'Wie weet? Maar krijgt de prinses niet in alle sprookjes tenslotte haar prins? Gewone mensen, lieve prinses, zijn niet de enige mannen met een stevige rug en dijen.'

De ware betekenis van deze woorden had enige tijd nodig om tot haar door te dringen en toen voelde Ginny haar wangen branden.

'U . . . u bent onuitstaanbaar!'

'Waarom noemt u me zo? Omdat ik eerlijk met u ben en tot u spreek zonder insinuaties maar rechtstreeks? Stelt u me niet teleur, ik had u voor une femme du monde gehouden! Wilt u ontkennen dat uw echtgenoot niet de enige man in uw leven is geweest? Ze noemden u de liefelijkste courtisane van Mexico City, is het niet? En niet zonder reden – nee, niet zonder reden!'

Zijn ogen schenen in haar vlees te branden en ze herinnerde zich de ogen van andere mannen, die haar op dezelfde wijze hadden aangekeken, alsof ze haar wilden verslinden. Hij had eindelijk zijn masker laten vallen, deze Russische prins; en ofschoon zijn woorden bedoeld leken om haar te beledigen en te kwetsen, verrieden zijn ogen hem. Hij verlangde haar – en dat verlangen maakte hem tot een man, net als elke andere man. Waarom zou zij zijn woorden het bedoelde effect laten hebben? Ze had al eerder te doen gehad met mannen en hun lusten.

De ogen van Ginny waren koud en hard geworden, terwijl ze de blik van prins Ivan trotseerde. Ze werden wat nauwer en het geïrriteerd opeenpersen van haar lippen herinnerde hem een enkel ogenblik aan een panter, klaar voor de sprong.

De eerste vlaag van woede begon uit het gezicht van Ginny weg te ebben en nu, zonder haar ogen van de prins af te wenden, nam ze een teugje van de zoete likeur die de graaf uit zijn bagage te voorschijn had gebracht.

'U schijnt heel wat van me af te weten! Waarom hebt u al die moeite gedaan? En tenslotte, gezien het leven dat ik geleid heb, weet ik zeker dat mijn – uw keizer overgehaald kan worden tot zijn bastaard-dochter helemaal niet geschikt is om prinses te worden of aan hem te worden voorgesteld! Waarom zoveel mensen teleurstellen?'

Hij liet een kort, bijna opgewekt lachje horen.

'Zo! U verplaatst de slag nu naar mijn terrein, is het niet? Nee, ik heb inderdaad gelijk gekregen omtrent u. U bent een echte vrouw en u schaamt zich niet om dat toe te geven. Dat mag ik – in feite begin ik alles van u te appreciëren, meer en meer.'

Ze wierp hem een koude, bijna spottende blik toe.

'Dat is voor mij van geen belang, vrees ik - en aangezien u de voorkeur geeft aan eerlijkheid, waarde heer, spijt het me te moeten zeggen, dat er aan u niets is, dat ik aantrekkelijk vind.'

Ze kon het bijna onmerkbare verharden van zijn ogen zien, ofschoon zijn lippen bleven glimlachen.

'Misschien zult u op een goede dag nog eens van gedachten veranderen! Maar voor mij, uw - onverschilligheid zullen we maar zeggen - maakt u des te aantrekkelijker! Een ivoren toren die veroverd moet worden.'

'Er hoeft niets veroverd te worden, prins Sahrkanov, daar ik me reeds lang vrijwillig heb overgegeven aan de man die ik liefheb.'

'Ach wat! Vrouwen en hun gepraat over liefde! Wat is die liefde anders dan lust in een vermomming? Vrouwen moeten dat beredeneren, neem ik aan, maar mannen zijn althans meer direct.' Plotseling boog hij zich voorover, zijn ogen brandden in de hare. 'Ik verlang naar u, meer dan ik ooit naar een vrouw verlangd heb in mijn leven. Wanneer dat is, wat u liefde wilt noemen, dan heb ik u lief. En ik zal u hebben.'

Ofschoon ze overeind gesprongen was en in een ijzige minachting na zijn laatste woorden die bijna als een dreigement klonken, de prins had verlaten - kon Ginny er niets aan doen dat haar later de angst bekroop. Ginny was naar de graaf en kolonel Adiego gelopen en het respect dat beide mannen haar betoonden, maakte dat zij zich wat sterker voelde en ze schaamde zich bijna over haar eerdere gevoelens van blinde angst. Ze deed onzinnig! Wat kon prins Sahrkanov tenslotte doen? Ze zou generaal Díaz eenvoudig meedelen, dat ze niet langer als tolk voor de prins wilde optreden - omdat hij haar in niet mis te verstane bewoordingen te kennen had gegeven, dat zijn bedoelingen tegenover haar nauwelijks achtenswaardig waren . . . Dat was alles wat ze doen moest.

'Neemt u me niet kwalijk dat ik u onderbreek, heren,' zei ze charmant, 'maar het wordt nogal laat, vindt u niet?'

'Te laat voor u om nu nog naar Guadalupe terug te reizen, señora!' De kolonel zag er echt bezorgd uit. 'Wilt u voor vannacht alstublieft mijn gast zijn? Ik heb kamers voor u klaar laten maken en er is een vrouw om u te bedienen, señora.'

'En we zullen natuurlijk morgen exorbitant vroeg vertrekken, dat beloof ik u!' De prins was achter Ginny komen staan. 'U bent toch zeker niet bang, dat ik zoiets grofs zou doen als een poging om u te verkrachten?' voegde hij er zachtjes in het Frans aan toe, ofschoon graaf Chernikoff verwijtend de wenkbrauwen fronste.

'Heel vriendelijk van u, kolonel. Ik ben nogal moe. Dus wanneer de heren mij willen excuseren . . .'

'En terwijl onze vriendelijke gastheer uw kamers inspecteert, wilt u dan een keertje de tuin met mij rondlopen?' De stem van prins Sahrkanov was aangenaam en beleefd. 'Op de zonnewijzer staan een paar Spaanse inscripties, die me intrigeren en het maanlicht is helder genoeg, zodat u geen moeite met ontcijferen zult hebben. Alstublieft?'

De kolonel en graaf Chernikoff waren al gaan staan en vóór Ginny besefte wat er gebeurde, had de hand van de prins zich om haar elleboog gesloten. Afgezien van het maken van een scène, bleef haar niets anders over dan zich door hem te laten leiden; maar de woede die ze trachtte te onderdrukken beroofde haar bijna van haar adem, zodat ze het gevoel had geen woord te kunnen uitbrengen tot ze al buiten gehoorsafstand van de anderen waren.

'Hoe het maanlicht alles verandert en verzacht! Het is moeilijk om te denken, dat een paar mijl van hier een oorlog woedt, vindt u ook niet, mademoiselle?'

Maar Ginny was niet in de stemming voor opgewekte aardigheidjes, vooral die, uitgesproken op vleierige toon, overvloeiend van de valse beleefdheid, die ze geleerd had te wantrouwen in die man.

'Ik ben geen mademoiselle en u hebt het recht niet om me op een dergelijke autocratische manier mee naar buiten te sleuren. Moet ik u eraan herinneren, mijnheer, dat ik . . .'

Ze voelde zijn greep rond haar elleboog steviger worden.

'U gaat herhalen, dat u een getrouwde vrouw bent en dan wilde ik u eraan herinneren, dat u zich niet langer als zodanig moet beschouwen. Maar maakt u zich geen zorgen; het feit, dat u de maîtresse bent geweest, niet zijn vrouw, van deze man van wie u verklaart dat u zoveel van hem houdt, heeft voor mij geen consequenties. Integendeel, ik bewonder u om uw loyaliteit. Ik vind u in verschillende opzichten bewonderenswaardig, *mademoiselle.*'

De lichte spottende nadruk die hij op het laatste woord legde, deed Ginny haar adem inhouden, ze was sprakeloos van woede. En toch klonk er in haar binnenste een waarschuwende stem, die haar aanmaande om kalm te blijven. Deze man trachtte haar opzettelijk te provoceren, haar te forceren tot enig vertoon van emotie, die haar in het nadeel zou brengen.

'U zei dat u een inscriptie op een zonnewijzer vertaald wilde hebben,' zei ze met kille stem. 'Kunt u me dan niet beter laten zien waar die staat? Het wordt nogal kil hier buiten.'

'Zoudt u willen dat ik u warm hield?' Zijn woorden hadden een ondergrond van vermaak. 'Of kan het zijn dat u een beetje bang voor me bent?' voegde hij er listig aan toe.

Haar lippen opeengeperst, keek Ginny hem op het smalle pad in zijn gezicht en trok haar elleboog uit zijn greep.

'Heb ik redenen om bang voor u te zijn?'

De maan was achter hem en zijn gezicht was in de schaduw bijna sinister, toen hij zijn hoofd boog en een vinger onder haar kin bracht om haar gezicht op te lichten naar het zijne.

'Geen enkele reden. Heb ik u dat niet al eerder duidelijk gemaakt? Ik ben van plan u tot mijn vrouw te maken.'

Boos sloeg Ginny naar zijn hand en voelde hoe haar pols omklemd werd.

'Welk spelletje u ook speelt, u gaat te ver! Waarom mij uitpikken? Er moeten tal van andere vrouwen zijn die u maar al te graag terwille zouden zijn, indien u althans een vrouw zoekt! En wilt u me nu alstublieft naar binnen brengen?'

Haar ogen keken kwaad in de zijne en als ze het geweten had: het maanlicht, dat op haar gezicht viel, leek hun zigeunerachtige stand nog eens te onderstrepen, alsook de flauwe holten onder haar jukbeenderen. Zijn vingers verstevigden hun greep rond haar elleboog op een bijna wrede manier, alsof hij haar kracht wilde beproeven. Goed! Hij zag haar bijna onmerkbare huivering, maar ze riep niets. In plaats daarvan werd ze erg stijf en haar stem verachtelijk.

'Wilt u me laten gaan?'

'Eén moment. En dan met spijt. Maar ik vind dat we elkaar een beetje beter moeten leren kennen, u en ik. Het is zo'n prachtige avond - geknipt voor geliefden en voor opwindende intriges. Kom, u bent toch niet zo koel en onbewogen als u voorgeeft te zijn?' Hij trok haar naar zich toe terwijl hij sprak, zijn stem een zijdeachtig gemompel. 'Hoe hard probeert u zich van mij los te trekken! Kan het zijn dat het uw eigen hartstochtelijke natuur is, waarvoor u bang bent? Een kus in het maanlicht, wat voor kwaad steekt daarin - vooral omdat we een verloofd paar zijn.'

'U bent krankzinnig!'

Hij hield nog steeds haar pols vast en sloeg nu zijn arm om haar middel en nu hij haar begon te kussen, was Ginny's eerste impuls om wild te worstelen. Maar een zesde zintuig zei haar, dat het juist dát was waarop hij hoopte, zodat hij haar tot overgave kon dwingen en aldus zijn meerdere kracht tonen. Daarom bleef haar lichaam stijf en ongenaakbaar in zijn omhelzing, ze verdroeg slechts de druk van zijn lippen op de hare, ze hield haar ogen wijd open en staarde verachtelijk in de zijne tot hij haar eindelijk losliet.

Moedwillig wreef ze met de achterkant van haar hand over haar lippen, ze voelde zijn kwaadheid en was er plotseling niet meer bang voor.

'Nu u uw gestolen kus in het maanlicht gehad hebt, wilt u me nu excuseren, Hoogheid? Het is een vervelende dag geweest en ik zou me graag terugtrekken.'

6

Niettegenstaande de luxueuze inrichting van de grote kamer die haar was toegewezen en het grote, zachte bed, bracht Ginny een rusteloze en onbehaaglijke nacht door. Ze kon de uitdrukking niet vergeten op het gezicht van Ivan Sahrkanov, toen ze hem verliet en ondanks haar beredenering kon ze niet verhinderen, dat haar een gevoel van bezorgdheid bekroop.

Er waren donkere vlekken onder Ginny's ogen, toen ze de volgende morgen de terugreis naar Guadalupe begonnen en wel in een volslagen stilte, met graaf Chernikoff, die het rijtuigje met haar deelde en de prins die ernaast reed.

Tactvol hield de graaf af en toe maar een onbeduidend praatje, hij leunde zijn hoofd achterover en hield voor het merendeel zijn ogen gesloten, na Ginny zijn excuus gemaakt te hebben dat hij zulk slecht gezelschap was.

'Ik word een oude man, denk ik. Ik merk dat reizen me vermoeit. Wil je me excuseren, mijn kind?'

Het gezicht van de prins was vandaag ondoorgrondelijk, zijn houding tegenover haar onveranderd. Maar Ginny was zich veel te veel bewust van zijn ogen die op haar rustten, om zich op haar gemak te voelen. Als alleen die reis maar vlug voorbij was! Ze kon bijna niet wachten tot ze weer terug was in haar eigen kleine kamer, of om generaal Díaz zo snel mogelijk daarna op te zoeken en hem te vertellen in wat voor onmogelijke situatie ze nu verkeerde. Hij zou het begrijpen - ze zou wel maken, dat hij het begreep! En ze zou hem smeken om Steve terug te laten komen . . .

Maar tegen de tijd dat Ginny eindelijk de veilige haven van haar eigen kamer bereikt had, leek het wel of iedereen, ook het noodlot zelf, zich tegen haar gekeerd had. Ze wilde de gewone menigte in de cantina ontlopen en ze ging dus via de achtertrap naar haar kamer, slaakte een zucht van verlichting toen ze de ruwhouten deur opende en naar binnen liep.

Maar toen ze rondkeek, deed een verdovend gevoel haar een luide zucht slaken en ze leunde voor ondersteuning tegen de deur. De kleren van Steve, zijn zadeltassen, alles wat hem toebehoorde was verdwenen, waardoor de kamer een lege en grauwe aanblik bood. 'Maar dat kan niet - dat kan niet!' mompelde ze koortsachtig. 'Niet gisteravond, uitgerekend gisteravond - en hij zou niet weggegaan zijn zonder op mij te wachten, zonder enig bericht achter te laten!'

Haar ogen dwaalden door de kamer voor een of ander teken, toen ze zich begon wijs te maken, dat een dief moest hebben ingebroken - dat moest het geweest zijn, natuurlijk!

Maar háár bezittingen lagen allemaal op hun plaats en het enige andere teken dat iemand in haar afwezigheid hier geweest was, bestond uit een gekreukt stuk papier, dat op haar kussen lag.

Langzaam, als een vrouw in een droom, liep Ginny erop af, pakte het op en streek het dicht beschreven papier met haar vingers glad. O God! Ook dat nog! Het was een brief van Carl Hoskins, aan haar geadresseerd - vol met verwijten, vol jaloezie; hij beschuldigde haar van hem in de steek te laten terwille van de prins.

'Hij doet net alsof ik de prins moedwillig heb aangemoedigd,' dacht Ginny misselijk, 'alsof we minnaars geweest waren.' En Steve - Steve had deze brief gelezen en die achtergelaten voor haar. O nee! Ze wilde hardop schreeuwen en merkte dat ze met gebalde vuisten tegen haar lippen drukte als een kind, dat snikken onderdrukt.

En terwijl de dagen voorbijgingen en Ginny nergens troost kon vinden, leek het alsof hij haar verlaten had. Zelfs zij, die ze als haar vrienden beschouwd had, leken op een afstand te blijven, zonder haar enige hulp te bieden. Carl Hoskins lag in het ziekenhuis tengevolge van een gevecht met Steve en het leek erop alsof plotseling iedereen het erover eens was, dat ze maar beter Mexico kon verlaten en teruggaan naar haar vader. Alleen kolonel Díaz, de broer van de generaal, kwam haar nog het meest nabij door oprecht te zijn tegenover de jonge vrouw.

'Luister, niña, waarom speelt u geen afwachtend spelletje? God zij dank ben ik niet getrouwd - ik geloof niet, dat ik de spanning zou kunnen verdragen! Hoe kan ik hoe uitleggen op welke manier het brein van een jaloerse man werkt? Al wat ik weet, is, dat Esteban hier was en nog wel tegen zijn orders in. Tegen de tijd dat ik hem sprak, was hij veel te kwaad om naar rede te luisteren. En dat was, nadat hij roekeloos een bezoek aan kolonel Green had gebracht. Ik probeerde hem wat uit te leggen, maar hij scheen niet te willen luisteren. "Ik heb begrepen, dat we niet wettig getrouwd zijn," zei hij. "U kunt haar een beter geluk toewensen met haar laatste fiancé." En geloof me, kleintje, wanneer ik niet vond, dat jij sterk genoeg was maar ook intelligent genoeg om niet in hysterie te vervallen, zou ik zijn woorden niet herhaald hebben.' Troostend voegde hij eraan toe: 'Natuurlijk zei hij dat in een jaloerse woede. Vroeger of later wanneer hij tijd heeft gehad om af te koelen, weet ik zeker dat hij zijn onstuimigheid zal betreuren. Maar intussen . . .' Kolonel Díaz streek nadenkend over zijn kin. 'Ik moet toegeven, dat we allemaal verlangend uitzien naar het vertrek van die prins. Hij is niets anders dan een onruststoker geweest sedert hij aankwam.'

Wat zelfs kolonel Díaz haar trachtte te zeggen, natuurlijk op de vriendelijkste manier, was, dat ze maar terug naar de Verenigde Staten moest gaan, als de Verloren Dochter. Prins Sahrkanov had kolonel Green verteld, dat senator Brandon haar huwelijk had laten annuleren - hij had zelfs naar president Juarez zelf geschreven. Om de zaak nog erger te maken; het bleek dat Carl Hoskins die avond Steve gezien en herkend had. Ze hadden inderdaad een gevecht gehad in een van de plaatselijke cantina's. Het was Dolores Bautista, die dit Ginny toefluisterde, haar grote grijze ogen vervuld van medelijden en bezorgdheid.

'Wil je het alsjeblieft aan niemand zeggen? Manolo zou me slaan als hij wist, dat ik met jou was gaan praten. Toen hij me vertelde wat er gebeurd was - jij was erbij, zie je - liet hij me beloven, dat ik het voor me zou houden. Maar doña Genia, ik weet hoeveel u van Esteban houdt! Ik denk dat er bepaalde mensen zijn, die proberen om moeilijkheden voor u te maken en het liefst zouden zien, dat jullie uit elkaar bleven.'

Ginny zelf was ook al tot die conclusie gekomen, maar ze zweeg, ze beet op haar lippen en zei niets. Na een poosje, met weer een medelijdende blik, vatte Dolores de draad van het verhaal weer op.

'Nou - Esteban was natuurlijk erg boos toen hij hier kwam en zag dat u weg was. Hij kwam naar het kamp met een gezicht als een donderwolk! Ik vermoed dat hij juist van de Amerikaanse kolonel terugkwam en . . . ik had niet moeten luisteren, veronderstel ik, maar ik hoorde hem aan mijn man vertellen dat hij gehoord had, dat hij niet langer een getrouwd man was en dat hij bevel gekregen had om toe te zien, dat u veilig bij uw vader werd afgeleverd. Wat hij nog meer zei dat weet ik niet, want toen riep Manolo mij om een kruik te halen, waarop Esteban voorstelde dat ze beiden wat zouden gaan drinken in de cantina.'

De cantina die Dolores bedoelde, was natuurlijk dezelfde waarboven Ginny haar kamer had - een gelegenheid die vaak bezocht werd door de Amerikaanse legionairs, herinnerde Ginny zich met bitterheid. En Carl had daar ongetwijfeld zitten wachten op haar terugkomst of was hij al op de hoogte van wat zij zelf als allerlaatste ontdekt had – dat het tevoren allemaal beraamd was, helemaal, dat zij en de prins de nacht in Cuernevaca zouden doorbrengen?

Carl Hoskins was al boos geweest toen hij haar die lange en verdraaide brief schreef en tegen de tijd dat Steve binnenkwam, had hij al heel wat op. Om de enige man te zien, die hij van alle andere mannen het meest haatte en te beseffen, dat hij door Ginny opzettelijk misleid was, moet voor zover het Carl betreft, de laatste strohalm geweest zijn.

Er was een woordenwisseling geweest, zei Dolores. De Amerikaanse Capitan had een rood hoofd gekregen en was onmiddellijk begonnen hardop uitdagende opmerkingen tegen een paar van zijn vrienden te maken. En – ja, Dolores moest het mistroostig wel toegeven – die nare opmerkingen hadden iets met Ginny te maken. De man had inderdaad geïnsinueerd dat hij een van haar minnaars geweest was en dat de Russische prins haar laatste 'vriend' was.

'Weet je zeker, dat hij het daarbij liet?' wierp Ginny ondanks zich zelf er bitter tussen, 'ik geloof dat ik genoeg geleerd heb over kapitein Hoskins' temperament om te raden, dat hij heel veel verder gegaan is! Probeer alsjeblieft niet om mijn gevoelens te sparen, Dolores. Begrijp je niet, dat ik precies moet weten wat hij gezegd heeft, waardoor Esteban zo woedend werd, dat hij – dat hij wegging zonder een booschap voor mij achter te laten?'

Dolores Bautista liet haar hoofd zakken en plukte aan de rand van haar gescheurde rok. Het was duidelijk dat ze niet verder wilde gaan, maar ten laatste gaf ze toe, dat de Amerikaan beledigend was geweest. Niet alleen had hij heel veel onaangename en lasterlijke dingen over doña Genia gezegd, maar Carl was brutaler geworden toen Steve zijn luid uitgesproken opmerkingen genegeerd had en begonnen was hem te bespotten, terwijl de vrienden van Carl luidkeels lachten en er zelf schunnige opmerkingen aan toevoegden.

'En toen? Wat gebeurde er?'

'Esteban sloeg hem. Manolo heeft me gezegd, dat hij de grootste moeite had om Steve te verhinderen deze gringo met zijn handen te doden. Hij zei dat er een kleine oorlog ontstaan zou zijn tussen de gringo's en onze eigen mensen, als er niet een Amerikaanse officier, die niet zo dronken was als de rest, tussenbeide gekomen was.' Dolores sloeg haar ogen naar Ginny op en ze waren gevuld met tranen. 'O, doña Genia, wat moet u nu beginnen?'

Het was een vraag die Ginny zich al herhaaldelijk had gesteld, telkens weer opnieuw. Wat moest ze doen? Wat kón ze doen? Alleen in het bed liggend dat ze met Steve gedeeld had, staarde ze naar het plafond en stelde zich de vraag weer. Bovendien had ze de hoop opgegeven dat zelfs nu Steve medelijden zou krijgen en weer contact met haar zou zoeken.

'Hij hield van me! Ja, dat weet ik zeker. Hoe kan hij zich zo ineens lossnijden van mijn gevoelens? Is hij onmenselijk?'

Het pijnlijkste was nog het besef, dat Steve haar niet vertrouwde. Misschien had hij dat wel nooit gedaan.

Met een gevoel als een slaapwandelaarster dwong Ginny zich om door de dagen heen te komen. In het drukke hoofdkwartier van generaal Diaz was voor haar niets meer toe doen, ofschoon ze hoorde dat er dagelijks meer en meer gevangenen gemaakt werden, meestal deserteurs uit het keizerlijke leger. Ze ging ook niet meer naar het kamp toe. Welk recht had zij om daar nu te zijn? En bovendien, Dolores had haar verteld dat Manuela, altijd jaloers, bij de andere vrouwen had rondgefluisterd, haar hoofd schuddend, dat ze altijd wel geweten had dat Genia een slet was, ondanks haar oppervlakkige deugdzaamheid.

Ginny constateerde dat ze het grootste deel van haar tijd, die haar nu zo zwaar drukte, doorbracht in het gezelschap van graaf Chernikoff. Terwijl zij luisterde hoe hij haar over haar moeder sprak, vroeg Ginny zich wrang af of zij beiden vervloekt waren - liefde te vinden en die dan weer te verliezen. Die arme Genevieve hadden ze altijd gezegd. En nu was het: arme Ginny.

Gedurende de paar dagen, volgende op haar terugkeer van Guernevaca was Ginny bijna buiten zich zelf geweest, haar verdriet en hysterie deden haar uitvaren tegen de prins, die van alles de oorzaak was geweest. Hij had haar tirade met opgetrokken wenkbrauwen aangehoord en de begrijpende hooghartige glimlach op zijn gezicht, die ze maar al te goed had leren kennen.

'Maar lieve mademoiselle! Ofschoon u uitzonderlijk mooi bent wanneer u woedend bent, moet ik u toch vragen om redelijk te blijven. Hoe kon ik weten dat uw ... eh ... minnaar clandestien zou terugkeren op dezelfde avond, die ik uitgezocht had voor uw ontmoeting met graaf Chernikoff? U kunt evengoed president Juarez zelf de schuld geven!' En hij voegde eraan toe met die poeslieve ondergrond in zijn woorden, waardoor haar hart onmiddellijk sneller ging kloppen: 'Zal ik de president zeggen hoe verstoord u bent? Overmorgen vertrek ik naar San Luis op een missie voor mijn keizer. U weet dat erover gepraat wordt, dat die ongelukkige prins Maximiliaan gefusilleerd zal worden? Ik heb begrepen dat minstens de helft van de gekroonde hoofden in Europa uiterst bezorgd zijn.'

'Ik - ik wil niets tegen de president zeggen!' barstte Ginny uit. Had hij haar zijdelings bedreigd? 'Waarom zou u hem mijn naam noemen?'

'Maar ik weet wel zeker, dat hij mij zal vragen of ik u gevonden heb. Ik heb begrepen dat uw achtenswaardige vader en mijn goede vriend naar iedereen telegrammen heeft gestuurd in zijn pogingen u op te sporen. President Juarez zal blij zijn, dat weet ik zeker, om te horen dat u veilig bent.' Berekenend wachtte hij en zei toen zacht: 'Zal ik moeite doen om deze heethoofdige man, die u zoveel ongeluk heeft bezorgd, te doen opsporen, allerliefste? Ik weet zeker dat zulks niet al te moeilijk zal zijn. Kolonel Green hoorde dat van generaal Díaz - die erg verstoord was tussen haakjes; het schijnt dat hij nogal wat op heeft met majoor Alvarado - dat de goede majoor nu toegevoegd is aan de staf van de president en uitgezonden is om de grens te patrouilleren. Een gevaarlijke opdracht. Die Yaqui Indianen zijn wild, heb ik gehoord, en wanneer het waar is dat hij inderdaad in Amerika vogelvrij verklaard is met een prijs op zijn hoofd, dan zal hij ook nog moeilijkheden krijgen met de premiejagers. Het is te erg - maar dan, u zult ook niet langer lastig gevallen willen worden door hem, is het wel? Niet door een man, die de vuile laster gelooft die over een loyale en getrouwe vrouw wordt uitgestort - zoals u zich getoond hebt te zijn.'

Ze draaide op haar hakken om, niet in staat om nog meer van die verholen insinuaties aan te horen, en vluchtte de kamer uit; zijn zacht, spottend gelach achtervolgde haar.

'Ik zal nooit met hem trouwen!' ging ze tekeer tegen graaf Chernikoff later. 'Zelfs al zou ik gedwongen worden om naar mijn vader terug te gaan, is prins Sahrkanov de laatste man in de wereld, die daarvoor in aanmerking zou komen. Ik wens uit de grond van mij hart, dat u beiden mij met rust had gelaten!'

Maar de graaf hield hardnekkig vol haar te behandelen als een onmondig kind, dat niet wist wat ze wilde. Zijn opdracht was om haar over te halen naar Rusland te gaan en de prins kon zijn eigen hofmakerij doen.

Toen ze elkaar weer ontmoetten was Ivan Sahrkanov even ondoorgrondelijk alsof er tussen hen niets was voorgevallen; en Ginny, die zich schaamde over haar gebrek aan zelfbeheersing, pretendeerde dat ze zich hoegenaamd niets aantrok van zijn dreigementen. Iedereen nam voetstoots aan dat zij Mexico zou verlaten, zodra de prins terug kwam, zelfs de generaal, die zijn hoofd schudde met iets als spijt in zijn ogen.

'Het zal me spijten u te zien gaan en ik verontschuldig me dat ik, onbedoeld, de oorzaak ben geweest van de – hm – moeilijkheden met Esteban. Maar ik weet zeker dat hij u zal opzoeken zodra de gevechten afgelopen zijn; hij zou wel gek zijn als hij dat niet deed. Maar . . . ik zal er niet rouwig om zijn wanneer ik die Rus zie vertrekken. Die man is een geboren intrigant!' Een klank van ergernis kroop in zijn stem: 'Ik heb gehoord dat hij een wenk aan El Presidente heeft gegeven, dat ik onze Europese gevangenen te zachtzinnig behandel.'

Carl Hoskins en die vervloekte prins hebben mijn leven geruïneerd, dacht Ginny dof. Plotseling klonk als een echo uit het verleden, waarvan ze dacht, dat ze het voor altijd achter haar gelaten had, de gedachte: 'Het doet er niet toe . . . ik heb wel erger dingen meegemaakt en doorstaan. Na een poosje gaat de pijn wel weg.'

Maar kon ze het vergeten? Ze had te veel tijd om na te denken en zich te kwellen met veronderstellingen. Dit was een van de redenen waarom Ginny zoveel tijd met de oude graaf doorbracht, die op zijn manier een charmante en interessante man was met ouderwetse manieren en boeiende verhalen over wijdverspreide reizen. Hij vertelde haar veel over tsaar Alexander.

'Ga met mij mee naar Rusland!' zei graaf Chernikoff aanhoudend. 'We zullen eerst een bezoek brengen aan San Francisco en daar kun je net zoveel tijd doorbrengen als je wilt. Ik meen dat prins Sahrkanov daar wat zaken moet afhandelen en hij wil graag in de Verenigde Staten blijven totdat jullie senaat de koop van Alaska geratificeerd heeft. Maar daarvoor wordt allemaal gezorgd – maar een verandering van omgeving zal je goed doen. Ga weer eens naar Europa – breng een bezoek aan je oom en tante in Parijs. En daarna, wanneer je Rusland eenmaal gezien zult hebben, wie weet? Je zou tenslotte misschien toch het besluit nemen om je daar te vestigen.'

Hij maakte haar duidelijk, op een zeer subtiele manier, dat hij ontsteld gestaan had te zien op wat voor manier ze verkozen had te leven. Een

Mexicaans leger volgen! Leven als een boerin tussen de boerinnen! Ondenkbaar! Ze hoorde thuis in een schitterende, gekunstelde maatschappij met de mooiste juwelen en japonnen. En, gaf hij zijdelings te kennen, een echtgenoot die haar recht zou doen wedervaren in haar verheven positie – een man met een rijke en onberispelijke achtergrond.

Ze dacht eigenlijk wel, dat hij gelijk had. Nu haar eerste stekende gevoelends van verdriet en machteloosheid wat verminderd waren en enkel een doffe pijn overlieten, besloot ze om vast te houden aan haar trots. Wat was haar anders overgebleven? Sedert Steve het nodig had geoordeeld zonder enige aarzeling haar zijn rug toe te keren, zou ze zich dwingen om hem te vergeten. Jaloezie was geen excuus voor de manier waarop hij zich gedragen had en wanneer hij voelde dat zijn trots in het geding was – waarom kon hij dan niet een enkel ogenblik aan haar gevoelens denken voor de verandering?

En zodoende bleef Ginny bijna met gelatenheid wachten tot de prins terugkwam van San Luis. Wanneer hij aangekomen zou zijn, konden ze vertrekken. Ja, ze was tot een besluit gekomen om iedereen gelukkig te maken door zelf zeer gedienstig te verdwijnen.

Ze dineerde met graaf Chernikoff op een avond in begin juni en ontdekte dat de prins nu elk ogenblik verwacht werd.

'Ik had bijna gehoopt dat hij tijdig zou arriveren om met ons het diner te gebruiken,' zei de oude man haar. 'Maar misschien heeft de regen hem opgehouden.'

Ginny volgde de richting van zijn blik en zag de donkere wolken, die zich op elkaar stapelden.

'Wanneer je gewend bent aan een zekere mate van comfort en zo gewoon bent te reizen, zoals ik, is het niet moeilijk om precies te weten wat je moet inpakken. Mijn bediende is een wonder.' Hij wierp haar een doordringende blik toe onder zijn borstelige wenkbrauwen en voegde eraan toe: 'Hij is nu ook weer beginnen te pakken. We zouden in een dag of zo klaar moeten zijn om te vertrekken en ik moet toegeven, dat ik me dan opgelucht zal voelen.'

Ze dwong zich te vragen: 'Is er nieuws over de keizer?'

'Je bedoelt Maximilian Von Hapsburg? Aha – een droevige geschiedenis! De arme, misleide man. Hij had het kunnen weten toen die parvenu Louis Napoleon het verdrag van Miramar herriep, dat het tenslotte zó zou aflopen.' Toen hij de uitdrukking op haar gezicht zag, voegde hij er met zachte stem aan toe: 'Het spijt me, mijn kind, je hebt hem gekend, is het niet? Wel – wie weet wat de president van dit barbaarse land uiteindelijk zal besluiten. Misschien laat hij hem wel gaan. We zullen dat in elk geval horen, wanneer Ivan terugkomt. En nu, nu moet je echt van de maaltijd genieten. Het is niet veel – maar mijn chef heeft zelfs van de tsaar een compliment gekregen. Hij zal ontroostbaar zijn wanneer je de maaltijd, die hij heeft aangericht, geen eer aandoet.'

7

Ginny dwong zich om te eten en zelfs te antwoorden op het gekeuvel van de graaf. Maar niettegenstaande al haar pogingen bleef haar neerslachtige bui, die alleen nog erger werd door de zwarte regenwolken die nu dreigend boven hun hoofden hingen.

Regen. Ze had de heftige regenbuien in dit deel van de wereld meegemaakt – ze had hun striemende woede gevoeld. De regen zou neerstorten, de stoffige aarde in modder veranderen en daarna zou de zon gaan schijnen en alles droog bakken. Dit was Mexico, dat ze weldra zou verlaten, waardoor ze een heel segment van haar leven achter zich liet.

Graaf Chernikoff had haar in zijn eigen rijtuig laten terugbrengen en Ginny gaf order aan de koetsier om naar de achterdeur van de cantina te rijden, waar ze steeds was blijven wonen, de protesten van graaf Chernikoff ten spijt. Ze spong naar beneden, zodra het nogal wankele rijtuigje tot stilstand was gekomen.

'Het is in orde, je hoeft niet van de bok af te komen. We hebben althans de regen gemist. Gracias,' voegde ze er snel aan toe en trok de sjaal over haar hoofd toen ze de deur opende.

Muziekklanken en wild gelach drongen in haar oren. De cantina deed weer zoals gewoonlijk reuzachtige zaken, en het lawaai zou haar de halve nacht wakker houden. Ginny wist eigenlijk niet waarom ze erop gestaan had hier te blijven – tenzij het een gevoel was, dat ze op die manier enige zelfstandigheid behield. Ze voelde zich erg moe.

'Señorita . . . psst! Señorita!'

Een haveloze straatjongen, niet ouder dan een jaar of tien, sprong op van de plek, waar hij gehurkt tegen de muur gezeten had en trok aan haar rokken.

'Señorita, wilt u alstublieft niet gaan roepen? Ik mag hier helemaal niet zijn, maar ik heb een boodschap voor u. Kijk uit naar een señorita met de kleur van vuur in haar haren, heeft die man tegen me gezegd. En hij heeft me twee hele peso's gegeven. Señorita? Wilt u luisteren?'

Ginny probeerde het plotselinge kloppen van haar hart te onderdrukken. Een boodschap? Misschien was dit het wel, waarop ze onbewust had gewacht. Misschien . . .

'Je kunt beter mee naar mijn kamer komen, muchacho,' zei ze zacht. 'Kom mee. Misschien geef ik je nog wel een peso voor je moeite.'

Zijn naam, zo vertelde hij haar, was Bernardo. En omdat zijn vader in de gevechten gedood was, moest hij nu zijn moeder en twee zusters onderhouden.

'Ik maak het heel goed,' pochte hij en keek nieuwsgierig de kamer rond. 'Ik ben groot voor mijn leeftijd, is het niet? De señor heeft me gezegd dat u Mexicaans sprak – even goed als ik, zei hij. En de boodschap was erg dringend. Waarom zou hij me anders tegenhouden bij het uitgaan van de kerk?' Bernardo zette gewichtig zijn borst op, trots dat de mooie señorita aan zijn lippen hing, haar vreemd-gekleurde ogen wijd open gevuld met een emotie, die hij niet begreep. 'Hij zei – nou, eerst heeft hij u beschreven en gezegd waar ik u kon vinden. Hij zei dat ik moest wachten, het deed er niet toe hoe laat u terugkwam. En ik moest u zeggen dat u naar de kerk moest komen. Alleen, zei hij. En met een rebozo over uw haar, zodat u in de menigte kon lopen. 'Zeg haar, dat het erg belangrijk is,' zei hij. 'Ik heb nieuws van Esteban. Zeg haar dat.' Buiten rommelde de donder nog erger dan eerst en vond een echo in het plotselinge kloppen van haar pols en van de aderen in haar slapen.

'Deze señor - hoe zag hij eruit? Heeft hij niets anders gezegd?'

De jongen fronste zijn wenkbrauwen en schudde zijn hoofd alsof hij probeerde na te denken.

'Ik kon zijn gezicht niet erg goed zien. Het was donker, ziet u, en hij droeg een grote hoed en een serape. Maar ik dacht, dat het misschien een Americano was. Hij was heel lang en hij sprak met een accent. Maar hij klonk erg bezorgd, señorita. Hij zei dat het een zaak van leven en dood was - dat u het moest begrijpen. U moet naar de kerk komen, zei hij - naar de kleine deur aan de oostkant. Het was te gevaarlijk voor hem om hierheen te komen.' De grote heldere ogen, die haar gezicht bestudeerd hadden leken plotseling te glanzen. 'Is dit nieuws nog een peso waard, denkt u? We zijn erg arme mensen, señorita. Mijn moeder, mijn zusters . . .'

Ze kapte zijn bedelaarsgejammer met een abrupt gebaar af en gaf hem een peso uit de reticule, die ze aan haar pols had hangen.

'Ja, dat is het waard. Gracias, muchacho. En nu kun je maar beter naar huis hollen vóór de storm je te pakken krijgt. Haast je!'

Maar hij aarzelde en keek haar nog steeds nieuwsgierig aan.

'Voor nóg een peso, señorita, wil ik u naar de kerk brengen. U moet niet alleen uitgaan. Op straat zijn erg veel soldaten en die Americano's - bah! Ik vertrouw ze niet. Ze doen me een aanbod voor mijn zuster en Rosita is pas dertien jaar. U spreekt niet als een gringa en u bent vriendelijk. Zal ik met u meegaan? Het ligt op mijn weg.'

Ondanks haar verwarde en koortsachtige gedachten streek Ginny door zijn haar.

'Je bent erg vriendelijk. Maar ik ken de weg naar de kerk en het wordt zo laat.'

Maar de blik van gekwetste trots, die ze plotseling in zijn ogen ontdekte, deed haar van gedachte veranderen.

Alsof ze alleen maar gewacht had om erover na te denken, glimlachte Ginny tegen hem en zei nadenkend: 'Maar het is nogal een afstand om alleen te lopen en als jij zeker weet dat het je niet kan schelen, zal ik je voor je begeleiding erg dankbaar zijn. Wanneer je galant genoeg wilt zijn om je om te keren terwijl ik andere kleren aantrek, die meer geschikt zijn om te wandelen en niet veel aandacht trekken, zal ik proberen om er niet te lang over te doen.'

Weldra was ze met Bernardo op straat. Ze droeg haar oudste rok en blouse en had een zwarte rebozo strak om haar hoofd en schouders gewikkeld, waardoor ze niet te onderscheiden was van de andere vrouwen die ze op straat tegenkwamen.

'Blijf dicht bij me,' adviseerde Bernardo fluisterend. 'Ze zullen u niet lastig vallen, wanneer ze zien dat u bij míj bent. En wanneer iemand ons tegenhoudt, dan zeggen we dat u mijn zuster bent. Vindt u dat goed?'

'Ja. Ik ben blij, dat je bij me bent,' zei Ginny en ze wás blij met zijn gezelschap. Het was donker en winderig met de geur en het gevoel van regen in de lucht.

En inderdaad werden ze verschillende keren tegengehouden door dronken, ruwe mannen, die een vrouw nodig hadden om hen in een koude nacht zoals deze warm te houden. Bernardo nam de leiding en keek hen strijdlustig aan.

'Nee, nee! Vanavond niet, señors. Mijn zuster is ziek en de dokter heeft gezegd dat het besmettelijk kan zijn. Ik breng haar naar huis, naar onze madre.'

Mopperend of vloekend lieten ze hen gaan en Ginny zorgde wel dat zij haar hoofd omlaag hield en haar armen bedeesd gekruist onder haar rebozo, alsof ze inderdaad ziek was of ongewoon bedeesd.

'Ziet u?' fluisterde Bernardo triomfantelijk. 'U deed er heel goed aan om niet alleen de straat op te gaan.'

Ze stemde toe. Ze moest gek zijn, om zich op die manier bloot te stellen voor de geringe kans dat ze misschien iets van Steve zou horen. Het was een hele afstand en allemaal tegen de heuvel op vóór ze aan de kerk kwamen en gedurende die hele weg moest ze zich bedwingen om niet hard te lopen ondanks het ademloze bonzen van haar hart.

Ze bad, dat er niets verkeerds zou zijn! Dat Steve een boodschap gestuurd zou hebben, omdat hij tijd gehad had om erover na te denken en ingezien had hoe belachelijk hij zich had aangesteld. Hoe kon ze zich ooit verbeeld hebben, dat ze Steve uit haar gedachten kon bannen? Ongeacht wat ze zich ook wijs maakte, ze kon niet ophouden hem te beminnen.

Toen de donkere omtrekken van de kerk voor hen opdoemden, was het begonnen te regenen. Grote langzame druppels water, die een waarschuwing inhielden voor de striemende stortbui die nog zou volgen. Er was geen sterveling te zien; en hoewel er kaarslicht scheen door de smalle ramen, leek de kerk bijna verlaten.

'Weet je het zeker?' fluisterde Ginny. 'Zei hij, dat hij zou wachten?'

'Si, señorita! Hij zei dat hij hier zou zijn, het doet er niet toe hoe laat het werd.' En daarna, met een lichte aarzeling in zijn stem zei Bernardo: 'Zal ik misschien hier wachten, in de schaduw van deze bomen? Hij zei dat u alleen moest komen - misschien wil hij zich niet vertonen wanneer hij ons samen ziet. Maar ik zal hier wachten om zeker te weten dat alles met u in orde is vóór ik terugga.'

'Bernardo, je bent een echte cavalier!' mompelde Ginny; haar stem brak bijna door de spanning waaronder ze gebukt ging. 'Hier - je verdient meer dan twee peso's voor je vriendelijkheid, maar het is alles wat ik bij me heb. Zorg dat je een goede maaltijd krijgt - jij en je familie. En zeg je madre namens mij, dat ze een zoon heeft om trots op te zijn.'

Ondanks haar uiterlijk vertoon van moed, werd ze belachelijk getroost door de gedachte dat de jongen zou blijven wachten. Een Americano, had hij gezegd. Een vriend van Steve? Of – Steve zelf?

Zonder acht te slaan op de regen, die nu tegen haar gezicht sloeg en haar rok en sjaal nat maakte, liep Ginny snel naar de kerk. Hoe donker en verlaten zag die eruit! Aan deze kant van het gebouw groeiden heel veel bomen dicht op elkaar en verder, zoals ze wist, lag er niets dan een open stuk land, aan de verste kant begrensd door een aantal verlaten hutten. Een goede plaats voor een clandestiene ontmoeting. Niemand gebruikte deze ingang, die ooit in gebruik geweest was door de nonnen van het klooster, dat nu aan het vervallen was en bijna een ruïne was geworden. Het was de oorlog en het heen en weer trekken van elkaar bevechtende legers, die aan deze kant van de kerk dat uiterlijk van eenzaamheid en troosteloosheid hadden gegeven. De nonnen waren al lang geleden naar een veiliger klooster uitgeweken en er waren slechts ratten en een paar zwerfkatten overgebleven om hun 'ave's' hier te zingen.

Ginny was nu ter hoogte van het gebouw gekomen toen een lange, donkere gestalte naar voren kwam uit het deurportaal. Sterke vingers sloten zich om haar pols.

'Ik moet zeggen, dat je heel wat tijd nodig had om hier te komen!'

'Steve!' Ze had haar mond geopend om zijn naam te zeggen, maar de schok en een plotseling gevoel van schrik deden haar in plaats daarvan zuchten.

'Verbaasd?' Zijn stem was een grauw, niettegenstaande de bedrieglijke zachtheid. 'Nou, dat hoef je niet te zijn. Jij en ik hebben nog onafgemaakte zaken te behandelen, Ginny Brandon. Dacht jij dat ik je zo gemakkelijk zou laten gaan na al de vuile streken, die je mij geleverd hebt?'

'Carl,' haar stem begaf het vóór ze er enige kracht in kon leggen. 'Carl, wat is hier de bedoeling van? Heb je al niet genoeg gedaan om mij te ruïneren? Laat me ogenblikkelijk gaan!'

'O, nee!' Zijn greep werd sterker en toen ze instinctmatig haar andere hand ophief om hem te slaan, greep hij die met een rauwe lach.

'Je dacht dat hij het was, is het niet? Steve Morgan! Wat zul je gelachen hebben, toen je dacht mij in de maling genomen te hebben met je gepraat van getrouwd te zijn met een Mex-officier – dat je gelukkig was en verliefd. Nou, Morgan lachte niet toen ik klaar was hem te vertellen, wat een bedrieglijk achterbakse teef jij bent!'

Hijgend probeerde Ginny zich los te trekken, maar met een gemene beweging trok Carl haar uit haar evenwicht, duwde haar in het deurportaal tegen de zware houten deur.

'Deze keer praat je je er niet zo gemakkelijk en glad uit als de vorige keren. Hoor je me?' Hij schudde haar heftig om zijn woorden kracht bij te zetten, zodat haar tanden klapperden. 'Zie je, ik weet nu precies wat jij bent – en wat je geweest bent. Een hoer! Ja zeker! Dacht je dat je dat voor eeuwig kon verbergen? Nadat Morgan en ik onze kleine woordenwisseling gehad hadden, heb ik gepraat met een paar gevangenen die we gemaakt hebben – mannen die gedeserteerd waren uit het leger van Tomas Mejia. Betekent dat iets voor je, jij slet?'

Op een of andere manier speelde ze het klaar woorden te vinden.

'Carl – houd hiermee op! Ik weet niet waarom je mij hierheen gelokt hebt of wat je dacht, toen je dat deed, maar het zal je geen goed doen. Jij – je moet stapelgek zijn! Wat denk je te bereiken?'

Hij schudde haar weer door elkaar, sloeg haar met haar rug tegen de deur tot ze dacht dat haar hoofd los zou raken van haar lichaam; haar rug en schouders waren gekneusd.

'Wil je dat echt weten? Nou, ik had zeeën van tijd om erover te denken om dit plan voor te bereiden, terwijl ik in dat ziekenhuisbed lag, waar je verdomde halfbloed-minnaar me terecht liet komen, hoor je dat? Je bent me heel wat schuldig, Ginny Brandon, voor al die keren dat je me aan het lijntje hebt gehouden en geplaagd hebt en de onschuldige dame hebt uitgehangen, terwijl je al die tijd bij hém sliep en die Fransoos en God weet wie nog meer – elke stinkende Mexicaanse soldaat, die nog een peso over had – is het niet? Is het niet? Jij teef, nu ga je mij betalen en jij blijft me betalen tot ik genoeg heb. Ik ga je gebruiken zoals ik veel eerder had moeten doen – op de manier waarop jij verdient gebruikt te worden – als een goedkope, stinkende hoer!'

Tijdens zijn gepraat bleef hij haar heen en weer schudden, hield hij haar in zijn wrede greep rond haar polsen. De rebozo gleed van haar hoofd en haar haren vielen los toen ze probeerde hem te bevechten, gehinderd door haar drijfnatte rok.

'Nee, Carl, nee!'

'O, maar het zal worden "ja, Carl, alsjeblieft, doe alles wat je wilt met me," tegen de tijd dat ik met je klaar ben, hoor je me? Je gaat me niet opnieuw voor gek zetten. Heb ik je niet gezegd dat ik plannen met je had? Niemand weet waar je bent of wat er met je gebeurd is – ze zullen denken dat je naar Morgan gevlucht bent. En híj – ja, ik zal met hem het laatst lachen, vóór ik die premie in, die je vader op zijn hoofd geplaatst heeft. Ik zal hem laten weten dat ik je heb – ik zal er een handeltje van maken. Wat denk je daarvan?'

Met een beweging, die te snel voor haar was om te voorkomen, gaf hij plotseling een harde draai aan haar polsen, waardoor ze op haar knieën terechtkwam.

'Nou houd je je even stil,' hoorde Ginny hem mompelen en plotseling vond ze de kracht om te schreeuwen.

Als Bernardo maar niet weggegaan was! Als hij nog maar tussen de bomen schuilde en haar kon horen!

'Help – help me, gauw!' Ze schreeuwde de woorden in het Spaans vóór Carl haar tot zwijgen bracht met een boosaardige slag op haar mond.

'Verdomde teef! Hoor je de donder – en de regen? Denk je dat iemand jou kan horen?'

Hij sloeg haar opnieuw en opnieuw, op haar gezicht en op haar borsten, tot alles voor haar ogen zwart begon te worden en begon te wankelen. Verdoofd, haar hoofd kloppend van pijn, slechts half bij bewustzijn, voelde Ginny dat hij haar armen achter haar rug trok en haar polsen samenbond. Hij duwde haar op de natte, modderige grond, hij kluisterde haar enkels en scheen er plezier in te hebben het touw zo strak aan te trekken als hij maar kon, tot Ginny in haar half bewusteloze staat het gevoel kreeg dat haar bloedsomloop werd afgesneden. De laatste en ergste vernedering was de prop, die hij tussen haar lippen wrong om haar het schreeuwen te beletten.

Kreunend, vechtend voor adem, voelde Ginny hoe ze opgepakt werd in zijn armen en weggedragen, terwijl de regen op hen beiden neersloeg en haar bijna deed verdrinken.

Plotseling voelde Ginny, dat ze op de grond werd gelegd hoewel de vloer onder haar droog was, was die koud en hard en ze kon Carl horen mompelen. 'Nu blijf je rustig liggen tot ik die kaars gevonden heb, die ik hier heb achtergelaten - en dan zul je het mooie schuilholletje zien, dat ik voor je heb klaargemaakt. Een paar van de jongens en ik kwamen hier ooit eens een keer op onderzoek. Het is een interessante plaats, zoals je wel zult merken!'

Ze hoorde hem een lucifer afstrijken en het gele licht vlamde op en deed pijn aan haar ogen. De pijn schoot door haar gehele lichaam wanneer ze probeerde zich te bewegen. Het volgende ogenblik werd ze weer opgepakt, over zijn schouder gesmeten en een smalle trap afgedragen naar wat een zwart, gapend hol leek te zijn - dat te zien was toen hij een zwaar houten luik in de vloer had opgelicht.

'Vroeger was dit een wijnkelder. De nonnen maakten de wijn zelf, heeft iemand me verteld. Maar ik denk dat ze het allemaal meegenomen hebben, toen ze hier wegvluchtten. Er zijn hier beneden niets anders dan ratten en een paar spinnen en kakkerlakken. Maar daaraan moet je gewend zijn, zolang je in Mexico geleefd hebt en gezien het soort gezelschap, dat je prefereerde!'

Ginny voelde zich oncontroleerbaar schokken en hij lachte toen hij haar neerlegde - niet al te zachtjes - deze keer op wat een stapel zakken leek in een van de hoeken van het kleine koude vertrek.

Toen Carl zich omdraaide om de kaars in de hals van een lege wijnfles te steken, was hij zich bewust van het geluid van zijn eigen ademhaling, die in zijn keel raspte. Gedeeltelijk kwam dit van het moeizame karwei van haar te dragen en gedeeltelijk was het een mengsel van woede en opwinding. Hij had het klaargespeeld! Zijn geduld, zijn zorgvuldige voorbereidingen hadden tenslotte gewerkt, en hier was ze, juist zoals hij zich voorgenomen had, dat hij haar zou hebben.

Hij bewoog zich met opzet erg langzaam, omdat hij wist dat ze hem angstig aankeek door die scheefstaande groene ogen, die hij afwisselend gehaat en bemind had. Ja, er was een tijd geweest dat hij dolverliefd op haar was geweest, helemaal ingepalmd door haar koele, ongenaakbare houding. Maar nu verachtte hij haar, zelfs terwijl hij haar begeerde. Hij was van plan haar voor alles te straffen - en vooral omdat ze hem altijd op armlengte afstand gehouden had, terwijl ze zich aan ieder ander gaf. Enfin, alles zou nu veranderen en hij zou zich verheugen in haar gekronkel terwijl ze hem smeekte om wat medelijden te tonen. En het zou een aangename gedachte zijn om mee te nemen, wanneer hij naar zijn hoofdkwartier terugging, dat ze hier zou zijn, wanneer hij haar ook maar zou begeren. Wachtend . . .

Hij haalde een fles wijn achter een kist vandaan en zette die aan zijn mond. Hij trok zijn natte jasje uit, voor hij eindelijk naar haar keek. Het grootste gedeelte van haar gezicht was onzichtbaar door de halsdoek, die hij gebruikt had als een geïmproviseerde prop, maar haar ogen staarden hem aan. Hij voelde een wreed gevoel van voldoening bij het zien van wat zijn slagen hadden uitgericht en die de klassieke volmaaktheid van haar trekken ontsierde.

Haar blouse was bij een schouder gescheurd, zodat die bloot kwam alsook een deel van haar borst en haar doorweekte rok was opgekropen zodat haar benen zichtbaar waren. Ze zag eruit als een hoer, overdekt met modder en nu hij daar stond en zijn ogen overdreven langzaam over haar heen liet dwalen, kon Carl zich voelen verstijven door een onbedwingbare lust.

De ogen van Ginny, als groen glanzend glas in het flakkerende kaarslicht, lieten zijn gezicht niet los. Ze was bang – grote God, hij wilde dat ze bang was, dat ze zich af zou vragen wat hij met haar zou gaan doen. En hij had de bedoeling om er de tijd voor te nemen, maar zijn eigen begeerte en de weinige tijd die overbleef omdat ze hem terugverwachtten, dreven hem naar haar toe.

Ze voelde zijn handen op haar lichaam en sloot haar ogen, ze hoorde het scheuren van natte kleding, toen hij met berekende bedachtzaamheid elk kledingstuk van haar lichaam scheurde.

8

Ginny had nog nooit eerder in haar leven een dergelijke onberedeneerde angst gevoeld, noch zo'n ondoordringbare duisternis; ze voelde alsof ze langzaam verstikt werd.

Toen Carl eindelijk vertrokken was en de kaars had meegenomen, voelde Ginny zich te verdoofd en onteerd om er veel om te geven dat hij haar hier alleen liet, haar polsen en enkels iets minder strak geboeid dan eerst. Het luik viel met een klap achter hem dicht en liet haar achter omgeven door een roetachtige donkerte en ze was in staat geweest om een sprankje opluchting te voelen. Hij had de prop niet meer aangebracht en achteloos een deken over haar pijnlijke, naakte lichaam gegooid. Lang nadat hij weg was lag Ginny te snikken zonder tranen, op het ogenblik zich alleen maar bewust van de lichamelijke pijn gekoppeld aan een veel erger geestelijke zielestrijd.

Pas later, toen de duisternis van alle kanten op haar af scheen te komen en ze zich bewust werd van zachte, ritselende geluiden, begon de echte foltering. Ze durfde zich niet te bewegen, maar ze werd wel gedwongen om op haar zij te gaan liggen en ze voelde de pijn van haar geboeide polsen en enkels door iedere zenuw flitsen, vóór dat ze verdoofd waren. En het ergst van al was de gedachte dat ze alleen was in dit smerige hol en volslagen hulpeloos. Ratten en spinnen, had Carl haar eerder lachend gezegd.

'Hij kan niet werkelijk van plan zijn om me hier achter te laten,' overdacht Ginny koortsachtig en probeerde het misselijke gevoel te onderdrukken, dat haar trachtte te overmeesteren. Het was de wijn, die hij haar gedwongen had te drinken door de hals van de fles tussen haar gekneusde en gezwollen lippen te persen.

'Hier, drink hier wat van! Misschien komt er dan wat leven in je . . .' en hij had gelachen toen ze kokhalsde van het goedkope, viessmakende spul.

Een plotselinge gedachte deed Ginny verstijven van angst. Misschien wilde hij haar hier achterlaten, levend begraven en de ratten zouden haar opeten. Ratten? Of – o, God, stel dat er hier ook slangen waren?

Ze hijgde naar adem, hoorde het geluid van haar eigen ademhaling boven het doffe gebons in haar slapen. En dan greep de duisternis haar bij de keel en doofde alles uit.

Toen Carl de volgende morgen terugkwam, floot hij zacht, hij glimlachte en zag er fris uit. Hij had zijn baard en zijn haar bijgewerkt; waardoor zijn blonde knappe uiterlijk beter uitkwam en inderdaad, op zijn weg tegen de heuvel, gekleed in een pasgewassen, onberispelijk blauw uniform, had hij verschillende terloopse vrouwelijke blikken tot zich getrokken.

Hij was die morgen geweldig met zich zelf ingenomen, ofschoon hij gisteravond ternauwernood in slaap had kunnen komen wegens de reactie en doordat hij steeds aan haar moest denken – hoe zijn plan zonder haperen was verlopen. Ginny – was het mogelijk, dat hij na al die maanden van dromen, van begeerte, van zich af te vragen wat er van haar geworden was, haar nu eindelijk bezat? En dat hij met haar kon doen wat hij wilde. Een reeks beelden doemden weer in zijn brein op. Haar lichaam – met lange benen en een gladde huid. De angstige gekwelde blik in haar ogen, de kreunende geluiden, die achter de prop naar boven kwamen toen hij haar begon te liefkozen. Hij had nooit eerder een vrouw verkracht, maar het was een genoegen geweest. Méér dan dat, hij had er een soort ziekelijke opwinding door gekregen, zoals hij die tevoren nooit gekend had, alleen al door de gedachte dat haar lichaam hem toebehoorde, dat hij ermee kon doen wat hij wilde, alles! En met een latent sadisme, waarvan hij niet wist dat hij het bezat, had hij haar dat bewezen, telkens en telkens weer, tot ze opgehouden had zich te verzetten en berustend onder hem lag, alleen de langdurige rillingen verrieden haar innerlijke opwinding.

Hij was een knappe jonge Amerikaanse officier, die in zijn vrije tijd een wandelingetje maakte vóór de zon te heet zou worden. Afgezien van een paar vrouwen die nog eens omkeken in de hoop zijn blik te vangen, trok Carl Hoskins geen verdere aandacht, terwijl hij onder langs de heuvel van Tepeyac wandelde teneinde de menigte te vermijden, die naar de kerk dromde, zelfs op dit uur van de morgen.

Het oude klooster zelf, waarvan de bevolking meende dat het er spookte, lag verlaten. Zonder enige haast, terwijl hij zich zorgvuldig een weg baande, wierp Carl Hoskins af en toe een blik achterom om zeker te zijn dat niemand hem zag, terwijl hij zijn weg zocht door het puin en binnenging in wat eens de refter van het convent geweest was. Overal lagen plassen water van de storm van de vorige avond en in de schaduw van de oude dikke muren was het merkbaar koeler. Eindelijk begon hij zich te haasten. Hij daalde een lage trap met stenen treden af, hier was een deel van het dak blijven staan. Hij had het luik verborgen onder een slordige stapel losse stenen, hij trapte die nu ongeduldig opzij en pakte de kaars die hij had achtergelaten. Het was somber hier binnen en in de kelder zou het donker zijn. Hij grinnikte in zich zelf. Misschien was ze wel blij hem te zien en gereed om dat te tonen.

Maar Ginny lag bewegingloos, zelfs toen Carl opzettelijk het luik met een klap weer dicht liet vallen. De kaarsvlam flakkerde en wierp een miezerig gelig licht in het rond, dat nu haar naakte wit-glanzende lichaam toonde.

In de loop van de nacht was ze de deken kwijtgeraakt en was niet meer in staat geweest om die weer op te pakken. Ze lag nu voor de warmte met opgetrokken knieën, haar haren bedekten haar schouders en het merendeel van haar gezicht, dat van hem afgekeerd en in de smerige zakken geduwd was.

'Ik hoop dat je een goede lange rust gehad hebt,' zei Carl met zwaar sarcasme toen hij op haar toeliep. Nog bewoog of sprak ze niet, ofschoon hij de zwakke beweging van haar ademhaling kon zien. Fronsend stond hij boven haar te kijken. Haar blanke lichaam was ontsierd door de tekens, die hij achtergelaten had. In zeker opzicht was dat jammer, maar hij moest haar toen een lesje leren.

'Barst jij!' Hij zette de kaars neer en schudde ruw haar schouder. 'Het heeft geen zin om je stil te houden, ik kan zien dat je ademt. En als je niet wilt praten dan stop ik misschien die prop weer in je mond.'

Hij kon zien dat ze zwak haar hoofd schudde toen hij haar omdraaide, waarbij hij al zijn krachten moest gebruiken omdat ze zich zo slap hield. Toen hij haar gezicht zag was hij één ogenblik geschrokken. Gekneusd, opgezwollen, was het niet langer mooi. Zelfs haar ogen leken hun glans verloren te hebben. Ze staarden hem nietszeggend en bijna niet-begrijpend aan.

Op zijn hurken leunde hij achterover en vloekte. Misschien was hij te ruw met haar geweest. Wat was er eigenlijk met haar? Ze deed maar alsof – probeerde hem zo ver te krijgen dat hij medelijden met haar zou krijgen, dat was het. Hij schudde haar opnieuw en haar huid voelde aan als ijs. Hij kon het niet helpen, maar hij streek met één hand over haar gewelfd vlees en wachtte op een reactie van haar kant, al was het maar een beweging van afkeer. Maar haar gezicht bleef zonder enige uitdrukking. Hij vloekte weer binnensmonds, pikte de deken op en begon haar lichaam warm te wrijven, met opzet was hij ruwer dan nodig was. Verdomme! Verdomme! Ze verdiende te lijden en ze had nog niet genoeg geleden. Hij zou haar nú nog niet aan hem laten ontkomen. Het kwam plotseling bij hem op, dat hij haar misschien te strak had vastgebonden en dat haar bloedsomloop gestoord was. Het was in elk geval duidelijk, dat ze niet in staat was om met hem te worstelen en wanneer ze het al zou proberen, was het niet moeilijk haar te bedwingen.

Nog steeds vloekend sneed Carl haar los en zodra het bloed in haar begon te stromen door haar verdoofde en verkrampte ledematen, begon Ginny van pijn te kreunen.

'Hier, in godsnaam, laten we je wat leven ingieten . . .' Hij bracht haar overeind en hield een fles wijn aan haar lippen. Ze dronk gehoorzaam, vertrok een grimas van de pijn toen de drank haar gewonde lippen stak. Het was slechte wijn, maar sterk genoeg om met een schok op de bodem van haar maag terecht te komen. En Carl dwong haar om veel te veel te drinken.

Plotseling duwde hij haar achterover; zwak en duizelig lagen haar benen slap onder hem.

'Verdomme, wat mankeer je? Ik wed dat je niet zo gelegen hebt wanneer een of andere man ervoor betaalde, is het wel? Kijk . . .' hij greep een handvol haar en trok er gemeen aan, 'waarom ben je hier, denk je? Het is niet alsof ik iets van je vraag, dat je eerder al niet verkocht of voor niets gegeven hebt. Lig je ook zo, wanneer die bastaard Morgan jou neemt? Luister' – hij bracht zijn gezicht heel dicht bij de hare – 'wanneer je niet kunt tonen dat je blij bent me te zien, zal ik je opnieuw vastbinden, maar deze keer strakker. Dan laat ik je nog een dag of wat hier!'

Eindelijk kreeg hij enige reactie. Ze schudde haar hoofd, haar ogen bleven gesloten, maar ze probeerde te spreken; haar stem klonk als een hees gefluister.

'Nee! Nee . . . niet . . .'

'Wat niet, jij slet? Zeg het. Zeg: "Verlaat me niet, Carl, ik wil dat je . . . ik wil dat je . . ." '

'Verlaat . . . me niet . . .' Haar ademhaling was heel oppervlakkig en snel; haar ogen nog steeds gesloten. Hij lachte en drukte met het gewicht van zijn lichaam op het hare, zijn handen waren overal, alsof hij niet genoeg kon krijgen van de aanraking van haar vlees – al die verborgen plekjes in de schaduw, die ze hem vroeger nooit had laten aanraken.

'Zeg het! Ik wil dat je die woorden gebruikt en doe nou maar niet alsof je niet weet waarover ik het heb. Hoer!' Zijn adem, met de walm van de wijn, sloeg zuur in haar gezicht. Hij begon te hijgen en was niet in staat zijn lusten te bedwingen.

Al die tijd, sinds de verschrikkingen van de afgelopen nacht, had Ginny in een soort verlamming verkeerd, maar nu, nu het leven weer door haar armen en benen begon te stromen en de wijn in haar maag brandde, kwam ze weer tot het volle besef van wat er met haar gebeurde, de pijn en ontluistering die hij haar vastbesloten verder wilde aandoen. Haar lichaam bewoog onder het zijne en toen ze haar ogen opende, zag zij zijn gezicht, rood opgezwollen. Hij deed haar pijn, hij verkrachtte haar. Tom Beal, weer tot leven gekomen om zich te wreken . . .

Toen hij haar hoorde hijgen en haar voelde bewegen, dacht Carl dat hij werkelijk tot haar doorgedrongen was. Die kleine teef, hij was bezig haar heet te maken en dat tegen haar wil! Die gedachte deed hem alle zelfbeheersing verliezen. Zwaar ademend, frommelde hij aan zijn kleren, hij wilde haar ńu nemen, hij moest. Ze kromde haar lichaam tegen het zijne, fluisterde iets in het Spaans met schorre stem en onverstaanbare woorden. En toen ontplofte de wereld met een splinterend geluid. Er klonk een schreeuw – de zijne? Een scherpe, verblindende pijn, en toen . . . niets.

Ginny had hem tegen de zijkant van zijn hoofd geraakt met het enige voorwerp dat ze kon grijpen – de fles wijn – en zwaaide die met alle kracht en wanhoop, die in haar was. Ze was nog steeds een beetje gek; ze bleef denken dat haar aanvaller Tom Beal was. Ze had Tom Beal gedood, was het niet? Met een mes in zijn keel. Wie was deze man?

Op een of andere manier kon ze zich onder het zware lichaam van Carl uitwriegelen, ze keek naar het bloed dat uit zijn slaap en schedel stroomde, bijna objectief. Wat had hij veel gebloed in zo'n korte tijd! Er was zelfs bloed op haar terechtgekomen en stukken glas hadden haar borsten en haar vingers gekerfd, maar de sneden waren nog niet begonnen pijn te doen. Vreemd, zo weinig ze voelde! Haar geest was nog even verdoofd als haar lichaam.

Het volgende wat Ginny zich herinnerde was de beklimming van een schijnbaar eindeloze reeks traptreden en toen: de warmte van de zonneschijn. Daarna was er weer een donkere plek in haar herinnering en toen lag ze plotseling in een bed, iemand die zich over haar heenboog, die op een kalme overredende toon sprak.

'Kom, kleintje. Word nu maar wakker. Je hebt lang geslapen; ja, een heel goede lange rust. Word nu maar wakker, je bent veilig!' Haar oogleden voelden zo zwaar! Ze hoorde dezelfde stem zachtjes zeggen: 'Ik denk dat ze er nu wel uitkomt, eindelijk – ze heeft in een shocktoestand verkeerd.'

'Zou ze sterk genoeg zijn om nu met haar te praten?' Een andere stem. Sterker, harder en met een vreemd accent.

'Ik kan het niet zeggen. Dat hangt ervan af hoe slecht haar geheugen is. Heb geduld met haar, Ivan.'

Ivan?

Ginny dwong zich haar ogen te openen en knipperde toen ze trachtte hen scherp te zien. Ze voelde zich zo belachelijk zwak. Wat was er met haar aan de hand? En waarom boog prins Ivan Sahrkanov, juist hij, zich over haar heen?

'Virginie!' Hij had gezien dat ze haar ogen opende en nu boog hij zich nog dieper over haar heen, haar beide handen in de zijne. Zijn stem klonk dringend. 'Vertel me eens – wat is er gebeurd? Wie was het? Je moet het me zeggen. Je herinnert je het toch nog wel?'

'Ivan!' Die vastberaden, waarschuwende stem hoorde aan graaf Chernikoff. Ginny wendde haar ogen, nu wijdopen, naar zijn gezicht, dat er bezorgd en vermoeid uitzag.

'Wat?' Haar stem was hees, nauwelijks meer dan een gefluister. En toen begon tegen haar wil haar geheugen weer op gang te komen, wat haar deed ijzen. Plotseling werd ze zich bewust van verbanden, overal, zelfs haar handen waren verbonden.

'Ginny . . .' de stem van graaf Chernikoff was zacht en toch doordringend. 'Probeer je geheugen niet te forceren. Wanneer je geen zin hebt om te praten, dan moet je langer blijven rusten. Je hebt onder een verschrikkelijke spanning geleefd. Het is duidelijk dat je een afschuwelijke ervaring hebt opgedaan.'

'Virginie – je moet het me vertellen.' Waarom bleef Ivan Sahrkanov haar bij de Franse vertaling van haar naam noemen? Ze besefte, te laat, dat hij nog steeds haar handen vasthield en dat zijn ogen bijna doorschijnend leken in het zonlicht dat door een open venster stroomde. 'Wie was het?' herhaalde hij opnieuw. 'Wat is er gebeurd? We waren uitzinnig van bezorgdheid, wij allemaal. En toen vroeg een kleine jongen, die ik buiten die smerige cantina zag rondhangen, of ik een vriend van je was.'

Ze probeerde rechtop te zitten maar viel terug tegen de opgeschudde kussens. 'Je hebt hem toch niet aangeraakt? Bernardo probeerde me te helpen.'

'Laat mij met haar praten, Ivan.'

Graaf Chernikoff boog zich nu over haar heen, zijn droge oude-mannenhand raakte zacht haar voorhoofd aan. 'Goed. Je hebt geen koorts. Maar toen we je vonden, was je zó versuft, dat ik me zorgen begon te maken over je verstand, mijn kind.'

Geleidelijk aan werd haar alles duidelijker. Ze was, misschien gedreven door instinct, naar het huis van de padre gegaan, die gewoonlijk de mis deed in de kerk van Onze Lieve Vrouw van Guadalupe. De huishoudster van de goede padre had haar opgenomen. Ze was toen slechts gekleed in een deken en had onsamenhangend gebrabbeld in het Spaans en het Engels. Niet wetend wat te doen, had de vrouw het aan de padre verteld, die in het geheim een boodschap naar generaal Díaz gestuurd had in de mening dat misschien enkele soldado's een van de vrouwen hadden aangevallen, die zij gevangen genomen hadden.

'En daar hebben we je dan ook gevonden,' zei graaf Chernikoff met zachte stem. 'Zoals ik al gezegd hebt, verkeerde je in een shocktoestand. Je besefte ternauwernood waar je was of wie wij waren. Je bleef maar praten over een man - een man, die je mishandeld en misbruikt had - een man, die je vermoord had.'

Ze fluisterde: 'Dus het was tenslotte Tom Beal niet. Ik dacht - ik dacht, dat hij teruggekomen was! Maar het was - het was Carl! Hij . . .'

'Weet je het zeker? Weet je positief dat het niet de man was, die je je echtgenoot noemt? Jaloezie - een gedachte aan wraak misschien! Virginie, ik sta erop dat je het mij zegt.'

De stem van graaf Chernikoff mompelde waarschuwend in het Russisch, maar de woede maakte dat Ginny rechtop ging zitten, ondanks de pijn in haar lichaam, haar ogen botsten met die van de prins.

'Het was Steve niet! Hoe kunt u zo iets suggereren? Het was Carl Hoskins. Hij was zo jaloers. Ik denk...' met een zucht zonk ze achterover - 'ik denk dat hij begonnen was mij te haten, weet u? Hij beschuldigde me - van hem aangemoedigd te hebben. Hem voor gek te zetten. Hij kreeg me met een list naar die kerk om hem daar te ontmoeten en toen begon hij . . .' Toen ze terugdacht aan die angstaanjagende ervarigen van die nacht, die ze alleen had doorgebracht, met handen en voeten gebonden in die kelder waar de ratten over haar heen liepen, verbleekte ze. 'Ik - ik geloof, dat ik hem vermoord heb,' zei ze tenslotte met een zacht, benepen stemmetje. 'Ik heb hem op zijn hoofd geslagen met de wijnfles en daarna geloof ik - ik geloof dat ik toen naar buiten kroop, de frisse lucht in. Het enige dat ik wilde, was naar buiten komen, begrijpt u dat? Om weer te kunnen ademen. Het was zo donker in die kelder en er waren ratten . . .'

Terwijl hij haar schouders ondersteunde met een arm die verrassend sterk was, liet de graaf haar iets zoets drinken, dat haar een grimas deed maken.

'Het is een heel zacht kalmeringsmiddel, waardoor je beter zult rusten. We kunnen niet toelaten dat je weer in shocktoestand raakt, weet je!'

Boven zijn zachte stem klonken de ruwe geluiden van Ivan Sahrkanov. 'En die kelder? Waar is die? Je moet het me zeggen, Virginie. Ik zal zelf gaan kijken. Je moet beschermd worden. Je goede naam . . .' En nadat ze het hem verteld had, hoorde ze hem zacht zeggen: 'Maak je geen zorgen, mijn prinses. Niemand zal het te weten komen.'

Daarna was ze in een diepe slaap gevallen, zonder dromen. Toen ze wakker werd, zat ze in een rijtuig of een soort wagen, met de graaf naast zich.

'We zijn op weg naar de kust. Blijf stil liggen. Het is maar goed, dat je een sterke jonge vrouw bent met een gezond gestel. Je bent al aan het genezen en de volgende keer, dat je in een spiegel kijkt, zul je geen verschil in je uiterlijk vinden.'

Een vreemd, lethargisch gevoel maakte zich van haar meester en ze schudde het hoofd. Wat kwam het er tenslotte op aan hoe ze eruit zag? De matheid die bezit van haar genomen scheen te hebben, bleef voortduren, zelfs toen ze stilhielden om de paarden rust te geven en Ivan bij haar kwam zitten.

' Je ziet er al veel beter uit.' zei hij zacht. Daarna liet hij zijn stem dalen: 'Ik ben trots op je, chérie. Ongedierte zoals dat - iemand die durfde te doen wat hij jou heeft aangedaan - die verdient een nog erger dood. Hij zou er niet zo gemakkelijk zijn afgekomen, wanneer ik het geluk gehad had om je te bevrijden. Maak je geen zorgen,' ging hij verder. 'Er zal geen onderzoek ingesteld worden, er worden geen naspeuringen gedaan. Ik heb hem daar gelaten - ze zullen denken dat hij om zijn geld vermoord werd of om zijn uniform. En jij moet grote indruk gemaakt hebben op generaal Parfirio Díaz, want ondanks alle voorbereidingen, waarmee hij bezig was voor een beslissende aanval op de City, nam hij de tijd om mij te verzekeren dat er van zijn kant geen vragen gesteld zouden worden. Je ziet dus dat je geen schandaal te vrezen hebt. En je zult heel spoedig op ons schip zijn en je helemaal beter voelen.'

Het waren zijn alarmerende hartelijkheid en zijn vriendelijke overwegingen, die haar ontwapenden. Of misschien was het haar eigen gevoel van lusteloosheid, van zwakte; misschien waren het de drankjes die de goede dokter haar nog steeds deed innemen. In elk geval was Ginny's afscheid van Mexico een feit, dat zij ternauwernood besefte, tot ze goed en wel midden op zee waren en het schip onder haar schommelde. En zelfs toen bleef ze apathisch.

'Nu laat je een deel van je leven achter je,' zei de graaf, 'maar alleen om een nieuw te beginnen. Zo gaat het altijd, mijn kind. Van nu af moet je alleen maar vooruit kijken, maar de magnifieke toekomst die voor je is weggelegd. Het lot,' zuchtte hij, 'valt soms moeilijk te aanvaarden. Vooral wanneer je jong en koppig bent. Maar je kunt nooit ontsnappen aan je verantwoordelijkheden, evenmin als aan het bloed dat door je aderen stroomt, dat is het noodlot, mijn kind. En wanneer je je geest daartoe zet en zelf wilt dat het gebeurt, dan kun je gelukkig zijn.'

Wat was het lot, dat voor haar was weggelegd? Ze dacht dat ze het eens, met Steve, gevonden had. Ze trachtte zijn beeld bij zich op te roepen, maar in plaats daarvan zag ze de raadselachtige glimlach en de gebeitelde, glad geschoren gelaatstrekken.

Steve - was die ook deel van een droom geweest? O, maar ze had zich veel te gelukkig gevoeld en had veel te veel vertrouwen in de toekomst gehad; dat had niet kunnen blijven duren. En nu Steve haar vrijwillig de rug had toegekeerd - haar uit zijn leven verbannen - moest zij proberen om hetzelfde te doen.

'Het wás een droom,' overdacht Ginny en haar ogen leken donkerder te worden. Steve was niet voorbestemd om zich rustig te vestigen - misschien was hij maar al te blij met het excuus, waarmee hij zich nu van een zware verantwoordelijkheid kon ontdoen. Wanneer hij werkelijk van haar gehouden had, zou hij haar geloofd hebben. Toen, bijna in paniek, realiseerde Ginny zich dat ze niet aan hem moest blijven denken! Graaf Chernikoff had gelijk. Ze moest proberen het verleden achter zich te laten en opnieuw beginnen.

'Het komt me voor dat de schurk, van wie jij hield, voor al jouw moeilijkheden en ellende verantwoordelijk is, mijn kind,' had de graaf gezegd. 'Alsjeblieft! Probeer hem te vergeten! Ik vermoed dat je de trots van de Romanovs bezit evenals de moed, waarvoor het keizerlijke huis van Rusland bekend staat.'

Natuurlijk doelde de graaf indirect erop, dat ze niet moest worden zoals haar moeder, die haar leven tot een puinhoop liet vervallen en tenslotte vroegtijdig beëindigen, omdat ze nooit over haar eerste liefde heen kon komen.

'Arme Genevieve!' Deze echo uit een ver verleden, de stem van een medelijdende vriendin scheen door de stilte te zweven. Hoe dikwijls hoe ongeduldig had ze aan haar arme mama teruggedacht - en was ze boos geweest, dat Genevieve geen notitie van haar wilde nemen.

Aan boord van het Russische schip was iedereen enorm beleefd. Het was kennelijk een schip van de marine, maar het was geschikt gemaakt om ook passagiers op te nemen. Er waren stewards en hutjongens. De kapitein, een gebaarde, knappe man, die niet al te veel Engels sprak, ging altijd staan, klapte zijn hakken tegen elkaar en boog diep wanneer Ginny verscheen. Ze pikte zelfs een paar woorden Russisch op.

Prinses Romanov noemden ze haar, ofschoon het in San Francisco geheim gehouden moest worden.

'Maar jij werd geboren als prinses. Je hebt de hele manier van doen, chérie.' Ivan Sahrkanov sprak voortdurend Frans met haar, waarvan hij zei, dat het een veel beschaafdere taal was dan het Engels.

Lusteloos haalde Ginny haar schouders op. 'Het kan me niet schelen. Wat doet het ertoe hoe ze me noemen? Ik ben wel ergere dingen genoemd.'

Ongewild kwam de gedachte terug aan het door lust vertrokken gezicht van Carl Hoskins, dat zich over het hare boog. Zijn bebloede hoofd. En vóór die tijd, Tom Beal, terwijl zijn leven wegvloeide uit de gapende keelwonde.

'Ik heb twee mannen gedood en het schijnt er niets toe te doen. Misschien heb ik wel geen geweten meer,' dacht ze.

Graaf Chernikoff had de gewoonte om elke dag voor het grootste deel te rusten, maar wanneer Ginny haar hut verliet verscheen altijd Ivan Sahrkanov aan haar zijde. Hij had vroeger zelf een oorlogsschip gecommandeerd. Hij vertelde haar kleine anekdotes, wees haar op bepaalde bijzonderheden. Omdat haar lusteloosheid bleef voortduren, begon Ginny zijn aanwezigheid te accepteren. Leunend over de reling, zag ze de kleuren van de oceaan veranderen; ze zag de kustlijn van Mexico vervagen, terwijl ze de Zee van Cortez uitvoeren.

'Dat is eindelijk Californië - verborgen achter die smerige mistbanken. Binnen een dag of twee zouden we in San Francisco moeten zijn.'

Alweer leek het er niet op aan te komen, hoe dan ook. Zelfs niet toen de prins zich zó dicht naar haar toe boog, dat hun schouders elkaar raakten.

'Ja - San Francisco. Daar zullen we een tijdje blijven. Het is een zeer kosmopolitische stad. De mensen zijn daar echt beschaafd; dat is natuurlijk de Europese invloed. Ik denk, dat je het prettig zult vinden.'

Sedert ze op zee waren had Ivan op geen enkele manier haar trachten te pressen of te volharden in die eerdere botte verklaringen, die haar eens zo kwaad gemaakt hadden. Maar hij had gezegd 'wij'. Wat had hij eigenlijk precies bedoeld?

Ginny wierp een schuinse onderzoekende blik en hij lachte als een man van de wereld. Alsof hij haar gedachten kon lezen, zei hij: 'De graaf en ik zullen een paar maanden in San Francisco blijven - tot die koop van Alaska geregeld is. Er zijn er natuurlijk nogal wat die tegen deze transactie zijn, maar nu moet jullie Amerikaanse senaat beslissen. Intussen, omdat ik maar een doodgewone diplomaat ben en geen politicus, denk ik dat ik het plezierig zal vinden om San Francisco aan je voor te stellen - en vice versa.'

'Wat kun jij aardige toespraken houden,' antwoordde zij mechanisch. Haar hoofd begon pijn te doen, zoals het onveranderlijk deed op die zonovergoten middagen en ze voelde zich moe. Was het mogelijk dat ze slechts een paar weken geleden in staat was geweest om mijlen en mijlen achter een kar te lopen, of zonder zadel te rijden, terwijl de zon op haar hoofd neersloeg? Maar toen, weken geleden, had ze alles om vooruit te kijken, speciaal de nachten . . .

Abrupt trok Ginny zich van de reling terug met gefronste wenkbrauwen.

'Ik - ik geloof, dat ik een poosje moet gaan rusten, het is zó heet! Excuseer me alsjeblieft.'

'Dan zie ik je terug bij het diner. En vergeet niet om zo'n poeder in te nemen, die onze goede dokter voor je heeft klaargemaakt. Dat zal je helpen om beter uit te rusten.'

Ze begon zich een invalide te voelen - maar niettemin volgde Ginny met een zuur gezicht zijn raad op en daarna kwam de slaap gemakkelijk, zoals altijd, nadat ze zo'n wonderpoeder had ingenomen. Ogenblikkelijke vergetelheid - en er was zoveel dat ze moest vergeten!

9

'Ik ben bang dat graaf Chernikoff vanavond niet bij ons zal zijn. Hij is lichtelijk ongesteld. Niets ernstigs - te veel zon, denk ik. Hindert het je niet om alleen met mij te dineren?'

Haar brein was nog versuft door de lange slaap en de gevolgen van de medicijn die ze genomen had, zodat het Ginny niet bijzonder kon schelen. Zelfs toen ze ontdekte, dat er maar voor twee personen gedekt was.

Het zou dus een intiem souper à deux worden. Misschien zou ze nu ontdekken, wat Ivan eigenlijk van haar wilde.

Terwijl de stewards zich met zachte stappen discreet heen en weer begaven en uit de kleine kajuit verdwenen tot het tijd was om de volgende gang op te dienen, deed de prins zijn best om charmant te zijn. Ginny luisterde naar zijn verhalen over de verschillende plaatsen van de wereld die hij bezocht had, de avonturen die hij had meegemaakt. Hij was zelfs enige tijd gouverneur geweest van de Russische provincie Alaska en dat was een van de redenen waarom hij benoemd was in de delegatie van de tsaar, toen de kwestie van de verkoop zich voordeed. Tot dusver had hij geen voordeel getrokken uit het feit dat ze alleen waren en in zulke intieme omstandigheden, maar niettegenstaande zijn buitensporig beleefde manieren vertrouwde Ginny prins Sahrkanov nog steeds niet. Hij had een bepaalde blik in zijn ogen, wanneer die af en toe op haar bleven rusten, die zelfs door het zachte roze licht van de kajuitverlichting niet kon worden verborgen. Terwijl ze antwoord gaf op zijn luchtige conversatie kon Ginny zich er niet van weerhouden te denken: ik vraag me af wanneer hij zijn masker laat vallen?

Hij wachtte tot de steward een stomende samovar binnen gebracht had, gevuld met de sterke thee waarvan de Russen zoveel houden, en weer verdwenen was, de deur achter zich sluitend. Zich voorover buigend hield Ivan haar de met goud bedekte kleine kop voor en zei zacht: 'Ik heb wat van de speciale likeur van mijn vriend Chernikoff erin gedaan. Zullen we op de toekomst drinken - op Russische wijze?'

Ze nipte langzaam en probeerde haar onwillekeurige grimas te verbergen toen ze de uitzonderlijke zoetheid van de drank proefde.

'Maar wat is de Russische manier?'

Hij glimlachte en liet zijn sterke witte tanden zien.

'Wel, wij Russen brengen al onze heildronken uit met thee of wodka. Maar het kost tijd aan het laatste gewoon te raken.' Hij leunde achterover in zijn stoel en zijn ogen bestudeerden haar nu openlijk. 'Ik heb gezien, dat je je niet aansloot bij mijn heildronk. Geeft de gedachte aan wat voor je ligt, je dan geen enkele opwinding?'

Ginny voelde dat hij haar uitdaagde, maar dezelfde bui van onverschilligheid, waardoor ze alleen met hem kon dineren, maakte dat zij haar schouders optrok.

'Niet in het bijzonder. Waarom zou het? Ik heb genoeg opwinding, zoals jij het noemt, in mijn leven gehad om nog uit te kijken naar meer.'

'Zo? En toch ben jij een vrouw die op zich zelf al een opwinding is. Of je het nu zoekt of niet, ik geloof dat jouw leven nooit saai of gewoon kan zijn. Waarom aanvaard je je lot niet? Ga er op af! Na alles wat je overleefd en overwonnen hebt, wil je nu toch niet weglopen?'

'Weglopen? Maar – wat is dit lot, dat ik het niet zou moeten ontvluchten?'

'Weet je dat niet? Ik geloof dat ik mijn bedoelingen duidelijk heb gemaakt op een avond, niet zo lang geleden, toen we in een door de maan verlichte tuin liepen en jij met me redetwistte.'

'Ik geloof dat ik je toen volkomen duidelijk heb gemaakt . . .'

'Je maakte verontschuldigingen, prinses. Dat was alles. Maar al de redenen die je toen opgaf, gelden nu niet meer. En in plaats van in Mexico te blijven, zoals je je toen plechtig voornam, ben je nu hier op weg naar de Verenigde Staten. Luister naar me!'

Hij boog zich plotseling over de tafel en greep haar pols met krachtige vingers.

'Wil je teruggaan met opgeheven hoofd zoals het een prinses betaamt? Of rondsluipen als een kleine bange veldmuis, als iemands in ongenade gevallen gouvernante? Misschien heb je vergeten hoe wreed de maatschappij kan zijn – en in het bijzonder voor iemand uit haar midden. Er zijn geruchten. Er is al heel wat geklets geweest over jouw – eh – verschillende activiteiten zodra de mensen, die eens rond de hofhouding van Maximiliaan hadden rondgehangen, geleidelijk huiswaarts begonnen te gaan. En . . .' zijn ogen vernauwden zich – 'even voor ik naar Mexico vertrok werd ik voorgesteld aan een dikke en praatgrage Amerikaanse dame, de weduwe van een man, Baxter genaamd. Aha, ik zie dat je je iets herinnert! Ze zei dat ze jou in Vera Cruz ontmoet had . . .'

Ginny was eerst bleek geworden, maar nu voelde ze haar gezicht branden. Vera Cruz. Die bijzondere herinnering bezat nog steeds de macht om haar een gevoel te bezorgen alsof er een mes in haar hart werd rondgedraaid.

'Er is al meer over mij geroddeld! Denk jij, dat ik enig verlangen heb om mijn plaats in te nemen in die zogenaamde maatschappij van jou?'

'Je zou je plaats overal in kunnen nemen, in elke samenleving, dat zeg ik je. En op alle daarvan neerkijken als je dat wilt. Als mijn vrouw, prinses.'

De zoete smaak van de thee, die ze veel te snel naar binnen had geslokt om er van af te zijn, zat nog op Ginny's lippen toen ze die zenuwachtig met haar tong bevochtigde.

'Ik dacht – en vooral na wat er nu gebeurd is – ik dacht dat je die nonsens nu wel opgegeven had!'

Sahrkanov trok Ginny overeind, de kamer was vol roze licht, dat weerkaatst werd in de prachtige met robijnen bezette decoratie die hij op zijn borst droeg.

'Waarom noem je dat nonsens? Heb je van het begin af niet gevoeld dat ik een man ben die gewend is zijn zin te krijgen? Wees verstandig, Virginie – mooie groenogige Russische zigeunerin! Denk aan je trots. Zou je willen dat ze gaan denken dat je vergaat van verdriet om deze man, die je ontvoerd heeft, je verkracht heeft en je daarna heeft verlaten alsof je niet meer geweest was dan een gewone meeloopster van de troep?' Hij trok haar tegen zich aan terwijl hij sprak en ze leek machteloos tegenover zijn kracht. 'Ik ben geen brute onvervalste Amerikaan, die je tegen jouw wil zou nemen. Ik denk, dat je mettertijd zult verlangen naar mijn omhelzingen. Ik geloof, dat je op dit ogenblik wenst, dat ik je kus . . .'

Ginny gaf zich over, zuchtend, met gesloten ogen. Ze voelde hoe zijn hand haar rug begon te strelen, heel zacht; en het was uitermate vreemd, maar haar huid leek plotseling bijzonder gevoelig geworden te zijn. Ze drukte zich dichter tegen hem aan, hijgend, en maakte geen afwerende bewegingen toen zijn hand rond haar schouders gleed en zijn vingers haar borst beroerden, waarbij haar tepels stijf werden. Haar adem ging vlugger en vlugger naarmate zijn handen doorgingen haar op te winden. Zelfs zijn veeleisende kussen, die eens alleen maar haar boosheid hadden opgewekt, veroorzaakten nu een beantwoordende hartstocht waaraan ze niet langer weerstand kon bieden.

'Ik weet echt niet wat er met mij aan de hand is,' dacht ze versuft. 'Misschien ben ik wel degelijk een slet!' Ze herinnerde zich, dat ze zich gaarne gegeven had aan Michel en daarna aan Miguel Lopez. En nu, nu leek het onmogelijk om die Russische prins tegen te houden, die ze verafschuwd had van het eerste ogenblik af dat ze elkaar ontmoet hadden, en die zich met haar alle mogelijke vrijheden veroorloofde. Erger nog, ze kon de reacties van haar eigen lichaam op zijn liefkozingen niet ontkennen. 'Het is waar . . . ik ben niet anders dan een hoer . . .' Maar ongeacht hoe ze zich in gedachten uitschold, kon Ginny niet verhinderen, dat de tintelende gevoeligheid van haar huid haar inderdaad deden verlangen naar ruwe handen op haar lichaam.

Ivan had haar japon van haar schouders geschoven en boog zijn hoofd om haar borsten te kussen. Ginny hing aan zijn schouders alsof ze ging verdrinken, haar hoofd achterover geworpen. Ze was vervuld van een kwijnend, zuiver sensueel verlangen, dat alles uit haar geest verdreef, behalve genot.

Wat was dat kleine vertrek mooi! Er hing duur fluweel aan de wanden en de zwakke roze lampen deden alles gloeien. Het was precies alsof ze midden in een glas gevuld met de lichtste roze wijn stond en naar de ongrijpbare doorzichtige kleuren keek, die om haar heen golfden.

Plotseling sloeg Ivan zijn arm om haar middel en begroef zijn lippen in haar haren.

'Kijk door de open patrijspoort, chérie,' fluisterde hij. 'Zie je hoe prachtig de oceaan is in het afnemende licht?'

En hij had gelijk. Ze had nooit tevoren zulke kleuren gezien. Tegen een gloeiende rood gestreepte hemel stak de oceaan donkerblauw af – maar die kleur scheen weer over te gaan in turquoise, daarna aquamarijn of een licht opaalachtig groen wanneer een grote golf, bedekt met een kruin van witte schuim van de zijkant van het schip terugrolde.

'Jij – jij bent als de oceaan. Mooi, veranderlijk – een schepsel van stemmingen. En je vrouwelijke lichaam heeft zijn eigen getijden, is het niet?' Zijn handen streelden haar en haar vlees antwoordde, het trilde onder zijn vingers. 'Ah ja! Ik heb me niet vergist die eerste avond toen ik je zag dansen.

Je hebt de ziel van een zigeunerin – die zich alleen maar geeft wanneer zij zelf bereid is. En dat ben je nu, is het niet?'

Haar adem bleef in haar keel steken. Zacht lachend pakte Ivan haar in zijn armen op . . .

'Jij gaat mijn vrouw worden, prinses, zodat de hele wereld het kan zien!'

Ze begon te lachen.

'Maar dit is geen sprookje, waar de prinses altijd haar prins ontmoet. Heb je dat niet eens gezegd?'

'Je geheugen is even wonderbaarlijk als de rest van je. Maar ook een prins kan menselijk zijn.'

Later was er een man met een baard, herinnerde zij zich. De kapitein. En hij las voor, in het Russisch. Af en toe zei iemand wat ze moest zeggen en ze praatte de Russische woorden na, zich maar al te bewust van de blauwgroene ogen van Ivan, die haar aan de grond genageld hielden en het gevoel van zijn arm rond haar middel. En toen, nadat al dat dwaze gepraat gebeurd was, kuste Ivan haar opnieuw en lichtte haar in zijn armen op.

'En nu, nu heb ik het recht om je zo vast te houden. Om je te nemen.'

Op een of andere manier waren ze in zijn kajuit aangeland en zijn vingers voelden als vuur tegen haar huid, terwijl hij haar ontkleedde.

'Vannacht ben ik kamenier en knecht, alles tegelijk. Vannacht hoor je alleen bij mij.'

Hij bracht een glas naar haar lippen dat een wonderlijk koele drank bevatte en ze dronk gehoorzaam. Zijn aanrakingen stilden de vreemde honger in haar bloed, de tintelende pijn in haar lendenen. Het was alsof ze in brand gestaan had, elke centimeter van haar lichaam verlangde naar een aanraking. Ze gleed langzaam in de diepte weg . . .

'Ik haat het om je uit zo'n gezonde slaap wakker te maken, mijn liefste, maar we zijn bijna in San Francisco. We zijn de Farallones Eilanden al voorbij. Moet je je niet aankleden om de goede senator en zijn vrouw te ontmoeten?'

Met een instinctmatig gebaar trok Ginny het laken tot haar hals op. 'Wat doe jij hier?'

Volledig gekleed, pas geschoren, trok prins Sahrkanov één wenkbrauw in nagebootste ontzetting omhoog.

'Maar, mijn lief! Ik heb er op gelet dat je gisteravond niet te veel wijn dronk. Wanneer je me nu wilt vertellen, dat je vergeten bent dat we gisteravond getrouwd zijn, dan zal ik wanhopig worden.'

'Ge . . .getrouwd?'

Ze volgde de richting van zijn blik, keek naar beneden en zag de zware ringen die ze droeg. Een robijn als duivebloed, gevat in goud; en daaronder een brede gouden band, ingewikkeld gegraveerd.

'Ze zitten allebei nog een beetje los, vrees ik, maar we zullen ze laten veranderen zodat ze beter om je vinger passen. Later zul je nog veel meer juwelen dragen.'

Hij kwam naderbij en zij staarde naar hem op.

'Virginie, mijn rode roos, die voor mij opengegaan is. Je doet me vergeten dat een man verondersteld wordt niet verliefd op zijn vrouw te zijn. Ik wilde dat we nog op zee waren, helemaal alleen. Ik zou met je rond de wereld varen en terug en niet beseffen,dat de tijd voorbijgleed.'

'Bedoel je dat we echt getrouwd zijn? Ik . . .ja, ik herinner me iets, maar ik besefte niet . . .'

Hij ging naast haar op het bed zitten en streek het haar van haar slapen.

'Je hebt je antwoorden zonder enige aarzeling gegeven, in volmaakt Russisch. Je zult geen enkele moeite hebben om de taal goed te leren, dat is zeker. Maar je hoefde niet gesouffleerd te worden in de taal van de liefde. Virginie,' zei hij, terwijl zijn stem lager werd, 'ik zou je er erg graag aan herinneren hoe we de nacht hebben doorgebracht, jij en ik. Ongelukkigerwijze is er zelfs geen mistbank om ons te beletten de haven binnen te varen. Zal ik je helpen aankleden?'

Later, toen ze aan de arm van de prins de deinende loopplank afliep, terwijl graaf Chernikoff vlak achter hen liep, voelde Ginny alsof ze in een vreemde droom gevangen was. Ze herinnerde het zich. En toch leek ook die herinnering op een droom. Ze had Ivan haar laten kussen . . . En toen had de kapitein hen getrouwd, Ivan vertaalde de woorden en ze had zacht de antwoorden gegeven.

Twee scheepsofficieren waren getuige geweest van de plechtigheid en daarna . . . daarna had Ivan haar over de drempel van de kajuit gedragen en ze had zijn liefkozingen vurig en schaamteloos beantwoord. 'Jullie jongeren! Waarom moesten jullie zo ongeduldig zijn?' De stem van graaf Chernikoff klonk korzelig. 'Jullie hadden kunnen wachten om behoorlijk te kunnen trouwen in de kerk. Waarom zoek je een avond uit wanneer ik niet goed ben?'

'Ah, maar sommige dingen kunnen niet wachten.'

De arm van Ivan drukte intiem rond haar middel, precies onder haar borsten en Ginny, die zonder protest een 'kalmeringspoeder' geslikt had, zei geen woord; ze voelde weer het bekende heerlijke gevoel van matheid over zich komen. Ze was dus met Ivan getrouwd. Welk verschil maakte dat eigenlijk? Een gedeelte van haar geest was in elk geval toch al dood.

'Prinses' noemden ze haar allemaal.

'Aha senator! Mag ik u prinses Sahrkanov voorstellen? Ze zijn gisteren aan boord getrouwd.'

Sonya, bij wie de tranen over de wangen stroomden, was helemaal niet veranderd. En haar vader – maar hij was eigenlijk haar vader niet; hoe moest ze nu aan hem denken? – De senator had nog niets van zijn charme verloren. Het lichtelijk grijzende haar bij zijn slapen deed hem er meer gedistingeerd uitzien.

'Ginny! Dochter!'

Hij omhelsde haar, rook zwak naar tabak en eau de cologne. Toen lag de geparfumeerde wang van Sonya een ogenblik tegen de hare, nog vochtig van de tranen.

'O, Ginny! Als je eens wist . . . maar liefste, we zijn allemaal zo gelukkig om jou!'

Ivan beschermde haar tenminste tegen de verslaggevers, die zich rond hen drongen, hen aanstaarden en vragen stelden.

'Prinses! Het is toch prinses? Wat voor gevoel geeft het weer terug in de Verenigde Staten te zijn?'

'Hebt u enig commentaar over de revolutie in Mexico?'

'U weet dat keizer Maximiliaan geëxecuteerd werd. Wat was uw indruk van hem?'

'Heren, heren! Mijn vrouw is oververmoeid. En ze ontmoet haar ouders na een lange scheiding. Kunt u ons niet enige rust gunnen? Later zal ze uw vragen beantwoorden, dat verzeker ik u. Ja, we zullen hier enige tijd wonen, zodat u volop gelegenheid zult hebben.'

'Later – later! Alstublieft, vrienden. Ik zal later heel graag een verklaring afleggen, nadat ik mijn dochter naar huis heb gebracht.'

Het huis van de senator was gelegen aan de in zwang zijnde Rincon Hill. Maar Ginny voelde zich te vermoeid om iets te zeggen van de pracht, evenmin als over de rit door de kronkelende omhoog gaande straten van San Francisco. Ze was bijna opgelucht door de aanwezigheid van Ivan aan haar zijde en de manier, waarop hij de vragen voor haar had beantwoord.

'Ik hoop dat je kamer je bevalt,' keuvelde Sonya en liet haar blauwe ogen met een vreemd bezorgde uitdrukking, die voor haar ongewoon was, op Ginny's gezicht rusten. 'Het is natuurlijk eigenlijk een suite. Je zult alle beslotenheid vinden die je wilt hebben . . .' Haar woorden stierven weg en impulsief pakte ze een van Ginny's koude handen in de hare. 'Ginny! Wat is er met jou? Ben je – ben je gelukkig? Je bent toch getrouwd . . . o hemel!'

Ginny wendde zich van het venster af en fronste lichtelijk haar wenkbrauwen. 'Waarom zegt u dat op die toon? Ik dacht dat dit was, wat u en mijn vader altijd gewild hebben.'

Bijna sprak Sonya te vlug, ze beet op haar lippen. 'Ja, natuurlijk! We wilden zo graag dat je . . . dat je gelukkig werd! Maar zo vlug! Weet je het zeker? Dat is . . .'

'Er was geen reden om te wachten, is het wel?' De stem van Ginny was koud. 'En Ivan dacht dat dit de beste manier was – om me aan de mensen voor te stellen als zijn vrouw. Tenslotte,' haar stem werd broos, 'ik zou jullie niet met een schandaal willen opknappen. Denkt u dat mijn huwelijk een eind zal maken aan alle praatjes?'

'Ginny!' Ze kon de klank van een shocktoestand niet miskennen. 'Je bent zo veranderd!'

'Natuurlijk ben ik veranderd! Mijn hemel, Sonya, gaan we net doen alsof er niets gebeurd is, sedert we elkaar voor het laatst zagen? Zal ik alle gebeurtenissen opnoemen, die de oorzaak zijn van de verandering, die je bij mij ontdekt hebt?'

Abrupt hield Ginny op toen ze de uitdrukking op Sonya's gezicht zag.

'Het spijt me! Zoals Ivan heeft uitgelegd, ben ik alleen maar oververmoeid. Ik moet werkelijk rust nemen, denk ik.'

De grote, porseleinblauwe ogen van Sonya, waren op de hare gericht.

'Ik . . . ik zal Tilly naar je toesturen. Herinner je je Tilly? Ze was zó benieuwd om je terug te zien. En later – ik vermoed dat je je eigen kamenier wilt aanstellen. Maar daarover kunnen we later altijd nog praten, is het niet?' Indien de luchthartigheid in Sonya's stem geforceerd klonk, deden ze beiden alsof ze het niet merkten.

Ginny aanvaardde de lichte kus van haar stiefmoeder en forceerde zich tot een glimlach. 'Ja, als ik uitgerust ben weet ik zeker dat alles verschillend zal lijken. Dank je voor alles en vooral omdat je zoveel geduld met me hebt.'

Waarom leek alles, haar recente huwelijk inbegrepen, nog steeds zo onwerkelijk? En toch herinnerde het ongewone gewicht van de ringen aan haar vinger haar er steeds opnieuw aan dat ze nu prinses Sahrkanov was, de vrouw van Ivan, niet van Steve. Dit was althans een huwelijk, dat haar 'vader' niet zou trachten te annuleren!

Ze had ternauwernood de deur horen opengaan maar plotseling stond Tilly daar, die haar met ronde ogen aanstaarde.

'O, juffrouw! Dat . . . mevrouw bedoel ik . . . ik kan het nog steeds niet geloven. Dat u hier bent, na al die tijd en nog getrouwd ook. Het is zo'n knappe heer! Zo aristocratisch ook. U weet niet hoe gelukkig we allemaal zijn om u, mevrouw.'

Hun ogen ontmoetten elkaar, de kamer door, en plotseling, intuïtief, wist Ginny dat ze allebei aan hetzelfde dachten. Niet aan Ivan maar aan een andere man. Een donkerharige, blauwogige bandiet, met gekruiste bandeliers over zijn borst, die Ginny naar zijn paard sleurde om haar weg te dragen. Dezelfde man die zij bevochten en gehaat en bemind had – over een half continent. O, Steve! Waar was hij nu? Wat zou hij denken, wanneer hij het ontdekte?

10

Hij was woedend. En, niettegenstaande zijn woede, voelde hij zich alsof hij een dodelijke slag had gekregen. Ze had dus geen ogenblik verspild, was het niet? Ginny: echt getrouwd met een andere man. Waarom viel die gedachte moeilijker te slikken, dan die aan Ginny, die met Carl Hoskins naar bed ging om een oude liefdesaffaire op te rakelen? En waarom kon hij haar niet even gemakkelijk uit zijn hoofd zetten als hij gedaan had met honderd andere vrouwen?

Omdat hij van haar gehouden had. God vervloekte haar verraderlijke, hypocritische ziel tot in de hel – hij had werkelijk van haar gehouden! Hij dacht terug. Ginny. Zachte, liefhebbende, liegende lippen. 'Ik houd van je, Steve. Alleen van jou.'

Waarom had ze dat gezegd? Waarom was hij zo gek geweest haar alleen te laten? De grootste fout in zijn hele leven had hij gemaakt, toen hij naar Vera Cruz gestormd was om haar mee terug te brengen. Maar nu hij het eenmaal gedaan had, zou hij zich ervan hebben moeten verzekeren, dat ze voor verleidingen gespaard bleef. Hij zou haar terug hebben moeten sturen naar de kleine hacienda – of haar hierheen gebracht hebben, naar het huis van zijn grootvader. En feitelijk was hij dat ook van plan op die avond, dat hij in Guadalupe was aangekomen in de verwachting zijn warmbloedig, hartstochtelijk vrouwtje, wachtend op hem in haar bed aan te treffen, waar ze thuishoorde.

In plaats daarvan lag er een briefje van een andere man op haar kussen. En Ginny zelf had de gehele nacht in een ander bed doorgebracht in Cuernevaca. Gekoppeld aan het feit, dat hij achttien uur zonder slaap of rust gereden had en in directe tegenspraak met zijn orders, was dit de laatste strohalm geweest. Zijn humeur, toch altijd al lichtgeraakt, was in alle heftigheid uitgebarsten en indien hij Ginny zelf ontmoet zou hebben, zou hij haar heel gemakkelijk met zijn eigen handen gewurgd hebben.

Sedertdien waren drie maanden verlopen - de oorlog was voorbij, dus ook zijn verband met het leger; de laatste weken van de oorlog had hij doorgebracht met het ontwijken van de kogels van de jagers op een premie, die op een of andere manier lucht hadden gekregen van zijn aanwezigheid in de buurt van de grens. Dát was nog iets, dat hem woedend gemaakt had en zijn besluit verstevigd had om zijn ex-vrouw geheel uit zijn gedachten te zetten. Hij had geen zin om gedood te worden, alleen omdat haar vader nog steeds uit was op zijn bloed. Het was zelfs bij hem opgekomen of Ginny zelf er iets mee te maken had gehad. Had zijn verwerping haar kwaad genoeg gemaakt om hem dood te wensen, of - nu ze weer getrouwd was met een Russische edelman - was het feit, dat hij nog steeds leefde en wel vlak over de grens, veel te veel een herinnering aan haar bezoedelde verleden?

Die vervloekte Bishop, die hem het nieuws op zo'n raadselachtige manier deed toekomen! Hij hield op met driftig te ijsberen en ging naar het bureau dat tegen het venster stond; op het blad lag een massa papieren. Geïrriteerd veegde hij een gedeelte terzijde en zocht naar de lange gele envelop die hem die ochtend overhandigd was, tegelijk met een mondelinge boodschap, dat een zekere meneer James, veekoper uit de Verenigde Staten binnen enkele dagen een bezoek zou brengen om over zaken te praten. Er was maar één soort zaken, dat Bishop met hem zou willen bespreken natuurlijk, en dat ging niet over vee. Steve bemerkte dat hij met een soort afkeer naar de envelop stond te staren. Die had hij meteen moeten verscheuren. Soms had Bishop een macaber gevoel voor humor! Nu, hij had afgedaan met Bishop én met het leger. Hij had het zijn grootvader beloofd en zijn ontslagaanvrage ingediend. Van nu af zou zijn leven alleen hem zelf toebehoren en als hij nog zou reizen dan zou het in zijn kraam te pas moeten komen en voor zijn eigen plezier zijn.

'Ik moest dat verdomde ding eigenlijk meteen verscheuren,' dacht Steve boos. Hij liet zich in een stoel vallen, die van het bureau weggeschoven was en strekte zijn lange benen voor zich uit, terwijl hij nog steeds mistroostig naar de gele rechthoek keek. Maar zelfs terwijl hij dat dacht, had hij de envelop opengemaakt en het knipsel eruit gehaald.

De lamp, hoog gedraaid, bracht de zwarte letters onder de wazige foto, in een scherp reliëf: *Prins en Prinses Sahrkanov in de Opera. De pasgehuwden worden vergezeld door Senator en Mevrouw William Brandon, ouders van de bruid.*

Allemaal poseerden ze nogal stijfjes voor de fotograaf, maar zelfs dat feit en het uitgesproken wit-zwart van de afdruk, konden niet verhinderen dat Ginny een soepele en gracieuze houding had – evenmin verborg het de sensuele uitdrukking van haar gezicht in rust. Haar haren waren opgemaakt hoog boven haar hoofd met een enkele zware lok, die over haar blote schouder viel; ze droeg een tiara evenals een halsketting van enorme stenen, vierkant geslepen. Smaragden, waarschijnlijk, dacht Steve droogjes en staarde nog steeds naar de foto. Ze had het recht niet om er zo lief uit te zien. Zo... onveranderd. Ze lachte niet, haar gehandschoende hand rustte licht op de arm van haar echtgenoot. 'Teef!' dacht Steve plotseling heftig.

Hij verfrommelde het uitknipsel tussen zijn vingers alsof het haar hals was die hij samenkneep, stond op, liep naar de open haard en wierp het in het vuur.

'Christus!' vloekte Steve zacht en wild binnensmonds. Hij had beter moeten weten dan haar té zeker van hem te laten worden, om haar zijn kwetsbare plek te doen vinden. Wanneer hij doorgegaan was haar op een achteloze, ruwe manier te behandelen, had hij haar misschien kunnen behouden.

Hij was zó verzonken in die bittere gedachten, dat hij niet hoorde dat de deur openging. Hij draaide zich om uit zijn kwade beschouwing van de haardvlammen, toen hij de stem van zijn grootvader achter zich hoorde.

'Ik weet niet zeker, Esteban, dat zo'n eenzijdige plichtsbetrachting me niet meer verontrust dan me plezier doet. Vind je de jonge vrouwen in dit deel van de wereld niet langer aantrekkelijk?'

Don Francisco leunde op een stok, omdat één been een beetje schuifelde. Sedert hij een paar maanden geleden een beroerte had gekregen, begon nu zijn leeftijd te tellen, ofschoon hij nog steeds weigerde eraan toe te geven. Het was een schok voor Steve geweest toen hij hem de eerste keer zo zag, maar hij was er goed genoeg in geslaagd om zijn reacties te verbergen, nadat hij de toornige vonk in de blauwe ogen gezien had, die zich in de zijne boorden.

Nu hij de ogen van zijn grootvader opnieuw ontmoette, het doorgroefde gezicht zag, waarvan een mondhoek lichtelijk naar beneden hing onder de volle witte snor, dwong Steve zich om onbezorgd de schouders op te halen.

'De vrouwen hier zijn even mooi als vroeger, grootvader. Maar ik moet bekennen dat ik meer geïntrigeerd ben door dit.' Hij zwaaide met zijn arm naar het bureau en grinnikte. 'Hoeveel ijzers hebt u in het vuur? Ik krijg de indruk, dat u zich hebt geamuseerd met al die aandelen en obligaties die u bezit en wanneer je al deze stukken papier in geld vertaalt, waarmee je mensen kunt manipuleren...'

'Aha!' De oude man knikte bijna onmerkbaar. 'Je hebt de uitdaging dus ontdekt, is het niet? Die kan heel fascinerend zijn, zolang als je die maar in het juiste perspectief ziet en als die manipulatie zoals jij het noemt slechts een spel blijft.'

Hij strompelde verder de kamer binnen en liet zich stijf in een stoel vallen, die Steve hem aanbood.

'Aangezien we blijkbaar allebei niet in de stemming zijn om vannacht te slapen, kunnen we misschien praten.'

Steve keek zijn grootvader een beetje achterdochtig aan en zonder iets te vragen ging hij naar het kabinet en kwam terug met twee glazen wijn.

'Wat wilde u met mij bespreken, grootvader?'

De ebbehouten stok kwam met een klap op de vloer ofschoon met minder kracht dan waarmee de oude heer met zijn rijzweep op het tapijt placht te slaan. Hoe goed herinnerde Steve zich die rijzweep en de manier waarop zijn grootvader die snel gebruikte, wanneer hij woedend was.

'Verdomme, je hoeft voor mij niet zo'n nietszeggend beleefd gezicht te trekken! Jij, die je zelf hier maar opsluit met boeken en papieren - daar is later nog tijd genoeg voor! Hoe komt het dat je niet meer door het land dwaalt met Diego Sandoval zoals je vroeger deed of dat zigeunermeisje niet meer bezoekt?' De stem van don Francisco werd zwaar van sarcasme. 'Ik zou niet graag het gevoel krijgen, dat ik je in een kluizenaar heb veranderd, alleen maar omdat ik je met een paar verantwoordelijkheden belast heb, die voor een oude man te zwaar werden. Nou, wat heb je zelf in te brengen?'

In wezen was het dezelfde vraag, die Concepción Steve de volgende dag voor de voeten wierp, toen hij haar een bezoek bracht.

'De duivel hale je, Esteban! Zo zo - je hebt dus eindelijk besloten om me weer eens op te zoeken, hè? Wat heb je al die tijd uitgevoerd? Wie is het?' Ze stampte met haar blote voet in het zand en hief een hand op om hem in zijn gezicht te krabben; ze spuwde van woede toen hij vlug opzij stapte, haar bij de pols greep, zodat ze haar evenwicht verloor.

Hij liet haar vallen en keek grijnzend op haar neer.

'Jij - jij beest! Jij . . .' Ze ratelde een reeks scheldwoorden af tot hij haar bij haar haren overeind trok.

'Ik dacht dat Enaldo probeerde om een dame van je te maken. In plaats daarvan lijk je meer op een straathond dan ooit tevoren. Is dit een manier om een man te begroeten, die een grote afstand gereden heeft om jou te zien?'

'Je komt alleen maar, wanneer jíj er zin in hebt. Ik had hier nooit terug moeten komen - ik had naar Texas moeten gaan met mijn padre en daar voor me zelf een echte man moeten vinden. Ik geloof dat ze je zacht gemaakt heeft, die ramera met het melkgezicht, die onnoembare puta, die prat ging op het feit dat je gedwongen werd haar te trouwen.'

'Houd je mond, Cepción!' Er was een boze, waarschuwende klank in de stem van Steve, die haar waarschuwde en ze bond in en keek hem met vlammende ogen aan.

'Nou dan,' zei ze met knorrige stem. 'Wat heb je uitgevoerd? Waar ben je geweest?' Ze had geleerd om niet over die gringa-vrouw te praten, die zich zijn vrouw genoemd had. Ze waren eigenlijk helemaal niet getrouwd en Esteban was weer vrij. Maar hij was veranderd, en ofschoon ze voelde dat die verandering iets met Ginny uitstaande had, was ze bang genoeg voor zijn ongebreidelde woede-uitbarstingen om hem niet te ver te drijven.

'Ik ben bezig geweest,' beet hij haar toe toen ze hem ondervroeg. 'Verdomme, mens, waarom moet je beginnen me lastig te vallen, het eerste moment dat ik opdaag om je een bezoek te brengen?'

Nog vóór hij hetzelfde nog eens kon zeggen, gooide zij zich plotseling tegen hem aan, haar lichaam drukte gretig tegen het zijne tot ze voelde dat hij zich ontspande en een arm om haar middel sloeg.

'Je zou eens moeten leren om op te houden met het stellen van zo verdomd veel vragen,' zei hij rauw en begon haar te kussen. Die wilde, hete Concepción. Het soort vrouw, van wie een man altijd zou weten waar hij stond. Hij vaagde de herinnering aan Ginny uit zijn geheugen en de slechte smaak, die het zien van die krantefoto's bij hem had achtergelaten - en liet de zuivere ongecompliceerde vlam van begeerte vrij spel.

Later, toen ze samen in de hete zon lagen die door de vensters scheen op hun zwetende lichamen, vroeg hij terloops: 'Verwacht je een vriend vanavond? Misschien moet ik weggaan vóór het te laat is.'

Ze liet het diepe gegrinnik van een bevredigde vrouw uit haar keel opstijgen en wriegelde met haar lichaam over het zijne.

'Zou je jaloers zijn?'

Donkerblauwe ogen keken haar zijdelings en loom aan.

'Wat denk je?' zei hij.

'Ik denk dat het je niet zou kunnen schelen - hoe dan ook. Maar ik zeg je, Esteban, een vrouw moet voor zichzelf zorgen, sí?'

'Sí,' beaamde hij plechtig. En daarna: 'Wie is het?'

'Aha!' Boos haalde ze haar schouders op, haar haren streken over zijn gezicht toen ze zich over hem boog. 'Wat doet het er toe? Misschien is het Diego Sandoval. Misschien zelfs je neef - als hij zijn neus niet de hele tijd in de boeken stak zou Renaldo een echte man zijn. Maar waarom doe je alsof het je iets kan schelen? Jij en ik, we hebben elkaar een hele tijd gekend en ofschoon dit altijd goed is...' ze wriegelde op zo'n manier dat zijn adem sneller ging, zelfs toen hij haar brutale lach beantwoordde - 'ik ben het soort vrouw, dat niet graag alleen gelaten wordt. Ik ben geen hoer, Esteban. Maar ik wil hier niet avond aan avond zitten, me af te vragen wanneer je zou komen en óf je wel zou komen. Hoewel, nu je hier bent kan ik veel, heel veel dingen bedenken om je hier te houden.' Zacht voegde ze eraan toe: 'Maak je geen zorgen, vanavond is er niemand. En ik ben niet van plan om je te laten gaan.'

Toch kwam er een ogenblik, in de vroege ochtenduren, terwijl de dageraad nauwelijks de hemel beroerde, dat ze begonnen te praten als vrienden, die elkaar in lang niet gezien hebben.

'Ik haat haar,' zei Concepción zacht. 'Maar ik geloof, dat jij echt van haar hield. En het heeft je veranderd. Waarom ben je niet eerlijk tegen me? Denk je dat het enig verschil zou maken? Het grappige is,' voegde ze er bedachtzaam aan toe en legde haar hoofd op zijn schouder, 'ik zou gezworen hebben, dat ze ook van jou hield.'

En tegen zijn stilzwijgen in, ging ze uitdagend voort: 'Hoe komt het dat je zo jaloers om háár was en niet om mij?'

Steve had slaap; en op dit punt was hij geïrriteerd genoeg om oprecht te zijn.

'O, verdomme! Hoe weet ik dat? Ik dacht dat ze mijn vrouw was en er is niets belachelijkers dan een bedrogen echtgenoot! Ik werd kwaad toen ik ontdekte dat ze er met die verdomde Rus vandoor was, die, naar ik gehoord heb, haar constant attenties had bewezen. En dan was er nog kapitein Hoskins en zijn sentimentele brief als van een minnaar. Om nog niet te spreken over de manier waarop hij uitlatingen deed over zijn relaties met haar. Wat werd ik verondersteld te doen, daar rondhangen tot ze terug zou komen - als ze al terug zou komen - en een proces voor de krijgsraad trotseren?'

'Dat had je misschien moeten doen en moeten luisteren naar wat ze te zeggen had. En in elk geval, wanneer ze net zo eenzaam was als ik soms geweest ben, waarom zou ze dan zelf geen troost gezocht hebben? Kijk naar mij - getrouwd of niet, dacht jij dat ik dat zou verdragen? En jij - hoe staat het met jou? Wanneer jij een vrouw verlangt en zij is gewillig, zou je dan aarzelen?'

'Ik dacht dat jij haar haatte,' mompelde Steve bijtend.

'Ja, dat doe ik ook! Wanneer ik haar ooit weer ontmoet dan heb ik nog een rekening te vereffenen met die gringa-teef, vergis je niet! Maar tenslotte, wat maakt haar zo verschillend van elke andere vrouw?'

'Niets,' zei hij. Zijn stem was hard.

Maar het was niet zo gemakkelijk om Bishop te overtuigen - de meneer James uit Texas, die op de uitkijk was om vee te kopen, terwijl de markt goed lag.

Zoals gewoonlijk zag Bishop op de rug van een paard er niet op zijn gemak uit, zijn dophoed met smalle rand bood nauwelijks een afdoende bescherming tegen de zon, die op hen beiden neersloeg. Maar niettegenstaande de hitte, waren de argumenten van Bishop even koel-logisch zoals ze altijd geweest waren.

'Je hebt met je ingewanden gedacht, Morgan, in plaats van met je hersens. Het is jammer. Je was zo goed. Ik geloof dat wat ik het meest in jou bewonderde het feit was, dat je geen geweten had, zoals sommige anderen. Maar sedert dat huwelijk van je . . .'

'Jim, spaar je de moeite. Ik ben het beu. Ik heb je een formele ontslagbrief gestuurd. Wanneer je de waarheid wilt weten, dan heb ik mijn buik vol van intriges en om als doelwit te fungeren en de helft van mijn tijd te verdoen aan verbergen en de andere helft aan achtervolgen. Verdomme, ik schei er mee uit! Vergeet dus maar wat je van plan was toen je hierheen kwam.'

Bishop zuchtte. 'Net wat ik dacht. Je hebt niet goed geluisterd. Evenmin heb je gedácht naar het schijnt.'

Hij vuurde een vraag af en vroeg Steve, die een ogenblik niet op zijn hoede was: 'Heb jij soms toevallig Carl Hoskins vermoord?'

'Godallemachtig! Luister eens . . .'

'Toen ze hem vonden op de vloer van een kelder in een verlaten klooster, was hij op zijn hoofd geslagen met een fles wijn. Maar de ware doodsoorzaak is een steekwond. Zorgvuldig aangebracht door de halsader.'

Bishop haalde zijn schouders op tegenover het plotselinge stilzwijgen van Steve.

'Ze hadden natuurlijk naar hem gezocht. En ik ben bang dat jij de voornaamste verdachte was, vooral sinds jouw . . . eh . . . juffrouw Brandon de dag tevoren op een geheimzinnige manier verdwenen was. Maar toen kwam ze weer te voorschijn. In een shock-toestand geloof ik. Maar Hoskins kwam niet opdagen. Dus . . .' de stem van Bishop werd zacht - 'de jaloerse kapitein Hoskins, met wie je, idioot genoeg, een paar dagen tevoren in een handgemeen was gewikkeld, wordt dood aangetroffen. De kleine jongen, die het meest van deze droevige geschiedenis scheen af te weten, vertelde aan kolonel Díaz dat hij een man ontmoet had, een gringo, in de kerk van Guadalupe en dat die man hem met een boodschap naar juffrouw Brandon had gestuurd. De boodschap bevatte jouw naam. "Voor nieuws van Esteban, ontmoet me aan de oostelijke deur van de kerk," of woorden van dezelfde strekking. Zij rent weg, begeleid door de jongen. Hij houdt zich schuil in een bosje bomen om te zien of ze veilig is. Hij ziet een ontmoeting, met een man. Een lange man, zijn gezicht in de schaduw van zijn hoed. Er is een worsteling, hij kan het niet goed zien, want het regent zo hard. Maar hij hoort haar om hulp roepen. En daarna - daarna, omdat hij maar een kleine bange jongen is, loopt hij weg met de bedoeling hulp te halen. Maar naar wie zal hij gaan? Ze zouden hem uitlachen of hem de deur uitgooien ...'

'Je kunt uitstekend verhalen vertellen,' zei Steve met opeengeklemde tanden.

'Zeker.' De stem van Bishop bleef onbewogen; de sigaar die hij juist had opgestoken, stak met een zwierige hoek uit zijn opeengeklemde tanden. 'En zoals je je zult herinneren, zorg ik altijd dat ik de feiten juist heb. Na een nacht verdwenen te zijn wordt juffrouw Brandon op geheimzinnige wijze door de plaatselijke padre bij haar vrienden teruggebracht. Zijn huishoudster was bijzonder zwijgzaam, jammer genoeg. Al wat ze wilde toegeven, was, dat een jongedame - in een staat van ontkleding - aan de deur gekomen was, nadat ze aangevallen was door Amerikaanse huurlingen. Begint je iets te dagen?'

'Het lijkt of ik mijn vermogen om rechtlijnig te denken verloren heb, mompelde Steve rauw. 'Waarom spaar je ons beiden niet een boel tijd en moeite en vertel je me de rest?'

'Goed - ' Bishop trok misprijzend zijn schouders op. 'Ik denk dat je de rest wel weet. Prins Sahrkanov schijnt, vreemd genoeg, heel wat invloed op hoog niveau te hebben. Sedert hij in Mexico aankwam, zijn er alle mogelijke dingen gebeurd, is je dat niet opgevallen? Jij wordt overgeplaatst naar een verafgelegen en gevaarlijke bestemming. Jouw ... Ginny wordt aangewezen als officiële tolk voor de prins, een beleefdheid van señor Lerdo de Tejada zelf. En nadat dat alles gebeurd is, komt de prins zelf als reddende engel opdagen. Het schijnt dat hij een grote vriend van senator Brandon is. Ze zijn compagnons in bepaalde zakelijke ondernemingen. Senator Brandon geeft zijn toestemming, dat de prins om de hand van zijn dochter werft - hij deelt de prins mee dat hij haar huwelijk met jou heeft laten annuleren. De prins geeft dit stuk inlichtingen door aan verschillende mensen - ja, kolonel Green heeft het jou verteld, is het niet? - en tenslotte verlaten de prins en zijn lijfarts, graaf Chernikoff, Mexico, volkomen voldaan. Ik denk dat ze dát meegenomen hebben, wat ze gekomen waren om te vinden. En wanneer ze in San Francisco weer aan land gaan, is juffrouw Brandon met de prins getrouwd en is nu prinses Sahrkanov.'

Er viel een stilte tussen hen. Bishop, die zijdelings onder zijn hoedrand naar Steve keek, zag dat diens gezicht verstard was zonder enige uitdrukking.

'Dus Ginny is een prinses. En ik wil wedden dat de senator daarmee erg gelukkig is. Ze schijnt in elk geval helemaal niet ongelukkig te zijn. Maar, wat heeft dat verduiveld allemaal met mij te maken?'

Onmerkbaar ontspanden zich de stijve schouders van Jim Bishop.

'Nou er zijn heel wat raadselachtige dingen, waarover we ons vragen hebben gesteld,' zei hij glad. 'Die relatie van prins Sahrkanov met de Russisch-Amerikaanse maatschappij bijvoorbeeld. Die maatschappij heeft, na jaren van enorme winsten, plotseling verliezen geleden. En ze zeggen dat de prins een gokker is. Hij heeft Rusland verlaten om zijn fortuin te herstellen – hij ontmoette graaf Chernikoff in Turkestan. Vandaar ging de prins naar Alaska en plotseling verschijnt hij in de Verenigde Staten als lid van de diplomatieke missie, die gekomen is om te onderhandelen over de verkoop van Alaska aan ons. Maar ik vraag je, waarom is er plotseling zoveel oppositie in de senaat? In april hebben ze geweigerd het verdrag te ratificeren. Ze discussiëren er nog steeds over en onze wederzijdse vriend Brandon is een van de sleutelfiguren tegen de ratificatie. En Sahrkanov, de man die naar Alaska ging om geld te verdienen, is plotseling een rijk man. Hij is getrouwd met de dochter van de senator en kan zich veroorloven om dure juwelen voor haar te kopen. Hij is een uiterst dikke vriend van de lijfarts van de tsaar, die ook een intieme vriend van de tsaar is. Zou je dat alleen maar een coïncidentie willen noemen?'

'Je bent altijd nogal goed geweest om stukjes van een legpuzzel aan elkaar te zetten, Jim. En in het pokeren, als ik me goed herinner.'

De stem van Steve Morgan was koud. 'Maar deze keer . . . godallemachtig, deze keer doe ik niet mee. Ginny is niet langer mijn vrouw en je kunt me er niet van overtuigen, dat ze gedwongen werd om met Sahrkanov te trouwen. Je vergeet dat ik haar daarvoor veel te goed ken en dan is er nog dat kranteknipsel, dat je me gestuurd hebt . . . Sorry, Jim, als Sahrkanov en Brandon in een of ander vuil zaakje gewikkeld zijn, dan is Ginny het waarschijnlijk ook. Ik herinner me nog de tijd, dat ze dacht, dat het hele idee om goud naar Mexico te smokkelen opwindend was. Mijn God, ze dacht werkelijk dat haar vader een slimme en vindingrijke man was. Nee – je hoeft niet op me te rekenen. Ik ben helemaal niet van plan om in Ginny's leven tussenbeide te komen – evenmin ga ik een stuk van mijn leven verpesten door het ontwijken van de premiejagers van haar vader.'

'Ja,' de stem van Bishop was kleurloos. 'Daar heb ik van gehoord. Ik denk, dat ik geen verwijt kan maken dat je weigert om grote risico's te lopen voor een klein traktement. Je vriend Diego Sandoval heeft me verteld dat je het beheer over de hacienda hebt overgenomen nu je terug bent en dat de beroerte van je grootvader hem tot een halve invalide gemaakt heeft. Goed. Ik vermoed, dat je je nu wilt vestigen.'

Steve wierp hem een achterdochtige blik toe.

'Mijn grootvader is nu niet precies een invalide. En ik heb me een reis naar Europa voorgenomen over een paar maanden.'

'O?' Het gezicht van Bishop leek een beetje op te klaren. 'Nou, wanneer je Parijs en Londen aandoet, kun je mij een paar diensten bewijzen. Of liever gezegd, het Departement. Je hoeft je over je ex-echtgenote of de prins geen zorgen te maken. Ik denk dat ik een van mijn andere mensen daarmee kan belasten. Denk je dat Parker daarvoor geschikt is?'

'Verdomme! Parker is veel te schietgraag. Dat heb je me zelf verteld. Wanneer jij hem achter Ginny zet . . .'

Op het punt van uit te barsten in een onderdrukte woede ving Steve de minzame grijsogige blik van Bishop op en vloekte met overgave.

'God verdoeme je tot de hel en terug, jij koude, berekenende hoerenzoon!'

Bishop glimlachte.

Deel twee

De miljonair

11

In San Francisco, het half-volgroeide flinke kind van de goudkoorts, was iedereen begerig naar geld. De mensen verwierven - en verloren - enorme fortuinen met verbluffende snelheid; de maatschappelijke klassen waren niet gebaseerd op wie je was, maar hoe rijk je was.

Uiterlijk vertoon, zo ontdekte Ginny, was alles. Wanneer je rijk was dan liet je dat zien en ging er trots op, wat in Europa beschouwd zou worden als vulgair exhibitionisme.

'Hier, mijn liefste, kleden de grote dames zich als hoeren, terwijl de betere hoeren dames imiteren,' vertelde op een avond Ivan Sahrkanov aan zijn vrouw, terwijl ze zich kleedde om uit te gaan. Arrogant wuifde hij de kamenier weg en pakte het magnifieke smaragden halssnoer op, dat hij haar cadeau gedaan had en boog zich om het rond haar hals te bevestigen. Hun ogen ontmoetten elkaar in de spiegel waarvoor ze zat - de hare wijd open en lichtelijk vorsend, de zijne brandend met een vreemd soort verwachting.

'Wanneer ik vanavond geluk heb, zul je heel gauw diamanten dragen.' Hij deed een stap terug en bestudeerde haar nogal bleke gezicht, zijn hoofd naar één kant gebogen. 'Jij draagt je juwelen buitengewoon goed, Virginie. Wanneer we naar Rusland teruggaan, zul je dé sensatie zijn.'

'Wegens mijn juwelen of omdat iedereen zo nieuwsgierig zal zijn om een glimp van de bastaarddochter van de tsaar op te vangen?'

Ondanks dat zijn ogen zich vernauwden bleef Ivan Sahrkanov glimlachen.

'Een van de dingen die ik het meest in je bewonder, mijn liefste, is je manier om recht door zee te gaan. Kom - ben je klaar?'

'Ginny, lieverd . . . Ivan . . .' Haar vader, het was gemakkelijker om op die manier aan hem te denken - haaste zich naar voren om het te begroeten. Op het ogenblik speelde William Brandon de rol van de beleefde gastheer en hij stelde zijn dochter en schoonzoon voor aan de kleine kring van gedistingeerde zakenlieden en hun vrouwen.

'Mevrouw William Ralston. Meneer Ralston heb je natuurlijk al eerder ontmoet.'

Ginny glimlachte en stak haar hand uit. 'Natuurlijk. Op de bank. Mevrouw Ralston, ik ben blij dat ik u kan ontmoeten.'

'Meneer en mevrouw Crocker - mijn dochter Virginia en haar man, prins Ivan Sahrkanov. En Virginia, mag ik je sir Eric Fotheringay voorstellen, onze consul in Engeland.'

Achter de kunstmatige opgewektheid van haar glimlach en de scheefstaande ogen, die in kleur overeenkwamen met de smaragden rond haar hals,

zouden de gedachten van Ginny hen allen heftig hebben doen schrikken.
'O, God! Wéér een lange vervelende avond. Ik vraag me af hoe lang ik verondersteld word die beleefde grijns op mijn gezicht te houden? En wanneer iemand voorstelt, dat de dames misschien zin hebben in een spelletje piket dan zal ik – dan zal ik onmiddellijk heftige hoofdpijn krijgen. Waarom vindt hij, dat hij op zo'n grote schaal moet ontvangen, nu Sonya me verteld heeft dat hij tegenslag in zaken heeft?'
Toen ze aan tafel gingen, waarbij gehuurde muzikanten uit een verborgen alkoof voor zachte muziek zorgden, zag Ginny dat ze naast sir Eric zat – een saaie en pompeuze man, even voorbij de middelbare leeftijd, met een borstelige snor en de gewoonte om in korte staccato-zinnen te spreken.
Het kostte haar enige tijd om te beseffen dat hij op een rondborstige, terloopse wijze eigenlijk met haar flirtte.
'Ik heb het altijd prettig gevonden om naast een aardige meid te zitten. Hm! Mooie halsketting hebt u om – mooie stenen.' Terwijl hij sprak verslonden zijn uitpuilende ogen haar boezem.
'Dank u,' zei ze bedeesd en hij boog zich dichter naar haar over.
'U bent half-Frans, is het niet? Ik dacht dat ik dat iemand heb horen zeggen. Ik heb Franse vrouwen altijd gemogen. Die weten hoe je kleren moet dragen. En die zijn niet zo nuffig en stijf als de dames in mijn eigen land – of Duitsland voor wat dat betreft. Hmph! Heb nooit veel om Duitse vrouwen gegeven.'
'Maar wat vindt u van Amerikaanse vrouwen, sir Eric?'
Ginny liet haar stem opzettelijk naïef klinken, terwijl ze hem tegelijkertijd schuins een uitdagende blik toewierp van onder haar lange wimpers. Zoals te voorzien was, liep het gezicht van sir Eric rood aan.
'Nou – ahem! Ze zijn erg mooi, natuurlijk, maar u noemt u zelf toch geen Amerikaanse, is het wel, lieve?' Zijn bolle ogen dwaalden van haar gezicht naar haar blote schouders. 'Ik . . . wel, ik heb begrepen, dat ik u vanavond naar het theater mag begeleiden. Jammer dat uw prins ons niet kan vergezellen natuurlijk, maar . . . u zult het gezelschap van een oude man niet erg vinden, hoop ik.'
Terwijl ze met voorgewende verlegenheid haar wimpers neersloeg en hem toen een glimlach schonk, dacht Ginny: Ik heb eigenlijk mijn ware roeping gemist. Ik zou een goede courtisane geweest zijn.
Hardop zei ze het meest voor de hand liggende. 'Maar hoe kunt u zich oud noemen. U bent in de kracht van uw leven – een gerijpte man.'
Even ving ze vluchtig een blik van Sonya op. Waarderend – of was het echt smekend? Dit kleine 'informele' diner was dus belangrijk. Sonya had er al eerder op gedoeld, terwijl Ivan haar aanbeval om charmant te zijn tegen de belangrijke gasten. En hoever moest die charme van haar zich uitstrekken?
Gelukkig voor haar spraken de mannen weer over spoorwegen en Ginny dwong zich om te luistern, al was het maar om de blik van sir Eric te ontwijken.
'Geld!'dacht Ginny bitter. 'Dat is alles waar ze aan denken – of waar ze iets om geven. Méer geld maken en dan nieuwe wegen vinden om het uit te geven.'
Terwijl het diner zich voortsleepte door de eindeloze gangen, waarvan elk

voorafgegaan werd door een mooie geïmporteerde wijn, hoorde Ginny voor de eerste keer een naam, die ze nog heel dikwijls zou horen, telkens en telkens weer.

'... Muzdock,' zei de senator. 'Weet iemand iets van hem af behalve zijn naam?'

'De naam is alles wat ik gehoord heb. Maar die wordt wel gesteund door een heel behoorlijke banksaldo.' William Ralston schraapte zijn keel. 'Het schijnt een bijzonder voorzichtige man te zijn. Heeft verschillende belangen.'

Ginny was te druk bezig in een poging om haar voet ver genoeg en tactisch genoeg onder haar stoel te krijgen om de lichte druk te ontlopen van de glanzende schoenen van sir Eric, om veel aandacht aan de conversatie te besteden.

'Ik weet zeker, dat ik je kan vertrouwen om de man op een afstand te houden natuurlijk,' fluisterde Ivan haar later in het oor vóór hij vertrok naar 'Colonel Gamble's House', zowat veertien mijl buiten San Francisco. 'Maar wees wel aardig voor hem, Virginie. Het is belangrijk - voor mij zowel als voor je vader. Sir Eric heeft geld te beleggen in het goede soort ondernemingen, begrijp je.'

'Ik heb mijn best gedaan om charmant te zijn, zoals jij het noemt. Nu moet ik aardig zijn. Hoe ver wil je me precies laten gaan, Ivan?'

Zijn ogen verhardden zich tot ze eruit zagen als glas, maar hij glimlachte en streek met één vinger over haar gezicht.

'Wat ben je toch mooi! Precies het soort vrouw, naar wie ik altijd heb uitgekeken. Ik weet zeker dat je in staat bent om elke situatie het hoofd te bieden die zich mocht voordoen, is het niet, mijn liefste?' Hij boog zich voorover en kuste haar koude, niet reagerende lippen. 'Blijf niet op me wachten. Ik zal proberen om je niet te storen, wanneer ik thuis kom. Ik hoop dat je een prettige avond hebt.'

Ginny vertrok met de anderen naar het theater in een peinzende stemming. 'Heb een prettige avond.' Dat waren onveranderlijk zijn woorden wanneer hij haar verliet. Woorden die een dubbele betekenis schenen te krijgen. Hij zei het altijd - vooral wanneer ze zonder hem uitging - gewoonlijk geëscorteerd door een andere man. Natuurlijk nooit alleen met de man. Er moest geen achterbaks geklets zijn over prinses Sahrkanov. Maar de laatste keer ... ja, de laatste keer dat hij zijn speech gehouden had, was bij de gelegenheid dat Frank Julius haar begeleider was geweest.

De knappe, charmante zuiderling, die ze voor het eerst in Vera Cruz ontmoet had, had al een deel van het fortuin gemaakt waarvan hij haar beloofd had, dat hij het zou verkrijgen. Goed gekleed, minzaam, was het Ivan zelf geweest, die - niet wetende dat ze elkaar al eerder ontmoet hadden - hem aan haar had voorgesteld op een receptie, die ze allebei bezocht hadden.

En van die tijd af leek het alsof meneer Julius hen altijd voor de voeten liep; hij daagde op bij iedere gelegenheid waar zij ook was. Ze was hem dankbaar geweest, in het begin althans, omdat hij net deed alsof ze elkaar niet eerder ontmoet hadden. Maar later ...

'Je bent nog even mooi als altijd,' had hij in haar oor gefluisterd tijdens het dansen. Maar - neem me mijn nieuwsgierigheid niet kwalijk - wat is er met je vorige echtgenoot gebeurd? Toen je Vera Cruz zo overhaast verliet, hebben wij allemaal je erg gemist.'

Haar boze bui vlamde plotseling op en deed haar groene ogen schitteren.

'Ik ben nu getrouwd met prins Sahrkanov. Ik . . .' ze aarzelde en zei toen abrupt: 'Ik heb mijn vorige echtgenoot verloren. Stilt dat uw nieuwsgierigheid?'

Dat deed het natuurlijk niet. En zoals hij al eerder gedaan had, begon hij haar te achtervolgen, al was het nog zo subtiel. Hij zond haar bloemen; hij scheen precies te weten op welke avond Ivan ergens anders bezig zou zijn. En kennelijk bestudeerde hij ook haar bewegingen overdag, want op een middag dat zij een bezoek gebracht had aan de beroemde kunstgalerij van R.B. Woodward in Mission Street leek hij haar te onderscheppen.

'Ga mee een wandelingetje maken door de tuinen. Wat kan daar voor verkeerds in zitten? Ik herinner me nog de tijd dat je het leuk vond om onconventioneel te zijn.'

'U herinnert zich heel wat, meneer Julius!'

'Frank, alsjeblieft. We zijn al heel lang bekenden geweest, is het niet?'

Zijn donkere, lachende gezicht keek neer op het hare, de uitdrukking in zijn ogen was onmiskenbaar. 'U bent toch zeker niet bang voor me, prinses? Uw echtgenoot en ik hebben gemeenschappelijke zakenbelangen, heeft hij u dat niet verteld? Ik weet zeker dat hij er geen bezwaar tegen zou hebben, wanneer we samen een onschuldige en onopzichtige wandeling zouden maken.'

Of tegen alles wat daarna zou komen, zeiden zijn ogen haar; en ofschoon ze niet met hem ging wandelen, bleef hij aanhouden, zodat ze eindelijk Ivan met de zaak confronteerde.

'Je hebt Frank Julius aan me opgedrongen. Je hebt me gedwongen beleefd tegen hem te zijn. Moet ik hem toestaan mijn minnaar te worden?'

Een week later stond in de Politie Gazette een sterk gekleurd verhaal over een gemene aanval door schurken van de Barbarijse kust op een zekere meneer Julius, die, zo werd gemompeld, verschillende slecht bekende staande huizen bezat en betrokken was in de smokkelarij van jonge vrouwen over de gehele wereld naar San Francisco. Meneer Julius ging niet dood, maar zijn knappe gezicht was zo geslagen en toegetakeld, dat hij zijn hele leven lang littekens zou houden en lelijk zou zijn.

En daarvóór, bedacht Ginny met een plotseling onbehagen, was er die arme jongeman geweest uit Boston, die gezworen had zelfmoord te plegen, indien ze niet met hem wilde weglopen. Telg van een rijk en maatschappelijk vooraanstaande familie, was hij het slachtoffer van bandieten geworden, toen hij op een avond onderweg was om een bezoek aan vrienden op het schiereiland te brengen.

En nu zat ze met sir Eric Fotheringay, wiens houding elk ogenblik brutaler werd. De 'vrienden' van Ivan deden allemaal alsof ze recht hadden om haar te onderwerpen aan hun onwelkome attenties. En Ivan gaf meer om de speeltafels dan om het delen van haar bed. Maar dát kon haar niet in het minst schelen en dat had ze zelfs aan Sonya gezegd, botweg, toen haar stiefmoeder, met een bezorgde frons op haar voorhoofd, een behoedzame wenk gegeven had, dat de senator misschien een woordje in het oor van de prins kon fluisteren over zijn afwezigheid, avond na avond.

'Lieve hemel! Ik hoop, dat je dát niet zult doen, Sonya. Zoals de meeste Europeanen is Ivan gewend om zijn eigen weg te gaan en ik heb er niet het minste bezwaar tegen dat hij de avonden met zijn vrienden doorbrengt.'

'Ik heb meer bezwaren tegen zijn zogenaamde vrienden,' dacht Ginny nu, terwijl ze sir Eric toestond om haar beleefd uit het rijtuig te helpen, toen ze bij de schouwburg aangekomen waren waar een opvoering gegeven werd van dat choquante stuk: *Camille.*

Omdat de Engelsman veel te dicht bij haar zat in hun loge, was Ginny niet in staat om te genieten van het drama dat zich op het toneel afspeelde. Zodra de lichten in de zaal uitgingen, legde hij één arm over de rug van haar stoel, zodat zijn korte, dikke vingers haar blote schouders aanraakten en af en toe klopte hij met zijn andere hand op haar knie en fluisterde dat Franse vrouwen bepaald veel meer wereldwijs waren dan hun evenbeelden in andere landen en dat hij hen altijd bewonderd had.

In de pauze stond hij erop om haar champagne te brengen en vóór het stuk uit was, had hij haar gevraagd om met hem het souper te gebruiken in zijn weelderige vrijgezellensuite in het Baldwin Hotel.

'Wat vriendelijk! Ik zal mijn man vragen wanneer hij vrij is,' antwoordde zij hem luchtig en hij keek terneergeslagen en in de war gebracht. Wat had hij dan gedacht, dat ze zou zeggen?

'Sir Eric schijnt jou nog al te mogen,' opperde Sonya terloops, nadat ze weer thuis op Rincon Hill waren. 'Hij heeft me zoveel vragen over jou gesteld, het was bepaald hinderlijk! Ginny . . .' toen ze de onverzettelijke en plotseling harde blik in de ogen van haar stiefdochter zag, aarzelde Sonya en beet op haar lippen. 'Ginny, hoe komt het dat ik het zo moeilijk vind om . . . om nog met jou te praten? Het is alsof we vreemden voor elkaar zijn geworden en vroeger dacht ik – nu ja, er is een tijd geweest dat ik dacht dat we vriendinnen waren. Ginny, je bent toch gelukkig, is. het niet? Je vader en ik . . .'

'. . . waren verlangend om mij fatsoenlijk uitgehuwelijkt te zien; en nu ik dat ben, zou u beiden erg gelukkig moeten zijn. Is het niet?'

Vermoeid, met hoofdpijn van de gecombineerde gevolgen van een late avond en teveel champagne, voelde Ginny dat ze boven haar krachten geprikkeld werd. De hele avond had ze zich afgevraagd wat ze hier deed, een rol spelend, en voorgeven dat het leven dat ze leidde alles was wat ze ooit van haar leven verwacht had. Het was het gelukkige slot van een sprookje.

'Ginny!' Het gezicht van Sonya drukte schok en bezorgdheid uit. Met moeite dwong Ginny zich tot een glimlach. 'Het is laat en we zijn allebei zo moe, dat ik bang ben dat we ieder ogenblik ruzie kunnen gaan maken. Champagne maakt me altijd ongeduldig en geïrriteerd, zie je en ik – ik ben er niet aan gewend om ondervraagd te worden.'

Sonya kreeg een blos maar ze zei geen woord meer, terwijl ze opzij ging en Ginny gadesloeg toen die over de loper in de gang liep, die naar haar eigen suite leidde. De deur sloot gedecideerd achter de jonge vrouw; met een zucht, met hangende schouders, ging Sonya terug naar haar eigen kamer, waar haar echtgenoot haar opwachtte.

'En?' zei William Brandon, ofschoon één blik op het gezicht van zijn vrouw hem al verteld had, dat haar pogingen om aan Ginny enige vertrouwelijkheid te ontlokken, mislukt waren.

'Het was precies zoals jij dacht, vrees ik. Ze wil niet met me praten. In feite heeft ze - heeft ze me afgesnauwd, William!'

Brandon fronste de wenkbrauwen. 'Verdomd als ik nog langer wijs kan worden uit dat meisje!' zei hij ruw. 'In plaats van ons dankbaar te zijn dat we haar gered hebben uit die onaangename situatie in Mexico, schijnt ze in een ijsberg veranderd te zijn. En Sahrkanov -' hij zuchtte en Sonya zag dat de groeven rond zijn mond dieper werden. 'Ik zeg, dat ik uit geen van tweeën wijs kan worden. Oppervlakkig gezien is hij een en al charme, maar daaronder... ik wil wel bekennen dat ik me zorgen over hem begin te maken.'

12

Senator Brandon was niet de enige die zich zorgen begon te maken over de verborgen facetten van het karakter van prins Sahrkanov, die zich juist begonnen te manifesteren. Graaf Chernikoff, die pas twee dagen tevoren teruggekomen was van een bezoek aan New York en Washington, was nog veel ongeruster, want hij kende de prins beter dan de meeste anderen.

De graaf was iets meer dan twee maanden weggeweest en hij had zijn tijdelijke verblijfplaats in het Baldwin Hotel nog niet betrokken of hij begon gefluister te horen - het waren nog nauwelijks geruchten, wand Sahrkanov, bekend als een gevaarlijke vijand, veroorzaakte ook een zekere mate van voorzichtigheid. En, zo bedacht de graaf zwaarwichtig, dan was er nog zijn goklust - hoe lang zou dat nog verborgen kunnen blijven? Het was al eens eerder oorzaak geweest van de val van Ivan; dat, en zekere andere gewoonten. En nu, niettegenstaande al zijn zorgvuldige discretie, begonnen er geruchten uit te lekken, dat gebeurde altijd met die dingen. Maar wat kon hij er aan doen?

Er was natuurlijk maar één oplossing, die de oude man kende. Hij moest de prins overhalen om naar Rusland terug te keren. Het meisje naast zich als zijn vrouw, en haar opvallende gelijkenis met Genevieve, konden niet anders doen dan de keizer vermurwen. Bovendien was Ivan een hele tijd weggeweest en hij was ouder en had zijn... opwellingen wat meer in bedwang.

De graaf besloot om diezelfde middag nog een bezoek te brengen aan het huis van senator Brandon om zelf te zien, hoe de dingen ervoor stonden. Vreemd dat Ivan, die zonder twijfel bekend was met zijn aankomst in de stad, hem niet was komen opzoeken. De gedachte maakte de oude man lichtelijk van streek, ofschoon zijn manier van doen, toen hij met ouderwetse galanterie zich over de hand van zijn gastvrouw boog, er niets van deed blijken.

'Ik hoop dat u mijn onaangekondigd bezoek niet kwalijk zult nemen, madame.' Zijn scherpe grijze ogen hadden opgemerkt, dat mevrouw Brandon er bezorgd uitzag. Zat ze soms in over de teruggang in het zakenleven? Terwijl die gedachte door het brein van de graaf flitste, protesteerde Sonya Brandon, dat zijn bezoek hoogst welkom was, en dat ze zich allemaal hadden afgevraagd, wanneer hij terug zou komen.

'Och, maar u bent gekleed om uit te gaan. Ik moet u niet lastig vallen.'

'Ja. Ik was van plan om een paar vrienden een bezoek te brengen maar Ginny is er; ze heeft vanmorgen uitgeslapen, want gisteravond zijn we met zijn allen naar de schouwburg geweest. Ze zal erg gelukkig zijn u terug te zien. Wilt u alstublieft niet gaan zitten? Ik heb een van de bedienden al gestuurd om haar te waarschuwen, dat u er bent.'

Terwijl de graaf wachtte, in beslag genomen door zijn eigen gedachten, fronste Ginny haar wenkbrauwen tegen het spiegelbeeld, terwijl haar mulatto kamenier met handige vingers haar kapsel schikte.

Dus graaf Chernifkoff was terug. Ze vroeg zich af of hij Ivan al gesproken zou hebben. En toen ze aan Ivan dacht, begon haar hoofd pijn te doen, maar niet half zo erg als gisteravond toen ze Sonya had achtergelaten.

Misschien moest ze de graaf vragen om wat meer van zijn wonderpoeders te geven, die haar schenen te kalmeren en haar hoofdpijnen deden wegtrekken.

Hij zou haar natuurlijk vragen waar Ivan was en dat kon ze hem niet zeggen. Niet dat het haar iets kon schelen! Ze was gelukkiger en meer op haar gemak, wanneer Ivan weg was.

Vanmorgen toen ze wakker werd na een nacht met vreemde dromen, vol kleuren en vol wriemelende gestalten, zag ze hem aan het voeteinde van haar bed staan, terwijl hij op haar neerkeek. Hij was volledig gekleed, zijn kleren even onberispelijk als altijd en ze merkte, dat ze zich afvroeg of hij soms juist was thuisgekomen.

'Goedemorgen, mijn liefste! Zal ik jouw ontbijt boven laten brengen?' Hij bestudeerde haar kritisch. 'Je ziet er een beetje moe uit. Zijn jullie gisteren laat van de schouwburg thuisgekomen?'

'Ja. Het was een wonderlijk vervelende avond, zoals gewoonlijk. En jij? Heeft jouw avond succes opgeleverd?' Ze herinnerde zich, dat ze toen dacht hoe blasé ze klonk en Ivan besloot op de rand van haar bed te gaan zitten en propte behoedzaam de kussens achter haar rug, zodat ze rechtop kon zitten. De dekens vielen omlaag en onthulden haar blanke blote schouders en zijn ogen namen een nieuwe uitdrukking aan, die haar snel deden zeggen: 'Ik denk dat ik wel een kop koffie wil. Wil je alsjeblieft even bellen?'

'Eén ogenblik. Weet je hoe aanbiddelijk je er 's morgens uitziet?'

Zijn vingers streelden haar schouders en ze moest zich geweld aandoen om niet ineen te krimpen bij hun aanraking. 'Je ziet er uit als een verschrikte gazelle,' zei hij zacht. 'Was je bang dat ik me aan je zou opdringen?' Zijn ogen leken haar toe te lachen, maar in de diepten was die vreemde glans, die ze nu kon herkennen en ze wachtte op zijn volgende woorden, die plotseling kwamen.

'Heb je sir Eric goed gezelschap gevonden? Hij bewondert je. In feite heeft hij mij gevraagd of ik er bezwaar tegen heb, dat jij als gastvrouw optreedt bij een klein souper dat hij aan een paar zakenrelaties aanbiedt – erg belangrijke mensen, waaronder die geheimzinnige meneer Murdock over wie iedereen praat. En al wat je te doen hebt is om er mooi uit te zien – en te luisteren.'

'En jij? Zul jij er ook zijn?'

Ginny dwong zich die vraag te stellen, haar stem was effen. Haar lichaam verstarde toen ze de dekens naar beneden voelde glijden en zijn vingers haar half bedekte borsten streelden.

'Heb je me gemist? Maar je bent opgegroeid in Europa, jij begrijpt dat, ik weet het. De zaken, die me zoveel avonden kosten, zijn allemaal maar zaken, liefste! Dit is het land, en de stad, waar een slimme man, geruggesteund door een intelligente en begrijpende vrouw, een fortuin kan maken. Wanneer we naar Rusland terugkeren, wil ik niet dat ze zeggen dat prins Sahrkanov bereid is van het geld en de goederen van zijn vrouw te leven.' Zijn stem werd harder. 'Ik kom uit een zeer oude en trotse familie, Virginie. Begrijp je? Nee . . . ik was niet van plan om dat souper bij te wonen. Misschien zou mijn aanwezigheid de stroom van conversatie indammen, die anders zo vrijelijk zou vloeien, dat weet ik zeker. Maar ik vertrouw je volkomen natuurlijk. En jouw discretie. Sir Eric Fotheringay is geen rauwe Amerikaanse kapitein . . .'

'Nee!' ze zei het heftig en ging recht overeind zitten. 'Nee, Ivan, zó wil ik niet gebruikt worden. Toevallig vind ik sir Eric een onaangename, vervelende kerel, die zijn handen niet van me schijnt te kunnen afhouden. Maar ik zou niet graag horen, hoezeer ik hem ook veracht, dat ook hij binnen een paar weken een noodlottig en ernstig ongeluk zal krijgen! Begrijp je me?'

Ze weigerde om ineen te krimpen onder de plotselinge heftigheid, die voor een ogenblik opvlamde in de lichte, groenblauwe ogen van Ivan. Hun ogen ontmoeten elkaar, troffen elkaar in een zwijgend tweegevecht en toen stond hij op; het enige teken van boosheid in zijn gezicht was de lichte blos, die onder zijn blanke huid te voorschijn kwam.

Zonder een verder woord, alsof hij zich in haar aanwezigheid niet langer goed kon houden, draaide hij zich op zijn hakken om en verdween. Even daarna belde ze zelf voor haar ontbijt.

Delia, haar kamenier, bracht haar een platte juwelendoos, tegelijk met de koffie en broodjes, die ze besteld had.

'De prins zei dat ik u die moest geven, mevrouw . . . Uwe Hoogheid.'Delia leerde nog steeds; haar grote zwarte ogen konden haar nieuwsgierigheid niet verbergen. 'Hij zei dat hij voor zijn lunch naar de Bankiers Beurs ging, maar dat hij daarna zou terugkomen, tegen de avond. En u moest ze vanavond dragen met uw nieuwe japon . . . O, mevrouw, ik weet zeker dat ze prachtig zullen zijn, ofschoon ik niet gekeken heb.'

Smaragden oorbellen, die schitterden tegen een wit fluwelen achtergrond. Hij had dus geluk gehad, gisteravond.

'U ziet er prachtig uit, madame . . . Prinses.' Delia giechelde. 'Het is verspild aan die oude heer, die beneden wacht.' En toen, terwijl ze haar plaats hervond! 'Heeft u verder nog iets nodig?'

'Nee – anders niets. Dank je, Delia.' Ze nam een van haar poeders in en verliet de kamer.

Mijn liefste kind! Waarom bleef hij haar zo noemen? Terwijl hij er even kwiek uitzag als altijd was graaf Cherikoff overeind gesprongen en boog zich over Ginny's hand. Ze forceerde zich tot een glimlach en zijn doordringende ogen bestudeerden haar gezicht.

'Het is goed om je terug te zien.' Banaliteiten, die beleefd uitgewisseld werden.

Ginny was op haar hoede, inwendig zeer gespannen. Maar weldra, toen de poeder zijn uitwerking deed gevoelen, had ze het gevoel dat ze bereid was om alles onder het oog te zien.

Maar de ogen van de graaf schenen door haar opgerichte verdedigingslinie heen te zien.

'Maar je bent veel te mager!' Zijn stem klonk afkeurend. 'Heb je niet genoeg gegeten?' Ze zag hoe zijn ogen over haar slanke gestalte dwaalden en ze wilde eigenlijk hysterisch giechelen. Misschien verbeeldde hij zich wel dat zij zwanger was! Hoe zou hij reageren als ze een wenk in die richting gaf?

'Kom, ga zitten. En vertel me eens hoe je het gehad hebt. Ben je gelukkig?' Weer een scherpe blik uit zijn doordringende ogen. 'En Ivan, hoe gaat het met hem? Ik heb nog niet de gelegenheid gehad hem te spreken sinds ik terug ben en daarom, zie je, ben ik hier, om het uit de eerste hand te horen, zoals jullie in Amerika zeggen.'

Ze hoorde zich zelf zeggen: 'Ik maak het goed. En Ivan heeft het druk. Hij heeft zoveel zakenvrienden! Hebt u niet opgemerkt dat iedereen, die naar San Francisco komt, van plan is om een fortuin te verdienen? De stad is vol miljonairs, die over elkaar struikelen bij het zoeken naar nieuwe manieren om hun geld kwijt te raken.'

Ze was niet van plan geweest om dat te zeggen, maar het deed er niet toe. Laat de graaf zijn eigen conclusies maar trekken. Een heerlijk, kalmerend gevoel van kracht besloop haar, toen ze voelde dat de poeder begon te werken en haar ogen werden helder.

'Vertelt u me eens over New York. Ik ben er destijds maar even geweest, en dat was kort na de oorlog. Is het erg opgewekt?'

'Niet zo opgewekt als San Francisco, dat is zeker, ofschoon daar, evenals hier, de straten verlicht worden door dat nieuwe gaslicht. Dus . . .' De stem van de graaf klonk nadenkend. 'Ben jij gelukkig hier?' vroeg hij toen.

Waarom bleef iedereen dat vragen? Geluk bestond uit niet-voelen, niet-denken, en vooral je niets herinneren. Ginny haalde haar schouders op.

'Waarom zou ik niet? Ik vind San Francisco heel boeiend.'

Hun steekspel ging verder – de graaf stelde vragen en zij pareerde die. En eindelijk, toen hij opstond om afscheid te nemen, had geen van beide partijen enig voordeel geworven, dat dacht Ginny althans.

Terwijl ze met hem naar de voordeur liep vroeg ze heel terloops: 'Ik vraag me af of u vriendelijk genoeg zoudt willen zijn om nog wat meer van die poeders voor me te maken? Soms heb ik moeite om in slaap te komen en nu en dan heb ik hoofdpijnen waartegen niets anders helpt.'

'Zeker.' Verbeeldde ze zich, dat zijn blik plotseling doordringender werd?

'Ik zal je vlug weer opzoeken, als je me dat toestaat – of misschien kun je je man overhalen om een oude vriend te bezoeken?'

'Ik zal het hem zeggen. Ik weet zeker dat hij al de nieuwtjes zal willen horen.' Haar stem werd opeens luchtig en ze voelde zich vervuld van een energie, die klaar was om alles onder het oog te zien. Waarom keek de graaf haar zo langdurig aan?

'Mijn kind, weet je zeker dat je je wel goed voelt? Is er iets mis?' Ze lachte.

'Natuurlijk voel ik me goed! Ik voel me wonderlijk goed!'

Het was koud en kil toen hij een poosje later tegenover Ivan Sahrkanov stond.

'Je hebt dus tenslotte besloten om mij toch een bezoek te brengen. Kan het zijn, dat je lang genoeg thuis geweest ben, om te horen dat ik een bezoek gebracht had?'

'Om u de waarheid te zeggen: ik heb het druk gehad. Ja, ik had van uw bezoek gehoord. Als ik eerder geweten had dat u naar San Francisco was teruggekeerd, zou ik wel eerder zijn gekomen.'

'Ik ben er van overtuigd dat jouw berichtgevers even efficiënt zijn als de mijne,' zei de graaf droogjes. 'En, Ivan?'

'En? Wilt u een rapport over mijn activiteiten? Ik weet wel zeker, dat u weet hoe alles hier verloopt. Het is een publiek geheim dat de ertsaderen uitgeput raken. Ongelukkig genoeg, is mijn schoonvader een al te voorzichtig man. Die landverkopen in het zuidelijke deel van de staat gaan niet al te best. Daarom heb ik mijn eigen manier moeten vinden om onze beleggingen te beschermen.'

'En die impliceren dat je nachten doorbrengt in speelholen? Omgaat met mensen van twijfelachtige reputatie? Ben je vergeten dat je nu een getrouwd man bent?' De graaf begon door de kamer te ijsberen met de handen op zijn rug. 'Wanneer ik geweten had, dat het hiertoe zou komen, toen je dat arme kind tot een huwelijk misleidde, door haar wat van de vloeistof te geven die ik gedestilleerd had uit de cactusvruchten die de inlanders peyote noemen . . . Maar, God moge het me vergeven, ik dacht dat alles goed zou komen. Daarna leek ze kalm genoeg en ik dacht – ja, ik dacht dat jij misschien ook zou veranderen. Ik heb je nooit eerder zo aangetrokken gezien door een vrouw. Maar wanneer je haar op een of andere manier gekwetst hebt . . .'

'Maar beste Dimitri! Of moet ik je oom noemen? Wie denk je dat ik ben? Een bruut schepsel zonder intelligentie? De liefelijke Virginia heeft alles, waarvan ik hoopte dat mijn vrouw het zou hebben. En zelfs als dat niet het geval was, denk je dat ik dan een vinger zou uitsteken naar de dochter van de tsaar? Nee – echt, je beoordeelt me verkeerd!'

Ivan Sahrkanov had nog steeds die halfspottende glimlach, toen hij de appartementen van de graaf verliet. Maar tegen de tijd dat hij de teugels had opgenomen van de gelijksoortige paarden, die zijn vierwielig rijtuig trokken, was de glimlach verdwenen.

Die bemoeizucht met zijn leven, precies alsof hij nog een kind was, was ondragelijk! Dat was ook het bevel, vermomd als een voorstel, dat hun terugreis naar Rusland niet veel langer uitgesteld zou worden.

Prins Sahrkanov reed naar een huis in Washington Street, hij gooide de teugels toe aan de jongen met verwilderde haren, die uit het niet te voorschijn leek te komen, liet zich met zijn eigen sleutel binnen en ging de trap op.

De gaslampen vlamden reeds hel op in de straten buiten; zonder twijfel was het diner ten huize van de senator op Rincon Hill, reeds aan de gang. Hij werd verondersteld vanavond met de graaf te dineren – achteraf zouden dus geen vragen gesteld worden. Niet dat zijn charmante vrouw ooit vragen stelde. Vanavond zou ze zonder enige twijfel de smaragden oorbellen dragen, die van haar kleine oortjes bengelden terwijl ze de conversatie ophield met de gebruikelijke gasten van de senator, met inbegrip van sir Eric Fotheringay.

Boven, in de roodbehangen kamer, waar de vrouw van wie hij de eigenaar was, op hem wachtte, kon Ivan Sahrkanov weer zich zelf zijn. Ze was half-Chinees en ongewenst door haar eigen mensen, omdat haar vader een buitenlandse duivel geweest was, zoals hij zelf, zodat hij ook haar voeten niet had opgebonden. Ze was mooi. Donkerbruin haar, lang en recht als zijde, gleed over haar schouders tot voorbij haar middel. Hij liet haar het hoog opbinden, boven op haar kleine gebogen hoofd, vóór hij zijn particuliere genoegen van haar lichaam genoot.

Onder zijn blanke huid was een blos verschenen en zijn adem kwam scherp en schurend. Een lok bruin haar, van boven gebleekt door de zon, viel over zijn voorhoofd toen hij neerkeek op haar stille, kronkelende lichaam. Merktekens van zijn attenties ontsierden het ivoorkleurige vlees van haar schouders tot haar dijen. Op sommige plaatsen kwamen kleine bloeddruppels te voorschijn, die het laken besmeurden.

Ze was van hem – zijn slaaf, zijn ding. En ze aanbad hem; ze vereerde hem omdat hij haar gered had van een brits in Chinatown en een leven om de ene man na de andere te ontvangen, tot ze over een paar jaar haar lichaam in de baai voor de haaien zouden gooien. Hij had haar gekocht, pas drie weken geleden, en ze was nog maagd geweest. Naakt, groter dan de meeste Chinese vrouwen, zag ze eruit als een exquis porseleinen beeldje behalve dan de verkleurde, gegroefde striemen op haar naakte vlees. Striemen die zijn eigendomsrecht op haar bewezen – zijn behoefte aan haar.

'Sta op!' Hij liet de zweep vallen, zij raapte die op en kroop nu aan zijn voeten, in het eeuwenoude gebaar van onderwerping. Ze was een veroverde vrouw; een vrouw die haar meester gevonden had, die haar op haar juiste plaats gezet had.

Zijn ademhaling was nog steeds snel, het monster in hem nog steeds onverzadigd. Ivan keek neer op haar gebogen hoofd, op het trillende lichaam.

'Teef! Sta op, zeg ik. Nee,' snauwde hij toen ze een vergeefse poging deed de dunnen zijden kamerjas te pakken, die zij op zijn bevel had moeten uittrekken. 'Heb ik je gezegd, dat je je weer kon aankleden? Ga nu en breng je broer bij me. En de geparfumeerde olie . . .'

Glimlachend, niet lettend op de tranen die geluidloos over haar gezicht stroomden, begon hij zich uit te kleden.

13

Voor de eerste keer sedert weken, keerde prins Sahrkanov terug naar zijn slaapkamer op een tijdstip kort voor middernacht. Hij had met zijn schoonvader beneden in de bibliotheek een glas port gedronken, ze hadden het even over een paar zakelijke dingen gehad en hij had met enig genoegen geconstateerd, dat, terwijl Brandon kennelijk de kwestie van zijn vele late avonden wilde aanroeren, hij zich er niet toe kon brengen erover te beginnen.

Ginny, zo werd de prins verteld, was vroeg naar bed gegaan, onder voorwendsel van hoofdpijn. 'Misschien moet ze een beetje verandering van omgeving hebben,' zei de prins luchtig, terwijl hij het puntje van een sigaar beet. 'Sir Eric had het over een uitnodiging, dat wij zijn landhuisje op het schiereiland zouden bezoeken - niet zo ver van het huis van Ralston in Belmont. Ik moet eens horen wat zij van het idee vindt.'

En daarmee liep hij onbezorgd de trap op, terwijl de senator hem nastaarde met een licht fronsen van zijn wenkbrauwen.

De Sahrkanovs hadden afzonderlijk slaapkamers, verbonden door een kleedkamer en nu liep de prins, zonder te kloppen, snel door de kleedkamer; hij knoopte de ceintuur van zijn brokaten kamerjas nog rond zijn middel. Ginny's deur was niet op slot - natuurlijk niet! Ze had geen reden om die voor hem te sluiten.

Heel behoedzaam lichtte Ivan de dekens van haar slapende lichaam, trok zijn kamerjas uit, die hij achteloos terzijde smeet en ging naast haar liggen. Hij trok de dekens over hen beiden omhoog en ofschoon ze in haar slaap bewoog en zuchtte, werd ze niet wakker. Hij deed geen poging haar aan te raken, hij lag op zijn rug, met zijn armen gekruist onder zijn hoofd en staarde naar het plafond. En zijn gedachten maakten, dat hij glimlachte.

Zijn gezicht, glimlachend boven haar, was het eerste dat Ginny zag, toen ze 's morgens haar ogen opende.

'Wanneer . . .'

'Gisteravond, mijn liefste. Ik had ervoor gezorgd om speciaal vroeg thuis te zijn, maar je was helaas al naar bed gegaan met een van je hoofdpijnen. Dus . . . dus besloot ik om hier te komen.'

Haar ogen waren begonnen hem stormachtig aan te kijken, maar toen ze zich wilde bewegen, merkte ze dat haar haren onder zijn schouder gevangen waren.

'Je had niet . . .'

'Wat had ik niet? Zou ik me niet bij mijn slapende vrouw in bed hebben mogen vervoegen? Maar waarom niet? We zijn getrouwd - en ze hebben mij eraan herinnerd, dat ik je schandelijk verwaarloosd heb. En inderdaad, nu ik je in zo'n heerlijk negligé zie, begin ik het gevoel te krijgen, dat ik inderdaad iets gemist heb.

Lieveling, wat heb je toch een volmaakt lichaam. Zo slank - je vlees is zo stevig en warm. Welke man zou jou niet begeren?'

Deze ochtend was een herhaling van vele andere gelegenheden en na een eerste onwillekeurige verstijving van haar lichaam toen Ivan de zuiver batisten nachtpon over haar hoofd trok, sloot ze haar ogen en liet zijn handen en zijn lippen hun gang gaan.

God zij dank had Ivan niet veel verbeeldingskracht. Ze zou het niet hebben kunnen verdragen als hij dat wél gehad had. En toen, terwijl ze dit nog dacht, pakte hij haar plotseling bij haar schouders en draaide haar om.

'Ivan, nee!' Ginny probeerde zich los te wriegelen, maar zijn gewicht drukte haar in de gekreukte lakens; zijn handen gleden onder haar lichaam om haar borsten te omvatten.

'Ja, waarom niet? Ik weet zeker dat je op deze manier al eens eerder gevrijd hebt, je bent toch geen onschuldig, gemakkelijk te schokken kind, is het wel? Kom, Virginie, ik zal je geen pijn doen – werk niet tegen.'

Er lag een vreemde klank in zijn stem, die ze nooit eerder gehoord had, een schurende ademloosheid. Ze kon hem horen hijgen, zijn adem heet tegen haar nek. En ofschoon ze tegenspartelde, was zijn kracht onverbiddelijk; ze had een gevoel alsof het gewicht van zijn lichaam haar rug zou breken terwijl hij haar op het bed vastgepend hield. Hij bleef haar zo houden, liefkoosde haar ruw, tot haar gesmoorde, boze protesteren bedaard waren en half snikkend werd ze berustend.

'Zie je, ik wil alleen mijn verwaarlozing van jouw liefelijke lichaam goed maken,' fluisterde hij, toen hij haar op die perverse wijze nam, pijnlijk, zodat ze haar gezicht in de kussens moest begraven om te verhinderen dat ze hardop zou gaan schreeuwen bij deze helse pijn en de vernedering die hij haar aandeed.

Naderhand was Ivan een en al tedere bezorgdheid, toen hij haar lichaam zat te strelen.

'Er is geen reden waarom een man niet een beetje – inventief zou zijn in zijn liefkozingen, is het wel, mijn schat? Weet je, ik begon het gevoel te krijgen dat je je verveelde! Al die hoofdpijnen – wat moet een echtgenoot daarvan denken? Ik weet dat ik gedeeltelijk de schuld ben door mijn wegblijven in de avond en nacht, maar het is voor jou – voor ons – dat ik deze zaken doe. Ik dacht dat jij, een halve Amerikaanse, dit zou begrijpen, maar als je liever wilt dat ik elke avond thuis ben, zodat ik de . . . eh . . . aangename plichten mag vervullen van echtgenoot en minnaar dan zal ik maar al te gelukkig zijn om je hierin tegemoet te komen.'

Ze wist nu wat er van haar verwacht werd en Ginny zei stijfjes: 'Je hoeft je helemaal niet te derangeren en je moet doen wat het beste voor je zaken is. Ik – ik ben zo druk geweest, dat ik nauwelijks de tijd gehad heb om me verwaarloosd te voelen.'

'Aha!' Zijn hand rustte even en bleef even lichtjes op haar dij liggen. 'Je begrijpt het dus. Ik wist wel, dat je het zou begrijpen! Van nu af zullen we onze levens leiden, zoals wij het willen. En laat al die bemoeiallen hun eigen zaakjes maar opknappen. Wat zeg je daarvan?'

'Natuurlijk ben ik het met je eens.'

Hun ogen ontmoetten elkaar en met een lichte sardonische glimlach boog Ivan zich voorover en drukte een vluchtige kus op haar voorhoofd.

'Dank je, lieveling. En nu zal ik je met rust laten, als je wilt. Je hebt toch niet weer een van die hoofdpijnen, hoop ik?'

Ginny schudde zwijgend haar hoofd en wachtte tot hij de kamer verlaten had, toen sprong ze uit haar bed en ging naar de mahoniewastafel, die discreet was afgeschermd in een hoek van de kamer.

Ze begon haar lichaam hardhandig te schrobben tot haar huid warm en rood was.

Hoe verachtte ze zich zelf! En hoe was ze zo geworden, dat ze de man verafschuwde en wantrouwde, die haar echtgenoot was! Die gedachten bonsden in haar hoofd tot Ginny met beide handen naar haar slapen wilde grijpen om aan het gebons een eind te maken.

Fris gebaad en gekleed, haar haren teruggebonden met een breed groen lint dat bij haar ogen kleurde, voegde Ginny zich bij haar moeder aan het ontbijt in de kleine eetkamer. De senator had het huis al verlaten om naar Montgomery Street te gaan.

'Hij heeft zorgen, weet je,' zei Sonya abrupt. En daarna alsof de woorden uit haar geperst werden: 'Of ben je je niet bewust van wat er rondom je gebeurt?'

Opgeschrikt uit haar lethargie keek Ginny op en zag de nauwelijks verborgen vijandigheid in de blauwe ogen van Sonya; ze trok haar wenkbrauwen licht samen.

'Waarom zou je je ergens zorgen over maken? Wanneer er iets gaat gebeuren, dan gebeurt het toch. En soms is het veel prettiger om de realiteit te vermijden.' Haar stem was kalm en onaangedaan en het air van onverschilligheid, dat ze nu geregeld over zich had, irriteerde Sonya tot het uiterste.

'Ontsnappen aan de werkelijkheid! Heb je daarom zo dikwijls hoofdpijn? En waarom schijn je om niets of niemand te geven? O, in 's hemelsnaam! Ginny, ik zou - zou je door elkaar kunnen schudden. Waarom blijf jij zo'n afstand tussen ons bewaren?'

De doorgaans onbewogen stem van Sonya was scherp, haar gezicht rood aangelopen door de kracht van haar emoties.

'Maar deze keer zúl je me aanhoren, vervelend of niet! Ik heb je geen vragen gesteld over de maanden, die je in Mexico hebt doorgebracht, nadat jij - na die vreselijke middag, die ik nooit zal vergeten zo lang ik leef! En je vader en ik hebben je nooit verweten dat je niet geschreven hebt. We hebben niets van je gehad dan dat koude gevoelloze bericht, toen we buiten ons zelf waren van verdriet en zorg. En zelfs toen moest je nog tegen ons liegen! Besef je hoeveel tijd en geld je vader heeft gespendeerd in pogingen om je te vinden? In pogingen om er zeker van te zijn dat je hier veilig zou terugkeren? En nu ben je getrouwd met een prins, een man die je kennelijk aanbidt en je alles geeft wat je wilt en toch doe jij . . . Heb je je ooit afgevraagd waarom Ivan zoveel nachten wegblijft? Kan het je iets schelen?'

Ginny had al die tijd gezwegen, haar lippen opeen geperst, maar nu, nu haar stiefmoeder pauzeerde om adem te scheppen, keek ze op en haar ogen flonkerden van kwaadheid.

'Of het me wat kan schelen? Nee! Feitelijk prefereer ik dit, als je de waarheid wilt weten. En ik zou veel liever in Mexico gebleven zijn, waar ik gelukkig was - een poosje althans - tot andere mensen zich met mijn leven gingen bemoeien. En nu, zoals je me hebt doen herinneren, ben ik met een prins getrouwd! Maar dit is geen sprookje, lieve Sonya, en je moet me vergeven wanneer ik mijn eigen wegen kies om te ontsnappen aan die onontkoombare verveling.'

Sonya boog zich over de tafel, twee rode plekken op haar wangen.

'Al praat je nu ook als een vrouw van de wereld, toch ben je nog een kind, Ginny. Je bent ternauwernood éénentwintig jaar en je bent helaas blootgesteld geweest aan zekere lelijke en ongewenste aspecten van het leven. Denk jij dat je vader het zich zelf ooit vergeven heeft? Maar het was jouw schuld ook - ik heb je gewaarschuwd tegen dat brutalen flirten en speciaal met een man van dat verachtelijke, verraderlijke soort. Het is jammer dat hij niet gedood is, maar je kunt er zeker van zijn, dat, wanneer hij ooit zijn gezicht te dicht bij de grens laat zien, hij genadeloos neergeschoten zal worden zoals hij verdient, of gevangengenomen en opgehangen. O, Ginny, hoe kun je je zelf zo goedkoop gemaakt hebben? Hoe kun je gedacht hebben . . . wel, Ivan heeft ons verteld hoe snel Steve was om je te verlaten. Denk jij dat een man van zijn soort, die niets meer is dan een dier, na een poosje niet genoeg van een vrouw zou krijgen? En daarvoor, wegens je redding van verdere vernedering of erger misschien, daarom zou je de mensen die werkelijk om je geven de rug toekeren? Je vader . . .'

'O, houd op!' Ginny sprong overeind, haar ogen nauw en schitterend van ergernis. 'Noch jij, noch mijn vader heeft mij lang genoeg gekend om te weten hoe ik werkelijk ben of welk soort vrouw ik ben. Als ik lelijk en onelegant geweest was, weet ik zeker dat ik heel gauw naar Frankrijk teruggestuurd zou zijn of uitgehuwelijkt, zodra ik hier gearriveerd was. En zoals het er nu bij staat - jullie zijn er in geslaagd om mij behoorlijk uit te huwelijken, is het niet? Prins Sahrkanov - wat een vangst! Maar ik heb Ivan alleen maar getrouwd omdat ik een schok gehad had en omdat ik bang was en ongelukkig en . . . O, God! Zelfs *ik* weet niet waarom ik hem getrouwd heb, behalve dat ik of dronken of verdoofd moet zijn geweest. Maar wat doet het er nu toe? Het is gebeurd. Maar als mijn vader mij rustig met Steve getrouwd had laten zijn . . .'

Haar adem stokte bij het noemen van die naam en ze hijgde nu, evenals Sonya, toen ze ging staan.

'Na alles wat hij je heeft laten doormaken - o, ik hoop dat ze hem vinden en zullen doden! En dat zullen ze - voor bijna vijftigduizend dollar in premiegeld zijn er wel mannen, even gemeen en even gevaarlijk als hij is, die er alles voor over hebben!'

Ginny was zo bleek geworden, dat haar ogen enorm groot en ongewoon helder in haar witte gezicht stonden.

Ze was even vergeten, dat ze nog geen minuut geleden erg kwaad op Sonya geweest was.

'Maar waarom?' fluisterde ze. 'Waarom willen jullie hem dood hebben? Uit wraak? Om mij . . .? Verbeelden ze zich . . .' Ze begon te lachen, zacht en hysterisch. 'Zijn ze bang dat hij mij achterna zal komen en – voor iedereen de boel bederven? Omdat, wanneer ik zou denken, dat hij mij nodig had, ik zelf naar hem toe zou lopen – zelfs als ik daarvoor moest liegen of bedriegen of moorden om zover te komen! Waarom kijk je zo bang? Hebben ze je niet verteld dat ik al twee keer een man gedood heb?'

Sonya staarde haar met verschrikte verstarring aan. Ze had al spijt dat haar humeur haar tong de vrije teugel had gegeven en haar gewone voorzichtigheid in de steek had gelaten, maar Ginny – de verandering bij het meisje was niet te geloven. Ze was zo hard geworden, zo koud en zo ongevoelig, dat het bijna een opluchting was te ontdekken dat ze tenslotte nog enige menselijke emoties had overgehouden.

'O, Ginny! Hoe kan je...'

Op dat ogenblik werd een bescheiden klopje op de deur gevolgd door de binnenkomst van de Engelse butler, die de senator onlangs gehuurd had en waar door beide vrouwen tot een tijdelijke zwijgende wapenstilstand gedwongen werden.

'Neemt u me niet kwalijk, mevrouw. Maar sir Eric Fotheringay is er om de prinses op te zoeken. Kan ik hem zeggen dat u thuis bent?'

Met de grootste moeite kon Ginny stil blijven zitten en proberen om althans haar halve aandacht te wijden aan de vloed van banale beleefdheden van sir Eric. Al haar herinneringen, de heftige pijn van gekwetstheid en verlatenheid, die ze geprobeerd had opgesloten te houden in de diepste uithoeken van haar geest, schenen vrijgekomen te zijn gedurende die korte, afschuwelijke scène met Sonya. Ze had een gevoel of ze in stukken gescheurd werd. O God! Ze had behoefte aan nog zo'n poeder. Het medicijn voor zoete dromen. Alles om een eind te maken aan haar gedachten, haar gevoelens. Ze vroeg zich af of hij zou zien dat haar handen trilden en ze verborgen die tussen de plooien van haar rok en kneep ze zó vast op elkaar, dat haar ringen haar knokkels pijn deden.

'Ik vond, dat ik zelf moest komen om u te zeggen hoe dankbaar ik u ben! Het is moeilijk voor een doorgewinterde vrijgezel om alles precies goed te organiseren, weet u? Er gaat niets boven de hand van een vrouw, daardoor loopt elk sociaal gebeuren geruisloos. En er zullen twee of drie andere dames aanwezig zijn. Ik moet zeggen: het is vriendelijk van de prins om het goed te vinden. U moet hem vragen om ook te komen, als hij zich tenminste kan onttrekken aan die reis, die hij moet maken naar Sacramento. Ik zou hem graag erbij hebben.'

Waar had de man het in 's hemelsnaam over?

'Mooi, mooi!' Sir Eric scheen niets van haar agitatie gemerkt te hebben. Hij wreef zijn mollige handen over elkaar en met een voldane uitdrukking op zijn gezicht. 'U weet niet hoe gelukkig het mij maakt en hoezeer ik uw... hm... vriendelijkheid waardeer. We zullen er een weekend van maken, hè? Tenslotte, wanneer mevrouw Brandon later komt – en misschien uw vader, zou uw echtgenoot ons misschien ook kunnen bezoeken; die rivierstoomboten doen er vrij vlug over, heb ik me laten vertellen.' Hij grinnikte en versleet abusievelijk haar plotselinge nietszeggende blik voor consternatie. 'De hoogste tijd dat u eens iets van het schiereiland ziet, mijn beste. En wanneer u denkt om het uiterlijk fatsoen, ik heb dat al aan uw echtgenoot verteld. Het is allemaal eerlijk en fatsoenlijk. Mijn huishoudster zal er zijn – een goede, respectable vrouw, gegoede familie, heeft slechte tijden doorgemaakt, weet u? Wel . . .'

Hij stond op, nam haar beide koude handen in de zijne en drukte ze ietwat langer dan nodig was.

Zij moest dus gastvrouw spelen tijdens een weekend-logeerpartij, ergens buiten. De gedachte was plotseling bijna hysterisch grappig. 'Ik vraag me af wat mijn andere plichten zullen zijn?' dacht Ginny lusteloos en het kon haar niet schelen.

14

Later, toen ze erop terugkeek, kon Ginny zich nauwelijks iets herinneren van de week die daarna kwam, na haar tweegevecht met Sonya in de ontbijtkamer en het bezoek van sir Eric. Het leek alsof ze de wereld van een afstand gadesloeg, door een met goud bespikkelde voile.

Plotseling waren ze allemaal even aardig tegen haar! Zelfs Sonya, die netjes excuses maakte voor haar uitval. En Ivan had haar een smaragden ring gekocht van dergelijke afmetingen, dat het een gewicht aan haar vinger vormde en hij had een fles tonicum meegebracht, waarvan hij zei, dat de graaf die haar had voorgeschreven voor haar zenuwen.

'Hij zegt dat je veel te mager bent geworden, mijn lieveling. En die hoofdpijnen van je . . .'

'Maar die trekken weg zo gauw ik een van die poeders ingenomen heb.'

'Nu, je kunt doorgaan met deze te nemen natuurlijk, maar alleen wanneer je ze echt nodig hebt. Het tonicum moet helpen dat je beter slaapt en om weer wat kleur op je gezicht te brengen.'

Zelfs haar vader was trots op haar. Had hij dat zelf niet gezegd? Voor de aandeelhouders in Comstock zagen de zaken er maar slecht uit. De informatie die ze zou oppikken tijdens haar bezoeken aan het landhuis van sir Eric konden van onschatbare waarde zijn.

'Ivan en ik zijn . . . efin, je zou kunnen zeggen compagnons in een paar zakelijke ondernemingen. Toen hij hier arriveerde, had hij wat geld te beleggen en ik kon hem wat adviezen geven. Maar nu . . .' Voor de eerste keer keek de senator een beetje radeloos en Ginny zag, hoe hij met zijn vingers verstrooid op zijn bureau trommelde. Abrupt zei hij: 'Het is erg belangrijk voor me, Ginny, om precies te ontdekken wat er aan de hand is met de mijnindustrie; in welke aandelen de mensen, die het weten kunnen, op het ogenblik beleggen. Omdat ik politicus ben, kan ik me niet veroorloven om me er officieel mee in te laten of om al te veel belangstelling te tonen. Daarom kom ik ook niet op dat diner. De mannen die daar geïnviteerd zijn, kennen elkaar allemaal en zullen vermoedelijk vrijer over hun zakelijke aangelegenheden praten in jouw aanwezigheid dan in de mijne?

'O, ja, ik herinner me wat Ivan gezegd heeft. Ik word verondersteld alleen maar een mooi ornament te zijn met niets anders dan frivole gedachten in mijn hoofd!'

Maar ondanks de stekeligheid in haar woorden, was de toon van Ginny bijna apathisch. Veel gemakkelijker om niet te moeten nadenken. Of te herinneren.

Haar vader was overdreven geduldig geweest, toen ze hem over Steve gesproken had - ze forceerde zich om voor de eerste keer het onderwerp openlijk tussen hen ter sprake te brengen.

Ze moest zich geen zorgen maken terwille van die schurk, had hij haar kalmerend toegesproken. Hij was zoveel bezorgdheid niet waard. En wat die vijftigduizend dollar beloning betreft, wel, misschien had Sonya lichtelijk overdreven! Dat was alleen maar bedoeld als een waarschuwing, een wenk dat Steve Morgan maar beter in Mexico kon blijven, waar hij thuishoorde.

Nu was ze onbevangen. Ja, dat was het woord. Wat plezierig om in staat te zijn je los te maken van al dat onaangenaam was om te overdenken - om je te verbergen in je gedachten, terwijl je lichaam mechanisch verder ging, bewegend en glimlachend en alle juiste dingen zeggend, onbenullige dingen op het juiste moment.

'Prinses Sahrkanov?' Alle vrienden van sir Eric zeiden: 'Een knap jong schepsel, natuurlijk, maar nogal saai. Heeft uit zich zelf niet veel te vertellen. Verbluffend, gezien al de verhalen . . .'

'Allemaal overdreven, kennelijk!' sir Eric knipoogde duidelijk. 'En wat hersens betreft - wie wil er hersens bij een vrouw? Geef mij maar een mooie vrouw met een goed figuur, die weet hoe ze de juiste kleren moet dragen en niet probeert om zelf te denken. Nu, dat is het wat ik van een vrouw verwacht!'

Sir Eric, een hebzuchtige en opvallende slime zakenman, niettegenstaande zijn saaie, gewichtig-uitziende manier van doen, stond bekend dat hij er altijd prat op ging dat hij op het eind altijd kreeg, wat hij van plan was te krijgen.

Aan Ivan probeerde ze niet te denken wanneer hij op reis was en ze was onmetelijk opgelucht dat hij, na haar capitulatie, zijn part van de nogal onsmakelijke overeenkomst hield en van haar bed wegbleef.

Hoewel ze zich niet in staat voelde tot enige sterke emotie, voelde Ginny zich doortrokken met een gevoel van welbehagen en kracht. Ze was niet langer voortdurend vermoeid, zoals ze vroeger was, en zelfs Sonya merkte het op.

'Wel, Ginny, ik geloof dat je San Francisco eindelijk prettig gaat vinden! Geef het maar toe - kijk je niet een klein beetje uit naar dat weekend?'

Vrijdagmorgen verlieten ze San Francisco erg vroeg, begeleid door sir Eric zelf. Ivan was daags tevoren naar Sacramento vertrokken en het huis werd gesloten en aan de hoede van de bedienden toevertrouwd tot de volgende woensdag.

Senator en mevrouw Brandon waren uitgenodigd om een dag en nacht door te brengen op het paleisachtige buitengoed van William Ralston in Belmont. Na een lichte maaltijd en een korte rust zou Ginny met sir Eric verdergaan naar zijn buitenhuis, dat hij bescheiden zijn 'hutje' noemde. Maar aangezien het hutje en de omringende hectaren grensden aan de 800 hectaren grote 'boerderij' van de gouveneur Leland Stanford, was Ginny al gewaarschuwd wat ze kon verwachten.

'Ik weet zeker, Ginny, dat je het prettig zult vinden, wanneer je er maar voor openstaat,' fluisterde Sonya voor ze afscheid nam. 'En denk eraan dat je vader en ik heel gauw bij je zullen zijn. En Ivan misschien ook, als hij kans ziet om weg te komen.'

'Ik verwacht van je, dat je me je indrukken over Sam Murdock vertelt, zei de senator met wat geforceerde hartelijkheid. 'Vergeet niet, dochter, dat ik reken op dat wat je me zult vertellen.'

En inderdaad, zelfs gedurende hun korte verblijf in het vorstelijke huis van William Ralston, leek het wel alsof iedereen sprak over de nieuwste en meest excentrieke miljonair van Californië. 'Murdock!' fluisterden ze en mannen als sir Eric - die inderdaad de man wel eens ontmoet had - glimlachte maar en zweeg.

'Hij was een van de weinigen, die genoeg vooruitziende blik had om aandelen te kopen zowel in Union Pacific als in Central Pacific Railroads, toen ze nog maar een hersenschim leken... Ze zeggen dat hij een overheersend belang heeft bij de Lady Line... Hij heeft de hele Spaanse landuitgifte opgekocht in Zuid-Californië... Hij heeft een van de rijkste zilvermijnen in het territorium van Nieuw-Mexico ontdekt... Hij gooit zijn aandelen Comstock op de markt...'

Op het laatste stuk van hun reis reed ze te paard naast de barones in zijn Londens rijtuigje en richtte plichtmatig haar blik van belangstelling naar de verschillende punten die hij aanwees.

'Iedereen koopt tegenwoordig land op het schiereiland. De Mexicanen die het meeste in eigendom hadden, verkopen het nu. Ze zijn niet in staat om zich aan te passen aan de nieuwere en snellere manier van leven, weet je, mijn lief. Maar Murdock, niemand weet precies hoeveel land hij bezit, maar ze zeggen, dat hij de helft van de Portola-vallei heeft opgekocht. Prachtig land - onbedorven. Hij is net klaar met het bouwen van een landhuis, waarvan ik gehoord heb dat het een pronkjuweel is. En hij heeft ook die half-afgemaakte boel op Nob Hill gekocht, die de arme Griffith begonnen was te bouwen vóór hij al zijn geld met spelen en stomme beleggingen verloor en zelfmoord pleegde.'

Loom, omdat ze moe werd van zijn gepraat, zei Ginny: 'Waarom praat iedereen over die meneer Murdock alsof hij een man met een geheim is? Hebt u hem echt ontmoet?'

Blij dat hij haar belangstelling getrokken had, giechelde sir Eric.

'Natuurlijk heb ik hem ontmoet! De eerste keer in Virginia City. Hij is wat jullie Amerikanen een 'old-timer' noemen. Hij is op een harde manier opgeklommen. Nu wordt hij altijd omringd door lijfwachten - ze zeggen dat hij niemand vertrouwt. Maar hij is een uitgeslapen belegger en een slimme man niettegenstaande zijn ruwe manieren. Enfin - u zult het zelf gauw genoeg zien! Ik kan u niet zeggen hoe blij en gelukkig ik ben, dat u besloten hebt me te helpen.' Hij klopte op haar hand en wierp een zijdelingse blik op haar. 'Hij heeft ook wel oog voor een mooi vrouwspersoon. Vrijgezel, net als ik, maar ik heb iets gehoord over een klein Spaans meisje, dat hij zijn pupil noemt . . .' Hij brak af alsof hij al te veel gezegd had; en Ginny, die al meer dan verveeld was, stelde geen vragen meer.

Ze zou het heel gauw zelf wel zien. Voor het ogenblik . . . Ze leunde met een zucht achterover en sloot haar ogen. Had ze niet geleerd om elke moment te aanvaarden zoals het op haar afkwam? Er waren geen verrassingen meer en als ze er al waren, kon het haar niet schelen.

Eens te meer, zoals ze zich gewend had, kon Ginny zich hullen in haar goudgespikkelde sluier van onverschilligheid. Heel dikwijls wilde ze in lachen uitbarsten, wanneer ze naar de andere mensen keek en zich afvroeg wat die zouden doen als ze werkelijk wisten wat zij dacht. Als denken maar niet zo'n vreselijke moeite kostte! En zo kon ze dus ook naar het 'hutje' van sir Eric kijken – dat een grandioze uitgave van een Engels landhuis was – door uitdrukkingloze groene ogen; ze verzekerde hem in haar koude beleefde stem, dat het mooi was en dat ze nauwelijks kon wachten om het van binnen te zien met het geïmporteerde antiek meubilair en verdere toebehoren.

'U zult natuurlijk wel vermoeid zijn,' mompelde sir Eric bezorgd en drukte haar vingers. 'Mijn huishoudster zal u naar uw kamers brengen en u moet net zo lang rusten als u wilt. Ze zal u twee van de dienstmeisjes sturen om u te helpen uitpakken.'

Het rijtuigje beëindigde de rit langs de ronde met kiezel bestrooide oprijlaan en hield stil voor de indrukwekkende ingang met zijn gemetselde pilaren.

'Ik heb ook huisjes voor de gasten gebouwd aan de achterkant, hebt u dat gezien? En wanneer u uitgerust bent, moet u de stallen eens bekijken. Ik heb twee stalknechten uit India – die zijn magnifiek met paarden, die inboorlingen daarginds. Ik heb hen meegebracht. Misschien wilt u morgen wel een ritje maken – u rijdt toch? Goed! Ik heb een vurige kleine Arabische merrie, die u misschien eens wilt proberen. Kom, dan gaan we nu de huishoudster begroeten.'

De in het zwart geklede huishoudster, een magere vrouw met een vaal gezicht, met lippen die altijd op elkaar geklemd waren, was erg beleefd geweest toen ze Ginny naar haar kamers bracht.

'U hebt de Romeinse suite, Hoogheid,' zei ze en legde vervolgens de zware met goud geborduurde belkoorden uit en de kleine aangrenzende kamer waar Delia zou slapen en de opmerkelijk weelderige badkamer, waarvan het bad al gevuld was.

Ze liet haar lichaam weken in een marmeren kuip, die een kopie was van een ingezonken Romeins bad, en Ginny ontdekte dat ze nu al verlangde naar het eind van haar bezoek.

Waarom was ze hier? Wat werd ze eigenlijk verondersteld te doen? Verboden gedachten. Daarom concentreerde zij zich maar op de inrichting van de badkamer – de treden die naar de badkuip leidden; de afmetingen; de schoonheid van het marmer.

Delia stond te wachten met een enorme kroezige handdoek, toen Ginny uit het geparfumeerde bad stapte, met druipende haren.

'O, mevrouw! Het is allemaal zo groots! En u zou buiten het binnenplein moeten zien! Ze hebben me verteld dat sir Eric elke steen per schip heeft laten aanvoeren van een of ander oud kasteel in Engeland. Luister, mevrouw – hoort u die muziek die daar gepeeld wordt? Een van de heren heeft Spaanse cowboys meegebracht. Het klinkt echt mooi, vindt u niet?'

'Delia, sluit alsjeblieft het venster! Die muziek is . . . erg mooi, maar ik ben moe en ik wil niet de hele nacht wakker liggen.'

Het had geen zin om aan het meisje uit te leggen, dat de muziek in de verte helemaal geen Spaanse was, maar Mexicaanse en die te veel herinneringen wakker riep. Hoeveel maanden was het nu geleden sedert ze het laatst gedanst had op de muziek van een mariachi-band met wapperende rokken rond haar blote enkels en met fladderende haren?

Delia bracht haar medicijn in een klein, exquis likeurglas. Het had een volrode kleur, als wijn toen ze het tegen het licht hield in een zwijgende cynische toost voor zich zelf. 'Mijn levenselixer. Bijzondere vloeistof help me te vergeten!'

En na een poosje, toen de zoete bekende loomheid zich meester van haar maakte, waardoor elke spier, al haar ledematen zich ontspanden, vloog ze, zweefde ze, een heerlijke matheid maakte dat haar lichaam gewichtloos leek. De laatste bewuste gedachte van Ginny vóór ze in slaap viel was een paar zeer donkere blauwe ogen, half overschaduwd door lange wimpers, die op haar neerkeken met een glimp van spottende duivelachtigheid in hun diepten.

15

De oude roekeloze Ginny zou zich begeven hebben in een of andere wilde en waarschijnlijk onverantwoordelijke escapade als uitlaat voor haar verwarde en bittere gevoelens, om te ontsnappen aan de pijn, die ze nog steeds voelde, wanneer ze aan Steve dacht. Maar prinses Sahrkanov werd met hoofdpijn wakker, nam een van haar poeders in een glas limonade met ijs en ging rijden met sir Eric Fotheringay, die meer en meer geïntrigeerd raakte door de vreemde paradox, die zij de wereld bood. Was het mogelijk dat een vrouw met een reputatie van een nogal bewogen leven in Mexico in de paar laatste jaren, werkelijk zó rustig en bescheiden kon zijn als deze scheen te zijn? Of was haar verlegen en gereserveerde manier van doen bestemd om hem aan het lijntje te houden? Ze kon toch niet onschuldig zijn om te denken, dat zijn belangstelling in haar zuiver platonisch was en het feit, dat haar echtgenoot zo bereidwillig had toegestaan, dat zij hier op bezoek kwam, eigenlijk zonder chaperonne, moest toch alle dwaze scrupules wegnemen, die ze maar mocht hebben.

Sir Eric liet zijn kille blauwe ogen rusten op de gestalte van de jonge vrouw, die gemakkelijk en gracieus naast hem reed. Ze reed als amazone, de plooien van haar elegante en naar maat gesneden rijkostuum lieten hoog dichtgeknoopte geiteleren laarzen zien, gemaakt van bronskleurig leer. Haar kostuum was van een beetje donkerder tint brons, dat haar koperkleurige haar volmaakt deed uitkomen; de strenge snit benadrukte slechts de heerlijke vrouwelijke vormen van haar borsten en heupen. Wat haar mond betreft: al wat sir Eric kon doen, was zich in te prenten, dat hij geduld moest hebben. Die mond duidde op verborgen, smeulende hartstochten, wachtend op de juiste man om ze tot een laaiend vuur te doen opvlammen. Ja, hij kon zich bijna inbeelden hoe haar lippen onder de zijne zouden aanvoelen - lichtelijk geopend. En haar geheimzinnige scheefstaande ogen zouden zich in extase sluiten; de wimpers zouden als waaiers tegen haar blozende wangen liggen. Wanneer hij eenmaal haar terughoudendheid doorbroken zou hebben, zou hij haar bezitten.

Terwijl sir Eric de plannen smeedde voor haar verleiding, genoot Ginny van de bries, vermengd met de geuren uit het bos, die over haar gezicht spoelde. Wat een prachtig onbedorven land was dit nog! En ginds, naar het westen, achter die bergketens die zich tegen de horizon aftekenden, was de oceaan.

'Het herinnert me aan gedeelten van Engeland, dit deel van het land,' zei sir Eric, zijn pompeuze stem plonsde midden in haar voorbijgaand gevoel van welzijn.

'Ja, het is heel mooi,' antwoordde ze plichtmatig met moedwillig kleurloze stem.

En dat was de rol, waartoe Ginny besloten had om die avond te spelen. Kleurloos. Bescheiden. Die de mannen het gevoel zou geven dat ze vrijuit konden praten - en misschien zou sir Eric er dan niet zo'n punt van maken om haar op te merken; of om haar met zijn ogen te ontkleden.

Ginny stond doodstil voor de spiegel terwijl Delia, die kleine bewonderende geluidjes maakte, de diamanten tiara in haar kapsel bevestigde. Ze droeg geen andere juwelen. Haar japon, van donker dofgroen brokaat, was kunstig doorweven met zilverdraad, de kleur was zó donker, dat die bijna zwart leek tot het licht erop viel. Bijna grimmig in zijn eenvoud, miste de japon het diepe decolleté dat karakteristiek was voor de avondjaponnen van die tijd, haar schouders waren bloot behalve dan de twee smalle zilveren bandjes. Haar handschoenen waren van zilver lamé en de kleine avondschoentjes, die zichtbaar werden wanneer ze liep, waren eveneens van zilver met kleine diamanten knoopjes, die helemaal tot haar enkels kwamen.

'O, mevrouw!' zuchtte Delia. 'U ziet eruit - u ziet eruit als een plaatje uit de *Lady's Book!* Of een schilderij van een prinses.' En dan, praktischer: 'Zal ik u nu een van die poeders geven? U zult u beter voelen, dat weet ik zeker. Mevrouw Crawford zei dat ik niet hoefde op te blijven, omdat u wel laat zou zijn - en er is ook een partijtje voor de bedienden. Weet u zeker dat het goed is...'

'Ik wil dat je plezier hebt, Delia. En het is onzin dat jij op mij zou wachten. Ik kan me zelf toch wel uitkleden!'

Hoeveel keer had ze dat niet gedaan? Of waren de kleren van haar lichaam gescheurd? Maar vanavond was het niet de tijd voor herinneringen. Vanavond was haar rol niet alleen die van prinses Sahrkanov maar ook die van gastvrouw voor sir Eric – de charmante dochter van zijn gedistingeerde vriend, haar aanwezigheid luisterde zijn anders zo sobere tafel op.

Het huis dat sir Eric in Tudorstijl had opgetrokken, ging prat op een enorme eetzaal, verlicht door kristallen kroonluchters en wandlampen. Dit was nauwelijks nog het rustige, intieme diner voor een paar goede vrienden, waarvan hij eerder gesproken had. Er waren gouden borden en zilveren eetgerei bij elk couvert en Venetiaanse roemers, waarvan de rijke kleuren het licht weerkaatsten, bestemd voor de prachtige wijnen van beroemde jaargangen, die bij elke gang geserveerd werden.

Ginny kreeg de gelegenheid niet om de laatkomers onder de gasten van sir Eric te ontmoeten; ze was speciaal benieuwd naar die Sam Murdock, over wie zoveel mensen spraken.

Het grootste gedeelte van de middag had ze zwaar geslapen, ze kwam laat binnen, ogenschijnlijk zich niet bewust van de stilte in de gesprekken – de ogen die op haar gericht werden. De vrouwen waren niet belangrijk, zoals ze van het begin af al vermoed had. Geen van de hier aanwezige mannen had zijn vrouw meegebracht en hun elegant geklede metgezellinnen waren zonder enige twijfel hun huidige maîtressen. Ginny probeerde namen te onthouden, toen ze aan de gasten werd voorgesteld.

Wie haar het meest opviel was Sam Murdock, die toevallig naast haar geplaatst was. Hij was de kalmste van allemaal, maar wanneer hij sprak wist hij het meest af van welk onderwerp dan ook. En toch was meneer Murdock niet half zo rijk gekleed als de andere mannen, die evenals hij zelf allemaal miljonair waren; hij droeg geen diamanten manchetknopen en evenmin een gouden nugget aan zijn horlogeketting. En hij was vrijgezel, ofschoon Ginny zich de sluwe opmerkingen herinnerde over zijn Spaanse pupil, waarvan iedereen zei dat het zijn maîtresse was.

Het vreemde was, dat Murdock bijzonder met haar ingenomen scheen te zijn en ze vond hem inderdaad aardig. Hij maakte geen overdreven complimentjes en evenmin sprak hij haar neerbuigend toe. Hij was vriendelijk maar niet overdreven, en bij een paar gelegenheden vroeg hij zelfs om haar mening. Hij had een heel licht Schots accent in zijn zachte, bijna verlegen stem.

Ginny merkte dat zij Sam Murdock bestudeerde, wanneer hij zich daarvan niet bewust was. Hij was lang en had brede schouders. Hij was minstens midden in de vijftig, maar hij was niet zo dik als de meeste mannen van zijn leeftijd. Zijn haar was ooit rood geweest, ofschoon de kleur nu verbleekt was en het was overvloedig met grijs doorschoten. Hij was glad geschoren, had zware bakkebaarden en zijn wenkbrauwen ontmoeten elkaar in het midden van zijn vierkante, sterke gezicht.

De mannen praatten vrijuit en de vrouwen waren nogal schril aan het giechelen tegen de tijd, dat de vijfde gang afgenomen was. Slechts Murdock, die maar heel spaarzaam aan zijn wijn nipte, bleef laconiek onmededeelzaam. Maar hij was zich niettemin van haar bewust. Ginny had genoeg ervaring met mannen en hun manier van doen om dit aan te voelen en het stelde haar voor een raadsel. Ze had inderdaad het gevoel dat hij haar even steels bestudeerde als zij hem, zelfs terwijl zijn manieren volslagen onberispelijk bleven.

Maar waarom keek hij naar haar? En hield haar bezig met beleefde conversatie, wanneer ze werd verondersteld om te luisteren naar de rest van de gesprekken - hoofdzakelijk gaande over zakelijke aangelegenheden - die rondom haar plaatsvonden?

Murdock was de enige van de gasten van sir Eric, die eerlijk genoeg was om haar rechtstreeks te vragen of ze van haar verblijf in Mexico genoten had. Zonder verbazing hoorde ze hem zeggen, dat hij daar ook belangen had.

'Natuurlijk ben ik gelukkiger geweest dan andere mensen, prinses. Ik heb daar een oude vriend - een soort compagnon. Er is een tijd geweest - meer jaren geleden dan ik eigenlijk prettig vind om aan te denken - toen we aan tegenovergestelde kanten stonden. Maar ik zal u niet vervelen met verhalen van de oorlogen, waarin ik gevochten heb. Vertel me eens, houdt u van Californië?'

'Natuurlijk houd ik van Californië, ofschoon ik moet bekennen dat ik er tot nu toe niet veel van gezien heb. Maar o,' en onbewust werd haar stem droefgeestig, 'ik hield zo van Mexico! Ik . . .' en toen betrapte ze zich en dronk veel te snel uit de roemer met champagne naast haar bord.

Met zijn droge stem zei Murdock, alsof hij haar plotselinge aarzeling niet had opgemerkt: 'Maar dan moet u meer van Californië zien. Ik hoop dat uw echtgenoot u niet al te spoedig naar Rusland zal voeren.'

Als de poeder, die ze geslikt had, haar al een licht gevoel in het hoofd had gegeven, dan maakte al de wijn die ze gedronken had dat nog erger. Met een soort afschuw op een afstand hoorde zij zich giechelen.

'O, maar ik geloof, dat Ivan ook verliefd geworden is op Californië. Hij is naar Sacramento op de uitkijk naar landaankopen.'

'O ja? Ik hoop dat hij goed advies gekregen heeft. De waarde van land stijgt momenteel elk ogenblik.'

Ginny was sir Eric bijna vergeten, die van de andere kant van de tafel haar boos zat aan te kijken. Bah! Wat deed het ertoe? Ze werd verondersteld zijn gracieuze gastvrouw te zijn en Sam Murdock was een van zijn belangrijkste gasten. Sam Murdock was ook de enige die niet dodelijk vervelend was en hij behandelde haar als een persoon in plaats van als een ornament.

Zijn aanwezigheid bij haar elleboog en zijn rustige stem moedigden haar in haar conversatie aan en hielpen de avond vlugger voorbij te laten gaan. Ginny had bijna spijt toen ze als gastvrouw verplicht was om de andere vrouwen naar het overdekte terras te voeren, terwijl de mannen bleven zitten met hun sigaren en hun port.

'Ik voel me net een madame, die haar meisjes verzamelt voor de slag,' dacht Ginny wrang. Toen bracht een van de Chinese bedienden verschillende magnums champagnes voor de dames, 'met complimenten van de heren', en ze hield bijna op te denken toen ze roekeloos haar roemer leegdronk en zich opnieuw bij liet schenken.

Het gekakel van de lichtelijk bedronken 'dames' en hun schrille gelach, herinnerden Ginny aan haar eigen nogal onhoudbare positie hier. Wanneer de avond voorbij was en de gasten naar hun respectieve kamers verdwenen waren, verwachtte sir Eric dan om haar te vergezellen? En had Ivan al die tijd geweten wat voor soort partij dit zou worden?

'Drink meer champagne . . . denk er niet aan,' waarschuwde ze zich zelf; ze wenste dat ze naar haar suite kon sluipen om wat van die robijnrode drank in te nemen.

Er zou gedanst worden en Ginny was gedwongen om met sir Eric te dansen, die haar veel te vast hield, zijn hete adem blies op haar wang. De druk van zijn lendenen tegen haar dijen gaven maar al te zeer blijk van zijn bedoelingen.

Zonder eigenlijk te beseffen wat ze deed, keek Ginny uit naar Sam Murdock. Waarheen was hij verdwenen? Met wie danste hij? Sir Eric had scherpere ogen dan ze vermoed had. Zijn overhemd met diamanten knoopjes drukte tegen haar borst en hij liet plotseling een schorre lach horen.

'Jij kleine rakker! Je bent spitser dan ik dacht. Ik zag wel hoe je naar de oude Sam lonkte. Maar dan, hij is óók spits. Niet zo gemakkelijk te vangen als ik, en je weet dat je me aan de haak geslagen hebt, is het niet? Ik heb van het begin af al een oogje op je gehad en ik denk, dat je dat weet. Het is helemaal niet nodig om nu het spelletje te spelen van: moeilijk te krijgen.'

Zijn mollige vingers drukten de hare betekenisvol en zijn hand, die langs haar stijve rug gleed, stiet op haar tournure en bewoog zich weer omhoog om het onderste deel van haar rug tegen zich aan te drukken en haar heupen tegen de zijne te drukken.

In een poging om zich aan zijn omhelzing te onttrekken struikelde Ginny en ze hoorde een grof gelach toen haar lichaam onwillekeurig tegen het zijne drong.

'Dat is goed! Ik wist wel dat je verstandig genoeg zou zijn om geen tijd te verspillen met net te doen alsof je verlegen was. En ik heb er geen doekjes om gewonden wat ik voor je voel, is het wel? Tijd voor een wandelingetje en niemand zal ons missen. Niemand zal het zelfs maar weten, als je daarover in zit.'

De lucht van rijpe kaas in zijn adem was overweldigend en Ginny constateerde dat ze wild dacht: Over een minuut ben ik misselijk! Ze voelde een doffe pijn in haar slapen en ze werd helemaal koud.

Ze zei het eerste, dat bij haar opkwam en wat toevallig de waarheid was.

'Ik heb – ik heb een vreselijke hoofdpijn! Die krijg ik altijd – het soort dat de dokter migraine noemt. Alstublieft! Ik zou graag naar mijn kamer gaan en gaan liggen'. Ze ontworstelde zich aan zijn armen en gedreven door instinct, scheen ze de weg te vinden door de gangen bedekt met lopers, waar de lampen maar half brandden. Maar toen, o mijn God, stond sir Eric weer voor haar en versperde de toegang naar haar kamer.

'Je hebt haast om te gaan liggen, hè? Nou, dat is goed. Dat was ik zelf ook van plan.'

Hij ving haar in zijn armen op en perste zijn vochtige, dikke lippen over haar mond, terwijl golven van onpasselijkheid haar verstikten en haar hoofd duizelig deden tollen.

Ze leunde tegen de deur, zijn lichaam drukte zwaar tegen het hare.

'Maak je vanavond maar geen zorgen over je kamenier! Ik heb mevrouw Crawford voor haar laten zorgen. Ze zal zonder enige twijfel als een roos slapen en we zullen haar niet wakker maken, is het wel? Ik kleed je uit . . . dat heb ik altijd al willen doen, sinds ik voor het eerst naar je keek. Lief klein ding . . .!'

Ginny hoorde hoe ze als een gevangen dier kreunde en dan . . . dankbaar, bijna niet te geloven – voelde ze, dat ze losgelaten werd, terwijl ze haar handen voor haar mond sloeg om het verstikkende, ziekmakende gevoel te verdringen, dat haar nog steeds dreigde te overspoelen.

Alsof het uit de verte kwam hoorde ze de droge, onbewogen stem van Sam Murdock.

'O, bent u daar, sir Eric! Ik was naar u op zoek om te zeggen, dat ik er maar in wilde kruipen.' En daarna, terwijl zijn stem een wat hardere klank aannam: 'Het lijkt me dat de prinses er niet al te goed uitziet. Voelt u zich wel goed, mevrouw?'

Zwijgend, praten durfde ze niet, schudde Ginny haar hoofd en zelfs die lichte beweging veroorzaakte een pijn, die van haar slapen doorschoot tot in haar nek.

'Ik wilde me even overtuigen, dat ze haar kamer gevonden had en veilig in bed kwam.' De stem van sir Eric was vol onderdrukte woede, waardoor hij schor werd. 'Alle bedienden zijn op een feestje, weet u. Ik zou niet willen dat iemand hier binnendwaalde en bij vergissing de prinses zou storen.'

'Ach, als dat alles is waar u mee inzit: ik kan een van mijn lijfwachten voor haar deur posteren. Die hebben niet gedronken, zoals de rest.'

'Dat zal niet nodig zijn! Verdorie, Sam . . .'

'Eigenlijk had ik ook nog een paar zaken, die ik met je wilde bespreken. Eerder heb ik geen kans gezien. Wanneer je althans vrij bent?'

Zijn helderblauwe ogen vestigden zich op het bleke gezicht van Ginny met een bijzonder intense blik, daarna maakte Sam Murdock een beleefde buiging in haar richting.

'Mag ik u een aangename nacht toewensen, mevrouw? U ziet eruit alsof u rust nodig hebt. Weet u zeker, dat u weer in orde bent?'

Op een of andere manier vond ze de kracht om te knikken en onder de onheilspellende blik van sir Eric stuntelde ze met de deurknop en slaagde er ternauwernood in de deur achter zich te sluiten voor ze door de kamer holde en ellendig en heftig overgaf in de gestileerde koperen waskom.

Ginny vond dat er in de wereld geen beroerder gevoel bestond. 'Ik zal nooit meer een druppel champagne aanraken, nooit, nooit!' Haar huid voelde ijzig en klam aan en telkens, wanneer ze haar ogen sloot, begon de hele kamer rondom haar te draaien. Ze dacht dat haar misselijkheid nooit zou overgaan, dat ze binnenste buiten gekeerd werd. Zwak, klemde zij zich vast aan een hoek van de met marmer bedekte wastafel en wenste dat ze dood was, liever dan zich zo ellendig te voelen.

Na een poosje – ze had geen idee hoe lang dat was – zag Ginny kans om haar bed te bereiken. Ze was slap en beefde nog van de spiertrekkingen van afschuw, waardoor al haar spieren pijn deden en probeerde zich te ontkleden, maar zoals ze zich nu voelde, viel er niet aan te denken. Maar het moment, dat ze zich op het bed liet neervallen, kwamen de duizelingen terug en ze had een gevoel alsof ze op een reusachtige schommel zat.

Kreunend hief Ginny zich weer overeind. Misschien zou ze zich beter voelen als ze wat frisse lucht kreeg. De lucht in de kamer rook duf en vunzig.

Met moeite dwong ze zich om te gaan staan, ze smeet haar schoenen uit en ging op blote voeten lichtelijk zwaaiend naar de grote openslaande deuren die toegang tot het terras gaven. Morrelend aan de sluiting kreeg ze die eindelijk open en de nachtlucht, met een vleugje kou erin, werkte alsof ze een glas koud water in haar gezicht kreeg. Dankbaar leunde Ginny tegen een stenen balustrade, vlak bij een aantal treden, die naar een ander terras leidden.

Ze voelde zich al beter – ze voelde zich echt een beetje beter! Ze huiverde nu, gedeeltelijk door de kou en gedeeltelijk door afschuw van zich zelf.

Waartoe had ze zich laten verleiden? Ze herinnerde zich de scherpe, blauwe ogen van Sam Murdock, die alles in zich leken op te nemen – de nare kleine scène met sir Eric, haar eigen dronken, hulpeloze staat. Afschuwelijk. Ordinair. Hoe kon hij dat níet gedacht hebben? Wat moest hij van haar denken? Maar Sam Murdock, niettegenstaande dat ze zeiden, dat hij in zaken onmeedogend was, was ook een heer. Hij had haar gered en de ouderwetse beleefdheid van zijn optreden was onveranderd gebleven. Maar hoe zou hij haar niet gezien kunnen hebben zoals ze eruit zag, zoals ze inderdaad wás? Waarom had ze zich veroorloofd zoveel te drinken? Om het voor sir Eric gemakkelijker te maken haar te verleiden? En dat zou hij zeker gedaan hebben als Sam Murdock niet te juister tijd was komen opdagen.

Ginny sloot haar ogen en ademde diep. Een zwak, schrapend geluid achter haar, maakte dat Ginny zich omdraaide en haar ogen sperden zich open door schok en afkeer.

Daar stond sir Eric Fotheringay, lichtelijk zwaaiend, omlijst door het open raam dat toegang gaf tot haar slaapkamer. Hij deed een stap naar voren en ze zag, dat hij zich had omgekleed in een militair-achtig aandoende kamerjas. Hij grinnikte naar haar.

'Je hebt zeker op me gewacht, is het niet? Je dacht dat ik nog wel zou komen – een onafgemaakte zaak, hè? Maar je had je moeten uitkleden – of wilde je die taak voor mij bewaren?'

Ze zou achteruit gedeinsd zijn, indien de stenen muur niet in haar rug gedrukt had en haar gevangen hield.

Wild rond zich heen kijkend kon Ginny geen manier van ontsnappen vinden, tenzij ze de treden probeerde – en ze wist niet zeker of haar benen wel genoeg kracht hadden haar te dragen.

'Wat is er aan de hand, dametje? Je bent toch niet verlegen? Het is te laat om dat spelletje nu nog te spelen – en waarom doe je alsof? We weten allebei waarom je hier bent. Kom nu . . .' Hij ging op haar toe, sprak overredend, maar hield zijn kleine glimmende oogjes strak op haar gericht. En niettegenstaande zijn zwalkende onvaste manier van lopen, leek hij enorm sterk.

'Kom mee,' herhaalde hij. 'Je wilt toch geen kou vatten? In bed zullen we het lekker warm hebben.'

'Houd op!' barstte Ginny uit, plotseling en heftig. 'Als je eens wist hoe belachelijk je eruit ziet – en hoe ergerlijk je bent. Ik ben helemaal niet van plan om met je naar bed te gaan en ik houd er niet van om verkracht te worden. Wil je nu alsjeblieft weggaan?'

Zijn kleine uitpuilende ogen keken haar kwaad aan toen hij zijn hoofd tussen zijn schouders naar voren stak.

'Plotseling hooghartig, is het niet? En dat na de manier waarop je mij aan het lijntje gehouden hebt en beweer maar niet, dat je dat niet gedaan hebt, liefste! Je hebt niet te hard tegengesparteld toen ik je kuste, is het wel? Je bent een klein heet stuk, ondanks je boze blikken en denk maar niet, dat ik dat van het begin af niet gevoeld heb. Kom nou maar hier en vergeet die spelletjes. Daar hebben we later nog wel tijd voor.'

Zonder waarschuwing deed hij een graai naar haar. Ofschoon ze zijn greep trachtte te ontwijken, hoorde ze de stof van haar japon scheuren, waardoor een schouder bloot kwam.

Hij gniffelde – een begerig, gulzig geluid. En zijn handen strekten zich opnieuw naar haar uit, ze trokken ruw aan haar japon en bevoelden haar borsten. Hij was een beestmens – hij was als al die andere bronstige dieren, die haar gedwongen hadden en haar lichaam misbruikt hadden zonder enige consideratie voor haar gevoelens.

Gegrepen door een hartstocht van woede en afschuw begon Ginny luidkeels te roepen. Ze duwde met beide handen tegen zijn dikke lichaam, ze gaf hem een hevige zet en gebruikte alle kracht waarover ze beschikte. En met een gegrom van verrassing waggelde sir Eric, die onverhoeds aangevallen werd, achteruit.

Zijn armen zwaaiden wild in het rond en zijn mond ging open – en toen viel hij met een klap, die als een donderslag in de oren van Ginny klonk. Hij lag half in en half buiten de slaapkamer, met grote hoekige stukken glas rondom hem, want door de vaart van haar heftige stoot was hij door de ruit van een van de openslaande deuren gevallen.

'O God! Ik heb hem vermoord!' dacht Ginny misselijk. En gedreven door een blinde paniek, draaide ze zich om en begon te lopen. De treden . . . ze moest vluchten . . . Ze was roekeloos naar beneden gehold toen ze tegen iemand opbotste, die naar boven kwam en een paar sterke armen sloegen zich om haar heen. De schok en de angst deden haar bijna hardop roepen, tot ze de stem van Sam Murdock herkende – kalm en sussend, helemaal ter zake.

'Ik heb altijd geleerd, dat het ontlopen van moeilijkheden altijd erger is dan ze onder het oog te zien. Sir Eric?'

Ze kon vaag de witte glans van zijn overhemd zien; ze knikte sprakeloos. En de manier waarop hij haar bleef vasthouden, zonder hartstocht, hielp mee om haar weer aan het denken te zetten.

'Dat lawaai zal iedereen op een holletje hier brengen – voor zover ze al niet van de kaart zijn of op een andere manier bezig zijn,' zei Sam Murdock. Toen liet hij haar los en klopte haar verstrooid op de schouder. Ginny voelde zich

getroost door de kalme, zelfverzekerde, langzame stem.
'Kom maar met mij mee – en laat mij het gesprek maar voeren. Je hoeft je geen zorgen te maken – niemand van de heren hier wil een schandaal en minst van allemaal: sir Eric.'
'Maar ik . . . ik denk dat ik hem vermoord heb! Hij zag er zo . . . hij zag er zo dóód uit!'
Murdock liet een kort, vreugdeloos gegrinnik horen.
'Dat betwijfel ik! En als het zo is, dan is het zijn eigen schuld, is het niet? Nu, denk eraan – u laat dit mij behandelen. U bent ontdaan en niemand zal u iets verwijten. Huil maar, als u dat liever doet. Ik heb gehoord dat het sommige vrouwen helpt. Maar blijf eraan denken, dat u zich nergens zorgen over hoeft te maken.'
Het vreemde was dat ze deze man vertrouwde, die voor haar een vreemdeling was. En er was iets in zijn kalme kracht en zijn zelfverzekerde optreden, dat haar zonder een enkel woord deed gehoorzamen.
Koel, volslagen nuchter en meester van zich zelf, nam Sam Murdock de leiding, zoals hij beloofd had. Zijn tijdige verschijning had haar gered van een instorting en terwijl ze met een deel van haar aandacht naar zijn laconieke ongeëmotioneerde verklaring luisterde, trachtte Ginny het trillen van haar handen te bedwingen. Delia kwam ergens vandaan, haar ogen dik van de slaap. En weer was het Sam Murdock die met scherper wordende stem commandeerde en de komende hysterische aanval van het meisje pareerde en haar opdracht gaf om iets te drinken te halen voor haar meesteres.
'Water is goed. En iets om haar zenuwen te kalmeren.'
Gesterkt door een van haar hoofdpijnpoeders, was Ginny in staat om de rest te doorstaan – het gefluister en de zijdelingse blikken, de kleine verschrikte kreetjes van de vrouwen. Zoals Murdock haar verzekerd had in een cynisch terzijde, waren de aanwezige mannen meer bezorgd met het beschermen van hun eigen reputaties dan met het 'ongeluk' van hun gastheer. Want zó zou het genoemd worden. Een te betreuren ongeluk.
Thomas Durant, die dokter geweest was vóór hij financier werd, onderzocht de ongelukkige sir Eric en stelde vast, dat zijn toestand niet ernstig was, hoewel hij op verscheidene plaatsen lelijk gesneden was door de glassplinters. Gelukkig was zijn hoofd terechtgekomen op het vloerkleed van de slaapkamer.
Nog steeds bewusteloos, maar zwaar ademhalend, werd sir Eric naar zijn eigen slaapkamer gebracht; zijn wonden werden gedesinfecteerd en verbonden.
'Ik zal zelf wel met hem praten,' beloofde Collis Huntington. 'Er zal over deze ongelukkige episode niets meer gehoord worden.'
'Maar ik kan hier niet blijven!' zei Ginny met opgewonden stem, ondanks de voorbijgaande rust, die de poeder haar gegeven had. 'Dat begrijpt u toch wel? Ik wil hem niet meer zien. Dat zou ondraaglijk zijn.'
Ze was weer met Sam Murdock alleen en ofschoon de dageraad de oostelijke hemel reeds kleurde met bleke lichtstrepen, voelde ze zich niet langer slaperig.

'Dat hoeft ook niet.' Hij had nog steeds de leiding, ook over haar leek het wel. 'Ik heb mijn mannen al gezegd, dat we over een uur vertrekken. En uw kamenier is voor u aan het pakken.'

'Maar...'

In het zwakke licht ving ze de vage glimlach op, die om een van zijn mondhoeken krulde.

'Ik heb al de indruk gekregen dat u een onafhankelijke jonge vrouw bent. Ik neem u dus niet mee naar mijn eigen huis ofschoon dat minder dan twintig mijl hiervandaan is. Ik dacht dat u eerst uw vader en stiefmoeder in Belmont zou willen zien. Zeg hun, dat er een verandering in uw plannen is gekomen. Ik zal natuurlijk nog een formele invitatie doen wanneer ik hen ontmoet. Ik zou me gevleid voelen, indien u allemaal vanavond mijn gasten zoudt willen zijn. Noem het een instuif als u wilt. Mijn huis is pas een paar weken geleden klaar gekomen en ik had al een paar vrienden en kennissen uitgenodigd. Wilt u komen?' Zijn heldere blauwe ogen straalden niets anders dan vriendelijkheid uit. 'Er zullen een paar bekende gezichten van gisteravond zijn natuurlijk, maar daarover hoeft u zich geen zorgen te maken. En misschien, wanneer uw echtgenoot vroeg genoeg terug is, wil hij zich ook bij ons voegen.'

Ivan - ze was hem bijna vergeten. En de plotselinge herinnering was niet prettig. Hij had het geweten... natuurlijk had hij het geweten! Misschien zou sir Eric later een onaangenaam ongeluk gekregen hebben; maar eerst werd zij verondersteld dat zij de man haar had laten verleiden, zoals ze misschien gedaan zou hebben indien Sam Murdock niet op tijd tussenbeide gekomen was.

Ginny was zich bewust dat de man haar gadesloeg zonder dat ogenschijnlijk te willen - en dat zij, niettegenstaande alles, hem nog steeds vertrouwde.

'Wel dan,' zei Murdock opgewekt alsof ze haar toestemming al gegeven had, 'denkt u dat u binnen een uur gekleed kunt zijn, prinses?'

16

Tot het tijdstip waarop hun rijtuig door een ronde, door bomen beschaduwde oprijlaan reed om voor het huis stil te houden, was Ginny in staat geweest om haar gedachten in toom te houden. Bijna was ze zelfs in staat geweest om zich te overtuigen dat er in de afgelopen vierentwintig uur niets onaangenaams was gebeurd. Waar sir Eric geweest was, bleef nu een lege plek over. Vervang die door de geheimzinnige man, Sam Murdock, die nog steeds een man met een geheim was, althans zo was haar te verstaan gegeven. Blijkbaar had ze het goed gedaan. Haar vader was blij haar weer te zien; Sonya was opgewonden door het vooruitzicht eindelijk meneer Murdock te ontmoeten. Sir Eric was niet belangrijk meer... Het was vreemd hoe weinig vragen haar gesteld werden over haar overhaast vertrek van Redbrick Grange en de omstandigheden daar. De naam van Sam Murdock en zijn persoonlijke lijfwacht hadden voor een magisch paspoort gezorgd, toen ze in Belmont aankwamen.

Ze was een goede dochter, een goed kind. En de medicijnen van graaf Chernikoff hielden haar uiterlijk op de been.

Het was donker behalve een afnemende maan, die hen op hun lange rit gezelschap had gehouden. De duisternis van de avond werd verbroken door een uitbarsting van licht, dat uit alle vensters van het onregelmatige huis van twee verdiepingen plotseling voor hen straalde, toen ze een bocht in de oprijlaan omsloegen. Het was in de bekende stijl van Spanje en Mexico gebouwd, maar van bakstenen en natuursteen in plaats van leem. Sam Murdock had de in zwang zijnde geïmporteerde stijlen van architectuur, die zo door zijn tijdgenoten gewaardeerd werden genegeerd en was teruggegaan tot de wortels van het land waarin hij bouwde.

In plaats van geüniformeerde bedienden, kwamen besnorde vaqueros aanrennen om de paarden vast te grijpen en de laatste gasten van de señor te helpen uitstappen.

Ginny liep de brede trappen op en ging door een enorme gewelfde ingang, waarvan de massieve deuren gastvrij openstonden en die toegang gaf tot een kamer gevuld met licht, muziek en lachende gesprekken.

De meeste gasten waren Mexicaans of Spaans, ofschoon, zoals Sam Murdock had beloofd er vele bekende gezichten te zien waren en herkend werden. Sommige heren waren ook gasten geweest bij sir Eric Fotheringay, andere mensen, veel eenvoudiger gekleed, waren, zoals Ginny later ontdekte, mijnbouwers uit Nevada. En tussen de gasten door bewogen zich de beroemde lijfwachten van Sam Murdock, gekleed in somber zwart en wit; hun revolvers, verborgen onder hun lange jassen, waren niettemin duidelijk zichtbaar.

Sam Murdock zelf, eenvoudig gekleed als altijd, kwam naar voren om hen te begroeten, zijn manier van doen was precies zoals Ginny zich die herinnerde. Beleefd, vriendelijk, gebaseerd op een onbewust zelfvertrouwen.

'Senator - mevrouw Brandon? Ik ben blij dat u kon komen. En ik bied mijn verontschuldiging aan voor mijn late uitnodiging. Maar deze instuif was een plotselinge inval. Eigenlijk van mijn pupil. Er is een jonge Engelsman en ze had een excuus nodig om hem terug te zien.'

Ginny herinnerde zich de speculaties betreffende de liefelijke pupil van meneer Murdock en constateerde dat ze nieuwsgierig was. Zijn maîtresse? Nee, zeker niet, want de manier waarop hij over haar gesproken had was hartelijk geweest, bijna vaderlijk. Wat soort man was hij eigenlijk? En had hij ook zijn zwakheden? Hij was schrander, zonder het duidelijk te laten merken, en hij was ook een goede gastheer.

De senator en Sonya bleven praten met Mark Hopkins en zijn jonge vrouw en Ginny ontdekte, dat ze meegetrokken werd om voorgesteld te worden aan sommigen van de andere aanwezigen. Hij stelde haar voor aan de jonge en knappe viscount Marwood, een blonde en elegant geklede jongeman, die maar naar de dubbele trap bleef kijken, die aan weerskanten van de lange galerij naar beneden voerde en die uitzicht boden aan de enorme ontvangsthal.

'Hij wacht op mijn pupil,' grinnikte Sam Murdock zachtjes, terwijl hij voortging haar met zich mee te voeren. 'Ik heb nog nooit zo'n verliefde jongeman gezien en – natuurlijk – zij houdt hem aan het lijntje. Ik heb nogal wat moeite gehad om haar te temmen; maar dat kunt u zelf wel zien, wanneer ze besluit haar entree te maken.

Ginny kon het niet helpen dat ze zich bewust werd van de vele nieuwgierige en speculatieve blikken, die hen volgden en ze vroeg zich opnieuw af: waarom besteedde Sam Murdock zoveel aandacht aan haar?

De jurk die ze die avond droeg, was uitdagend laag uitgesneden; plooien van zachtkleurige blauwgroene zijde, strak gedrapeerd rond haar maag en heupen, die in een stortvloed van zijde en kant eindigden bij haar tournure, die in een korte sleep eindigde. Ze had redenen om er die avond zo goed mogelijk te willen uitzien en de mannenogen, die op haar bleven rusten, zeiden haar dat ze daarin geslaagd was.

Ook Sam Murdock, toen hij haar ten dans vroeg. Ze waren in een kamer die half balzaal en half overdekt terras was, ondersteund door stenen pilaren, en dat toegang gaf tot de zacht verlichte tuin.

'Wanneer ik het zo mag zeggen: u ziet er buitengewoon mooi uit vanavond, prinses.' Niettegenstaande de conventionele vleierij van zijn woorden, bleef de droge, ietwat temerige stem dezelfde en de druk van zijn hand om haar middel nam niet toe. Een ongewone man, deze – en één om moeilijk te leren kennen.

Hij danste nogal stijfjes, maar toch goed genoeg voor een man van zijn leeftijd en hij deed geen pogingen om een beleefde stroom conversatie op te houden, terwijl ze over de vloer cirkelden – waardoor hij haar de vrijheid gaf haar gedachten te laten zwerven.

'Aha! Ik geloof dat mijn pupil eindelijk besloten heeft zich bij onze gasten te voegen. Ze heeft gevoel voor het dramatische, vrees ik. Wilt u meekomen? Ik zou u haar graag laten ontmoeten.'

Ze bleven in de gewelfde deuropening staan en als door de bliksem getroffen staarde Ginny naar de jonge vrouw, die juist de trap was afgedaald en nu omgeven was door een kleine oploop van bewonderende jonge mannen.

Zó groot was haar schok, dat ze inderdaad wankelde, ze voelde de greep van Murdocks vingers op haar elleboog sterker worden. Het was onmogelijk – ze zag spoken! Dat lachende, levendige schepsel, haar hoofd koket achterover, de hals omkranst door robijnen, die pasten bij die welke van haar oren bengelden – dat kon nooit Concepción zijn. In een japon van wijnrood fluweel even elegant en even modern als de avondjurk van Ginny zelf, haar zwarte haren koninklijk opgemaakt boven haar hoofd en met enkele lokken, die naar beneden hingen – dit was toch zeker niet dezelfde zigeunerin, waarmee ze op een hete, stofferige middag gevochten had? Het was een te grote coïncidentie, dat dit mogelijk zou zijn. Hoe kon die Concepción eindigen als de pupil van een miljonair?

En toch, blijkbaar onbewust van haar innerlijke beroering, trok Sam Murdock Ginny naar voren, terwijl de menigte opzij ging om plaats voor hen te maken.

'Aha, ben je daar eindelijk, lieverd.' Zonder enige moeite ging hij in het

Spaans over terwille van het meisje, die het Engels nog niet zo goed beheerste. 'Prinses, ik zou u mijn pupil willen voorstellen: señorita Concepción Sanchez. Zij is de dochter van een oude vriend. Concepción, herinner jij je de manieren, die je geleerd hebt? Prinses Sahrkanov.'

Ondanks haar pas verkregen vernislaagje van elegantie en wereldwijsheid, viel de tijgerin nog goed te herkennen onder het glad gepolijste oppervlak van fluweel en robijnen. Geelbruine en groene ogen botsten en Concepción richtte zich hooghartig op, haar rode lippen krulden zich tot een glimlach die geen glimlach was, maar een grimas van woede. Ze sprak in het Mexicaanse dialect, waarmee Ginny maar al te bekend was.

'We hebben elkaar ontmoet, ongelukkig genoeg. Draagt u nog steeds een mes bij u?'

'Aangezien ik geen reden meer heb om met u te vechten, doe ik dat niet meer. Hebt u nog steeds het litteken dat ik u bezorgd heb?'

De onwillekeurige vernauwing van Ginny's ogen maakte dat ze ogenschijnlijk schever stonden dan ooit en ze was zich niet bewust van de vragende blikken, die van haar naar de flamboyante Concepción dwaalden en terug.

'Waaròm ga je niet kijken of al onze andere gasten op hun gemak zijn, lieverd? Misschien dat we nu, nu je besloten hebt naar beneden te komen, aan het souper kunnen beginnen.'

Het gevaarlijke ogenblik was voorbij, ofschoon de giftige blik van Concepción de belofte inhield van een latere confrontatie. Ze haalde diep adem en zag kans een stralende onoprechte glimlach te forceren.

'Mag ik niet eerst dansen? Ik heb het Eddie al beloofd – is het niet?'

Nu er op die manier een beroep op hem gedaan werd, leefde de viscount die er nogal somber bij gestaan had, kennelijk op. Het was duidelijk, dat hij het Engels met het uitgesproken acccent van het meisje, erg charmant vond.

'Ah – o ja, natuurlijk! Alsof ik dát zou kunnen vergeten. Mag ik, meneer?'

'Goed – ga dan maar.' Murdock haalde zijn schouders op en keek welwillend. Hij blikte neer op Ginny, die stijf als een standbeeld naast hem stond. 'Ik maák mijn verontschuldigingen. De manieren van Concepción laten nog veel te wensen over, maar ze leert bij.'

'Hebt u verstaan wat er gezegd werd?' Ze kon er niets aan doen dat de woorden tamelijk bot klonken. Ze was te zeer afgeleid – ze vroeg zich nog steeds af, welke vreemde streek van het noodlot Concepción juist hier had gevoerd.

'Ik – ik heb begrepen, dat u elkaar al eerder ontmoet hebt,' zei Sam Murdock droogjes. Daarna, terwille van de mensen die om hen heen stonden, voegde hij er met een wat luidere stem aan toe: 'Zoudt u de galerij willen zien? Dit huis is rond een grote centrale binnenplaats gebouwd of patio, zoals ze dat in Spanje noemen. De vensters aan de westzijde van de galerij geven er uitzicht op.'

'Maar uw gasten . . .' Ginny wist dat ze nog steeds afwezig klonk, maar ze kon het niet helpen.

'Mijn gasten zullen wel denken, dat ik erg ingenomen ben met prinses Sahrkanov. En er zal alle mogelijke gefluister en speculatie ontstaan. Maar daaraan ben ik wel gewend. Vindt u het erg?'

Ze beklommen de trap, terwijl Ginny met één hand haar sleep vasthield. Ze wierp een vragende blik op haar metgezel, niettegenstaand haar eigen verwarde geestestoestand.

'Ik ben er helemaal aan gewend, dat de mensen over me kletsen, maar ik vind u een moeilijke man om te begrijpen, meneer Murdock. U bent buitengewoon aardig voor me geweest - maar ik vraag me af: waarom?'

Ze waren in de galerij aangekomen; het geluid van de muziek en de geanimeerde gesprekken en het gelach stegen naar hen op.

'U vraagt zich nog steeds af wat mijn motieven zijn, is het niet? En over mijn pupil. Maar het feit is dat ik iemand ben, die er trots op gaat een kenner van karakters te zijn. Ik ga niet af op geklets of op "horen zeggen" - ik wil mijn eigen besluiten nemen. En ik bewonder een vrouw met intelligentie en geest, die toch eerlijk is. Ik geloof, dat u al die eigenschappen bezit. Juist zoals ik ook het gevoel had toen ik u voor het eerst ontmoette, dat u behoefte had aan een vriend.'

'Een . . . vriend?' Ze kon er niets aan doen, dat ze zijn woorden herhaalde, meer verbijsterd dan ooit.

'Een man, die geen andere plannen met u heeft, prinses, indien u mij mijn botheid wilt vergeven. U hebt een gedesillusioneerd gezicht, een gezicht dat zegt dat u geleerd hebt niemand te vertrouwen. Nu - ik heb hetzelfde geleerd in al die jaren dat ik nu geleefd heb. Maar u herinnert me aan een vrouw die ik ooit gekend heb. Aan de dochter, die ik had kunnen hebben. Is dat genoeg om te beginnen, prinses?'

Ze durfde hem nauwelijks te geloven. Hoeveel mannen hadden haar niet gevraagd om hen te vertrouwen en later . . .! En toch, wat had ze te verliezen? Niettegenstaande alles was er iets in de stille sterkte van Sam Murdock, waardoor Ginny wilde, dat ze hem kon vertrouwen. Niettegenstaande Concepción . . .'

'Ik heb vroeger haar vader gekend,' zei Sam. 'Een erg wilde man - een Comanchero. En het meisje zelf is eigenzinnig en stijfhoofdig, maar ze is mooi en ze verdient beter dan een zwerversbestaan. Ik heb een vriend van me beloofd, dat ik haar in bescherming zou nemen en haar in het gezelsschapsleven zou introduceren. En ik moet zeggen, ze is een succes geworden. Ze danst - ik heb haar horen vergelijken met Lola Montez. En ze heeft de jonge Marwood helemaal van zijn stukken gebracht.'

Het huis was veel groter dan het er op het eerste gezicht had uitgezien. Bijna zo groot als een kasteel. Boven was er nog een ontvangkamer; er waren suites voor belangrijke gasten en, in een andere vleugel, de kamers, die toegewezen waren aan leden van Murdocks familie, daarbij inbegrepen naar het leek, zijn onopvallende lijfwachten.

De kamer van Concepción was groot en rommelig, vrolijk gekleurde japonnen lagen over het voeteneind van haar bed. Daarnaast was de suite van de heer des huizes, die er nogal streng uitzag in vergelijking met sommige logeerkamers. Het meubilair was van zwaar, gebeeldhouwd mahonie en teakhout, met inlegwerk van rozehout. Het grote bed, dat de kamer domineerde, maakte, dat Ginny haar adem inhield. Op een of andere manier kon ze zich Sam Murdock niet voorstellen, die een kamer als deze gebruikte. Er waren grote vensters, die toegang gaven tot een klein terras met treden, die naar een kleine privé-patio voerden, die omsloten was door hoge muren. En de aangrenzende kleedkamer waarvan één muur geheel bezet was met spiegels, was half zo groot als de slaapkamer zelf.

Het was een kamer, waarin een vrouw zich weerkaatst kon zien uit elke hoek en op de ingebouwde kaptafel lagen zilveren en schildpadden toiletartikelen, die elke vrouw opgetogen zouden maken: borstels en kammen en juwelenkistjes, die tinkelende melodietjes speelden, wanneer ze geopend werden.

Maar wie was de vrouw? Al die juwelen, die zo achteloos te pronk lagen, waren bedoeld voor een geliefde vrouw evenals de toiletartikelen. En de badkamer, met zeegroene tegels en spiegels tegen de muren en tegen het plafond...

Waarom liet hij haar dat alles zien? Wat betekende dat? De juwelen, zo achteloos ten toon gespreid - glinsterende flitsen van kleur. En de spiegels. Vooral die spiegels. Het trof Ginny als een schok, dat er zelfs een spiegel gemonteerd was tegen het plafond boven het bed. Wat voor soort man was Sam Murdock?

Het leek alsof hij haar verwarring aanvoelde, want hij probeerde niet om haar in zijn kamer op te houden, maar voerde haar in plaats daarvan weer naar buiten en naar beneden; zijn manier van doen bleef onveranderd.

En gedurende de rest van de avond, nadat hij haar teruggebracht had bij haar vader en Sonya, speelde Sam Murdock de volmaakte gastheer en begaf zich onder de gasten.

'Je hebt wel indruk gemaakt!' fluisterde Sonya - en had er een zweem van kwaadaardigheid in haar stem geklonken? De senator daarentegen was tevreden en knikte met een lichte glimlach, telkens wanneer een gast Ginny ten dans vroeg.

Ze was zich bewust van de commentaren, die haar lange afwezigheid veroorzaakt had en op een bepaalde manier kon haar dat niet schelen. Tenslotte was ze gewend om het onderwerp van geklets en speculaties te zijn, had ze dat niet als antwoord gegeven op de subtiel uitdagende vraag van Sam Murdock? Maar op een vreemde manier bleef ze zich niet op haar gemak voelen.

Om tot kalmte te komen nam Ginny vlak voor het diner weer een poeder in, dankbaar dat ze geplaatst was tussen haar vader en een oudere Spaanse heer, die in Californië geboren en getogen was en die bovendien eigenaar was van een ranch in de Portola Valley.

Ginny at en dronk maar heel spaarzaam en doorstond de korte periode, toen de dames zich terugtrokken om de heren aan hun sigaar en hun wijn te laten. Concepción deed haar best om Ginny te vermijden, wat Sonya deed fluisteren: 'Ik geloof niet dat dat meisje jou mag, liefste! Denk je dat ze jaloers is?'

'Daarvoor heeft ze geen reden,' antwoordde Ginny kort. Ze wenste helemaal niet door Sonya ondervraagd te worden, evenmin als in een beuzelachtig gesprek gewikkeld te raken met een van de andere dames, die kennelijk nieuwsgierig waren om meer van haar te weten te komen. Ze was de slinkse vragen over haar zelf, haar echtgenoot, de afwezige prins, haar plannen voor de toekomst, méér dan beu. Waarom konden ze haar niet met rust laten? Ze wilde zich verbergen achter haar bekend gevoel van welbehagen, waardoor ze alles kon gadeslaan wat er rondom haar gebeurde als van een afstand. Het werd laat en ze wilde, dat ze naar bed zouden gaan.

Concepción echter had andere ideeën. Na een poosje vroeg ze in haar Engels met het zware accent of de dames zin hadden om naar de patio te gaan, waar Spaanse muziek zou zijn en waar voor hun verdere vermaak gedanst kon worden.

'En ik denk, dat wanneer de heren de muziek en het handgeklap horen, niet lang zullen wegblijven om zich bij ons te voegen . . . wilt u meegaan?'

Nee, dacht Ginny. Vooral dat zou ze niet kunnen verdragen. Misschien kon ze zeggen dat ze hoofdpijn had . . .

Maar toen ving ze de flitsende blik van Concepción op en de verachting in die geelbruine ogen maakte dat zij haar schouders rechtte. Wanneer er vanavond een soort drama opgevoerd moest worden, dan zou ze dat tot het eind toe meemaken. Ze moest ontdekken wat het allemaal betekende!

17

De prachtige betegelde en met mozaïek ingelegde binnenplaats werd nu door toortsen verlicht, die in armaturen aan de wanden waren aangebracht. Ginny hoorde heel wat kreten van verrukking en bewondering van de dames, toen Concepción hen naar buiten leidde naar de stoelen, in Spaanse stijl uitgevoerd, die opgesteld stonden onder de uitstekende galerij aan de ene kant.

'Wat een prachtige stille avond,' merkte Sonya op toen ze gingen zitten. 'Je zou bijna denken dat onze gastheer die speciaal voor ons besteld had.'

Aan het andere eind van de binnenplaats waren de muzikanten al gaan spelen, de klagende geluiden van de gitaar voerden de boventoon. Een vrouwenstem, met een snik, begon een klaaglijke flamenco te zingen - een eeuwenoud lied van hartstocht en gebroken harten.

Wanneer ze haar ogen sloot, kon ze zich bijna verbeelden dat ze terug in Mexico waren. Ginny voelde hoe haar hals werd toegeknepen. Waar had ze die muziek van de flamenco het eerst gehoord? Ja, dat was geweest op de avond van de fiesta van don Juan Sandoval - de nacht, dat ze overhaast en clandestien met Steve getrouwd was en hij er vandoor gegaan was met Concepción. Hoe kwam het, dat alles wat er vanavond gebeurde, bij haar herinneringen opriep? Kon ze dan nooit ontvluchten aan herinneringen uit haar verleden?

De muziek van Spanje maakte plaats voor die van Mexico, en tegen de tijd dat de heren zich bij hen gevoegd hadden, wemelde de binnenplaats van leven en opgewektheid, terwijl dansers in het traditionele kostuum van Mexico, de gasten onderhielden.

Het drong tot haar door dat haar vader nogal laat met hun gastheer de binnenplaats was opgeslenterd. In het flakkerende toortslicht zag zijn gezicht er plotseling oud uit - en bezorgd. Ze bleef hen gadeslaan, hoofdzakelijk om niet naar de dames te moeten kijken. Sam Murdock glimlachte, onbewogen. Haar vader streek verstrooid over zijn gladgeschoren kin, een gebaar dat verried dat hij ergens door gehinderd werd. De twee mannen bleven praten tot een meneer Rosario, een van die rijke Spaanse grootgrondbezitters, hun een vraag toeriep.

'Zal de liefelijke señorita Sanchez ons de eer aandoen om vanavond te dansen?'

Sam Murdock wierp een vragende blik naar Concepción, die licht met haar hoofd schudde.

'Ik denk dat ze vanavond te moe is. Morgen misschien. Intussen: zou een van de dames of heren zin hebben om zich bij de dansenden te voegen?'

Prompt verrezen ettelijke Spaanse en Mexicaanse paren van hun stoelen en bevangen door het ritme van de dans, begonnen de overige gasten op maat van de muziek in hun handen te klappen.

'Ik kan echt niet veel meer verdragen,' dacht Ginny wild. Haar vingers deden pijn door de manier waarop zij ze in elkaar gedraaid had en haar handen waren klam. Ze had het vreemde gevoel, dat Concepción haar op een of andere manier wilde vernederen. En zelfs ofschoon Ginny de vriendschap van Sam Murdock toegezegd had gekregen, wilde ze die niet op de proef stellen door een verwikkeling met Concepción.

Ginny ging zo ongemerkt mogelijk staan en fluisterde Sonya toe dat ze een van haar migraines had en naar haar kamer wilde om te gaan liggen.

'O, Ginny, dat is toch al te erg. Weet je zeker dat je niet liever hebt, dat ik met je meega?' Maar de stem van Sonya klonk mechanisch en terwijl ze naar haar echtgenoot keek, verscheen een bezorgde frons tussen haar wenkbrauwen.

'Nee, nee, dat zou erg onbeleefd lijken en meneer Murdock zou misschien kunnen denken, dat we niets geven om het amusement dat hij ons bezorgt. Echt, Sonya, ik kan veilig mijn eigen kamer bereiken.'

Ze baande zich een weg door de mensen, die dit gedeelte van de binnenplaats bevolkten en ze keek uit naar meneer Murdock, maar die scheen verdwenen te zijn. Ze zag haar vader staan, een sigaar in zijn hand, met een groepje mensen die ze herkende als de voornaamste aandeelhouders in de pas geopende Con Virginia mijn. Ze waren diep in een ernstig gesprek gewikkeld en besteedden hoegenaamd geen aandacht aan de muziek.

Enfin, het deed er niet toe. Hoe minder mensen haar vertrek opmerkten des te beter. En Sonya kon meneer Murdock haar verontschuldigingen overbrengen.

Dankbaar bereikte Ginny de massieve deuren, die opengegooid waren om gemakkelijk toegang te geven tot de patio, toen de honingzoete stem van

Concepción haar deed stilstaan.
'Ach, prinses, u gaat ons nu toch al niet verlaten? En hier heb ik een heer die zegt, dat hij de hele avond gewacht heeft om met u te kunnen dansen.'
Met een ruk draaide Ginny zich om en zag een lange man met een donker uiterlijk en een buitengewoon witte glimlach - een man, van wie ze al opgemerkt had, dat hij haar die avond verscheidene keren aangestaard had.
Snel zei hij nu: 'Neemt u me niet kwalijk dat ik u lastig val, maar ziet u - ik ben een vriend van die arme Frank Julius; mijn naam is Armand Petrucchio, misschien heeft hij ooit over mij gesproken? Frank heeft me verteld dat u zo prachtig kon dansen en dat u zelfs met wijlen de aartshertog Maximiliaan zelf gedanst hebt.'
Concepción stond erbij en glimlachte met haar gewelfde triomfantelijke glimlach en Ginny zag dat verschillende hoofden zich omkeerden om te luisteren.
'Maar ik vergeet mijn manieren, is het niet?' zei Concepción met liefelijke onoprechtheid. 'Deze dame is nu prinses Sahrkanov - spreek ik de naam goed uit? Vroeger hadden we in Mexico gemeenschappelijke vrienden, is het niet?'
Ze hield haar adem in om haar stem in bedwang te houden en beleefd zei Ginny, dat ze op het punt gestaan had om zich terug te trekken in haar kamer. 'Ik heb een lichte hoofdpijn . . . de lange reis hierheen . . .'
'O ja, en vanmorgen bent u in alle vroegte van San Mateo naar Belmont gereisd, is het niet?' En opnieuw flitste de glimlach van Concepción. 'Maar ik had zó gehoopt dat u zich bij de dansenden zoudt voegen als aanmoediging voor de andere dames, die misschien overtuigd kunnen worden, dat wanneer ú de volksdansen van Mexico kon leren, zij het ook niet zo moeilijk zullen vinden.'
'Prinses, ik hoop dat u ons allen niet teleur zult stellen!' Nog een andere heer voegde zijn smeekbeden eraan toe. 'Señorita Sanchez heeft toegestemd om van gedachten te veranderen over het dansen, wanneer u ook meedoet.'
'Kunt u echt dansen op deze wilde en mooie muziek?'
'U zult ons allemaal zeer verplichten - senator, kunt u uw dochter niet overhalen om een beetje langer bij ons te blijven?'
Nog meer stemmen vielen hem bij en meneer Petrucchio herhaalde zijn smeekbeden; zijn donkere ogen bleven op het gezicht van Ginny rusten.
'Ik smeek u - mijn vriend heeft me gezegd dat hij nooit de wijze kon vergeten waarop u danste.'
Nu had zelfs haar vader zijn vrienden verlaten en voegde zijn overredingskracht bij die van de anderen, ofschoon de bezorgde trek, die ze al eerder had opgemerkt, nog steeds zijn voorhoofd rimpelde.
'Je zult onze charmante jonge gastvrouw en zoveel medegasten toch niet teleurstellen, mijn dochter? Ik had er zelf geen idee van dat je zo'n uitstekende danseres was.'
'Aha!' Nog steeds glimlachend liet Concepción haar geelbruine ogen over Ginny flitsen met een blik van venijn. 'Zelfs ik heb gehoord dat uw dochter meerdere malen gedanst heeft voor ex-keizer Maximiliaan en zijn gasten. En hoe goed en met hoeveel gevoel ze op de muziek van Mexico danst.'

Moedwillig legde ze een diepere betekenis in haar stem. 'Misschien herinnert u het zich niet, maar ik heb u één keer zien dansen.'
Senator Brandon keek verbaasd.
'Is dat waar? Ginny, je hebt me nooit verteld ...'
'Nee, dat heb ik niet. Ik was het bijna vergeten. Het was er toen ook zo druk.'
Ginny voelde zich in een hoek gedreven, alsof ze plotseling het middelpunt van ieders aandacht geworden was. Hetgeen precies was, wat Concepción van plan was geweest, veronderstelde ze.
'Ja,' zei het meisje, nog steeds glimlachend met haar rode lippen. 'Het was een soort huwelijksfeest, hoe noem je dat hier? Een verstandshuwelijk? En er was een groot schandaal, omdat de bruidegom, direct na de plechtigheid er vandoor ging. Herinnert u zich nu?'
Weer botsten hun ogen, de bruine en de groene en Ginny voelde een boos gezoem in haar hoofd alsof haar ruggegraat verstijfde. Wat Concepción ook van plan mocht zijn, ze zou haar niet laten slagen. Als ze al niets anders meer over had, zou ze vasthouden aan haar trots.
'O, ik weet zeker dat mijn geheugen even goed is als het uwe, althans wat de dingen betreft die ik belangrijk vind,' zei Ginny achteloos. Maar haar lippen voelden stijf en verdoofd aan en haar slapen klopten. Zelfs de muziek leek zich te hebben teruggetrokken naar de achtergrond en al wat ze kon zien, waren de blinkend witte tanden van Armand Petrucchio en de glimlach van Concepción. Het geroezemoes van de geïnteresseerde conversatie leek haar als een vlinder tegen de muur te prikken.
'Goed. Dus u zult dansen! Ik kan niet zeggen hoe vereerd ik ben.' De Italiaan met de Franse voornaam boog diep en stak zijn hand uit.
Werktuiglijk glimlachend nam Ginny die.
Concepción knipte met haar vingers naar de muzikanten en wierp haar hoofd achterover.
'El Jarabe Tapatio, muchachos!' En daarna, tot haar partner: 'Kom, señor. bent u klaar?'
De muziek was plotseling erg luid, de gitaren zwegen nu bijna terwijl de meer lawaaierige instrumenten van de mariachi-band de muziek overnamen. Het was waarschijnlijk de meest populaire streekdans van Mexico, deze zeer bijzondere met zijn wisselend ritme.
Ginny hief haar hoofd op en keek haar partner aan. Zijn tanden bliksemden weer.
'Ik heb verscheidene jaren in Nieuw-Mexico gewoond. Dit is me wel bekend.'
De dans geraakte in volle gang, meer en meer bezoekers gingen meedoen. In het gefladder van de rokken en de opwindende bewegingen vergat Ginny alles, ze bewoog zich van de ene partner naar de andere, terwijl de melodieën en het tempo veranderden. Soms langzaam, soms snel. Soms sloot een man haar in zijn armen en even later danste ze, los van hem, plagend en uitdagend. En toen Concepción haar schoenen uitschopte, deed Ginny dat ook. Het kon haar niet meer schelen, wie er stond te kijken of wat zij ervan dachten.

'Ik wist niet dat Ginny zó kon dansen! William - ze ziet er zo... zo overgegeven uit!' riep Sonya.
'Ik zie dat de kleine vriendin van onze gastheer er tijdens het dansen even overgegeven uitziet. Maak je geen zorgen, liefste. Na vanavond komen Mexicaanse dansen zeer in de mode.'
'William,' begon ze opnieuw en haar echtgenoot, die zijn ogen niet van de dansers kon afhouden, fluisterde haar toe dat hij haar later iets zou vertellen; maar dat het hier de tijd en de plaats niet voor was.
'Ik heb een gesprek met Murdock gehad, natuurlijk. Een vreemde man - en ik denk dat hij gevaarlijk kan zijn. Hij scheen veel te veel te weten. Maar ik geloof dat hij wél eerlijk is. En hij vindt Ginny erg aardig. Ik hoop dat ze niet alles zal bederven door een aanval van migraine of die hoofdpijnen waarover ze geregeld klaagt...'
'William!'
Tamelijk geïrriteerd zei hij: 'Wel, je weet wat ik bedoel! Er zijn ogenblikken dat ik wenste, dat... dat Sahrkanov wat gewacht had. Hij is... maar laten we daarover maar later praten, zullen we? Die dans gaat nogal wild worden. We kunnen maar beter een oogje in het zeil houden.'
Het dansen was inderdaad wild geworden en Concepción en Ginny waren rivalen geworden. Sam Murdock, die toekeek van de galerij en nog steeds geflankeerd werd door zijn onvermijdelijke lijfwachten, begon zijn wenkbrauwen te fronsen.
'Verdomme! Ik had moeten weten dat Concepción zoiets zou beginnen op het moment, dat ik mijn rug keerde.'
'Het komt me voor dat de prinses goed partij geeft.' De toon van zijn metgezel was droogjes, maar Murdock bleef zijn wenkbrauwen fronsen.
'Om je de waarheid te zeggen, begin ik me zorgen te maken over dat meisje. Er zijn tijden dat ze veel - wel veel te onverschillig lijkt. En ik weet toevallig, dat ze op de ene hoofdpijnpoeder na de andere leeft. Of een tonicum of een dosis van het een of ander. Maar zelfs haar vader schijnt dat te accepteren. Hij vertelde me, dat ze erg gespannen was.'
'Misschien kunt u haar beter voor een dans vragen. Er is toch een hek naar de kleine patio, is het niet?'
'Ik geloof, dat je steeds vergeet, dat ik een oude man ben. Nauwelijks in staat tot dat soort intriges!'
'Maar u bent de gastheer!'
Sam Murdock vloekte zachtjes binnensmonds toen hij de trap af ging. Misschien zouden ze iets spelen dat langzamer was, tegen de tijd dat hij op de binnenplaats verscheen. Het kostte hem wat tijd om zich een weg door de menigte te banen, zich verontschuldigend en glimlachend. Hij wachtte met opzet even bij senator Brandon en zijn vrouw.
'Mijn excuses voor het verwaarlozen van mijn gasten. Een zakenkennis had dit rare uur uitgezocht om op te dagen. Vindt u het goed, wanneer ik de prinses ten dans vraagt? Ik ben niet zo lenig meer op mijn leeftijd, maar een paar van mijn lijfwachten, die buiten dienst zijn, zouden graag meedoen.'
'We dachten erover om ons terug te trekken,' zei Sonya Brandon impulsief.

'In dat geval zal ik zorgen, dat Concepción - mijn pupil - de prinses naar haar kamer brengt. Mag ik even ...'

Op het gezicht van Sam Murdock viel niets te zien dan zijn gewone onbewogenheid, terwijl hij zich door de dansenden heen wrong.

Maar Concepción beet op haar lippen en bijna onmerkbaar leek de muziek langzamer te worden. Toen ze opkeek zag Ginny plotseling Sam Murdock voor zich staan.

'Het is lang geleden sedert ik hierop gedanst heb. En het ziet er naar uit, dat er weer verontschuldigingen gemaakt zullen moeten worden. Ik zal later wel met Concepción spreken.'

'Nee!' zei Ginny ademloos. 'Nee ... dat zal niet nodig zijn. Ik hoef niet ... beschermd te worden, weet u. Ik kan voor me zelf zorgen.'

'Nu, ik ben zeker blij dat te horen. Maar ik ben niet al te zeker van me zelf, vrees ik. Ik raak gemakkelijk buiten adem en ik ben niet gewend aan deze nogal energieke manier van dansen.'

'Maar u bent er nu toch.' Het klonk bijna alsof ze flirtte. 'Waarom meneer Murdock? Bent u werkelijk zo geheimzinnig als u eruit ziet?'

Ze ving zijn flauwe glimlach op - een naar boven trekken van zijn lippen. 'In werkelijkheid ben ik helemaal niet geheimzinnig. Alleen iemand die ouder wordt. Een speler met veel geluk, als u dat liever heeft. En u - maar ik hoef u niet te vertellen, dat u magnifiek danst. Of dat ik een zekere levendigheid en een opgeleefd bewustzijn bij u geconstateerd heb, dat u vóór die tijd leek te missen. Nog eens: excuseert u me, dat ik zo op de man af ben? Ziet u, ik moet u om een gunst vragen.'

Op een of andere manier waren ze aan de rand van de binnenplaats, ietwat verwijderd van de overige dansenden. Nadat ze zijn nogal raadselachtige verzoek gehoord had, keek Ginny onwillekeurig naar de plaats waar haar vader en Sonya gezeten hadden, die haar gadesloegen, maar nu opgestaan waren en beleefd welterusten schenen te wensen aan de andere aanwezigen.

'Ik heb uw vader toestemming gevraagd om met u te mogen dansen. En ik heb beloofd dat ik zou zorgen, dat mijn pupil u na afloop veilig naar uw kamer brengt.'

Hoe kwam het, dat hij het griezelige talent scheen te hebben om haar gedachten te lezen? Ginny struikelde even met haar voet en de stevige handen van Sam Murdock hielden haar een ogenblik vast. Snel ze ze: 'Nee! Ik bedoel, dat ik heus zelf de weg terug naar mijn kamer wel kan vinden.'

'U ziet dat iedereen erg druk bezig is zich te vermaken. Ik zal wel zorgen dat u veilig naar uw kamer geëscorteerd wordt. Ik heb altijd nog mijn zwijgende, tactvolle lijfwachten. Wel? Wilt u de bevlieging van een oude man inwilligen of geeft u er de voorkeur aan om te blijven dansen met die gasten, die jonger zijn dan ik en meer - eh - actief?'

'Ik ga met u mee,' zei Ginny abrupt. Ze wist zelf niet precies waarom ze dat deed; was het om de knorrige en boze uitdrukking op het gezicht van Concepción te zien of om zich zelf te bewijzen en haar critici hoe weinig de conventies haar konden schelen?

Het deed er ook niet toe - met een snelheid, die in een man van zijn leeftijd verbluffend was, had Sam Murdock haar voorbij de muzikanten gedanst en in de schaduw gemanoeuvreerd. En ze dacht dat maar weinig mensen in de gaten hadden, dat ze verdwenen waren.

Hier was het hekje dat hij genoemd had; afwijzend gesloten. Met ijzeren balken, vast in de muur gezet, viel het nauwelijks op.

'Eén minuutje.' Murdock klopte duidelijk en het ging geruisloos naar binnen open. De grot van Aladin, dacht Ginny luchthartig.

Ze hoorde het hek zacht achter hem sluiten, de sloten vielen weer in hun plaatsen en hier, in de privé miniatuur-patio, was het bijna donker; de muziek zweefde zwak over de hoge muur.

Een fontein klaterde in een hoek, het water viel in een vijver. Tegen de muren groeiden bomen; wijnranken in bloesem hingen over de muren.

Als op een wachtwoord was de muziek van een snel, frenetiek tempo overgegaan in een zachtere, melancholischer melodie. Bijna een wals. Bijna. Een melodie die van verlangen sprak, van onvervulde dromen.

'Wilt u dansen?'

'Gaat u niet met mij dansen?'

Ze liet haar stem luchtig klinken om de plotselinge zwaarte van haar hart te bestrijden. Misschien was meneer Murdock, ook hij, wel net als al die anderen - alleen een beetje subtieler. Waarom was ze met hem meegegaan?

Pas toen merkte ze de lijfwachten op, twee in het zwart geklede mannen, die met over elkaar geslagen armen tegen de muur stonden. Op wacht, maar ze deden net alsof ze dat niet waren. Vertrouwde hij dan geen mens? Of was hun vreemde aanwezigheid hier bedoeld om er zeker van te zijn, dat ze niet haar heftige reactie zou herhalen, zoals die bij de ongewenste omhelzingen van sir Eric tot uitbarsting was gekomen?

De stem van Sam Murdock klonk spijtig, terwijl hij een glas wijn voor haar inschonk uit een karaf, die op een stenen tafel stond.

'Ik wilde dat ik goed kon dansen - of dat ik jonger was. Maar deze muziek is niet bedoeld voor lompe voeten als de mijne.'

Over de rand van haar glas, automatisch opgeheven als antwoord op zijn zwijgende heildronk, wierp Ginny hem een verbijsterde blik toe.

'Maar u zei ...'

'Ik zei dat ik zeer vereerd zou zijn, indien u voor mij zoudt willen dansen. Hier, weg van de menigte. En dat meen ik. Wilt u niet drinken?'

Nog steeds in de war, tuurde ze in de duisternis naar zijn gezicht; Ginny hief haar glas op en dronk ervan. Een droge witte wijn. Een delicate Riesling.

'Wilt u dan dat ik hier alléén dans?'

'Nee. Ik vind niet dat dat eerlijk zou zijn. U bent geen gehuurde actrice. Maar indien ik een plaatsvervanger mag aanbieden ...'

Ze meende dat hij mompelde: 'Neemt u me niet kwalijk,' vóór hij wegliep en een van de gebaarde mannen, die achteloos tegen de muur geleund had, naar voren kwam. 'Excuseert u mij.' Naderhand, kon ze zich niets meer herinneren.

Omdat de man, die haar plotseling in zijn armen genomen had, Steve was.

18

'Ik geloof, dat ik me dat allemaal verbeeld,' dacht Ginny wild. Er moest iets in de wijn gezeten hebben. Ze sloot haar ogen met verwarde onsamenhangende gedachten, die door haar brein spookten. Het leek eenvoudigweg onmogelijk! En de armen van Steve hielden haar op zo'n stijve formele manier, alsof ze juist aan elkaar waren voorgesteld. Het was onmogelijk...

Bijna bang deed Ginny haar ogen weer open en deze keer voelde zij zijn armen steviger om haar heen, terwijl ze struikelde omdat haar voeten het begaven. Haar adem ging zó onregelmatig en ze voelde zich zó duizelig, dat ze geen woord kon uitbrengen toen ze hem in de ogen keek.

'Voel je je wel goed - prinses?' Behalve de licht spottende intonatie die hij aan het laatste woord gaf, klonk zijn stem koel onbewogen. 'Wil je niet liever gaan zitten?'

'Steve!' Haar lippen vormden zijn naam, maar er kwam geen geluid uit.

'Wil je niet liever gaan zitten? Het spijt me als mijn plotselinge verschijning hier je van streek gemaakt heeft, maar ik vrees dat ik me niet met goed fatsoen onder de andere gasten kon mengen, voor het geval je vader het idee zou krijgen om zich die grote premie te besparen die hij voor mijn... eh, verdelging heeft uitgeloofd.'

Ginny bleef hem aanstaren, zich ternauwernood bewust van het belang van zijn woorden. Al wat ze opmerkte, was, dat ze plotseling geheel alleen waren en dat in de stem van Steve de oude, sarcastische stembuiging klonk, die ze eens zo gehaat had. Waarom kon ze niet spreken - of bewegen?

In plaats daarvan: 'Hij is hier, hij is hier!' bonsde het in haar hoofd, dat verder alles buitensloot; en toen ze op haar voeten wankelde, ving Steve haar op, sloeg een arm rond haar middel. Plotseling leunde ze tegen hem aan en vroeg zich vaag af, waarom hij haar niet steviger vasthield, waarom of hij nog niet begonnen was haar te kussen.

Maar het zag er naar uit dat hij dat helemaal niet van plan was - en dat hij haar niet in zijn armen genomen had omdat hij dat wilde, maar omdat hij bang was dat ze zou flauwvallen.

Nog steeds duizelig voelde Ginny hoe ze, geheel onpersoonlijk, neergezet werd op een buitengewoon harde stenen bank. En Steve hield een glas met iets kouds aan haar lippen.

'Hier - ik ben bang dat dit alles is, wat ik kan vinden, dus je moet het er maar mee doen. Christus, is het weerzien van mij in levende lijve werkelijk zo'n schok?'

Ze verslikte zich in de wijn, maar slikte die door vóór die in haar hals droop. Onbewust, terwijl ze het lege glas van zich af duwde, had Ginny's zachte mond een hardere uitdrukking aangenomen, die voor haar ongewoon was. Een nogal cynische uitdrukking. Haar ogen, toen ze die van Steve weer ontmoetten, hadden iets van de glazige blik verloren, ofschoon ze nog steeds ongewoon groot en briljant waren.

Hij kon haar terugtrekkende beweging voelen, waar ze nog maar enkele seconden geleden haar bevende lichaam zacht en hulpeloos tegen het zijne gevleid had. Hij had al zijn zelfbeheersing nodig gehad om geen munt te slaan uit haar zwakheid, om haar lichaam tegen het zijne te drukken en haar zacht te horen huilen, terwijl haar hoofd achterover ging, haar lippen zich openden in afwachting van zijn kussen. In plaats daarvan had hij haar laten zitten en toen hij haar de wijn gaf, maakte hij van de gelegenheid gebruik om zelf ook een glas naar binnen te slaan. En nu, terwijl hij weer naar haar koude, uitdagende gezicht keek, trokken de zwarte wenkbrauwen van Steve zich samen in een onwillekeurige frons, terwijl hij de woede en bitterheid weer voelde opkomen, waarvan hij dacht dat hij geleerd had, dat ze hem niet meer zouden overheersen.

Daardoor klonk haar stem rauw, ofschoon ze niet wist waarom; ze stak haar kin naar voren met dat koppige gebaar, dat hij zich maar al te goed herinnerde.

'Voel je je nu beter?' En toen, nog vóór ze kon antwoorden: 'Vind je het goed, wanneer ik even naast je ga zitten?' Hij liet zich naast haar neervallen, stak zijn lange benen voor zich uit en Ginny had alle mogelijke moeite om hem niet aan te raken. Hoe kon hij doen alsof ze vreemden voor elkaar waren? Hoe kon zíj?

'Wat doe jij hier? Waarom ben je gekomen? En meneer Murdock . . .'

'Dat is een verdomd fijne manier om een oude kennis te ontmoeten, is het wel, prinses?' teemde hij, waarbij één wenkbrauw hatelijk omhoog ging toen zijn kille ogen op haar bleven rusten.

'O!' Bij de smaad in haar stem werd de zijne kalmerend en wekte op een of andere manier nog meer haar woede op.

'Luister - ik ben niet hier gekomen om met jou te ruziën. Wat heeft het voor zin? En ik maak mijn excuses voor mijn ruwheid. Je kunt het geloven of niet, maar ik ben niet hier gekomen om de dingen voor jou te ruïneren, evenmin om in je nieuwe leven tussenbeide te komen.' Hij keek haar recht aan en haalde zijn schouders op, zijn gezichtsuitdrukking was ondoorgrondelijk en bij zijn effen, onverschillige woorden voelde Ginny een voortkruipende kilte van haar brein naar haar borst.

'Ik geef toe dat ik boos was, jaloers zelfs - dat wil zeggen: in het begin. Maar later toen ik tijd genoeg gehad had om na te denken, verdomme, Ginny, ik geloof dat we elkaar voor de gek gehouden hebben en dachten dat het zo kon blijven. Oorlogen en gevechten hebben de neiging om de dingen uit hun perspectief te halen, vooral wanneer je alleen maar van dag tot dag leeft. En wat had ik je eigenlijk aan te bieden? Een bed onder een kar, een hoop gedoe rondom, ik kan het je werkelijk niet kwalijk nemen dat je de kans hebt aangegrepen om er beter van te worden. Ik vermoed dat ik zelf precies zo gedaan zou hebben. En nu ik je zie, in de goede kleren, tegen de juiste achtergrond, besef ik hoe gek ik was om je weg te halen uit dat wat je gewend was.' Ze zweeg, ze wilde huilen, ze wilde het uitschreeuwen om die vlakke, ongeëmotioneerde stem af te wijzen, terwijl hij voortging: 'Wat ik werkelijk probeer te zeggen is, dat ik me verwijten maak, dat ik je hele leven geruïneerd heb en ook voor de slechte tijden, die ik je bezorgd heb. En ik voel me min of meer verantwoordelijk om te verzekeren, dat alles nu in orde met je is, hoe gek dat ook mag klinken.'

Ze kon het niet verdragen nog langer te luisteren. Haar stem werd weer ademloos, toen ze boos uitriep: 'O, houd op! Ga niet verder. Zoals je zelf zei, het is niet nodig. En wat betreft de . . . de . . . nou, je kunt zelf zien hoe ik ben, is het niet? Je hebt me zo'n schok bezorgd . . .' En toen, ze pakte het eerste excuus aan dat in haar brein opkwam: 'Wanneer werd je een van de lijfwachten van meneer Murdock? Hoe heb je . . .'

Hij lachte kort.

'Ik ben blij te zien, dat je je zó snel kunt herstellen uit een shocktoestand, prinses. En wat mijn aanwezigheid hier betreft - Ik moet toegeven, dat het van mijn kant gedeeltelijk nieuwsgierigheid was en gedeeltelijk ook, omdat ik - om het plat te zeggen - iets te doen moest hebben, omdat de oorlog voorbij is. Ik ken Sam Murdock al een hele tijd en hij betaalt goed. Het is het soort werk waar ik goed in ben, zoals zelfs jij zult toegeven!'

'Je revolver verhuren, wanneer het niet nodig is - je vindt het gewoon plezierig om je huis te riskeren, is het niet, Steve Morgan? Of heb je soms niet gehoord dat de helft van de premiejagers in het land achter je aan zitten?' Nu flitsten haar ogen boos, haar wangen vertoonden een lichte blos. 'Ik wou dat ik wist wat je werkelijk van plan bent! Wat is er met jou, dat je de moeilijkheden moedwillig zoekt?'

Plotseling, terwijl de muziek aan de andere kant van de muur luider werd, en er geschreeuw en opgetogen 'Ole's' van aanmoediging weerklonken, doemde in de geest van Ginny het beeld van Concepción op en luidkeels hijgde ze: 'Concepción! Waarom heb ik dat niet eerder geraden? Zij is nu je maîtresse, is het niet? Jij bent hier om bij haar te zijn . . . die . . . die . . .'

'Beste prinses, je was toch niet echt van plan om die ondamesachtige taal te gebruiken, waar je vroeger zo dol op was?'

Hij had de brutaliteit om haar spottend aan te grijnzen, terwijl hij zijn lange benen behaaglijk over elkaar sloeg.

Eén ogenblik waren ze terug in het verleden, terwijl pure woede door Ginny's aderen schoot, die haar deden verlangen om haar nagels te gebruiken op dat donkere gezicht van hem. Ze had inderdaad haar hand al opgeheven, de vingers gekromd, toen hij haar pols greep.

'Voorzichtig, prinses. Of ben je vergeten dat je nu een andere echtgenoot hebt?'

Zijn woorden, op die sarcastische toon, hadden de uitwerking van een klap. Ginny voelde al het vuur en alle kwaadheid in haar naar buiten komen en ze staarde hem aan, bijna alsof ze het niet kon geloven. Hoe kon ze dat vergeten hebben? Al die maanden met hen beiden, al die wanbegrippen - en nu, hij deed werkelijk alsof hij blij was dat zij hem niet meer tot last was. Haar handen vielen terug en met het ophalen van zijn schouders liet hij haar pols vallen.

'Waarom laten we Concepción er niet buiten? Zoals je me zo pas herinnerd hebt, zijn we heel lang vrienden geweest, zij en ik. Maar ongelukkig genoeg ben ik nog niet zo lang in deze buurt geweest om veel oude vriendschappen te vernieuwen. Ik ben op reis geweest, eigenlijk ben ik juist teruggekomen van Virginia City en ik ben duivels moe. Maar toen ik hoorde, dat jij hier was door een toevallige samenloop . . .'

Of ze nu de gedachte haatte of niet: zij kende Steve. Hád hem gekend. De manier waarop zijn gedachten konden werken – hoe volslagen gewetenloos hij kon zijn wanneer hij achter iets aanzat. Ze geloofde ook niet, dat zijn aanwezigheid hier een zuivere coïncidentie was.

Maar nu was Ginny langzamerhand zo moe, dat ze bijna niet meer kon denken. Ze was de hele avond al gespannen geweest en de laatste twee uur waren het alleen maar de boosheid en de schok geweest, die haar overeind gehouden hadden. Nu, plotseling, had ze een gevoel of ze leeg was. Emoties – gevoelens – zelfs verdriet.

'Waarom je dan ook werkelijk hier bent, Steve, ik vermoed, dat ik dat vroeg of laat wel zal ontdekken. En nu, wanneer je me wilt excuseren: ik ben werkelijk erg moe. Mijn hoofd doet zo'n pijn.'

O, mijn God, wat ben ik moe, wat ben ik ziek! Maar ze probeerde op te staan, ze moest een poging doen om normaal te lijken. Zonder te weten dat ze dat gedaan had, sloot Ginny haar ogen. Even later voelde ze ruwe, ongeduldige handen op haar schouders.

'Ginny, in 's hemelsnaam, wat mankeer je?'

Ondanks de bittere en teleurgestelde boosheid die in hem woedde, kon Steve er niets aan doen dat hij schrok van haar plotselinge bleekheid; de tegenstelling tussen haar uiterlijk nú en dat van enkele ogenblikken geleden was enorm. Hij schudde haar lichtjes om haar weer tot leven te brengen, hij bedwong nog steeds de neiging om haar in plaats daarvan in zijn armen te nemen, haar te kwetsen, haar te straffen omdat ze zo'n wispelturige, oppervlakkige teef geworden was.

'Ginny. Verdomme . . .'

Waarom schreeuwde hij haar toe? Waarom was zijn stem zo rauw en zo hatelijk? Ze probeerde zich aan zijn ruwe greep te onttrekken.

'Schei uit! Waarom laat je me niet met rust? Waarom moest je terugkomen? Ik ben niet langer jouw verantwoordelijkheid, ik ben niet je . . . ik ben niets voor je. Ik wil naar bed. Als ik maar mijn medicijn voor die hoofdpijn kon krijgen . . .'

Ze hoorde hem zacht en heftig vloeken, binnensmonds, en zij vroeg zich af waarom hij zo kwaad op haar was. En het volgende ogenblik voelde ze dat ze opgetild werd, in zijn armen genomen, waarbij haar hoofd nolens volens tegen zijn schouder lag.

'Nee! Ik wil niet . . .'

'Je hebt zelfs de kracht niet om te vechten. Maar maak je geen zorgen, prinses. Ik ben niet van plan om je te verkrachten, wanneer je daar soms bang voor bent.'

Ze wilde antwoorden dat ze niet bang was – dat het haar niet langer kon schelen, wat er met haar gebeurde – maar haar tong was te zwaar, evenals haar ogen. En hoe dan ook, op de meest vreemde en tegenstrijdige wijze was het prettig om weer in zijn sterke armen te liggen, zelfs al was Steve dan boos. Ze herinnerde zich hoe hij haar de met een loper bedekte trap had opgedragen van het liefdeshuis van Lila in El Paso en hoe ze hem bevochten en gehaat had. Maar nu was ze te moe voor wat dan ook - voor angst, voor ongeluk, zelfs voor haat.

Delia liet een kreetje van schrik horen toen de deur zonder plichtplegingen opengetrapt werd en een lange, gebaarde man, gekleed in het zwart, met een revolver die nauwelijks verborgen werd door zijn jas, haar meesteres de kamer indroeg.

'Haal die sprei van het bed. En schei uit met net te doen alsof je door een slang gebeten bent. Zij - de prinses, voelt zich niet al te goed, Weet je zeker, wat je doen moet?'

'Maar . . .' De blauwe ogen schenen donkerder te worden en Delia slikte eens. 'Ja, meneer. Ze moet wat tonicum hebben. Dat maakt haar altijd een heleboel beter en het is al lang geleden, sedert ze een hoofdpijnpoeder genomen heeft. Ik kan nu wel voor haar zorgen, meneer.'

Hij liet haar verbluffend zacht op het bed zakken en Ginny opende haar ogen en knipperde tegen het lamplicht.

'Steve . . .?' begon ze te zeggen, maar haar stem klonk onduidelijk en bijna onsamenhangend. En hij keek nog steeds naar Delia.

'Ik denk dat je haar nu beter eerst dat medicijn kunt geven waarover je het had. En wanneer er iets gevraagd wordt - ik werk voor meneer Murdock. Die heeft me hierheen gestuurd.'

'O nee, meneer! Ik zal geen woord zeggen tegen wie dan ook. Juffrouw Ginny zou dat helemaal niet prettig vinden. Ik zou het trouwens toch nooit doen.'

'Slaap lekker, prinses.'

19

Ginny werd laat wakker met de herinneringen van de vorige avond om mee te worstelen. In sommige opzichten leek het allemaal te onwerkelijk om waar te kunnen zijn en ze probeerde zich wijs te maken, dat ze het allemaal gedroomd had. Natuurlijk had ze dat! Elke andere mogelijkheid was ondenkbaar. En toch . . .

'Ze zijn allemaal gaan rijden, mevrouw,' zei Delia toen ze Ginny hielp aankleden. 'Ze zijn een uur geleden vertrokken, maar ze zeiden dat ik u moest laten slapen zolang als u wilde. En u moet uw ontbijt hier op bed krijgen, als u dat wilt tenminste.'

'*Wie* heeft dat gezegd?' vroeg Ginny scherp en het meisje keek verbaasd.

'Nou - de senator. En meneer Murdock zelf. Ze wilden allemaal dat u goed zou uitrusten. Meneer Murdock zei, dat wanneer u op was, u dit huis als het uwe moest beschouwen. U kunt alles doen waar u zin in hebt.'

Zonder dat haar iets gezegd werd, bracht Delia haar een hoofdpijnpoeder, keurig in een opgevouwen blaadje rijstpapier, tegelijk met een groot glas citroensap waar zowaar ijsblokjes in dreven. Toen Ginny automatisch haar hand uitstak, meende ze op het gezicht van het meisje een bijna sluwe uitdrukking te ontdekken, die haar aan Tilly herinnerde.

'Meneer Murdock is een groot en rijk man, is het niet? Je kunt het merken aan de manier waarop de mensen over hem praten. En hij mag u erg graag. Dat is voor iedereen te zien aan de bezorgde blik, die hij had, toen hij naar u vroeg.'

De poeder ging naar binnen. En het gekoelde citroensap dat zo heerlijk koud, zo koud door haar keel stroomde.

'Zijn ze dan allemaal gaan rijden?'

Dat klinkt onverschillig genoeg, dacht ze. Als dat van gisteravond werkelijk Steve was, dan was hij nu al vertrokken. Hij zou niet hebben durven blijven. En hoeveel wist Sam Murdock? Welk soort spelletje speelde hij?

'Ze zijn allemaal weg.' Delia klonk zelfingenomen. 'Zelfs die Spaanse jongedame. U kunt van alles gaan doen – dat heeft meneer Murdock gezegd. En dat heeft hij ook aan de andere bedienden gezegd.'

Gekleed in haar favoriete bronskleurige rijkostuum, kreeg Ginny een ontbijt opgediend van koffie en broodjes in de kleine particuliere patio. Ze had Delia weggestuurd en de zwijgende glimlachende bedienden die haar geserveerd hadden, waren verdwenen. Het bloed vloeide weer door haar aderen en de zon op haar gezicht was warm. Ze voelde zich levend en gezond en klaar om alles onder het oog te zien; zelfs het verleden. Ze was van plan geweest om ook te gaan rijden – misschien zelfs de anderen in te halen. Maar wilde ze eigenlijk wel andere mensen om zich heen?

Pas toen ze hem zag terwijl hij de trap afkwam, besefte Ginny dat ze was blijven wachten.

Hij droeg een wit linnen overhemd met open kraag en een zwarte broek. En hij zag er ongekamd en kwaad en vermoeid uit, alsof hij niet goed geslapen had. Haar hart was al opgesprongen, maar Ginny hield zich kordaat voor, dat hij zonder enige twijfel, na zijn geweten gerust gesteld te hebben voor zover het haar betrof, de nacht met Concepción had doorgebracht. Waarom maakte die gedachte haar kwaad?

'Wat doe jij hier?'

Hij streek nadenkend over zijn kin, zijn baard schuurde tegen zijn vingers; het geluid schuurde haar zenuwen.

'Dat weet ik niet zeker. Behalve dat ik hier toevallig woon. En Sam heeft me gevraagd een oogje op je te houden en te zorgen dat je alles kreeg wat je wilde hebben. Vind je het erg wanneer ik me bij je voeg? Ik zou het afschuwelijk vinden om dat goede ontbijt in de vuilnisbak te zien verdwijnen.'

Zonder haar antwoord af te wachten, liet Steve zich op de stoel tegenover de hare vallen en pakte een broodje. Verstijvend was Ginny zich bijna veel te veel bewust van de manier, waarop zijn ogen haar kritisch bekeken.

'Je bent magerder geworden. En je bent die perzikkleur kwijt, die je zo goed stond. Veel te laat naar bed natuurlijk. Heb je vergeten hoe je koffie moet inschenken? Of is dat een van de dingen, die je nu aan de bedienden overlaat?'

'Aangezien je bijna in dezelfde positie verkeert, ben je dan niet een beetje al te familiair?'

Haar stem was kil, maar hij antwoordde met een opgetrokken wenkbrauw.

'Ik zie wel dat je vanmorgen weer je oude zelf bent, prinses. Nou, ik denk dat ik mijn eigen koffie wel kan inschenken. Sorry, dat ik zoiets veronderstelde, prinses.'

Hij stak zijn hand uit naar de zilveren koffiepot, maar ze snaaide die bijna van hem vandaan.

'Ik zal het wel doen - voor deze keer. En ik zou precies willen weten wat je hier uitvoert, Steve Morgan. Wat ben je van plan? Je bent vergeten dat ik je ken - maar al te goed bijna!'

'Dat heb ik niet vergeten. Dank je.'

'Maar waarom ben je hier? Zou je me voor de verandering de waarheid eens willen vertellen of moet ik het aan meneer Murdock vragen?'

'Sam weet er niet al te veel van. Behalve dan dat we elkaar vroeger tamelijk goed gekend hebben. Hij heeft over vrouwen nog erg ouderwetse ideeën. En gisteravond maakte hij zich zorgen over jou. Misschien moet je hem wel vertellen, dat ik me op een afstand gehouden heb. Ik zou niet graag mijn baantje willen verliezen.'

De sarcastische klank in zijn stem bespotte haar, terwijl hij achterover op zijn stoel leunde en haar over de zilvergerande kop aankeek.

'Ik geloof, dat jullie elkaar beter kennen, dan je toegeeft. Jij - jij kwam daarnet uit zijn slaapkamer, is het niet?'

Weer trok hij een wenkbrauw op, de lijnen in zijn gezicht werden dieper.

'Verdomd nog aan toe. Dat zou ik achter Sam niet gezocht hebben. Je bent dus al in zijn slaapkamer geweest? Foei, prinses. Of is je echtgenoot begrijpend genoeg om er niet om te geven?' De vlammen sloegen uit Ginny's gezicht.

'Jij bent ook helemaal niet veranderd, is het wel?' zei ze bijtend. 'Je zou zelfs de man bestrijden, die je geholpen heeft . . .'

'Waarom denk je, dat ik beledigend was? Ik vind dat Sam een gelukkig man is. Evenals je echtgenoot, natuurlijk. Jammer, dat hij niet hier is.'

Haar mond half geopend om te antwoorden, sloot Ginny die weer en ze perste haar lippen op elkaar. Het trof haar plotseling, met de kracht van een slag, dat Steve dronken was. Stomdronken. En ze had Steve nooit eerder dronken gezien. Je merkte het nauwelijks, maar ze wíst het.

'Ik geloof dat je nu maar beter kunt verdwijnen,' zei ze met ijzige beleefdheid. 'Je hebt me er aan herinnerd dat ik een echtgenoot heb en je hebt me beschuldigd een minnaar genomen te hebben - dat alles in één adem. En in je huidige conditie, geloof ik dat het niet de moeite waard is om je eraan te herinneren, dat het niet langer jouw zaken zijn. Je hebt dat gisteravond bijzonder duidelijk gemaakt, is het niet?'

Ze ging staan, het zonlicht dwarrelde voor haar ogen. Ze moest weg zien te komen - hij was hier om haar te kwellen - om haar te straffen. En zelfs de hoofdpijnpoeder die ze had ingenomen, was niet afdoende tegen dit soort kwetsuur.

'Het komt me voor, dat we allebei onze posities duidelijk gemaakt hebben,' teemde hij. 'Er is dus geen noodzaak om weg te lopen, indien je bang bent dat ik je zal verkrachten. Die dagen zijn voorbij en afgedaan, prinses.'

Maar dan, waarom was zijn hand uitgeschoten om haar pols te grijpen? Ginny stond onbeweeglijk en kwaad, haar enige poging om zich los te trekken, hadden haar weer herinnerd aan hoe staalhard zijn vingers konden zijn. Meer dan ooit voelde ze, dat hij hier gekomen was om een wreed spelletje met haar te spelen.

Terwijl ze op haar lip beet, zag Ginny kans om haar stem koel te laten klinken.

'Heel goed, Steve. Misschien kun je me, nadat je me verteld hebt wat je wil, eindelijk loslaten.'

Steve Morgan wist, met een soort objectieve duidelijkheid, dat hij dronken was. En hij wist ook, dat hij haar had moeten laten gaan. Sedert hij haar vorige avond verlaten had, hadden de wanhopige, de boze woorden die ze hem naar het hoofd gesmeten had, hem blijven achtervolgen.

'Waarom laat je me niet met rust? Waarom moest je terugkomen?'

Op dat tijdstip had hij juist op het punt gestaan om de hele rommel de rug toe te keren – om Bishop te zeggen dat hij maar een ander mannetje moest zoeken. Zelfs nu, verdomme, niettegenstaande zijn gesprek van gisteravond met Sam Murdock, had ze een manier van doen die hem deed wensen haar óf door elkaar te schudden óf te wurgen. Was het mogelijk, dat ze echt verliefd op Sahrkanov geworden was? Hoeveel durfde hij haar zeggen?

Ze keken elkaar achterdochtig aan, hun gedachten zorgvuldig verborgen.

'Je bent gekleed voor een rit,' zei Steve abrupt. 'Sam zou niet willen dat je teleurgesteld werd. Wanneer je lang genoeg wilt gaan zitten, zodat ik die kop koffie kan opdrinken, dan ga ik met je mee. Hij zou niet graag willen dat je verdwaalde.'

Ginny wilde nog steeds weglopen. Maar dat zou ze hem nooit laten merken. Laat hem maar denken, dat ze even onbewogen was door zijn nabijheid als hij door de hare.

'Ik vermoed dat ik geen keus heb. Maar ik verbaas me erover, dat je je hier zo brutaal durft te vertonen. Wanneer mijn vader je ziet of Sonya . . .' Ze wreef de pols die hij zo juist had losgelaten toen ze sprak en tot haar verbazing stond hij beleefd op om haar stoel achteruit te schuiven.

'Genadige hemel!' kon ze niet nalaten om zoetsappig te zeggen, 'je hebt inderdaad wat manieren geleerd, is het niet?'

'En jouw tong heeft niets van zijn scherpte verloren voor zover ik me herinner! Maar voor het geval dat je je zorgen maakt, prinses, laat me je dan geruststellen – ik ben van plan vanavond te vertrekken. Het valt niet te zeggen of we èlkaar nog zullen ontmoeten of niet. Dus waarom zullen we niet proberen om een prettige rit te hebben. Geen verwijten meer. Ik zal proberen mijn tong in bedwang te houden als je wilt.'

Hij sloeg haar gade terwijl hij sprak door loom neergeslagen oogleden en zijn plotselinge verandering van stemming en tactiek brachten haar in de war. Maar had hij niet altijd de macht gehad om dat te doen? God zij dank had ze geleerd van haar gezicht een masker te maken.

Ginny knikte licht met haar hoofd, zonder te antwoorden; haar gedachten waren bitter. Nu hij voldaan had aan dat gevoel van verantwoordelijkheid, waarvan hij gesproken had, ging hij weg.

'Wanneer je het niet erg vindt,' zei Steve beleefd, 'zullen we de tegenovergestelde kant uit rijden. En ik zal zorgen dat je in het huis terug bent vóór ze terugkomen, voor het geval dat je je zenuwachtig voelt. Zij hebben een mand meegenomen voor een picknick, zodat ze wel niet vóór de namiddag terug zullen zijn.'

Was het echt mogelijk, dat ze weer naast Steve reed? En dat zij een conversatie aan de gang hielden alsof ze vreemden waren? Wat viel er ook te zeggen?

Steve had met opzet een pad gekozen dat nauwelijks een pad genoemd kon worden – een slecht te onderscheiden spoor dat hij ooit eerder gevolgd had en dat bij een kleine open plek bij de kreek uitkwam. Maar het was hier heel dicht bebost en hij moest zijn weg zorgvuldig kiezen en in gedachten vervloekte hij de alcoholdampen, die zijn brein nog steeds leken te verhinderen om helder te denken. Hij moest gek geweest zijn om zich door Bishop te laten overhalen om te komen. Als Ginny ongelukkig geweest was of zelfs indien ze op een of andere manier bedrogen was door de machinaties van Sahrkanov en haar vader, dan zou ze dat gezegd hebben. Wat een dwaas!

Eindelijk hadden ze de open plek bereikt. En wat nu? Ginny zat nog op haar paard en staarde naar het water. Ze wendde haar hoofd een beetje. Steve staarde ook naar het water, een knorrige uitdrukking op zijn gezicht, alsof hij nu al spijt had dat hij haar hier gebracht had. De zon sloeg onbarmhartig op hen neer, nu ze uit de schaduw van de bomen waren; het herinnerde Ginny eraan dat het bijna middag moest zijn. Bijna tijd om terug te keren en naar huis te gaan.

'Zou je even willen uitrusten? Voor de paarden zou het wel goed zijn.'

Met een vleugje van zijn vroegere arrogantie was Steve al van zijn paard gegleden en liet de teugels over de grond slepen. En zonder op haar antwoord te wachten, legde hij zijn handen om haar middel en lichtte haar uit het zadel.

Automatisch had ze haar handen op zijn schouders gelegd om haar evenwicht te bewaren. En toen hij haar neerzette leek het even natuurlijk, dat zijn handen van haar middel langs haar rug omhoog gleden. Waarom niet? Hij begeerde haar. Waarom had hij zich ingehouden?

Ginny maakte een zwak hijgend geluidje. Schok? Vrees? Te laat. Steve was de enige man die haar het gevoel kon geven, dat hij haar bezat, die alleen al door zijn kussen bij haar binnendrong. Haar vingers grepen naar zijn schouders, streken over zijn haar; toen sloot ze haar ogen en liet al de oude gevoelens van smachtende tederheid, van verrukking, van begeerte door zich heenstromen, waardoor ze zwak tegen hem leunde. Hij kuste haar mond en deed er lang over, daarna haar wangen, haar gesloten oogleden, haar haren – ongeduldig trok hij de hoed weg, die ze zo zorgvuldig had vastgepend, tegelijk met een stel haarspelden. Toen haar haren naar beneden vielen, kneep hij die in zijn handen samen vóór hij de zijden massa rond zijn vingers wond, hij trok haar hoofd achterover terwijl zijn lippen tegen haar hals brandden, daarna haar borsten, toen de knopen, die haar keurslijf bijeenhielden, bezweken voor zijn ongeduldige vingers. Ze stond in brand en hij was een en al vlam. Ze voelde hoe ze verteerd werd, oploste, wegzonk; toen was er de hitte - de zon gloeiend boven haar hoofd, de geur van vertrapt gras en salie onder haar lichaam, toen hij haar stil, zonder een woord, zonder een enkele overbodige beweging, uitkleedde en in bezit nam.

Ginny had het gevoel of ze gestorven was en nu langzaam tot leven kwam. *Le petit mort.* De kleine dood. De tollende, caleidoscopische wereld hervond langzaam zijn as, terwijl haar ademhaling kalmer werd. Hoe lang had ze hier gelegen? En waar was Steve? Het was een karwei om haar arm op te lichten om haar ogen tegen de zon te beschermen. Bijna te veel moeite, ook om haar hoofd om te draaien.

Hij kwam, naakt en druipend, uit de stroom te voorschijn en kamde met zijn vingers door zijn haar. Ze zag dat hij naar haar keek, zijn ogen waren hard donkerblauw als saffieren en daarna, nog steeds zonder iets te zeggen, begon hij zich aan te kleden.

Daarna slenterde hij naar haar toe, terwijl hij zijn riem vastgespte, zijn overhemd als een cape over zijn schouders geslagen.

'Je ziet er ongewoon bekoorlijk uit zoals je daar ligt, mijn lief. Maar kun je je nu niet beter aankleden? Je wilt toch niet dat je echtgenoot begroet wordt met enig onplezierig geklets, wanneer hij terugkomt, is het wel?'

Zijn alledaagse woorden en zijn nonchalante manier waarop hij haar echtgenoot genoemd had, gaven Ginny het gevoel alsof hij haar geslagen had. Eerst was ze zo geschokt, dat ze niets anders kon doen dan naar hem opkijken, naar dat harde, door een baard beschaduwde gezicht, dat hoegenaamd geen gevoel vertoonde.

'En? Kom mee, Ginny - wanneer je nog een bad in die stroom wilt nemen moet je wel opschieten.'

Hij bukte zich en trok haar gemakkelijk overeind. Gedurende een enkel ogenblik, toen ze dicht bij elkaar stonden, dacht ze dat ze een flits van gevoel in zijn ogen zag. Verachting? Spijt? Wat het ook geweest was, nu was het weg. En hij duwde haar ongeduldig vooruit, alsof zijn enige gedachte nu was om zo snel mogelijk een eind te maken aan een prettige maar volslagen onbelangrijke episode. Een stoeipartijtje in het bos met een getrouwde vrouw, waarvan de echtgenoot onkundig moest blijven.

Vernedering en een toenemende boosheid maakten, dat Ginny zich uit zijn greep bevrijdde. 'Denk jij, dat ik me zelf niet kan helpen? Wanneer je zo'n haast hebt, waarom ga je dan niet zonder mij?'

Met verraderlijk trillende vingers deed ze haar haren in een wrong boven op haar hoofd, draaide hem haar rug toe en stapte behoedzaam in de stroom - het koude water deed haar hijgen.

Steve ging schrijlings op de boomstam zitten, die half in het water stak en sloeg haar gade. De wetenschap dat zijn ogen op haar rustten, haar onverholen bekeken, maakte haar zenuwachtig. Ze deed alsof ze hem negeerde en begaf zich verder naar het midden van de kreek, ze voelde de toenemende kracht van de stroom, die haar mee wilde sleuren.

'Wees voorzichtig!' riep hij haar toe met dezelfde lichtelijk bijtende stem, die hij al eerder gebruikt had. 'Of was je van plan om van je zelf een Ophelia te maken?'

Haar tanden klapperden toen ze zich in het water liet zakken en het over zich heen plensde, ijskoude druppels rolden over haar schouders en rug naar beneden.

'Ik sta verbaasd dat jij Shakespeare gelezen hebt! En jij - denk jij aan je zelf als een Hamlet, niet in staat om een beslissing te nemen?'

Hij negeerde haar sarcasme.

'Ginny, je wordt blauw van de kou. Waarom kom je er nu niet uit?' De ongeduldige klank in zijn stem had tot gevolg, dat ze haar rug rechtte en nog bozer dan tevoren werd.

O ja, hoe had ze het kunnen vergeten? Er was een tijd geweest, dat ze Steve Morgan fel gehaat had en hij maakte het al te gemakkelijk voor haar om dat gevoel weer terug te krijgen.

Ze bleef hem negeren, ze maakte van haar handen een kom en verborg haar brandende gezicht in het koude water.

'Ginny!' Hoe durfde hij die tiranniserende, gebiedende toon tegen haar aan te slaan?

'O - ga weg, als je zo'n haast hebt!'

Half verblind door het water, had ze haar hoofd gedraaid om hem te kunnen toeroepen en die plotselinge, zorgeloze beweging maakte dat ze haar evenwicht verloor. Toen ze weer boven kwam, hijgend naar adem, en haar armen wild in het rond zwaaide, was het eerste dat zij hoorde: zijn gelach.

'Jij . . . jij harteloze bruut . . . jij bastaard! Jij . . .' Ze vloekte tegen hem in het Mexicaans en gebruikte alle lelijke woorden die ze maar kon verzinnen en duwde zware lokken uit haar gezicht.

'Je klinkt meer als een puta dan als een prinses, Ginny. En, mijn God, ik heb erg veel zin om je weer onder water te duwen en je te laten verdrinken!'

'Probeer het maar! Probeer dat eens, Steve Morgan!'

Kinderachtig, terwijl ze hem tot het uiterste haatte, waadde ze onhandig op hem af en toen ze dichtbij genoeg was, overplensde ze hem met water. En toen hij instinctmatig wegdook en zijn gezicht afwendde, deed ze een graai naar zijn benen, en trok met dolzinnige kracht. Deze keer verdronk ze bijna hen beiden in haar boze pogingen om hem te verdrinken en hij was tegen de tijd, dat hij haar op de oever gesleurd had, kwaad genoeg om haar er weer in te gooien.

Beiden waren ze druipend nat, maar zij had althans droge kleren om aan te trekken. Opgekikkerd door hun gevecht in het water en door zijn woede, was het haar beurt om te lachen. Steve bekeek zich zelf met afgrijzen. Hij had zijn revolver niet gedragen. Maar toen hij terugreed, was dat dan ook het enige droge ding, dat hij had.

Ginny, die hem ontvluchtte alsof ze zijn boosheid gevoeld had, was begonnen haar haren en haar lichaam af te drogen met haar gescheurde hemd.

'Waarom wikkel je geen deken om je heen? Net als een Romeinse toga. Ik zou je mijn broekje wel willen lenen, maar ik denk niet dat het zal passen. Zal ik teruggaan en een bediende met droge kleren voor je sturen? Wanneer Concepción terug is, weet ik zeker, dat ze blij zou zijn om te komen.

'Trek je kleren aan. En klim op dat paard. Of je krijgt wat zwarte en blauwe strepen op je lichaam, die je dan later aan je echtgenoot kunt uitleggen – of je laatste minnaar!'

Hij sprak met opeengeklemde tanden en Ginny deed een onwillekeurige greep naar haar japon.

'Heb het hart niet! Je hebt geen recht...'

Hij wierp haar een lange, onderzoekende blik toe, die haar deed sidderen.

'Daar zou ik maar niet te zeker van zijn. En mijn geduld is op. Ik geloof dat jij het soort vrouw bent, dat geregeld een pak slaag moet hebben. En ik ben juist in de stemming daarvoor, wanneer je niet opschiet.'

Huiverend trok ze haar kleren aan; ze was boos op zich zelf omdat ze toegegeven had, maar ze was nog bozer op Steven omdat hij haar bedreigd had. Ze was half en half van plan om het aan haar vader te vertellen, om Sam Murdock te vertellen, wat voor soort man hij als lijfwacht gehuurd had.

Tenslotte reden ze samen in stilte weg. Steve, met ontbloot bovenlichaam, zijn overhemd hing aan zijn zadelknop. Kwaad of niet: Steve was voorzichtig genoeg om het huis aan de achterkant te naderen. Hij had iets voor haar uit gereden en Ginny hield de teugels in toen ze hem binnensmonds kwaad hoorde vloeken.

'Wel verdomme! Ik had jou vóór moeten laten gaan en je toestand moeten laten uitleggen. Misschien heeft je echtgenoot besloten om iedereen de eer van zijn bezoek aan te doen. Ik hoop, dat je een of ander redelijk excuus verzonnen hebt.'

'Waarom zou ik een excuus nodig hebben? Dat laat ik aan jou over – je bent toch zo'n vakkundige leugenaar!'

Hij draaide zijn hoofd om en liet zijn koude blauwe ogen over haar dwalen.

'Je kunt maar beter je leugens bij de hand houden, baby. Ik heb geen reputatie te verliezen. En ik ben niet getrouwd, God zij dank!'

In de stallen heerste grote activiteit. Paarden werden ontzadeld, wagens uitgeladen. Stalknechten en vaqueros waren overal. Niettegenstaande haar dappere woorden deinsde Ginny toch terug.

'O!' Haar stem klonk zwak en verschrikt.

Zijn blik vervloekte haar, maar hij was al bezig met de teugels van zijn paard, waarvan hij het hoofd opzij draaide.

'Het ziet ernaar uit, dat ze pas terug zijn. Ze zullen wel op hun kamers zijn om zich op te frissen.'

Ze volgde hem. Zonder voorbehoud. Het had geen zin om nu ergens over in te zitten. Ze gingen door de voordeur en het gezicht van de oude butler was onbewogen.

'Het is niet nodig om iets te zeggen.' De stem van Steve was kortaf.

'Nee, meneer.'

Zijn vingers sloten zich pijnlijk rond haar arm.

'Waar denk je heen te gaan? Deze kant op.'

Hij vermeed de grote leegte van de hal en ging voor, een kleine verborgen trap op. Ginny was buiten adem en struikelde over haar slepende rok, tegen de tijd dat ze de overloop bereikt hadden.

Aan het eind van een gang hoorden ze zwakke stemmen en daarna gelach.

'Hel!' Steve vloekte zacht. Toen klopte hij op een deur en draaide bijna tegelijkertijd de kruk om.

Die bood even weerstand en gaf toen mee en Ginny merkte, dat ze naar binnen gesleurd werd en de deur achter hen werd dichtgetrapt.

Ze keek in het verbaasde en boze gezicht van Concepción.

'Por Dios? Wat doen jullie hier? Ik zeg je, Esteban ...'

'Doe het niet. Ik ben niet in de stemming om ernaar te luisteren. Zelfs niet naar jou, querida.'

Hij liet de arm van Ginny plotseling los alsof die melaats was, kuste Concepción op haar open mond en bracht haar tot zwijgen. Ginny stond daar, versteend, en keek hoe de armen van het meisje om zijn hals sloegen, zodat hij zich op het laatst moest losmaken.

'We hebben een klein ongelukje gehad ...'

'Je bent in het water gevallen. Dat zie ik. Jullie alle twee?'

'Wel ...'

'Ik was het eerst in het water. En toen – toen besloot hij om bij me te komen. Moet je werkelijk haar je excuses aanbieden, Steve? Waarom zeg je haar niet ...'

'Ginny! Houd je mond!'

'Nee! Waarom laat je haar ophouden? Ik wil stellig de rest van haar verhaal horen!'

'Jullie hangen me allebei de keel uit!' zei Ginny en draaide zich om en wilde weglopen.

Hij ving haar op, sloeg een arm rond haar middel, zodat ze gedwongen werd dicht tegen hem aan te staan.

'Denk jij dat ik al die moeite voor niets doe? Houd je stil, prinses, tot ik een manier verzonnen heb om je naar je kamer te brengen, zonder dat de helft van San Francisco weet, wat je uitgevoerd hebt.'

'Wat ík uitgevoerd heb? Jij, jij ...'

Concepción lachte kort.

'Het is duidelijk te zien wat jullie tweeën uitgevoerd hebben. En ik ben, prinses, althans níet getrouwd met een andere man. Wil je dat iedereen weet, wat je werkelijk bent? Een overspelige! Waarom verspil je tijd aan haar, Esteban? Ze gaat naar bed met elke man die haar de kans geeft.'

Indien de arm van Steve niet rond haar middel geklemd zat, zou Ginny het gezicht van de andere vrouw met haar nagels bewerkt hebben. Hij zei ruw: 'Jullie kunnen met zijn tweeën later wel vechten wie van jullie de ergste teef is. Waar is Sam?'

En Ginny merkte voor de eerste keer dat Concepción, volkomen op haar gemak, zonder schoenen, in de slaapkamer van Sam Murdock zat te wachten.

20

Afschuw - desillusie. Dat waren de gevoelens die later in Ginny's gedachten de boventoon voerden. Ze had de betrekkelijke veiligheid van haar kamer bereikt en speelde het klaar om een dolle Delia te kalmeren met een verhaaltje, dat ze door het bos gereden waren en zij van haar paard was geworpen.

'O, mevrouw - prinses! Ik durfde het hun niet te vertellen, voor het geval ze boos op me geworden waren. Ik bleef maar hopen, dat u terug zou komen: dat u niet gewond was of een ongeluk gekregen had - u bent toch niet gewond?'

Niet aan de buitenkant, dacht Ginny bitter, maar ze schudde slechts haar hoofd tegen het meisje, dat uit pure opluchting maar bleef doorkwebbelen.

'O, wat vreselijk, vreselijk zonde!' zei ze toen Ginny haar rijkleed, dat eens haar favoriete was geweest, opzij gooide. 'Het is helemaal gescheurd - kijk, precies bij de schouder en bij de knoopjes aan de rok bij de zijkant. Maar misschien kan ik het repareren.'

'Alsjeblieft - probeer het maar niet!' zei Ginny scherp. 'Ik . . . ik wil dat ding nooit meer zien. Gooi het maar weg.'

Ze ging op bed liggen, nadat Delia de gordijnen had toegetrokken en de kamer daarmee donker had gemaakt; ze sloot opzettelijk haar ogen en probeerde om haar geest leeg te maken, terwijl ze lag te wachten op de heerlijke matheid, die haar spoedig zou overvallen. Eén kleine dosis van haar tonicum . . . en weldra, weldra: vergetelheid.

'Ik zal ze zeggen, dat u te lang in de zon geweest bent en nu hoofdpijn hebt gekregen - ze waren pas tien minuten terug toen u binnenkwam, mevrouw.' Het gefluister van Delia klonk uit de verte, terwijl de beelden in Ginny's brein elkaar najoegen.

Na een tijdje hield ze op met nadenken en dreef toen op een rozegetinte wolkenzee, die zachter was en meer drijfkracht had, dan alles wat ze ooit tevoren gekend had, en ze wilde daar blijven, zacht drijvend, voor altijd.

Iemand schudde haar schouder, ze viel van de rand van de wereld af.

Ginny werd plotseling wakker met bonzend hart en haar eigen stem, die in haar oren galmde.

'Nee! Nee, ik wil niet . . .'

'Virginie! Wat is het, dat je niet wilt, chérie? Was het een boze droom?'

Haar ogen knipperden en een ogenblik lang dacht ze dat ze nóg droomde. Ivan, uitgerekend Ivan - híer? Nú? Mechanisch trachtte ze haar zintuigen bijeen te krijgen, ze mompelde: 'Ik . . . ik droomde, dat ik viel.'

'Ah, ja. Van een paard misschien? Ik heb gehoord over jouw ongelukje van vanmiddag en natuurlijk maakte ik me zorgen.' Hij zat op de rand van haar bed en beklopte haar ijskoude handen. Hij glimlachte tegen haar: 'Je bent toch nog niet steeds in een shocktoestand? Ben je gewond? Ik heb dat dwaze meisje van je gezegd, dat ze je ouders meteen op de hoogte had moeten stellen. Je had door een dokter onderzocht moeten worden.' Nog steeds glimlachend hield hij haar handen vast, toen zij instinctmatig probeerde om die weg te trekken. Prins Sahrkanov boog zich voorover en kuste haar opzettelijk op haar mond. Geheel onvrijwillig, zonder erbij te denken, voelde Ginny zich door die kus ineenkrimpen.

Hij hief zijn hoofd en keek haar verwijtend aan, zijn merkwaardig blauwgroene ogen als glanzende, doorzichtige stenen.

'Mijn schat! Wat is dit nu? Ik dacht dat je, na een scheiding van veel te veel dagen, blij zou zijn om me te zien. Of misschien is je kilte een gevolg van ... van de schok, die je vanmiddag gehad moet hebben. Je ziet nog zó bleek, ik maak me hoe langer hoe meer zorgen over je!'

'Ivan! Alsjeblieft! Ik ben helemaal in orde, dat verzeker ik je. Het was een ongeluk en ik werd niet gewond, alleen maar door elkaar geschud.'

'Teveel, om je echtgenoot behoorlijk te kussen? Je trilt als een espeblad, mijn schat. Misschien moet ik onze charmante gastheer vragen om toch maar een dokter naar je te laten kijken.'

'Nee!' riep Ginny uit, veel te snel en te scherp. En daarna: 'Dat is echt niet nodig, Ivan.'

'Natuurlijk. Ik weet zeker, dat je niemand wilde lastig vallen. Maar ik moet bekennen toen ik dít zag, ik me wél zorgen maakte!' Plotseling haalde hij achter zijn rug haar gescheurde en verfrommelde rijkleed te voorschijn; hij hield het enkele ogenblikken kritisch in de hoogte en wierp het toen weg. 'Al die scheuren en tornen – en vlekken van gras en water. Kun je het een echtgenoot kwalijk nemen om zich dan zorgen te maken? Je moet kneuzingen hebben opgelopen. Is daarvoor gezorgd?'

'Ivan ...' Haar stem klonk gespannen en haar gedachten dwarrelden door elkaar. Hij speelde met haar, als een grote kat; zijn ogen vernauwden zich lichtelijk en sloegen haar zorgvuldig gade, zelfs toen hij bleef glimlachen. Wat moest ze hem zeggen? Wat kon ze zeggen? Ginny slikte haar droge keel. 'Ik ... ik heb geluk gehad, denk ik. Ik viel op het gras zodat ... ik was niet gewond, alleen even verdoofd. Eerlijk, ik ben nu weer helemaal goed.'

'Je japon werd dan zeker door de struiken gescheurd. Ma pauvre petite! Wat een verschrikkelijke ervaring voor je. Is je mooie blanke huid beschadigd? Dat zou al te erg zijn – laat me eens zien, schat.'

Met een plotseling snel gebaar, trok hij de schouders van haar dunne, batisten nachtpon naar beneden. Ginny probeerden weg te kruipen.

'Maar ik ben je man! Of ben ik zó lang van je weggeweest, dat je dat vergeten bent? Wat een opluchting – geen enkele schram. Wat heb jij een geluk gehad!'

'O ... alsjeblieft!'

Zijn handen grepen haar schouders steviger beet en duwden haar terug in de kussens.

'Misschien heb ik je verwaarloosd.' Hij boog zijn hoofd en drukte zijn lippen tegen haar hals, haar half zichtbare borsten; elke kus was even pijnlijk als een slag. En toen, terwijl zijn vingers zich in de zachte huid van haar wangen begroeven, kuste hij haar mond, forceerde die open, zijn tanden kneusden haar lippen. En eindelijk, terwijl hij zijn hoofd oplichtte, zei hij: 'Is dat wat je gemist hebt, mijn kleine Virginie? Een man om je lief te hebben?

Antwoord me niet, er moeten toch zeker geen geheimen bestaan tussen man en vrouw? Of moet ik een dokter laten komen om na te gaan wat er precies vanmiddag met je gebeurd is? Je kunt vrijuit met me praten, kleintje, ben ik niet de meest begrijpende van alle echtengenoten?'

Hij boog zich over haar heen en hield haar onder door het gewicht van zijn lichaam, hij glimlachte in haar bleke gezicht.

'Weet je zeker, dat je je wel goed voelt? Onderweg ben ik afgestapt bij het huis van sir Eric en heb gehoord hoe sterk je kunt zijn, wanneer je je eer verdedigt. Mijn eer evengoed. De arme man was helemaal van streek. Maar ik heb ook gehoord, dat de heer die jou gered heeft niemand minder was dan de rijke en machtige Sam Murdock. Wat een geweldige bof, hè? En nu ben je hier, in het hol van de leeuw, is dat niet de juiste uitdrukking? Hij is erg met je ingenomen, zeggen ze; hij heeft je duidelijk attenties bewezen. Maar het was toch zeker niet de attentie van meneer Murdock, die jouw ongelukkige incident van vanmiddag veroorzaakte? Meneer Murdock hield zich met zijn andere gasten bezig naar ik begrepen heb. Waarom besloot je in die hete zon uit rijden te gaan?'

'Dat heb ik je gezegd! Ik wilde rijden, ik dacht dat ik de anderen nog wel kon vinden. Maar ik ben verdwaald en . . . Mijn paard schrok opeens.'

Hij streelde haar haren, wat haar deed sidderen.

'Mijn arme lieveling. Wat ben je in de war geraakt! Misschien heb je je hoofd bezeerd. Ik geloof echt, dat ik een dokter laat komen. Je bent ongeloofelijk gespannen.'

Ginny's ogen schitterden door ongestorte tranen van angst en machteloosheid en haar lichaam verstijfde.

'Wat probeer je me aan toe doen? Je maakt me wakker uit mijn slaap om . . . om me te beschuldigen van . . . ik weet eigenlijk niet waarvan je mij beschuldigt! Ik zeg je: ik ben gaan rijden en ik ben gevallen. Maar wanneer jij erop staat een dokter te halen, ga je gang. Ik kan je niet tegenhouden.'

Toen hij zag dat hij haar opstandig gemaakt had, verzachtte het gezicht van Ivan Sahrkanov en hij begon weer op zijn bekende zachte manier te spreken, de manier die ze zo had leren vrezen.

'Wat ben ik gedachteloos geweest! Maar je begrijpt mijn bezorgdheid toch zeker wel? Heel goed, Virginie, voor het ogenblik zal ik de zaak laten rusten – ik heb begrepen dat meneer Murdock vreselijk gesteld is op jouw aanwezigheid bij het diner van vanavond en dat er daarna gedanst zal worden. Dus, wanneer je zeker weet dat je je goed genoeg voelt, kunnnen we hier later nog eens over praten. En ik zal zien of ik hier in de buurt een dokter kan vinden.'

Ofschoon ze het klaarspeelde om haar ogen onafgewend op de zijne gericht te houden, besefte Ginny dat Ivan niet teruggekrabbeld was.

'Wat trek je vanavond aan? Mag ik kiezen?' Ivan was naar het kabinet gelopen, dat naar cederhout rook en waar rijen jurken, zorgvuldig uitgepakt en opgeperst door Delia, dicht opeenhingen.

'Aha, ja . . . deze, denk ik. Wit en goud. Goud is het symbool van Californië – en wit van de onschuld. Ik heb je deze jurk nog nooit zien dragen. Je zult er goed in uitzien, denk ik.'

De avond ging voorbij als een boze droom. Sam Murdock glimlachte beleefd, maar hield zich op een afstand. Senator Brandon, aan wie ze nog steeds dacht als haar vader, scheen andere zorgen te hebben. En dat had Sonya in feite ook, al leek ze dan bezorgd voor Ginny en vroeg ze haar of ze zich wel goed voelde.

'Ik heb gehoord dat je uit rijden geweest bent en gevallen bent. O, Ginny, waarom heb je ons niet gezegd wat er gebeurd was? Ivan was helemaal ontdaan.'

Maar Sonya viel gemakkelijker te overtuigen dan Ivan, omdat Sonya vanavond ergens anders zorgen over had en dat toonde, door het zenuwachtige spel van haar vingers en de manier waarop ze naar haar echtgenoot keek.

Ginny had het gevoel of ze in een ziekelijke, ellendige verdoving verkeerde. Vanavond hielp zelfs de hoofdpijnpoeder niet, die ze stiekem had ingenomen, om de werkelijkheid buiten te sluiten. En dan, de glimlachende aanwezigheid van Ivan in de kamer, zijn ijskoude ogen die haar nadenkend bekeken, terwijl ze zich kleedde, zodat ook Delia zenuwachtig werd; haar vingers werden onhandig. De zware, getordeerde ketting, die hij haar voor vanavond gedwongen had te dragen, omdat die bij haar japon paste, gaf haar het gevoel van een touw rond haar hals, dat haar verstikte. Onwillekeurig gingen Ginny's vingers er elk ogenblik heen om die aan te raken, om eraan te trekken.

'Ik had vanavond twee poeders moeten nemen . . . o mijn God, wanneer komt er een eind aan?' dacht ze.

Eerst het diner – de volgende gang kwam veel te vlug na de vorige. Ze had maar een beetje met het eten op haar bord gespeeld, ze was nauwelijks in staat een paar happen naar binnen te krijgen. Ze voelde zich misselijk. En Ivans bezorgde gefluister: 'Schat, ik geloof dat je echt niet goed bent, zoals je straks beweerde. Je bent zeker niet je eigen levendige zelf. Ik sta erop, dat er een dokter komt om zeker te weten, dat die val je niet gekwetst heeft.'

Waarom begon Ivan haar plotseling angst aan te jagen? Er was niets dat hij kon doen, tenslotte – hier niet. Dat moest ze blijven onthouden. En de snauwende, verachtelijke toon van Concepción vergeten, toen die zei: 'Overspelige! Als ze maar de kans krijgt, gaat ze met elke man naar bed . . . Waarom bemoei je je nog met haar, Esteban?' Haar gretige vingers, die zich om de arm van Steve klemden . . .

Vanavond was Concepción beneden gekomen in een japon van glanzende zijde en brokaat – oud goud met groen bespikkeld. En Concepción had geglimlacht, haar gele katteogen, bedekt door haar oogleden, glinsterden. Haar blik had nauwelijks op Ginny gerust en had toen over haar heen gekeken, maar diezelfde ogen hadden een poosje op Prins Sahrkanov gerust, bij wie de glinsterende decoraties op zijn borst schitterden.

Het was heet onder de briljante gloed van de kroonluchters. Van de galerij klonk zachte muziek en Ivan zorgde ervoor, dat Ginny's glas steeds gevuld bleef. Donkere gedachten, als het aanstrijken van vleermuisvlerken aan de grenzen van haar geest. Ivan, prins Sahrkanov. Haar echtgenoot. Waarom had ze hem getrouwd? Waarom had hij haar getrouwd? Waarom was ze de dochter van de tsaar – o nee, dat deel viel nog steeds niet te geloven. Zoals alles wat er met haar gebeurd was, alles sedert Ivan besloten had Mexico te bezoeken. Om haar te vinden.

'Kom, mijn liefste. We gaan dansen.'

Als een marionet stond ze op en ging naar de patio, terwijl de hand van Ivan haar stuurde. Als een porseleinen pop, met een geverfde glimlach om haar mond, danste ze en voelde ternauwernood de koelte van de nachtelijke bries op haar gezicht.

'Je bent vanavond zo stijf, mijn prinses. Die ongelukkige val, hè? En toch heb ik begrepen, dat je gisteravond als een zigeunerin gedanst hebt. Hoe kan ik de eerste keer vergeten, dat ik je heb zien dansen?' Luchtige, vluchtige woorden met een verborgen bedoeling. Hoe was Ivan zoveel te weten gekomen, gedurende de korte tijd dat hij hier was? Hoe lang zou hij nog met haar blijven spelen?

Ze ging van het ene paar armen over in het andere. Daar was Ivan, die notabene met Concepción danste, zijn hoofd naar het hare gebogen, toen ze om een of andere grap lachten. Ivan was slim – waartoe zou hij Concepción kunnen overhalen om hem te vertellen?

Ginny kon zich niet herinneren wie haar eigen partners waren geweest of wat ze tegen hen gezegd had. Haar hoofd begon ondragelijk pijn te doen en zelfs Ivan schrok bij de aanblik van haar gezicht, van de enorme helderheid van haar ogen.

'Ga naar boven en neem wat van je medicijn in. Je hebt er de hele avond uitgezien als een kleine geest!' Hij stond met haar in de schaduw en zijn vingers klemden zich wreed om haar blote arm, wat een ongewilde kreet van pijn van haar bleke lippen deed komen. 'Je bent niet zo slim als ik eerst dacht, is het wel? Sam Murdock at uit je hand en dat moest jij zo nodig bederven door een rendez-vous in het bos met een van zijn bedienden! O, ja!' Zijn tanden glinsterden wit, toen zijn lippen tot een karikatuur van een glimlach vertrokken. 'Dacht jij, dat ik dat niet zou ontdekken? Ik heb mijn eigen manieren – en mijn spionnen. Je doet er goed aan je dat te herinneren, Virginie, wanneer je de volgende keer weer een man nodig hebt om je bloed af te koelen! Een bediende! Als we in Rusland waren – enfin, dan had ik mijn eigen methoden om dat soort zaken af te handelen. Dat weet je toch, is het niet?'

'O!' Ze hijgde en zijn vingers sloten zich vaster, hij trok haar tegen zich aan, zodat het erop zou lijken, indien iemand hen zou zien, dat hij haar slechts welterusten kuste.

'Laten we eens en vooral dit goed afspreken, lieve. Nu en voor altijd. Ik heb er geen bezwaar tegen dat je minnaars hebt, wanneer je discreet bent, maar dat zullen mannen van míjn keus zijn. Begrijp je dat? Jóuw smaak is betreurenswaardig. Mexicaanse soldaten, gewone dieven en moordenaars . . . Nee, in de toekomst zal ik een keus voor je doen. Mannen met enige status. Mannen, die rijk genoeg zijn en genoeg invloed hebben om ons allebei te helpen. Begrijp je mijn bedoeling? Want als je dat niet doet . . .'

Ginny probeerde haar gedachten te concentreren op wat hij zei, maar de poging was bijna te veel voor haar. Hij sloeg een arm om haar middel, hield haar pols tussen hun lichamen en boog zijn hoofd tot zijn lippen langs haar oren streken.

'Wanneer je geen acht slaat op wat ik zeg, mijn liefste prinses, dan zal ik andere middelen moeten gebruiken om het je te doen begrijpen. Je beseft dat ik alle recht heb om je te kastijden als ontrouwe echtgenote? Of... die hoofdpijnen, die je hebt. Misschien zijn die een aanwijzing voor een dreigende hersenkoorts? Een kort verblijf in een sanatorium zou je misschien goed doen, zonder poeders, zonder een sterk tonicum om je symptomen te verbergen. Ik zou het haten om de papieren te ondertekenen, natuurlijk, en het zou helaas ons bezoek naar Rusland uitstellen, maar...'

'Alsjeblieft - alsjeblieft!'

'Aha!' Hij hief zijn hoofd op en keek neer op haar witte, afgewende gezicht, met een blik van voldoening in zijn ogen. Eindelijk had hij haar gebroken. Maar eerst moest die oude gek, Chernikoff, gerustgesteld met excuses en weggestuurd worden. Hij zou zelf Ginny wel mee naar Rusland nemen, later. Wanneer hij zeker was van haar uiteindelijk capitulatie.

'Heel goed, lieve. Nu we elkaar begrijpen, waarom ga je niet naar boven en naar bed? Ik zal wel laat zijn - ik ben uitgenodigd voor een spelletje kaart met onze charmante gastheer en een paar van zijn vrienden. Wie weet, misschien kan ik hem wel overtuigen, dat jou kleine excursie in het bos volmaakt onschuldig was - of dat je verkracht werd! Dat zou de eerste keer niet zijn, is het wel? Ik heb wel eens gehoord dat er vrouwen zijn, die een verkrachting prettig vinden.'

21

'O, mevrouw!' De ogen van Delia waren opgezwollen en roodomrand, alsof ze gehuild had. 'Mevrouw, het spijt me, het spijt me echt! Maar hij - prins Sahrkanov - het leek alsof hij al iets wist van wat er werkelijk gebeurd was. Hij stelde me alle mogelijke vragen - hij vroeg om de japon te zien, die u gedragen had - en toen zei hij... Hij zei, dat hij me zou laten ranselen en wegsturen, wanneer ik de waarheid niet zei; hij zei dat hij wist, dat u niet alleen was gaan rijden. Ik wist niet wat ik moest doen en ik was zó bang...'

Dus nu wist zelfs Delia dat prinses Sahrkanov een ontrouwe vrouw was, het soort vrouw dat zelfs in staat was om in een bos te stoeien met - wat had Ivan gezegd? 'Een bediende...'

'Het doet er niet toe,' zei Ginny toonloos. Al wat ze verlangde op het ogenblik was vergetelheid. Morgen zou er tijd genoeg zijn om over alles na te denken en te beslissen... Maar wat viel er te beslissen? Ze was de vrouw van Ivan.

De fles, die nog halfvol geweest was met haar kostbare kersrode tonicum, bevatte nu nog slechts een paar centimeter van de vloeistof.

'Delia!'

'Mevrouw, ik kon er niets aan doen!' Delia was weer begonnen te snikken. 'Hij heeft het weggepakt. En uw hoofdpijnpoeders. Zei, dat ze slecht voor u waren, dat hij ze in de toekomst wel aan u zou geven, wanneer u ze nodig had. O, mevrouw! Wat moeten we doen?'

'Je kunt me nu wat tonicum geven. En – en over de rest zal ik later wel nadenken. Begrijp je, Delia? Het is jouw schuld niet en je moet je geen verwijten maken.'

Het kostte Ginny heel wat moeite om haar stem in bedwang te houden. Aan de bedoelingen van Ivan viel nu niet meer te twijfelen. Hij was van plan haar onder de duim te krijgen, om haar voor hem te laten kruipen om de medicijnen te krijgen, waarvan ze nu afhankelijk was. Maar ze moest en ze wilde vanavond daar niet aan denken.

Ginny schaamde zich over de wijze waarop haar vingers trilden toen ze het glas bijna uit de handen van Delia griste en het tonicum snel naar binnen sloeg.

Delia, nog steeds snikkend, hielp haar met uitkleden en liet een zijden nachtpon over haar hoofd glijden. Toen ze in bed lag en opzettelijk haar geest leegmaakte, voelde Ginny geleidelijk aan de zalige loomheid weer over zich komen waarop ze had liggen wachten en ze ontspande haar spieren. Ze hoorde het zachte sluiten van de deur toen Delia de kamer verliet en hield haar ogen gesloten in afwachting van de slaap, die haar zou overvallen, die aangename dromen met zich bracht, die altijd vol waren van warrelende kleuren en altijd prettig waren. O, niets deed er toe dan het aangename gevoel van warmte, dat zich door haar aderen scheen te verspreiden. Hoe goed was het om aan de onaangename realiteit te ontsnappen – om zich te voelen wegdrijven en alles achterlaten . . .

En daarom, toen ze ruw bij haar schouder geschud werd, wilde ze niet terugkomen. Het was niet eerlijk . . . ze had recht op haar enkele momenten van ontsnapping. Ze weigerde wakker te worden.

'Nee . . . nee!' Haar lippen vormden de woorden, terwijl ze haar gezicht in het kussen drukte om te verhinderen, dat iemand, wie het ook was, haar uit haar prettige droomtoestand zou halen.

'Ginny! Verdomme, wat mankeert jou? Wat heb je ingenomen, waardoor je zo vast slaapt?'

'Laat me met rust!' mompelde ze knorrig, haar woorden liepen door elkaar, haar ogen waren nog steeds stijf gesloten. 'Misschien zal ik nooit meer zo goed slapen. Ga weg!'

In haar droom kreeg ze nu het gevoel of ze meegesleept werd in het centrum van een tornado. Waarom was Steve toch altijd zo kwaad op haar? Steve! Ginny probeerde, te laat, om zich los te wringen; haar zware oogleden op te slaan. Maar zijn armen hielden haar alleen maar steviger vast, tot ze het gevoel kreeg dat het ijzeren handen waren, die haar adem benamen.

'Waarom ben je teruggekomen? Hij zal je laten ranselen of doden, weet je – net als al die anderen.'

Eerst dacht ze dat hij zó kwaad geworden was, dat hij haar had losgelaten. Hijgend van schrik deed ze haar ogen open en het eerste wat ze zag, trillend in een soort nevel die haar gevoel van onwerkelijkheid nog deed toenemen, was zichzelf. Haar eigen lichaam, dat slap uitgespreid lag op de witte lakens. Behalve haar ogen, glanzend als dofgroene stenen onder water, zou ze een lijk hebben kunnen zijn. Misschien was ze dood en kon ze zich daarom zo objectief bekijken!

En toen het gezicht van Steve, donker van kwaadheid, boog zich over haar heen en verduisterde al het andere.

'Welke anderen? Ben je nu wakker of ben je nog steeds dronken?' Zijn ogen werden gevaarlijk nauw en zijn stem was weer dat harde sarcastische geteem, dat ze zich zo goed herinnerde en haatte. 'Ik denk dat het voor een hoop mensen verdomd gelegen zou komen, wanneer de door jouw echtgenoot gehuurde moordenaar zijn werk goed gedaan had - maar het viel nu eenmaal zo, schat, dat ik heel wat ervaring heb opgedaan in het ontwijken van kogels. En ik houd er niet van, dat er op mij geschoten wordt!'

Hij boog zich over haar heen, legde zijn handen op haar schouders en toen hij haar schudde om zijn woorden kracht bij te zetten, deed een toenemende weerstand haar plotseling uitvallen: 'Het kan me niet schelen! Waarvan beschuldig je me nu weer? Waar ben ik? Waarom heb je me hierheen gedragen?' Ze probeerde rechtop te gaan zitten, maar zijn handen duwden haar weer terug - het leek op een scène uit het verleden, toen hij op dezelfde manier tot haar gesproken en haar behandeld had en bijna zonder er bij na te denken zwaaide Ginny haar hand op naar zijn gezicht en genoot van zijn ongewilde gegrom van pijn.

'Waarom ga je maar steeds door mij te kwellen? Waarom kun je me niet met rust laten? Je bent zo zelfzuchtig - zo oneerlijk - en je hebt me niets anders dan ellende en ongeluk gebracht, sedert we . . . sedert we . . .'

Ze brak af, hijgend, plotseling bang voor haar eigen daden - voor die wilde, boze woorden, die ze eruit gegooid had zonder bewust na te denken en zonder het opzettelijk te willen.

Zonder een woord te zeggen, liep hij weg en kreeg Ginny tijd om te beseffen waar ze was. Ze was in een kamer, die haar al onaangenaam bekend voorkwam - de kamer van Sam Murdock, met de ornamentale spiegel die tegen het plafond boven het bed was aangebracht, en die haar half geklede lichaam en haar grote starende groene ogen weerkaatste. Waarom had Steve haar hier gebracht? Waarom was hij zo kwaad op haar geweest?

Ineens was hij weer terug, hij hield een glas tegen haar lippen en dwong haar het te drinken. Een koude vloeistof - die toch als ijzig vuur langs haar keel druppelde.

Zij stem was ongepassioneerd - wat kan hij snel van humeur veranderen! 'Voel je je nu iets minder hysterisch? Het spijt me dat ik je uit zo'n diepe slaap haalde en uit je prettige, warme bed, Ginny, maar of je wilt of niet: we moeten met elkaar praten.' Er kroop weer een onheilspellende hardheid in zijn stem, die haar zacht deed beven. 'Ik wil op een paar vragen antwoord hebben, baby, en je kunt beginnen met me te vertellen hoeveel jouw man precies weet. Voelde je je gedrongen om te bekennen, dat je een ontrouwe vrouw geweest was? Heb jij hem aangemoedigd om die stomme moordenaar achter me aan te sturen?' Zonder haar de kans te geven te antwoorden, legde hij zijn arm onder haar schouders, trok haar half overeind en hield weer het glas aan haar lippen. 'Je kunt maar beter iets meer hiervan drinken vóór je begint. Het zal meehelpen om je hoofd helder te maken. En je kunt me je gewone verwijten besparen.' Zijn ogen brandden dieper dan de drank, die hij door haar keel forceerde totdat ze hijgde en verstikt raakte en zwakjes probeerde hem weg te duwen.

Ze kon geen medelijden in zijn ogen lezen, toen hij haar weer terug in de kussens liet vallen en op haar neerkeek, alsof ze een vreemdelinge was, die hij niet erg mocht.

'En, Ginny?'

Ze probeerde hem te weerstaan, pure wanhoop veroorzaakte boosheid in haar stem.

'Je hebt geen recht om me - om me te behandelen op die eigengereide manier! Je hebt helemaal geen recht op me! En ik geloof dat je krankzinnig moet zijn om me hierheen te dragen. Ze zijn allemaal beneden - mijn vader - Ivan -'

'Ah, ja.' Zijn lippen vertrokken zich tot een maar al te bekende, hatelijke grijns. 'Jouw beledigde echtgenoot, die zo snel is de eer van zijn huis te verdedigen - en wat er nog van de jouwe over is! Ik heb begrepen uit je vermelding van "de anderen", dat je er een gewoonte van gemaakt hebt om minnaars te nemen. Het is een spelletje dat jullie allebei graag spelen? Leg je naderhand altijd een volledige bekentenis af? Of alleen maar, wanneer je iemand kwijt wil raken, die lastig voor je begint te worden?'

'O, houd op! Je hebt altijd kans gezien om hatelijker te zijn dan ieder ander die ik gekend heb,' fluisterde Ginny met pijn en wendde haar hoofd van hem af. 'Steve - laat me met rust! Laat me met rust! Ik heb Ivan helemaal niets gezegd. Denk je dat ik er trots op was, op wat er die middag gebeurd is? Maar hij - hij schijnt altijd alles te weten te komen. Hij heeft me vanavond nog gezegd, dat hij me zou laten bewaken. Hij zei -'

'Hoe wist je dat ik beschoten was, Ginny? Dat was zowat het eerste dat je tegen me zei.'

'Omdat hij gezegd had, dat hij het doen zou - hij zei dat hij zijn eigen methoden had om zulke dingen af te handelen! Denk jij dat hij één man genoeg gevonden zou hebben, indien ik hem gezegd had, dat jij de bediende was, waarvan hij me beschuldigde, dat ik... met wie ik overspel had gepleegd? Mijn vader heeft premies uitgeloofd voor jouw gevangenneming, dat weet je. Ivan zou - ik denk, dat hij een heel leger achter je aan gestuurd zou hebben, als hij het ook maar geraden had!'

'Goed. Laten we dat eventjes aannemen. Hoe zit het met "de anderen"? En Carl Hoskins? Iemand heeft die speciale moord in mijn schoenen trachten te schuiven - ze zeiden dat ik, na de vechtpartij die we hadden, teruggekomen was om het karwei af te maken. En het was een verdomd goed iets, dat ik een alibi had om te bewijzen, dat ik meer dan vijfhonderd kilometer weg was op het bewuste tijdstip!' Zijn toon werd weer sarcastisch. 'Ik veronderstel, dat je daar ook niets van afweet. Mijn God - het is goed, dat ik je man niet langer ben of ik zou het veel te druk gehad hebben met het doden van jouw legioenen van minnaars!'

Ginny's ogen keerden eindelijk tot hem terug; ze hadden de blik van een gevangen, wanhopig schepseltje in het bos.

'Wat zeg je nu? Waarover heb je het? Ik heb Carl gedood! Jij schijnt zoveel te weten, waarom doe je alsof je dat niet weet? Is het alleen maar dat je het wilde proberen om een bekentenis uit me te krijgen? Ik heb hem gedood. Ik heb een fles wijn op zijn hoofd kapot geslagen, nadat hij . . . hij . . . o mijn God, waarom moet je dat nu weer oprakelen? Heb je me al niet genoeg aangedaan?'

Haar stem was gestegen en hij kwam meedogenloos tussenbeide.

'Heb jij hem in zijn nek gestoken vóór of ná je hem met die fles geslagen hebt? Het schijnt een gewoonte van je te worden, is het niet - om de mensen neer te steken die je verkracht hebben, maar alleen nadat ze je keer op keer gehad hebben! Je hebt het bij mij ook ooit geprobeerd, weet je nog? Is dat de manier om van je minnaars af te komen van wie je genoeg krijgt?'

Deze keer probeerde ze hem in zijn gezicht te krabben, gedreven door vernedering en woede. En alsof hij alleen maar had zitten wachten op een excuus, greep hij haar polsen en hield ze ver uitgespreid boven haar hoofd, terwijl hij zijn lichaam over het hare liet vallen om haar stil te houden en nu tussen haar schoppende benen lag alsof hij haar wilde verkrachten.

'Naar de hel met jou! Geef me antwoord!'

Haar hoofd bewoog wild heen en weer, voor- en achterover tegen de kussens, terwijl tranen van onmacht en pijn haar ogen vulden.

'Ik haat je - ik haat je! Het spijt me dat Ivan je tenslotte niet vermoord heeft!'

'Ik herinner me dat je dat altijd zei - slechts een paar minuten nadat je je benen gespreid had en alles had toegelaten. Ik vermoed dat het nu een gewoonte bij je geworden is! Is dat ook wat je aan Ivan gezegd hebt, vóór je ophield weerstand te bieden en toegaf? Je bent innerlijk niets anders dan een hoer, Ginny, en ik was gek genoeg om mijn ogen daarvoor te sluiten. Maar goddank is het nu je echtgenoot, die zich er zorgen over kan maken.'

Ze opende haar mond om het uit te schreeuwen en hij stopte die met de zijne. Had ze dat niet verwacht? Was dat het niet, dat zij in het geheim wellustig begeerde, niettegenstaande alles?

Wanneer Steve haar kuste, was ze verloren. Het was alsof je in een wervelwind werd opgenomen en naar het centrum gezogen werd - een maalstroom van begeerten, die haar gedachteloos, bijna hulpeloos achterliet om weerstand te bieden aan het onvermijdelijke.

Zijn vingers verslapten hun greep rond haar polsen, ze gleden langs haar arm om haar borsten te vinden. En haar handen: in plaats van hem te slaan, hem terug te duwen, sloegen ze om zijn lichaam en trokken hem steeds dichterbij.

Enkele korte ogenblikken bleven hun geesten nog in stilte strijden, maar hun zinnen hadden al een wapenstilstand gesloten. Ondanks dat hij haar beledigd en beschuldigd had, had hij haar nodig. Niettegenstaande de haat en verachting, die ze voor hem had uitgesproken, had zij hem nodig.

En alsof hij de komst van iets primairs en duister-primitiefs in haar voelde opkomen, dat beantwoordde aan de sensualiteit van te vrijen op een bed met zijden lakens onder een spiegel, die elke beweging en elke liefkozing weerkaatste, hield Steve zich opzettelijk in en dwong haar tot stoutmoedigheid om elke liefkozing, die hij haar gaf, te retourneren tot ze niet langer in staat was nog iets terug te houden; haar hartstocht was onbelemmerd en even wild onbevangen als de zijne.

Eindelijk lagen ze naast elkaar, de glanzende dikte van Ginny's haar gevangen onder zijn schouder.

'Steve - waar denk je aan?' Ze fluisterde de woorden bijna gedwongen om de aansluipende invasie van de werkelijkheid af te weren en de onaangename gedachte, dat zij op het bed van Sam Murdock lag, in de kamer van Murdock, terwijl Murdock beneden gewikkeld was in een kaartspel met haar vader en haar echtgenoot en God mag weten hoeveel andere mannen. Was dat zo? Stel, dat het spel al uit was? Wat zou Steve doen wanneer Ivan hen samen aantrof - zoals ze nu waren?

'Om je de waarheid te zeggen, ik probeerde niet te denken.' Zijn stem klonk grauw en hij keerde zijn hoofd niet om, zodat hij haar zou kunnen aankijken. Keek hij nog steeds naar haar in de spiegel? En toen trok hij, volkomen bij verrassing, haar lichaam over het zijne met een ongeduldige bijna boze beweging. 'Vervloekt, jij, Ginny! Ik denk dat ik je nooit zal begrijpen!' Hij fronste zijn wenkbrauwen weer, zijn stem klonk slecht gehumeurd. 'En ik ben er verdomd zeker van, dat ik het ook nooit zal proberen. Jij had gelijk - ik had van je weg moeten blijven.'

Ginny verstijfde en sloot half en half haar ogen tegen de onderzoekende vlijmscherpe blik in de zijne en vroeg zich af hoe hij haar deze keer zou proberen te kwetsen. Zelfs nadat hij met haar gevrijd had - alsof hij van plan was om de tijd en het verleden uit te wissen met zijn liefkozingen en zijn diabolisch bezit over haar zinnen weer te bevestigen, kon hij zich de volgende minuut tegen haar keren. Waarom had ze er niet aan gedacht, aan al de vorige keren, dat hij precies zo gedaan had? Hij ging verder, onaangenaam: 'In 's hemelsnaam! Het heeft geen zin om een gezicht als een martelaar te trekken! Ik zal je niet aan je echtgenoot verraden, schat, wanneer je daar soms over in zit. Maar ik wacht nog steeds op antwoord, Ginny!' zei hij waarschuwend en ze beet op haar lippen en voelde alle verzet uit haar wegebben, waarvoor een dof ongeluksgevoel in de plaats kwam.

Vóór hij haar kon aansporen met nog meer sarcastische, lelijke schimpscheuten, gooide Ginny alles eruit. Ze vertelde hem over Carl Hoskins - waarom had Steve geprobeerd om haar te laten struikelen door vol te houden, dat Carl aan een steeekwond gestorven was? Zij wist wel beter - en deze keer onderbrak hij haar niet, maar luisterde grimmig toe. Haar nek ging pijn doen van de pogingen om haar hoofd afgewend te houden en eindelijk graaide hij met een boze uitroep zijn vingers in haar haren en drukte haar hoofd tegen zijn schouder.

'Ga door.' Waarom, waarom wilde hij alles weten? En eindelijk vertelde zij het wilde verhaal, dat graaf Chernikoff haar gedaan had op die noodlottige avond in Cuernevaca, die alles in beweging had gebracht – en ze vertelde hem over Ivan. Over Ivan praten was moeilijker dan ze dacht en Ginny struikelde over haar woorden. Ivan, die ze in verdoofde toestand getrouwd had – hoe zou Steve dat ooit kunnen begrijpen, waar ze zelf niet kon begrijpen, wat haar daartoe gedreven had?

Toen haar verhaal tot stilte verstomd was, putte Ginny wat magere troost uit het feit, dat hij zijn armen nog steeds om haar heen hield, ofschoon zijn aanraking nu even onpersoonlijk leek als zijn stem. 'Hoeveel weet je stiefvader, de senator, hiervan?' vroeg Steve.

Ginny lichtte haar hoofd op en ontmoette zijn beschaduwde, onpeilbare ogen.

'Niets! Wat had je verwacht, dat ik zou doen? Hem zeggen dat hij bedrogen werd om met mijn moeder te trouwen – dat ik tenslotte niet zijn dochter ben, maar een bastaard? En ik weet niet eens of er iets van waar is of – of dat het allemaal een truc is, die ik niet . . . nog niet begrijp. En zelfs als het dat was – het is nu te laat, is het niet? Zoals je me in herinnering hebt gebracht: ik ben nu de vrouw van Ivan Sahrkanov – en een hoer en een overspelige op de koop toe. Was dat niet wat je wilde bewijzen? Nu, het is waar! Je bent erin geslaagd mij te overtuigen, dat ik maar beter kan aanvaarden wat ik ben. Dan is het dus ook niet nodig, dat jij . . . dat jij je zorgen maakt over mij of dat je je verantwoordelijk voelt . . . O, alsjeblieft, Steve!' Haar stem brak op een vernederende manier. 'Laat me nu terug naar mijn kamer gaan! Ik – mijn hoofd begint weer pijn te doen en als ik maar één hoofdpijnpoeder kon vinden, misschien heeft hij ze tenslotte niet allemaal weggenomen . . .' Ze klonk koortsig en toen ze wild met hem begon te worstelen, liet hij haar gaan.

Ontvluchten – dat was alles wat ze nu in haar hoofd had, toen ze uit het bed sprong en op haar voeten wankelde, omdat haar knieën plotseling zo week werden. Die spanning ontvluchten, vluchten van het ongelukkige gevoel, dat plotseling knellende banden rond haar hoofd en haar borst sloeg. En bovenal: ontvluchten aan Steve, die haar alleen maar wilde kwetsen, haar wilde gebruiken als de hoer, die hij haar genoemd had.

Ze zou naar buiten gerend zijn, precies zoals ze was, als Steve haar niet had tegengehouden. Hij moest aangevoeld hebben, dat ze de grens van haar uithoudingsvermogen bereikt had, want hij droeg haar zonder verder commentaar naar haar kamer.

Ze was naakt – haar gescheurde zijden nachtpon lag afgedankt op het voeteneind van het bed van Sam Murdock. En Steve was ook naakt – ze waren allebei krankzinnig, duidelijk!

Hij legde haar met verbluffende behoedzaamheid op het bed neer, trok de dekens over haar koude, plotseling rillende lichaam.

22

De ochtend sloop de kamer binnen. En daarmee de herinnering. Ze woelde in het bed, al haar ledematen deden pijn en Ginny wist niet wat ze moest denken. Wilde ze nu eigenlijk wel denken? Waardoor was ze wakker geworden? Ze had gedroomd dat ze opgesloten in de armen van Steve lag, dat hij haar nog steeds liefhad, en nu fluisterde Delia haar in dat ze haar niet had willen wakker maken, maar haar echtgenoot verlangde dat ze zich bij hem zou voegen voor het ontbijt. Goddank, dat Ivan een afzonderlijke kamer toegewezen had gekregen! Het was wel de gewoonte op die gekunstelde logeerpartijen, maar Ginny had zich een poosje afgevraagd of Ivans verlangen om haar te verpletteren machtiger was dan de conventie.

'Ik heb u wat lekkere warme koffie gebracht, mevrouw.' De ogen van Delia keken bezorgd in de hare, die nog knipperden na de zware slaap. Automatisch nam Ginny de kop van het meisje aan. Geen poeders meer om zich te wapenen. Ze had er gisteravond nog een gevonden, weggestopt op de bodem van haar reticule, maar die had Steve meegenomen. Hij had er van geproefd en trok een grimas.

'Ginny . . .' Iets, misschien was het de ontmoeting van hun blikken geweest, de hare wild en smekend, had verhinderd wat hij op het punt stond te gaan zeggen. In plaats daarvan had hij met ongewone gespannen stem gezegd; 'Goed. Ik zal er wat meer bezorgen. Maar ik moet eerst weten wat er in zit. Deze moet ik dus meenemen.'

Hij had zelfs haar tonicum geproefd vóór hij haar een kleine dosis liet drinken, omdat ze zuinig moest zijn op datgene, wat er nog in de fles over was.

Waardoor was hij zo plotseling veranderd? Eerst was hij boos en wreed geweest - en daarna, erg ongewoon hartelijk. Misschien was hij medelijden met haar gaan krijgen - o, maar die gedachte was helemaal ondraaglijk!

Ginny nipte aan haar koffie en haar vingers trilden, het kopje rammelde op het schoteltje. Delia had de gordijnen opzij geschoven en het zonlicht, dat haar bijna verblindde, stroomde de kamer binnen in een gouden stroom.

De koffie ging naar binnen en verbrandde bijna haar mond. Ginny wilde nog meer, maar Delia smeekte haar met een ongewoon bleek en bevreesd gezicht, dat ze zich zou aankleden. Waarom had ze het gevoel alsof ze naar haar eigen executie ging?

Mechanisch plaste ze water over haar lichaam, ze voelde zich koud en rillerig. Ginny vroeg zich af waarom Ivan haar zo uitdrukkelijk ontboden had. Vroeger zou hij naar haar kamer gekomen zijn - nu liet hij haar komen. De bordjes waren wel verhangen. En van een onvoorspelbare ironie gesproken: ze was inderdaad met Ivan getrouwd en Steve was haar minnaar geworden!

Gister - gisteravond - het leek een droom. Ze voelde weer het dreigende gebons in haar slapen en het koude zweet brak over haar gehele lichaam uit. Ze voelde zich zo vreemd! Haar ogen staken en haar handen trilden zó, dat Delia alles voor haar moest doen.

'Aha, ben je daar, mijn liefste! Ik hoop dat je goed geslapen hebt?'

Ivan was geschoren, zijn haar was met zorg geborsteld. Ze kon de zwakke geur van eau de cologne, dat hij altijd gebruikte, ruiken toen hij haar hand kuste, waarna hij haar weerloze lichaam tegen zich aantrok en haar koude lippen lichtjes aanraakte met de zijne.

Ginny ving een glimp op van haar reflectie in de spiegel. Haar lichtgroene jurk leek haar bleekheid nog te accentueren en een ader klopte onder het groene lint, dat Delia rond haar hals gebonden had.

'Ja,' zie Ivan zacht alsof hij haar gedachten gelezen had, 'we vormen zo'n knap paar, vind je ook niet?' Hij sloeg zijn arm rond haar middel en keerde haar zó, dat ze recht tegenover de spiegel stond. Naast haar staand, glimlachend, leek het alsof hij hen beiden voor een fotograaf had laten poseren.

'Je hebt nog geen woord gezegd, Virginie. Heb je honger? Misschien zal een goed ontbijt iets doen aan die schaduwen onder je ogen. En ik vind echt dat je wat frisse lucht en lichaamsbeweging nodig hebt. Kijk eens naar mij. Ik ben het grootste deel van de nacht op geweest en ik voel me in staat tot alles - zelfs voor de onaangename plicht die me wacht na we gegeten hebben. Ik zou hebben moeten zeggen: ons . . . maar je moet eerst eten. Kom mee.'

'Wat?' Ze keerde haar hoofd verbluft naar hem toe en hij bleef maar glimlachen en haar fixeren met zijn fletse ogen.

'Lieve - ik zei, dat je eerst moest eten. Ik wil je eetlust niet bederven. Hier, ga zitten. Wil je thee? Ik heb de vrijheid genomen voor ons beiden te bestellen - en ik heb je verwaarloosd, is het niet? Zou je voor ons willen inschenken, chérie?'

Haar handen begonnen zo erg te trillen, dat hij gedwongen werd de zilveren theepot van haar over te nemen, hij schudde zijn hoofd in spottende bezorgdheid.

'Alsjeblieft, Ivan!' Niet in staat om zich in te houden, begon ze hem te smeken. 'Alsjeblieft - ik heb zo'n hoofdpijn, echt waar! Ik kan niet eten. Waarom heb je mijn poeders weggenomen? Jij hebt ze mij bezorgd, weet je dat nog? Voor mijn . . . mijn . . .'

'Ja, ja! Natuurlijk herinner ik me dat nog. Voor jouw hoofdpijnen. En ik kon begrijpen waarom je ze in het begin nodig had. Maar nu zou je helemaal in orde moeten zijn, helemaal hersteld van die ongelukkige ervaring. Gisteren voelde je je goed genoeg om aan dat avontuurtje op je eigen houtje te beginnen, is het niet? Daarom vind ik echt niet, dat je je zelf zo moet verwennen. Ik zal je af en toe een poeder geven, wanneer je die echt nodig hebt natuurlijk, maar je moet beginnen met mij de beslissingen te laten nemen, liefste. Ik mag de manier niet zoals je je de laatste tijd gedragen hebt.'

Ginny staarde hem niet-begrijpend aan met een opgejaagde uitdrukking in haar ogen. Nog steeds glimlachend schonk prins Sahrkanov de thee in; hij boog zich voorover om haar een welwillend klopje op haar wang te geven.

'Eten, mijn schat. En drink je thee op. Je moet beginnen er aan te wennen, je bent nu Russische!'

Ze kon natuurlijk niet eten, ofschoon ze onder aandrang van Ivan een stukje toost kon inslikken en een hap koude perzik kon nemen. Ze kokhalsde bijna van de Russische thee, die ziekmakend zoet en dik was volgens de Russische gewoonte.

En hij bleef de gehele tijd maar praten, zijn stem zijdeachtig zacht - afwisselend streng en aanmoedigend.

'Dit kunnen we niet hebben! Kom, je moet eten. Je bent net een stout verwend klein kind, weet je dat? Je bent te veel gewend om je eigen zin te doen. Maar ik ga dat veranderen en dan zul je des te gelukkiger zijn!'

'Ik . . . echt, ik voel me niet goed. Ik denk dat ik kougevat heb. Kan ik niet terug naar mijn kamer om te gaan liggen? Althans een poosje. Alsjeblieft! Ik wil niet naar beneden gaan.'

Kon dat echt haar stem zijn, die zo smeekte? Haar vingers waren stijf doordat zij ze steeds in elkaar draaide om het vreselijke trillen te verbergen. Zelfs haar lippen trilden.

'Ik ben bang dat die poeders achteraf toch niet goed voor je geweest zijn. Je zult je wel beter voelen met wat frisse lucht in je gezicht. Kom - niet terugkrabbelen of ik word echt boos op je en ik heb geprobeerd mijn geduld te bewaren. Dat is beter.' Hij sloeg zijn handen om haar beide polsen en trok haar overeind. 'We mogen meneer Murdock toch niet laten wachten. Ik moet je zeggen, mijn liefste, dat ik hem een zeer verstandige en begrijpende man vind. Hij zal je die kleinde escapade van gisteren niet verwijten, als dat het is waarvoor je bang bent. Niet sinds ik de gelegenheid heb gehad om hem onder vier ogen in vertrouwen te nemen. Tenslotte is verkrachting een ernstig misdrijf - en dat is, wat er met jou gebeurd is, is het niet?'

Later probeerde Ginny het meeste van wat er daarna gebeurde uit haar gedachten te bannen. In feite herinnerde ze zich niet meer hoe of waar Ivan haar naar toe gebracht had, zijn greep om haar arm was pijnlijk genoeg om haar tegen vallen te behoeden. Ze herinnerde zich, dat ze zich vastklampte aan de gedachte dat hij beloofd had haar een poeder te geven als het voorbij was - als ze zich maar herinnerde wat er van haar verwacht werd; als ze zich goed gedroeg.

Ginny probeerde dat in gedachten te houden, trachtte om haar geest helder te houden, terwijl de arm van Ivan, stevig rond haar middel geslagen, haar overeind hield.

Ze bevonden zich in een soort kelder of ijshuis, de treden daalden tot onder de grond af. Maar grote houten dubbele deuren waren opengeduwd om de zon binnen te laten. Het gouden licht viel op een gedaante met een zeil bedekt. Sam Murdock, alleen, met uitzondering van een van zijn lijfwachten, een streng uitziende man met een rode snor, keek overal heen, behalve naar haar.

De stem van Murdock klonk boos.

'Het was echt niet nodig om de prinses hier naar beneden te laten komen. Die hele zaak is onaangenaam en ontstellend genoeg voor me - én voor u, natuurlijk. Indien u niet gehandeld had, zoals u deed, zou ik maatregelen genomen hebben, dat de man afgeranseld zou worden of opgehangen.'

'Maar zó is het beter. En ofschoon Virginie nog in een shocktoestand verkeert, geloof ik toch, dat het het beste voor haar is wanneer ze ziet, dat het recht zijn loop heeft gehad. Misschien zal haar dat minder bang maken om voortaan alleen te gaan rijden.'

Ze spraken over haar hoofd heen – waarover hadden ze het eigenlijk?

'Toch vind ik...'

'Mijn vrouw heeft een smerige kleine oorlog in Mexixo meegemaakt. Ze heeft al eens eerder dode mensen gezien, is het niet, mijn engel? En in dit geval denk ik, dat ze niet al te overgevoelig zal zijn, tenslotte heeft de man haar aangevallen. Ik vind dat ze hem zelf had moeten doden, als ze een wapen gehad had.'

Ginny probeerde nog steeds niet te rillen en ze ving een blik van Sam op. Grimmig, schattend. Hij keek haar een ogenblik strak aan en niettegenstaande haar verwarde geestestoestand, had ze de allervreemdste indruk dat hij probeerde haar te waarschuwen. Maar waarvoor?'

Eindelijk knikte hij met een bijna onmerkbare zucht kort naar een van zijn lijfwachten, die zich bukte en het dekzeil opzij trok.

Ginny gilde. Een verstikkend geluid.

Geronnen bloed en donker haar. Donkere kleding, doorweekt met donkerder vlekken. Een dode man – zijn gezicht was weggeschoten. Niet Steve... niet Steve!

Uit de verte, die bovendien nog steeds verder weg leek te wijken, hoorde ze de kalme, boze stem van Sam Murdock.

'Voor een vrouw is dat geen gezicht! En de man is al enige tijd dood, we zullen hem nu snel begraven, zonder verder omslag. Hij was een zwerver – ik zou hem niet gehuurd hebben, behalve dan dat hij al eens eerder voor me gewerkt heeft, op de boerderij. Als ik geweten had wat voor soort schurk hij was...'

Nee – natuurlijk was het Steve niet! 'Al enige tijd dood,' had Murdock zeer nadrukkelijk gezegd. En Steve was gisteravond erg boos omdat er op hem geschoten was. Maar, wie was dan deze dode man? God, ze moest het zich aantrekken, maar dat deed ze niet – van pure opluchting zwaaide Ginny duizelig heen en weer.

'U kunt haar beter naar buiten brengen,' hoorde ze Sam Murdock zeggen en toen hoorde ze de zachte stem van Ivan en voelde hoe zijn arm om haar middel klemmender werd.

'Nee, nee – Virginie is sterker dan ze eruit ziet, is het niet, mijn schat? Open je ogen, we willen niet dat er een fout gemaakt wordt. Is dat de man?'

Ze dwong zich haar ogen te openen en keerde zich toen haastig weer af, ze sloeg haar handen voor haar mond om te beletten, dat ze zou overgeven.

'Hij – hij is op dezelfde manier gekleed – o, hoe kun je nu van mij verwachten dat ik van dichtbij kijk? Ik wil er niet aan herinnerd worden, ik wil het niet!'

'Natuurlijk niet, mijn liefste. Ik weet hoe choquerend en onaangenaam het voor je geweest is. Maar je begrijpt toch, waarom ik je wilde laten zien, dat je zelf zou constateren hoe hij aan zijn eind kwam. Je hebt nu niets om bang voor te zijn – hij zal nooit meer terugkomen om je te kwetsen.' Zachte, troostende woorden. En alleen zij kon de verborgen bedoeling achter de

toespraak van Ivan begrijpen.
'Prinses, het spijt me vreselijk. Indien ik het eerder geweten had, zou ik zelf wel maatregelen genomen hebben. En het spijt mij ook, dat u hieraan blootgesteld bent geworden. Probeer het alstublieft te vergeten, indien u dat kunt. En u hebt mijn verzekering, dat niemand anders hiervan weet - en niemand zál het ook te weten komen.'

Boven in haar kamer barstte Ginny in tranen uit. Ze wist dat Ivan door de kamer ijsbeerde en haar gadesloeg, maar het kon haar niet meer schelen.

Ivan Sahrkanov keek peinzend naar haar gebogen hoofd, haar schokkende schouders en was tevreden. Ja, ze was eindelijk onderworpen. In de toekomst zou ze alles doen, wat hij zei en ze zou naar hem toekruipen voor die poeders waarnaar ze zo verlangde en waar ze niet meer buiten kon. En nu die oude gek, Chernikoff, uit de buurt was en Sam Murdock hem steunde, zou hij alles hebben wat hij wilde en waarnaar hij gestreefd had.

Hij begon bepaald met plezier te denken aan hun terugkeer naar San Francisco. Aan een bepaalde straat, een bepaalde kamer en het soort genot dat zijn perverse natuur zo verlangde. Maar eerst, eerst moesten er ongelukkig genoeg nog een paar zaken geregeld worden. Hij moest Creighton zeggen om een andere man te vinden, die de vuile karweitjes kon opknappen, die hij gedaan wilde hebben. Creighton had een goed paar ogen en een uitstekende neus voor kletspraatjes en hij was betrouwbaar, zolang hij maar genoeg betaald werd. Brandons eigen huisknecht - had hij nu die pompeuze senator even te pakken! Ivan had zelf de man aanbevolen tijdens zijn laatste bezoek aan San Francisco en wie kon weten, dat Creighton een van die beruchte Sydney Dicks' was, die door het comité van waakzaamheid de stad uit gedreven waren? De man was indertijd echt de knecht van een heer geweest, en kende zijn vak - en hij had contact met de onderwereld gehouden. Hij had de zwijgende, door de pokken gemerkte moordenaar aanbevolen, die gisteren zijn karwei zo voortreffelijk verricht had en die nu, zonder enige twijfel, het geld zat te verdrinken dat hij verdiend had, in een of ander café aan de Barbary Coast. Maar gehuurde moordenaars waren gemakkelijk te krijgen, wanneer je de goede connecties had. Precies zoals vrouwen gemakkelijk handelbaar waren, wanneer je maar de juiste methoden gebruikte. Virginie leerde nu wie haar meester was. Hij zou haar weldra nog meer lessen geven en een zeker plezier erin hebben om dat te doen - maar niet dan nadat ze zich nuttig had gemaakt door aardig te zijn tegen Sam Murdock. Murdock begeerde haar en hij was het soort man, die goed betaalde voor wat hij wenste.

'Zo is het genoeg! Ik heb je laten uithuilen en nu wordt het tijd, dat je bijkomt. Ga je gezicht wassen, daarna zal ik je laten rusten vóór je beneden de rest van ons ontmoet. Ja - meneer Murdock is van plan een maaltijd buiten te organiseren in zijn prachtige patio, en misschien zal hij je daarna vragen om met hem te gaan rijden. Wanneer hij dat doet, dan ga je. Begrijp je dat? Geen excuses, geen hoofdpijn. Ik zal je een poeder geven als je die nodig hebt, maar ik wil dat je er uitgerust en presentabel uitziet. Ga nu - of moet ik mee naar boven komen om te kijken of je doet wat er gezegd wordt?'

Terug in haar kamer staarde Ginny naar haar opgezwollen met tranen bevlekte gezicht in de spiegel. Ze wilde weer opnieuw beginnen te huilen, maar ze had geen tranen meer over. Was dat half-demente schepsel met die wilde ogen, met pieken haar, die vochtig rond haar gezicht hingen werkelijk zij-zelf? Wat had ze van zich laten worden, hoeveel lager dan dit kon ze nog zinken?

'Je probeerde altijd om tegen te stribbelen – ik vermoed, dat dat een van dingen was, die mij in het begin het meest intrigeerden . . .'

Woorden van Steve. Die haar stevig in het verleden neerplantten. Maar het was waar – alle strijdlust was uit haar verdwenen, alle kracht die haar eens door onzegbare verschrikkingen geleid had en zelfs erger degradaties dan deze. Wat was er met haar gebeurd?

'O, het is veel te moeilijk om na te denken – mijn hoofd doet pijn . . . hij heeft gezegd, dat hij mij in een sanatorium zou opsluiten en dat zou hij doen ook . . . wat doet alles er ook toe?'

Met onhandige vingers kleedde Ginny zich uit, waste haar gezicht en schrobde het af met een washandje alsof ze de huid wilde wegkrabben. Daarna ging ze liggen en sloot haar ogen en probeerde het angstaanjagende snelle kloppen van haar hart te negeren en de kleine rillingen, die van haar hoofd tot haar tenen liepen en als golfjes over haar benen kabbelden, tot ze dacht dat ze ging verdrinken.

Deel drie

De piraat

23

Een voor een waren de gouden miljonairs vertrokken met hun rijtuigen en hun gevolg van bedienden om terug te keren naar de stad of naar hun diverse landhuizen. 'Tot ziens . . . tot ziens . . . Zo'n prettig bezoek . . . we zien jullie natuurlijk wel in de stad . . .' Ginny had een gevoel of haar gezicht zou barsten van de starre glimlach. Waren het echt maar vier dagen geweest? Ze had een gevoel als een houten pop, met ijzerdraadjes als zenuwen, stalen draden, die zó strak getrokken waren dat ze elk ogenblik konden breken. Ze kon aan niets anders denken dan aan de poeders, die Ivan haar tweemaal per dag gaf – haar beloning voor 'goed gedrag'. Ze kreeg er een midden op de ochtend om haar te wapenen voor de namiddag, wanneer ze moest rijden, gewoonlijk met Sam Murdock aan haar zij. En de tweede kreeg ze vlak voor ze naar beneden ging voor het diner. In de tussentijden 'rustte' ze in haar slaapkamer, voelde de transpiratie van haar lichaam stromen, ze wriegelde tegen de lakens om het jeuken van haar huid kwijt te raken en de pijn in haar slapen, die zich door haar hersenweefsel leek te boren. Ze was opgehouden zich de vraag te stellen, wat er van haar worden moest. Al, waarmee ze haar geest nog kon bezighouden, concentreerde zich nog maar op één ding – de opluchting, de verblijdende, ontspannende, wonderlijke opluchting, wanneer ze zich weer mens voelde worden.

Murdock was attent, vriendelijk. Maar zijn manier van doen, zelfs wanneer ze alleen waren, bleef onberispelijk. Elke morgen zond hij haar verse bloemen; 's avonds kwam er een exotische, wasachtige orchidee uit zijn broeikassen. En Ivan glimlachte, zijn manier van doen werd bijna welwillend. Ja, Murdock was een uitgeslapen man of hij kon niet zo rijk en machtig geworden zijn als hij was. Maar ook hij was kwetsbaar – en op zijn subtiele, zorgvuldige manier had hij getoond, dat hij door Ginny werd aangetrokken.

'We zullen zien,' dacht Ivan. Maar toch werd hij ongeduldig. Murdock was bijna al te voorzichtig. En zijn zogenaamde schoonvader, de senator, was in de laatste tijd onverklaarbaar gereserveerd geworden. Brandon had ergens zorgen over. De aandelen in de grootste Comstock-mijnen waren in de laatste tijd nogal fors gedaald en alleen de groten schenen zich geen zorgen te maken. En Brandon had gespeculeerd in land in het zuiden van Californië – met niet te veel succes, indien de geruchten juist waren. Dan was er ook nog die scheepvaartlijn, waar enkele kleinere aandeelhouders zich tot ieders verbazing aaneengesloten hadden en hun belang aan iemand anders verkocht hadden – niemand wist nog aan wie. Maar daardoor zat Brandon zonder de leidende positie waarop hij gerekend had . . . Ja en dan had je nog het geld, dat ze samen belegd hadden en die beleggingen betaalden ook niet al te best. En altijd had je de grote mannen, die hun eigen geheime methoden hadden om de dingen te doen en helemaal geen scrupules wanneer het erop aankwam meer geld te verdienen. Murdock was een van hen - de man met geheimen, zoals ze hem wel noemden; maar wanneer je hem ontmoette leek hij even menselijk als de rest.

Sahrkanov had plannen gemaakt zonder dat Ginny dat wist, en die waren allemaal even succesvol geweest. De senator en zijn schoonzoon zouden met de andere gasten naar San Francisco vertrekken, een dag eerder dan Ginny en Sonya. Die zouden door meneer Murdock zelf naar de stad worden teruggebracht, die daar enkele zaken moest afdoen alvorens te vertrekken naar Virginia City.

'Besteed je tijd goed, lieve.' Ivan was de slaapkamer van Ginny binnengekomen, heel vroeg in de ochtend om afscheid van haar te nemen. 'Ik weet zeker, dat jij precies weet wat je moet doen om een man te strikken. En wees aardig tegen zijn pupil, zij gaat met jullie mee naar San Francisco, weet je, meneer Murdock bouwt daar een huis - een landgoed in Griekse stijl, zoals ik begrepen heb. Maar zolang dat niet klaar is, moet de liefelijke señorita Sanchez in de stad een verblijfplaats hebben. Je stiefmoeder was zo vriendelijk om erin toe te stemmen om als chaperonne op te treden en jouw vloeiende kennis van het Spaans zal heel goed van pas komen. Begrijp je?'

Ja, ze begreep het. Maar al te goed. Concepción haatte haar en zou haar nooit vergeven . . . Hoe ver zou dat meisje gaan om zich te wreken?

Maar ze durfde Ivan haar gedachten niet te laten raden. Ivan controleerde haar nu, door die toverpoeders, die hij haar kon geven of inhouden naar gelang het hem inviel. Zich weer goed voelen . . . dat was alles waarop ze hoopte.

'Ik zal twee poeders voor je achterlaten. Wanneer je verstandig bent, Virginie, dan zorg je dat je daar genoeg aan hebt, tot we elkaar in San Francisco terugzien.' Zijn stem werd zo zacht, toch zo subtiel geslepen als gepolijst staal onder fluweel. 'En je zult verstandig zijn, is het niet, schat? Ik geloof dat je wel geleerd hebt. Geen geheime afspraken meer met stalknechten. Het is heel wat anders, wanneer je gastheer je zou vragen om alleen met hem te gaan rijden of hem op zijn kamer op te zoeken. Begrijp je wat ik bedoel?' Hij verliet de kamer en met stijf gesloten ogen wierp Ginny zich op het bed.

Er werd zacht op de deur geklopt en nog vóór ze kon antwoorden, kwam Sonya binnen, stapte kordaat door de kamer en bleef voor het bed staan om op haar neer te kijken.

'Ginny! Nee, doe nou maar niet of je slaapt. Deze keer wil ik niet gedwarsboomd worden. We moeten praten.'

Zonder op antwoord te wachten trok Sonya een stoel naderbij en zette die naast haar bed. Haar grote porseleinblauwe ogen, met slechts heel weinig kraaiepootjes aan de ooghoeken, keken even jong en naïef als altijd, maar Sonya's mond vertoonde een koppige trek, haar volle, zachte lippen waren op elkaar geperst.

‘Ginny, wat is er in ’s hemelsnaam met jou aan de hand? Je hebt me aldoor ontweken - het lijkt alsof je iedereen ontwijkt! En Ivan, die de hele dag om je heen dwarrelt - er is iets mis. Ik heb het gevoeld en je vader ook. We maken ons zorgen. En ik móet het weten - waarom heb je meneer Murdock toegestaan om je zulke opvallende attenties te bewijzen?’ Sonya boog zich voorover keek in de gezwollen, halfgeopende ogen van Ginny, die naar haar terugstaarden met een vreemde nietszeggende uitdrukking. Had het kind zelfs gehoord, wat ze gezegd had? Ze had zich gedragen als een marionet, in beweging gebracht door touwtjes. Iets was er heel erg mis en ze begreep er niets van.

‘Ginny!’ herhaalde Sonya scherp. ‘Luister je naar me? Wat mankeert eraan? We zijn toch niet altijd van die vreemdelingen voor elkaar geweest? Vroeger waren we vriendinnen. Ik ben alleen maar hier achtergebleven om een gelegenheid te vinden met je te praten, alleen, en deze keer ga je me niet uit de weg.’

‘Wat valt er te praten? Ik doe alleen, wat iedereen me wil laten doen. Ik ben met Ivan getrouwd; ik ben het soort vrouw dat hij zich wenst. Waarom kunnen jullie me niet met rust laten?’

‘Met rust laten? Dat is juist een deel van wat ik heb proberen te zeggen. Waarom wil je zo graag alleen gelaten worden? Als er iets mis is, kan ik je misschien helpen. Misschien voel je je beter wanneer je eens gepraat hebt. En je hebt er ook helemaal niet goed uitgezien. Ik vind dat je een dokter moet raadplegen, wanneer we in de stad terug zijn.’

Ginny zat half overeind en liet zich terugvallen in de kussens.

‘Een dokter! Ik vermoed dat jullie, net als Ivan, denken dat ik in een sanatorium thuishoor.’

‘Je bent ongelukkig, is het niet? Ivan lijkt je zo toegewijd en toch - ik ben een vrouw en er zijn dingen, die ik kan aanvoelen. Wat is er aan de hand? Wat zit er verkeerd? Of is het - vergeef me, wanneer ik wat cru ben, maar verwacht je soms een kind? Is dat de reden voor die vreemde buien?’

‘Nee! Nee, ik ben niet zwanger en wanneer jij denkt dat ik vreemde buien heb - zó goed kennen we elkaar toch eigenlijk ook niet, is het wel? Niet meer. Alsjeblieft, Sonya, ik heb een afschuwelijke hoofdpijn en ik ben niet in de stemming voor meisjesachtige confidenties. Er valt trouwens niets vertrouwelijks te zeggen. Waarom praat je niet met Ivan?’

Ginny hoorde Sonya zuchten.

‘Ivan is - o, hij is oppervlakkig gezien zo’n charmante man, maar je kunt er zo moeilijk mee praten. Hij - ik zou dit eigenlijk niet tegen je moeten zeggen, maar zelfs je vader is - nu ja, bezorgd. Waarom blijft hij zoveel weg? Waar gaat hij heen? Ginny, je moet je vast en zeker dezelfde vragen gesteld hebben - is dat het, wat aan je knaagt?’

‘Ik wilde dat Ivan nog meer wegbleef! Denk jij, dat het me iets kon schelen wat hij uitvoert? O - nu heb ik je geschokt, is het niet? Maar het is de waarheid. Zo, ben je nu tevreden?’

Niettegenstaande haar uitbarsting was Ginny lichtelijk verbaasd dat Sonya, in plaats van te protesteren, alleen maar haar blonde hoofd boog.

'Ik – ik dacht al dat het zoiets zou zijn. En dan die manier om je moedwillig aan – aan andere mannen op te dringen. Ginny – het spijt me verschrikkelijk! En ik geloof dat zelfs je vader het begint te betreuren ... Enfin, ik wil alleen maar dat je weet dat indien – je kunt altijd bij ons terecht! Je vader zegt wel niet zoveel, dat weet ik, maar hij houdt van je en hij betreurt het feit dat hij je nooit beter gekend heeft. Alsjeblieft – sluit je niet voor ons op, Ginny.'

Met leedwezen verliet ze de kamer, na op Ginny's afgekeerde wang geklopt te hebben, maar er bleef tussen haar blonde wenkbrauwen een frons hangen. Dat moest natuurlijk aan William verteld worden, ondanks het feit dat hij zelf meer dan genoeg zorgen had, waarvan sommige afkomstig van de vreemde daden van zijn schoonzoon. William was in de laatste tijd al zijn illusies over de prins kwijtgeraakt. Er deden té veel geruchten de rónde – hij was een speler; een speculant – en ze zeiden ook, dat hij niet afkerig was van het vergeten van scrupules. Als William er maar niet in toegestemd had om Ivan te helpen zijn geld te beleggen! Als ze alleen maar niet zo gedaald waren ... als, als! En Ginny liep rond als een geest; je kreeg het gevoel, dat zelfs wanneer ze glimlachte en aan het gesprek deelnam – het meisje niet echt aanwezig was. In zekere zin – ja, in zekere zin was het jammer dat ze zo overhaast met Ivan getrouwd was, hoewel zij allen in het begin gedacht hadden dat dit maar het beste was. En dan was er nog een probleem – iets waaraan Sonya nauwelijks durfde te denken. Probleem? Het kon evengoed op een ramp uitlopen!

'Er moet een uitweg zijn!' bleef Sonya zich maar wijsmaken, zoals ze dat tevoren al keer op keer gedaan had. Zoals ze al evenveel keren troostend tegen haar echtgenoot had gezegd. Ja, er moest een veilige geheime oplossing zijn.

Sonya ging uit rijden met Concepción: Ginny haalde met afgrijzen haar neus op. Als Sonya eens wist dat zij ooit tegenover Concepción had gestaan met een mes! Die gedachte was op een of andere manier nu amusant. Een huisknecht met een pokergezicht deelde haar mee, dat meneer Murdock in zijn studeerkamer bezig was, maar dat er voor haar een lichte lunch klaar stond, zou ze die misschien buiten willen gebruiken, in de kleine patio? Meneer Murdock zou zich spoedig bij haar voegen.

Dus nu zou ze ontdekken wat meneer Murdock eigenlijk wilde. Nu Ivan weg was, verknoeide hij geen tijd. Vreemd genoeg, maar in haar opgeluchte en opgewekte stemming, intrigeerde de gedachte haar alleen maar. En buiten, naast het couvert dat voor haar gedekt stond onder de schaduw van een grote boom, stond een groot pakket, haar naam was op het kaartje gekrabbeld dat eraan hing en droeg de koene initialen S.M.

Ze scheurde het dure pakpapier en de gouden linten los. De gestreepte kartonnen doos bevatte een platte, fluwelen, juwelendoos en daarin een brede armband – nee, er waren er twee. Een voor elke pols. Diamanten en smaragden, die fonkelden in een antiek gouden montuur. Ginny hield haar adem in, haar ogen sperden zich open. O, God! Wat bedoelde hij, door haar zo brutaalweg een klein fortuin aan juwelen cadeau te doen? Hoe moest ze dat later verklaren?

Ze was genoeg vrouw om, zelfs toen ze dit overdacht, de armbanden tegen het licht te houden, gefascineerd door de heldere flitsen, die elke steen leken te doen leven. Ze kon zo'n gift onmogelijk aanvaarden, natuurlijk niet. Dat zou ze hem moeten zeggen maar ze verlangde ernaar om ze even te proberen, deze ene keer. 'Beter van niet,' dacht ze met een zucht en toen zag ze nog iets anders glanzen tegen het fluweel. Een kleine gouden sleutel, die aan een dunne ketting van hetzelfde metaal hing.

'Deze sleutel zal toegang geven tot een zeker huis, dat gebouwd wordt op de heuvel, die Nobb Hill genoemd wordt, in San Francisco. U zult ontdekken, indien u daartoe ooit lust gevoelt, dat de sleutel tevens de buitendeur van mijn suite hier ontsluit – die, welke u daarboven ziet. En wat de juwelen betreft: die zijn voor u. Indien u ze niet mooi vindt, mag u ze weggeven of verkopen.' Sam Murdock was stil in het zonlicht te voorschijn gekomen en stond haar onbewogen aan te kijken. Wat was dat toch een vreemde man! Wat moest ze tegen hem zeggen?

'Kijkt u alstublieft niet zo verschrikt, prinses!' Zijn stem werd droog toen hij op haar toeliep. 'Er zijn geen – eh – voorwaarden aan deze gift verbonden en ik weet wel zeker, dat u weet, dat ik me deze invallen uitstekend kan veroorloven zo nu en dan. Noemt u dit een verontschuldigend gebaar als u wilt.' Hij ging tegenover haar zitten en Ginny voelde zich letterlijk niet tot spreken in staat; ze keek naar zijn vierkante, sterke gezicht dat niets verried. 'Wat de sleutel betreft,' ging Murdock verder, 'ik hoop dat u mij de gunst zult bewijzen om mij te helpen bij de keuze van het meubilair en de overige binnenhuisinrichting voor mijn huis in de stad. Mijn pupil heeft, helaas, geen idee van goede smaak wat dit soort dingen betreft en het huis heeft een vrouwenhand hard nodig.'

'Maar,' stamelde ze uiteindelijk, 'maar waarom ik? Ik bedoel – o, ik weet dat u vriendelijk geweest bent en erg behulpzaam en begrijpend, maar . . .' Ze aarzelde, maar liet toen de woorden als een waterval naar buiten rollen vóór ze de moed zou verliezen. 'Ik denk niet dat u me wilt verleiden, wat ik wél gedacht zou hebben indien een andere man me een dergelijk cadeau zou hebben gegeven! En ik geloof ook, dat u te veel van mij afweet om dat te willen doen. Is het alleen maar omdat mijn – omdat Ivan mij aan u heeft opgedrongen?' Bitter en roekeloos voegde ze eraan toe: 'U hebt toch zeker wel geraden, waarom? U moet aan dat soort dingen gewend zijn – ik stond verbaasd dat u me niet méér verafschuwde. Ik word verondersteld extra aardig voor u te zijn, weet u. En u hebt ook opgemerkt hoe ik zijn bevelen heb opgevolgd. U bent fatsoenlijk genoeg geweest om voor te geven, dat u het niet gemerkt hebt en u bent – o, in 's hemelsnaam! Wilt u me alleen maar vertellen waarom?'

Hij knikte haar toe en Ginny dacht, dat ze – al was het maar voor een ogenblik – een trek van instemming op zijn gezicht gezien had, dat overigens even minzaam bleef.

'Goed gezegd! En omdat u eerlijk tegenover mij geweest bent, zou ik alleen maar wensen dat ik even eerlijk tegenover u kon zijn. Maar ik vrees, mijn beste, dat ik u moet vragen om geduld te hebben met de grillen van een oude man. Laten we alleen maar zeggen dat ik deze gift heb uitgekozen omdat ik u mag – en dat doe ik. Ook is het waar, dat ik er trots op zou zijn indien u mij uw vriend zoudt willen noemen. Indien u zoudt willen beloven om u eerst tot mij te wenden, wanneer u hulp of raad nodig hebt. Maar wat de rest betreft: het is mijn gewoonte om nooit een vertrouwen te schenden. Ik weet zeker dat ik het trekken van uw eigen conclusies rustig aan u kan overlaten.'

Ginny speelde met een glas koude, witte wijn.

'Steve,' zei ze plotseling. 'Het heeft iets te maken met Steve, is het niet? U hebt gearrangeerd dat we elkaar hier op die avond konden ontmoeten en toen, die andere dag . . .' Ze slikte en zei toen: 'Die man – Steve heeft hem gedood, is het niet? En u hebt hem gedekt. Hij vertrouwde mij althans genoeg om er zeker van te zijn, dat ik hem niet zou verraden! Ik geloof dat u beiden elkaar beter kent dan u wilt toegeven, maar wat ik niet kan begrijpen is waarom – in 's hemelsnaam wáárom kwam Steve hier? Wat dat echt een toeval? Waarom?'

'Ik geloof dat u hem dat beter zelf kunt vragen.' De stem van Sam Murdock was nietszeggend en hij liet een korte zucht horen, alsof zij het ogenblik voor hen beiden moeilijk gemaakt had. Hij aarzelde en ging toen verder. 'Misschien zult u zich herinneren, dat Steve de dingen liefst voor zich houdt. Maar dit kan ik u wél vertellen: ik ben een vriend van zijn vader geweest, lang geleden. En ik ben bevriend geweest met don Francisco Alvarado sedert we als vijanden elkaar ontmoet hebben in de oorlog van zevenenveertig – natuurlijk lang vóór uw tijd.' Hij voegde er zijdelings aan toe: 'Steve heeft al eens eerder voor me gewerkt.'

'Meer gaat u me niet vertellen, is het wel? Niemand wil dat. En Steve – o, u begrijpt het niet! Hij – hij veracht me. Hij – '

'Ik geloof,' zei Sam Murdock zacht en beslist, 'dat u zich zelf onderschat, mijn beste. Als u wat raad van een oude rot in alle mogelijke spelletjes wilt aannemen, zou ik maar op mijn stuk blijven staan en gewoon afwachten.' Hij wierp haar een lange, nadenkende blik toe. 'Maar dat hangt er natuurlijk van af, van wat u werkelijk wilt.'

24

Wat wilde ze eigenlijk? Omdat ze de laatste paar maanden in een soort trance geleefd had, was Ginny er nooit toe gekomen zich die vraag voor te leggen. Zelfs toen Steve zo plotseling weer kwam opdagen, had ze het klaargespeeld om haar geest of haar hart niet al te zeer open te leggen. Meer dan ooit was ze ervan overtuigd, dat ze hem voor goed uit haar leven moest verbannen, gewoon móest, indien ze althans niet opnieuw wilde lijden. Maar waarom – na al die snijdende dingen, die hij tot haar gezegd had – was Steve plotseling zo hartelijk geworden?

Hij had haar een pakje gestuurd, dat elf hoofdpijnpoeders bevatte: dat waren de enige dingen die haar nog aan de gang hielden. Sam Murdock zelf had haar de bruine envelop overhandigd zonder enig commentaar. 'Hij heeft er dus aan gedacht tenslotte,' dacht Ginny en vlug daarna vroeg ze zich af, of hij enige pogingen zou doen om haar terug te zien. Ze wilde dat hij dat deed – en ze wilde het niet. Ze voelde dat ze in twee richtingen getrokken werd en begreep zelf dat vreemde mengsel van emoties niet.

'Mijn oude vriend Chernikoff heeft ons voor een diner uitgenodigd,' kondigde Ivan een paar dagen later aan, toen ze naar San Francisco was teruggekeerd. Ginny deed net alsof ze zijn spiedende blikken niet opmerkte, terwijl hij verder ging: 'Ik geloof dat we jouw vriendin, de charmante en openhartige señorita Sanchez mee moeten nemen, vind je niet, schat? Dat zou een aardig gebaar zijn en ik denk dat ze de avond een beetje zou opvrolijken. Jij bent in de laatste tijd zo in een kalme, kleine muis veranderd! En, alsjeblieft – breng ons beiden niet in verlegenheid door hem te vragen om meer medicijnen voor jouw . . . zenuwen. Ik zal daarvoor zorgen. Ik wil dat hij een goede indruk naar Rusland meeneemt van onze gezegende huwelijkse staat.'

Ze had geleerd om Ivan kalme, onderworpen antwoorden te geven en ze hield het geheim van haar eigen verborgen voorraad poeders angstvallig voor zich. Ze waren wel niet zo sterk als die, welke Ivan haar tweemaal per dag gaf, maar ze hielpen althans mee om haar kalm te houden.

'Gaat hij terug naar Rusland? Nu al?'

'Lieve goedheid! Ik geloof, dat je tenslotte de graaf heel aardig bent gaan vinden – zul je hem missen, Virginie? Wilde je dat wij ook gingen?' Hij liep op haar toe bij het venster en legde zijn handen op haar schouders, in een gebaar dat genegenheid uitgedrukt zou hebben bij elke andere man. Maar wanneer Ivan haar aanraakte, kostte het haar de grootste moeite om niet ineen te krimpen.

'Ik dacht dat jij zo gebrand was om me mee naar Rusland te nemen voor een ontmoeting met mijn – de tsaar,' zei Ginny met een opzettelijk kleurloze stem. 'En de laatste keer dat ik de graaf gesproken heb, heeft hij niets gezegd over zo'n spoedig vertrek.'

'Nou, misschien is hij van gedachten veranderd! Tenslotte is er voor hem geen reden meer om hier rond te hangen nu de senaat eindelijk de aankoop geratificeerd heeft.' Zijn vingers klemden zich vaster om haar schouder. Ze kon wel raden hoe verstoord Ivan in werkelijkheid was, dat ondanks zijn pogingen, evengoed als die van senator Brandon, het allemaal toch doorgegaan was.

'Nee – hij heeft hier niets meer te doen; hij heeft zijn part gedaan,' zei Ivan langzaam. 'En ik heb hem gezegd dat we hem gauw na zullen komen. Daar kijk je naar uit, is het niet, schat? Misschien kunnen we via Alaska gaan – ik zou je graag het land laten zien de buurt van Sitka. Ik had daar vroeger een grote bezitting – misschien heb ik die nog steeds; ik moet je vader eens vragen om de juridische en technische kneepjes voor me op te zoeken.' Hij glimlachte. 'Die Eskimo's, wanneer die eenmaal getemd zijn, zullen goede slaven worden.'

Ze draaide haar hoofd om en keek hem recht aan. Ginny zag iets geheimzinnigs en bijna wellustigs in zijn glimlach, die haar inwendig deed beven – waarom, wist ze eigenlijk niet.

Iets aangrijpend om te zeggen vóór hij haar reactie kon zien, zei Ginny knorrig: 'Maar om op vanavond terug te komen – hoe kom je erbij, dat Concepción zou willen komen? Ze zou zich waarschijnlijk vervelen en misschien heeft ze al een afspraak.'

Hij lachte en klonk erg met zich zelf ingenomen.

'Je klinkt alsof je jaloers op haar bent! Of is het soms die lijfwacht van Sam Murdock met die woeste snor, die haar overal begeleidt? Ik heb haar eigenlijk al gevraagd en ze zei, dat ze het zalig zou vinden om met ons mee te gaan. Je vindt het toch niet erg, liefste? Natuurlijk moet jij de uitnodiging nog formeel doen – ik verwacht van je, dat je dat doet wanneer we beneden gaan lunchen.'

'O, maar hoe vriendelijk van u om me te vragen. Wat bent u allemaal lief voor me!' De houding van Concepción was, zoals altijd, suikerzoet, wanneer ze tot Ginny sprak in het bijzijn van anderen, maar haar geelbruine ogen glimlachten betekenisvol in die van Ivan Sahrkanov, als om duidelijk te maken, van wie het idee voor die invitatie eigenlijk afkomstig was.

Ginny knarste van onderdrukte woede met haar tanden en toen vroeg Concepción, tot haar verbazing of ze alsjeblieft, alsjeblieft mee wilde gaan naar het nieuwe huis van Sam Murdock – de woninginrichters zouden juist bezig zijn de tapijten te leggen, die net per schip waren aangekomen en ze kon bijna niet wachten om ze te zien.

'U vindt het niet erg?' wendde zij zich liefjes tot Ivan. 'Smith – de man, die ik "Rode Snor" noem – zal ons natuurlijk begeleiden, zodat we dus volkomen veilig zijn.' Ze lachte en tuitte haar volle rode lippen. 'Wist u dat alle lijfwachten van Sam Smith heten? Het is soms erg verwarrend – hij zegt dat het de eenvoudigste manier is, natuurlijk huurt hij alleen maar de beste, maar ik verzin mijn eigen spotnaampje voor hen. Ze zijn "Rode Snor" of "Zwartbaard" – o, die ziet er werkelijk als een zeerover uit – of "Geel Haar"...'

Iedereen lachte, zelfs de prins en zijn stem klonk zeer welwillend toen hij Ginny zei, dat zij natuurlijk moest gaan, het uitje in de frisse lucht zou haar goed doen.

'Ik ga naar de Beurs en daar zal ik waarschijnlijk de hele dag blijven. Maar ik heb niet vergeten dat ik twee lieftallige dames naar een diner moet begeleiden – jullie zullen me niet laten wachten?'

En weer was het Concepción die het initiatief nam en lachend beloofde, dat ze ruimschoots op tijd terug zouden zijn om zich te kleden en op hem te wachten.

Toen ze echter alleen samen waren, naast elkaar zittend in de lichte open victoria, was het gezicht van Concepción knorrig, haar mond was stijf opeen geknepen en ze had geen woord te zeggen, terwijl ze op de 'Rode Snor stonden te wachten.

'Echt een mooie dag om te rijden,' waagde de stalknecht met het rode gezicht te zeggen en keek ongeduldig over zijn schouder naar de stallen. En toen, Ginny voelde haar hart plotseling opspringen waardoor alle kleur uit haar gezicht verdween, alvorens het heftig begon te bonzen.

In plaats van de man, die ze verwacht had te zien, de in het zwart geklede lijfwacht, die nu naar buiten kwam en op het rijtuig toeliep met de bekende lange gemakkelijke pas, was Steve – nog steeds met een baard, zijn blauwe ogen donker als de baai op een bewolkte dag.

Beleefd tikte hij tegen zijn hoed tegen hen beiden en nam de teugels over van de zichtbaar opgeluchte stalknecht, die een moeilijke periode achter de rug had met het vasthouden van twee levendige volbloedpaarden.

'Vandaag heeft "Red" een vrije dag. Meneer Murdock zei dat ik zijn taak moest overnemen tot hij terug was.'

'Juist, Smith. Ga jij ons rijden?'

De woorden van Concepción klonken alsof ze uit haar gewrongen waren en Ginny, die nog steeds sprakeloos was door de schok en haar vrees, zag een van zijn mondhoeken spottend vertrekken, terwijl hij de teugels nam en lenig op de verhoogde bok sprong.

'Het genoegen is geheel aan mijn kant, mevrouw. Prinses?'

Waarom moest zijn stem altijd zo'n spottende klank aannèmen, wanneer hij zich tot haar richtte? Hij moest gek zijn – o God, als Ivan hem gezien had of Sonya . . . Maar ze behield nog genoeg gezond verstand over om te zwijgen tot de stalknecht verdwenen was en ze op weg gingen. Maar ze waren nog niet de bocht van de oprijlaan en de grote poort door of Concepción begon boos in het Spaans te mopperen, waarbij ze donkere blikken op Ginny wierp.

'Stapelgek – ah, sí, heb ik niet altijd gezegd dat jij dat bent? Wat mankeert jou, Esteban? Of aan mij, wat dat betreft, dat ik jouw vuile werk zou doen, na alles wat deze slet mij heeft aangedaan! En ik twijfel er niet aan of ze zal je opnieuw verraden – wat zie je toch in haar?'

'Houd op te krijsen als een viswijf, "Cepción," ' zei hij rustig over zijn schouder. 'Jullie worden verondersteld twee dames te zijn, die een middag een rijtoer gaan maken, herinner je dat?'

'Nee! En waarom zou ik me nu plotseling altijd maar moeten herinneren dat ik een dame ben? Het verveelt me, die hele geschiedenis van een dame uit te hangen en al de stomme dingen, die ik moet leren. Eddie houdt van me, juist zoals ik ben, dat heeft hij gezegd. En wat jou betreft, Esteban, en háár' – de schroeiende blik van Concepción gleed verachtelijk over Ginny – 'vroeger had ze tenminste nog wat leven in haar. Nu – moet je dat zien! Ze laat me zeggen wat ik wil! Ik zeg je, prinses, ik zou die stomme prins van je kunnen wegkapen, als ik maar met mijn vingers knipte. Ik zou elke man, die ik zou willen, van je kunnen wegnemen.'

'En je zou ook de straat op gegooid kunnen worden, met je mooie nieuwe japon en alles, als je niet onmiddellijk met die tirade stopt,' zei Steve rauw; de waarschuwende klank in zijn stem maakte dat Concepción boos haar schouders ophaalde en met een knorrige blik achterover in de kussens zonk in de hoek van het open rijtuig. Fluisterend voegde ze Ginny toe: 'Nou, het is waar en dat weet je, is het niet?'

'Wanneer je over hém praat, is het niet langer een kwestie van nemen, is het wel?' Ginny antwoordde gespannen, het kostte haar al haar wilskracht om stil te zitten en te trachten haar gezicht in bedwang te houden.

Toen ze het huis zag, was ze haar eigen boze gedachten bijna vergeten – het leek alsof het op de helling van de heuvel gegroeid was, het steeg omhoog met zijn witte kolommen en zuivere schoonheid tegen een achtergrond van groen geboomte en een blauwe hemel. Eén hele zijwand van het landhuis, dat gebouwd was in een Griekse klassieke stijl, gaf uitzicht op de stad en de baai.

De deur stond open en in de hal waren verscheidene werkmensen bezig. Steve nam de leiding en voerde Ginny en Concepción aan hen voorbij met een hoofdknikje. Als een gids, die een rondleiding verzorgde, was zijn stem absoluut uitdrukkingsloos.

'De eetkamer - Sam noemt het de banketzaal. En hier doorheen is de grote balzaal. Er is boven nog een, met een terras, dat lijkt te hangen boven een natuurlijke rotstuin beneden. De vleugel van de bedienden kun je zien door dit raam hier - alleen het laatste gedeelte. En ik ben bang dat ze in de keukens en de salons nog aan het werk zijn. Willen jullie soms naar boven?'

Het was Concepción, die als een eigenares bezit nam van zijn arm, ongehinderd door de zijdelingse starende blikken van de werkmensen.

'Het is erg mooi, Steban, querido. Ik zou vooral de slaapkamers willen zien. Zijn die al klaar?'

'De meeste wel.' Voor de eerste maal keek Steve Ginny rechtstreeks aan en ze zag met een lichte niet te onderdrukken huivering, dat hij nog steeds niet lachte; en dat er in zijn ogen een zekere hardheid aanwezig was. Omdat ze wat achterbleef, pakte hij ongeduldig haar arm, bijna kwaad. 'Ik wil met je praten, voor het geval je dat nog niet geraden had. Dat is waarom ik Concepción overgehaald heb om jou vandaag hier te brengen.'

'Nog meer bedrog - maar ja, daarin ben je een meester, is het niet? Ik denk, dat je intriges gebruikt terwille van de intriges, Steve Morgan, maar ik zou er liever niet in betrokken worden, als je het niet erg vindt.' Ze probeerde achter te blijven, maar hij verstevigde zijn greep op haar en wanneer ze niet toegegeven had, zou hij haar ongetwijfeld de trap op gesleurd hebben.

'Sorry, baby - vooral als je er zo gevoelig voor bent. Maar je bent erin betrokken. Meer dan je denkt. En dat is een onderdeel dat we moeten bepraten. Nú, verdomme, of je wilt of niet!'

Wanneer hij die rauwe, onverzoenlijke klank in zijn stem liet horen, zijn zwarte wenkbrauwen dreigend samentrok, moest Ginny zuiver uit gewoonte sidderen. Ze beet knorrig op haar lip, het volgende ogenblik schoten haar ogen boze flitsen, toen Concepción in een bijtend gelach uitbarstte.

'O - ik zie dat jullie tweeën weer ruzie gaan maken! In dat geval denk ik, dat ik maar beter tactvol kan doen en verdwijnen, hè? Ik geloof dat ik hier gemakkelijk alleen de weg wel kan vinden, maak je geen zorgen - en als je het mij vraagt, Esteban, dan zou je al lang geleden de gewoonte aangewend moeten hebben om haar te slaan! Het is de enige behandeling, die sommige vrouwen begrijpen.'

'In dat geval,' siste Ginny en haar groene ogen werden zo smal als die van een kat, 'hoop ik dat hij jou regelmatig slaat. Jij hebt een beetje beschaving dringen nodig en dat is al het minst wat ik ervan kan zeggen!'

'En jij! Ondanks al de mooie maniertjes die je de laatste tijd hebt aangenomen, is het voor iedereen duidelijk dat je in je hart nog steeds een puta bent! Hoe zit het met die juwelen armbanden die Sam je gegeven heeft? Heb je hem al terugbetaald of wacht je tot je echtgenoot weer vertrokken is?'

'Het zijn gewoon een paar teven, waarvan de haren overeind gaan staan zodra ze elkaar zien,' dacht Steve toen hij hen met geweld van elkaar scheidde en een spuwende Concepción wegstuurde met een flinke klap op haar ronde dij. Maar Concepción begreep hij tenminste en hij was in staat om met haar temperamentvolle woede-uitbarstingen om te springen. Hij was begonnen te beseffen, dat hij Ginny helemaal niet begreep - en erger: hij was niet langer zeker van de manier waarop hij haar moest behandelen. Hij duwde een van de openslaande deuren open, die toegang gaf tot een breed terras, een balkon eigenlijk, dat langs de gehele lengte van de kamer liep.

'Steve,' begon ze te zeggen en toen merkte Ginny, dat ze tegen het ijzeren hek leunde, dat in haar rug drukte.

'Je hebt toch geen hoogtevrees? Waarom kijk je niet naar beneden? Draai je hoofd om, prinses. Dan zie je de hele stad aan je voeten liggen.'

Onwillekeurig had ze zich aan zijn schouders vastgegrepen, toen hij zich over haar boog, maar nu vielen haar handen slap neer.

'Wil je me doodmaken? Is het dat, waarom je me hier gebracht hebt? Als je dat doet, is er niets om je tegen te houden, is het wel? We zijn alleen en je zou altijd kunnen zeggen dat het een ongeluk was. Zelfs Ivan zegt dat ik onevenwichtig ben.'

Bij de aanblik van haar gezicht, dat volslagen ontdaan was van elke kleur, maar niettemin toch uitdagend, betreurde Steve zijn ruwheid al. Hij had haar niet hier gebracht om haar angst aan te jagen, maar om te proberen met haar te praten. Waarom had ze altijd het effect om hem zijn zelfbeheersing te doen verliezen?

Abrupt wendde hij zich van haar af. Juist alsof hij het niet kon verdragen om haar nog aan te raken, dacht Ginny.

'Wat maakt, dat u zich verbeeldt, dat ik u zou willen vermoorden, mevrouw? Neemt u me niet kwalijk. Misschien bent u gewend om meer formeel toegesproken te worden! Uw Hoogheid - Prinses Sahrkanov. Daar u de dochter van de tsaar bent - er is geen reden om achteruit te deinzen - zoudt u gewend moeten zijn aan de vleierij van het gewone volk!'

'En jij zou, alles wat ik zeggen wil, gebruiken om me pijn te doen, is het niet? Je zult me niet zeggen waarom je besloten hebt om plotseling weer in mijn leven te verschijnen. Al wat je tot nu toe gedaan hebt is getracht om mij pijn te doen. Waarom al die drukte? Wat denk je nog meer tegen me te kunnen doen? Als je plotseling overgevoelig geworden bent: ik kan me gemakkelijk over deze leuning gooien - dat zou meteen een eind aan jouw probleem maken, is het niet?'

Op het ogenblik dat ze die woorden naar hem toeslingerde, had ze werkelijk de neiging om dat te doen. Overal een eind aan maken . . .

Ze leunde terug tegen het hekwerk, alsof ze wenste dat het zou breken en Steve greep haar in zijn armen. Het was een zuiver instinctmatige daad, iets dat hij niet kon helpen. En toen ze daar eenmaal was, kon hij haar niet laten gaan.

Ze beefde; nu hij haar vasthield kon hij de geur van haar haren ruiken, de bijzondere soepelheid van haar lichaam voelen nu ze tegen hem aanleunde. Boosheid, gemengd met teleurstelling, maakte hem wreed. Hij draaide een haarlok om zijn vingers, trok haar hoofd achterover en beukte zijn mond tegen de hare.

De bovenste knoopjes van haar tot de hals gesloten japon waren los en Steve haalde de dunne gouden ketting te voorschijn, die ze om een onverklaarbare reden vandaag om gedaan had.

'Ben je van plan die sleutel te gebruiken?'

'Ik begrijp het niet, Steve.'

'Wat begrijp jij niet?' Hij trok haar mee in de slaapkamer, terwijl hij sprak en de plotselinge overgang van licht naar donker verblindde haar, zodat ze struikelde. Ze voelde hoe hij haar opving.

'Wat begrijp jij niet?' herhaalde hij en zijn stem was plotseling weer ruw en hatelijk geworden. 'Ik geloof dat je dat wél doet – jouw soort vrouwen weten altijd wanneer een man haar wil hebben. En vervloekt, met jouw wellustige kleine ziel: ik wil je ook nog steeds hebben! Dus . . .'

Met lage, ademloze stem zei ze: 'Dus? Wat probeer je me te zeggen? Dat ik een slet ben, maar je wilt me hebben – op de manier waarop een man een slet wil? Waarom heb je dan het gevoel dat je scrupules hebt? Als het dat is, waarom je me hier gebracht hebt, waarom maak je het dan niet af? Doe zoals je wilt, ik heb langzamerhand wel geleerd dat het beter is om niet te proberen met je te vechten.'

Zijn greep op haar werd plotseling slap en hij gaf haar een verachtelijke zet, die haar ruggelings tegen het bed deed belanden.

Ginny had het vage gevoel dat dit alles al eens eerder gebeurd was, zelfs de blik in zijn ogen toen hij op haar neerkeek.

'Er is geen reden om te vechten. Feitelijk heb ik je een voorstel te doen.' Ze merkte op, dat hij nog steeds de gewoonte had om zijn duimen achter zijn riem te steken, dat hij nog steeds wijdbeens stond, terwijl hij op haar neerkeek. Hij had zijn rug tegen het zonlicht, dat door de open ramen naar binnen stroomde en het was haar onmogelijk om de uitdrukking op zijn gezicht te lezen.

'Wil je mijn maîtresse worden, Ginny?' In het begin kon ze gewoon niet geloven, dat hij die woorden gezegd had. 'Ik zal je tijd gunnen om erover na te denken, als je al tijd nodig hebt. Maar ik praat over een formele afspraak natuurlijk. De voorwaarden zijn aan jou.'

25

Ze bleef zich voorhouden, dat ze droomde. Dat ze een nachtmerrie had. Ze ging met enige moeite rechtop zitten en voelde de matras onder haar gewicht inzakken. Buiten haar wil, drukten haar vingers tegen haar slapen.

'Nee! Je probeert om te . . .'

'Ik probeer niet om iets te doen, in godsnaam. Behalve enige verstandige taal te spreken. Jij bent in de markt, liefje, en ik wil wel kopen. Wat wil je? Juwelen? Een discreet appartement voor je zelf? Een bankrekening? Wanneer ik geen bod doe, zal een ander het zeker doen. En ik heb liever geen intermediair, zoals jouw echtgenoot bijvoorbeeld. Wat zeg je daarop?'

Maîtresse! Hij wilde dat zij zijn maîtresse werd, notabene! Hij vróég het haar, in plaats van het tot een hard feit te maken door harde gebruikmaking van zijn lichaam, zoals hij dat in het verleden gedaan had. Maar de gedachte was monsterlijk - nu schoten er pijnscheuten door haar slapen, die haar verzwakten.

'Je bent helemaal gek. Ik ben niet te koop. Als Ivan het wist, alleen maar dit zelfs . . .'

'Zou hij me dan voor een andere Frank Julius houden, denk je? Of een kalfachtige, verliefde jongen? Wat moet er nu, Ginny? Zal ik in plaats daarvan met hem onderhandelen?'

Ze ontwapende hem door plotseling achterover te gaan liggen met gesloten ogen.

'O - waarom maak je zoveel omslag? Je kunt doen wat je wilt met mij. Tenslotte ben ik een slet. Waarom doe je moeite voor iets dat je ook gratis kunt nemen?'

Weer had ze hem verslagen. Wat mankeerde haar? Hij had bij zich zelf de belofte afgelegd dat hij geduldig en tactvol zou zijn; dat hij bij haar een soort weerklank zou vinden. En in plaats daarvan lag ze hier nu als een martelares, die volledig verwachtte verkracht te worden en ze berustte in het vooruitzicht. Al wat er nodig geweest was, was een toespeling op haar echtgenoot.

Steve vloekte, met afschuw en hartgrondig, haar ogen sperden zich open om hem aan te staren met een blik van een verre verrassing.

'Waarom ben je zo kwaad? Wat heb ik tenslotte voor keus? Ik ga ermee akkoord.'

'Akkoord!' Hij was zo van zijn stuk gebracht, zo woedend, dat hij haar de woorden bijna toeschreeuwde: 'Je gaat akkoord met wat? Heb je begrepen wat ik je zo juist gevraagd heb?'

'Hoe zou ik dat niet kunnen, gezien de manier waarop jij tegen me geschreeuwd hebt? Wanneer je mij werkelijk als jouw maîtresse wil, Steve, dan ga ik daarmee akkoord.' Ze zuchtte. 'Ik ben zo doodmoe van dat doorlopende kwellen! Om voortdurend aangevallen te worden en in stukken gescheurd te worden door jouw woorden en jouw beschuldigingen. Indien je me inderdaad wilt hebben, dan kun je me krijgen. En je hoeft me niet eens om te kopen - alleen maar hartelijk te zijn, als je tenminste dat gevoel nog kunt opbrengen.'

'God in de hemel!' zei Steve tussen zijn tanden. En toen, nog steeds op die zachte, lelijke toon: 'Sta op! Christus, geef je altijd zo gedwee toe aan elke man die jou wenst te nemen? Zelfs een goede hoer sluit eerst nog een overeenkomst.'

Ruw trok hij haar overeind tot ze op haar voeten stond en hij liet haar even plotseling weer los, alsof hij het niet kon verdragen om haar nog langer aan te raken. Toen werd Ginny één ogenblik bekoord door een zwakheid - of, om het op een andere manier te zeggen – door de behoefte om haar eigen kracht te toetsen, door zich tegen hem aan te werpen en hem te dwingen haar opnieuw te kussen.

In plaats daarvan wierp ze haar hoofd achterover en zei met een stem, die even hard was als de zijne: 'Maar waarom zou ik me zelf moeite bezorgen door een koop te sluiten? Ik weet zeker dat het gevoel van verantwoordelijkheid, waarover je gesproken hebt en je aanzienlijke ervaring met hoeren, wel zal maken dat je me edelmoedig behandelt. Je kunt het je toch veroorloven om er een maîtresse op na te houden, hoop ik?'

'Ik denk, dat ik wel rond kan komen,' teemde hij met een harde starre glimlach, waarin zijn saffierblauwe ogen niet meededen. Zijn blik gleed langs haar lichaam, van haar mond tot haar dijen, scherp afgetekend door het strak gedrapeerde materiaal van haar japon – een langzame, moedwillig onbeschaamde inspectie, die een kwade blos in haar wangen deed opstijgen. 'Tenslotte weet ik wat ik krijg en ik moet toegeven, dat je het waard bent, dat ik me tot de bedelstaf breng, vooral als onze overeenkomst ook insluit de aankoop van een zekere mate van trouw. Geen Eric Fotheringay's meer, alsjeblieft!' Plotseling plaatste hij, tot haar schrik, zijn vingers onder haar kin en tilde haar gezicht op naar het zijne; zijn aanraking was bijna een liefkozing. 'Zeg me eens, schat, zou je een bewijs willen hebben van mijn – mijn dolle hartstocht voor jou, om onze afspraak te bezegelen? Wat zou je willen hebben?'

Kwaad liep ze naar de spiegel toe om haar kapsel in orde te brengen en zei: 'Laat het een verrassing zijn, schat. Ik houd van verrassingen.'

'Ik vermoed dat de manier waarop je nu aan je haar zit te friemelen betekent, dat je vooruit betaald wilt worden?' Hoezeer wenste ze dat Steve eens zou ophouden met die bijtende toon te gebruiken; het leek alsof hij zijn woorden opzettelijk koos om haar te kwetsen. En toch – het leek alsof hij werkelijk serieus was betreffende zijn infame voorstel! Waarom wilde hij haar hebben? Ginny bleef zich die raadselachtige vraag stellen en kon geen antwoord vinden, dat gezond en logisch leek. Tenzij . . .

Die avond kostte het Ginny geen voorwendsel om te acteren alsof ze ver heen was en tamelijk lusteloos. Ivan had haar zowaar een hoofdpijnpoeder gegeven om in te nemen vóór ze vertrokken naar het vrijgezellenappartement van graaf Chernikoff – om haar manier van doen wat levendiger te maken, had hij sarcastisch opgemerkt.

'Men hoeft je allen maar te vergelijken met de exotische en levendige señorita Sanchez om je bewust te worden van het contrast tussen jullie beiden. Kom, schat, je wilt toch niet dat de graaf denkt dat je ongelukkig bent? We zijn nog niet lang genoeg getrouwd om de verveling al te hebben opgeroepen. En, bovendien, verveel je me nog lang niet – je windt me op, zoals je dat in het begin deed!'

Hoe haatte ze de overdreven bloemrijke manier van doen, die hij soms aannam. Zijn fletse, koude ogen bestudeerden haar al die tijd, dat hij sprak en verloochenden zijn woorden. En zijn gestage, koelbloedige achtervolging van haar bewees alleen, dat de redenen voor hun huwelijk niets te maken hadden met hartstocht.

'Wat raar, dat ik ontrouw tegenover Ivan zou zijn met Steve notabene!' dacht Ginny dromerig, toen het grote, behaaglijk-verende rijtuig hen door de met gas verlichte straten van San Francisco voerde.

Steve had hen die middag teruggereden naar het huis van haar vader - en was nog de stal in gegaan om naar de paarden te kijken, nadat hij haar en Concepción uit het rijtuig geholpen had. Sonya was net teruggekomen van haar ronde van bezoeken en winkelen en had er terloops iets van gezegd.

'Dat was toch zeker niet de man, die jij "Rode Snor" noemde? Het leek alsof hij donker was, toen ik zo juist een glimp van hem opving.'

'O, dat was "Zwartbaard", de zeerover - hij is veel woester en gevaarlijker dan "Rode Snor", die vanmiddag vrij was.' Het was Concepción die haar dit luchtige antwoord gegeven had, haar reticule bengelde aan haar pols. 'Hij is degene, die voor het huis zorgt.'

'O - misschien heb ik hem dan al eerder gezien. Er was iets bekends in de manier waarop hij liep.'

Om haar stiefmoeder tot zwijgen te brengen, begon Ginny te babbelen over het huis van meneer Murdock en hoe groots het was. Haar hoofd deed nu verschrikkelijk pijn en ze wist ternauwernood wat ze zei. Misschien merkte Sonya dat op, want haar lippen tuitten lichtelijk.

'Je ziet eruit alsof je rust nódig hebt, mijn lieve. Ga een poosje liggen! Je man is nog niet terug, dus je hebt tijd genoeg.'

Die avond leek Concepción in een uitzonderlijk goed humeur te zijn, afwisselend plagerig en flirtend. Zelfs graaf Chernikoff ontdooide ietwat en beantwoordde haar licht gekeuvel met een glimlach. Concepción deed moeite om de oude man te onderhouden, terwijl Ivan, naast Ginny op de divan gezeten, de toegewijde echtgenoot uithing - hij speelde met een lok van haar haar; zijn vingers streken langs haar blote schouders.

'Dus je wilt nog niet naar Rusland komen?'

Het diner was afgelopen en eindelijk begon de graaf aandacht te schenken aan de stilste van zijn gasten.

'Maar u moet het Virginie niet kwalijk nemen,' antwoordde Ivan gladjes. 'Ze is pas onlangs weer verenigd met de senator en zijn charmante vrouw. En ze vindt San Francisco een onstuimige en opwindende stad, is het niet, mijn schat? Ik wil haar niet forceren tot iets wat ze niet wil doen.'

'O!' Concepción sperde grote onschuldige ogen open. 'Maar ik dacht dat je ernaar verlangde om Rusland te zien en naar Europa terug te gaan. Ik, ik kan nauwelijks wachten om met een schip op reis te gaan. Sam zegt dat hij me binnenkort mee zal nemen, om een bezoek aan Spanje te brengen.'

'Ik vertrek over twee weken.' Graaf Chernikoff wierp een vragende blik op Ginny, op Ivan, wiens gezicht niet in het minst van uitdrukking was veranderd. 'Wanneer jullie van gedachten veranderen . . .'

'Is het mogelijk, dat je van gedachten veranderd bent, liefste? Al die uitnodigingen, die we voor de volgende twee maanden aangenomen hebben - je had het me moeten zeggen, want je weet hoe ik ernaar uitkijk om je Rusland te laten zien.'

Allemaal keken ze haar aan; Concepción met een kwaadaardige blik. Ginny zag kans lichtjes haar schouders op te halen.

'Natuurlijk ben ik benieuwd om Rusland te zien. En er zijn soms ogenblikken dat ik gewoon ongeduldig ben. Maar er valt in San Francisco zo verschrikkelijk veel te doen – ik denk, dat ik een typische vrouw ben, die van de ene op de andere dag van gedachte verandert!'

'Ze liegt,' dacht de graaf. En hij vroeg zich af waarom, hoewel zijn gezicht zonder uitdrukking bleef en hij van onderwerp veranderde.

Weldra werd het tijd voor hen om te vertrekken. Graaf Chernikoff boog zich over de koude hand van Ginny en kuste die.

'Denk eraan – indien u van gedachten zoudt veranderen . . .' En toen zei hij met een ferme stem, zijn ogen op haar gericht: 'Ik hoop dat u me weldra weer komt bezoeken. U kunt misschien toch wel een beetje tijd voor een oude man vinden? Ivan moet u zien over te halen.'

Buiten was de nacht ongewoon helder en warm voor San Francisco.

'O, maar het is nog zo vroeg,' pruilde Concepción. 'Moeten we al terug? Het zou zo prettig zijn om langs de oceaan te rijden.'

Voor de verandering ging Ivan Sahrkanov niet in op haar geplaag met zijn gewone glimlachende charme. Bij het licht van een straatlantaarn zag Ginny, dat zijn gezicht strakker stond dan gewoonlijk, alsof zijn gedachten hem in beslag namen.

'Misschien een andere avond, ofschoon ik het haat een zo lieftallige dame als u te moeten teleurstellen. Maar ik moet me aan een afspraak houden.'

Beleefd hielp hij hen in het rijtuig. Eerst Concepción, die haar lippen tuitte van teleurstelling en die ook niet verborg. Daarna Ginny, die zich nu vermoeid genoeg voelde door de spanningen van die dag om op staande voet in slaap te vallen.

Ivan wendde zich tot de koetsier, zijn hand op de deurknop.

'We gaan nu terug naar huis.'

Op dat moment begon een van de paarden te snuiven en te steigeren, en daardoor, zo veronderstelde Ginny later, werd de prins gewaarschuwd. Uit de schaduwen verscheen een man, een eindje verder de straat in, die zich naar hen toe begaf met merkwaardig lange stappen. Toen ze de onderdrukte kreet van Concepción hoorde, ontdekte Ginny dat ze naar een man staarde en zich afvroeg waarom hij maar bleef rennen, waarbij zijn lange vlecht heen en weer zwaaide. Hij had een starre grijns op zijn gezicht, zijn lippen waren teruggetrokken van zijn tanden. In het flakkerende gaslicht kon ze zien dat hij de zwarte nogal slonzige kleding van een typische Chinees droeg, zoals zij er op straat al zoveel gezien had.

'Meneer! Kijk uit!' riep de koetsier dringend, zijn handen bezig met de teugels om de verschrikte paarden in bedwang te houden. Waarom sprong de man niet opzij? Hij kon gemakkelijk overreden worden. Maar in plaats daarvan begon hij iets te zeggen met een schrille, halfzangerige toon; het klonk alsof hij dezelfde woorden telkens opnieuw herhaalde en Concepción begon in Spaans te mompelen: 'Ah, Dios! Ik denk, dat hij dronken of gek is. O, kijk eens!'

Alles bij elkaar moet het maar een paar seconden geduurd hebben, maar het kwam Ginny voor alsof alles erg langzaam plaatsvond, zoals in een van haar dromen, waarbij ze trachtte te hollen in het zand.

Ze hoorde Ivan laag en vreugdeloos lachen. Hij stond, geheel onaangedaan, terwijl het gaslicht zijn glanzende haar bescheen, rechtop met één arm uitgestrekt. Er klonk een scherpe knal, toen nog een, en de Chinees, die bij het eerste schot al wankelde, viel neer, een onappetijtelijke marionet, waar alle vulling uit het lichaam gelopen was. Tegelijkertijd viel er iets kletterend op de bestrating – en toen Ivan er rustig naar toe liep, waarbij hij het lichaam van de man verachtelijk opzij schopte, en het opraapte, zagen de beide vrouwen de glans van metaal.

Een bijl! Ivan bleef nog steeds volslagen, bijna onmenselijk, onbewogen met uitzondering van de harde kille glans in zijn ogen, toen hij naar het rijtuig terugliep.

'Een geliefkoosd wapen bij die heidenen. Zien jullie het?'

'Het was maar goed, dat u dat kleine pistool bij u droeg,' zei Concepción met een onderdrukte klank van opwinding in haar stem, ze rekte zich om beter te kunnen zien. En toen, zachter: 'Ik vraag me af wat hij wilde?'

'Roof, ongetwijfeld. Ik denk, dat de man krankzinnig was, te veel opium, of misschien wilde hij geld om nog meer te kunnen kopen. In elk geval: hij is nu dood, dus is het niet meer belangrijk. Laten we doorrijden, Jameson.'

'Maar... je kunt hem hier toch niet zo maar laten liggen? Is het niet vreemd, dat er niemand kwam kijken waar alle opschudding over ging? Ivan, moesten we niet...'

'Liefste, probeer kalm te blijven. Ik zal die goede Jameson jullie twee dames thuis laten brengen en daarna zal ik naar het politiebureau gaan, waar ik hun dit kleine souvenir zal geven en zeggen, wat er gebeurd is. Daarna is de rest hun zorg.'

Ivan, die tegenover de twee jonge vrouwen zat, boog zich voorover en legde een hand op Ginny's knie, toen het rijtuig met veel hoefgekletter weer op gang kwam. Het was bedoeld om eruit te zien als de troostende liefkozing van een echtgenoot, maar Ginny moest op haar lippen bijten om niet terug te deinzen; zijn vingers beten in haar vlees door de dunne stof van haar zijden japon.

Zij verviel in stilzwijgen en liet Concepción de spaarzame conversatie gaande houden, tot ze uiteindelijk voorreden tot de deur van het huis van de senator.

'U bent een uitstekende schutter. U hebt hem beide keren geraakt, is het niet, en dan bij zulk slecht licht, met zo'n klein pistool. Hoe kon u daar zo rustig blijven staan en afwachten tot hij u zou aanvallen?'

Ivan antwoordde beleefd maar verstrooid. Het dwaze, ratelende schepsel! Maar hij had tenminste Virginie stil gekregen – ze had geen woord meer gezegd. De geest van Ivan Sahrkanov was druk bezig en bewoog op en neer, langs rijen namen, bij sommige waarvan hij gezichten kon plaatsen. Wie? Was de man een 'Boo How Doy' – een lijfwacht van een of andere rijke mandarijn – of was hij door iemand anders gestuurd, die een grief tegen hem had? Die vervloekte Chinezen, het waren niet eens burgers – ze hadden geen rechten

- behalve om te werken en genoeg geld te maken om ervan te kunnen leven en te doen wat hun gezegd werd. Er waren er maar weinig, die slim waren - zeker niet degene, die deze stuntelige moordenaar in spe gestuurd had, waarmee hij zo snel had afgerekend.

Maar - in het donker fronste Ivan zijn wenkbrauwen - wíe? Wie wist genoeg af van zijn bewegingen en van zijn doen en laten? Dat zou hij moeten ontdekken en maatregelen nemen, en wel snel. Hij moest nu geen zwakheid of besluiteloosheid tonen.

Toen ze het huis bereikt hadden begeleidde Ivan zijn vrouw naar boven en in haar slaapkamer, hij glimlachte op haar piekerende en nogal nerveuze blik.

'Wat scheelt eraan, mijn schat? Wanneer ik je niet beter kende, zou ik zeggen dat je een bijna schuldige trek op je gezicht hebt. Je hebt toch geen minnaar die mij probeert te vermoorden, is het wel?'

'Als ik die had, weet ik zeker, dat jij hem eerst al te pakken zou hebben gekregen,' antwoordde ze en verbluftte hem door haar plotselinge vertoon van geest. Hij zou haar moeten herinneren - maar nu niet. Later, wanneer hij tijd had.

'Ja, daar heb je gelijk in,' zei Ivan vlot. Hij streelde opzettelijk haar blote schouders, liet zijn vingers langs de welving van haar borsten glijden om beloond te worden door haar verschrikte, opengespalkte groene ogen. 'Ik wilde dat ik vanavond in staat was om te tonen hoezeer ik je op prijs stel, jij lief klein ding. Maar helaas - ik moet naar de politie, en ik sta op het punt om een eindje de stad uit te rijden. Een dringende zakelijke aangelegenheid, die me juist te binnen is geschoten - maar die hoeft niet zo lang te duren. Je zult me missen, is het niet? En goed zijn? Ik zal hier bij je achterlaten - laat eens kijken - zes poeders? Je kijkt zo gretig. Ik wil niet dat je er al te veel aan gewend raakt om ze in te nemen - alle te veel is nadelig voor je. Laten we dus maar zeggen - vier. En in ruil daarvoor. . . '

Hij sloeg een arm rond haar stugge middel en trok haar mee naar de driedelige spiegel van de kaptafel.

'Kom, schat, doe niet zo koel. Ben je boos omdat ik je alleen laat? Zal ik er de tijd voor nemen om je te bewijzen, vóór ik wegga, hoezeer ik je op prijs stel?' Hij keek nauwkeurig naar haar gezicht op de bijna roofzuchtige manier, met toegeknepen ogen, die haar altijd deed huiveren. 'Vanavond niet,' wilde Ginny's geest uitschreeuwen, maar ze had de kracht om zich te dwingen zich niet los te maken van zijn strelende liefkozende vingers, die nu langs haar heupen gleden. Omdat ze nu wist, dat hij eigenlijk stond te wachten tot ze ineen zou krimpen, stond ze nu stil en begon haar halssnoer los te maken met vingers, waarvan ze hoopte, dat die niet al te zichtbaar trilden.

'Ik ben je vrouw, Ivan. En daar je me getrouwd hebt, veronderstel ik dat dat was omdat je mij begeerde.'

Hij lachte kort en toen pakte hij, verbluffend genoeg, haar halssnoer op, terwijl hij zich van haar terugtrok en hield het peinzend tegen het licht.

'Natuurlijk begeerde ik je. Dat heb ik je in het eerste begin al gezegd, is het niet? Een kleine zigeunerin, daaraan herinnerde je me. Zo blozend en liefelijk en wild. Ik legde bij me zelf de belofte af, dat ik de man zou zijn om jou te temmen. Maar ben ik daarin al geslaagd?'

Plotseling liet hij een uitroep horen en fronste zijn wenkbrauwen.

'Zeg ... de sluiting is helemaal los. Het had elk ogenblik los kunnen raken en dan zou je deze liefelijke juwelen verloren hebben, deze smaragden, die zo goed bij je ogen kleuren. Laat mij het meenemen, liefste. Ik zal het voor je laten repareren en het zal klaar zijn wanneer ik terugkom.'

'Dat heeft hij van het begin gewild,' dacht Ginny. 'De smaragden! Ik vraag me af waarom?'

Maar hardop zei ze enkel met een bedeesde stem: 'Dank je wel, Ivan. Ik zou het gehaat hebben, wanneer ik jouw cadeau aan mij verloren zou hebben.'

26

Concepción was uitgegaan met haar vurige en toegewijde bewonderaar, de jonge viscount Marwood; 'Rode Snor', de lijfwacht, vergezelde hen.

'Jij mag haar niet, is het wel?' fluisterde Sonya naderhand tegen Ginny. Verbazingwekkend voegde ze eraan toe: 'Er is iets – iets heel vulgairs aan haar! Ik zal blij zijn, wanneer het huis van meneer Murdock klaar is.' Ze gaf Ginny een onderzoekende, bijna begrijpende blik. 'Ik moet zeggen, dat je er beter uitziet sedert we in San Francisco zijn teruggekomen.' Ze voegde er niet aan toe, wat ze er verder bij dacht: 'En vooral wanneer jouw man op een van zijn geheimzinnige zakenreizen is.'

Later in de morgen bracht een boodschapper in uniform bloemen en een lang rechthoekig langwerpig pakje voor Ginny. Sonya zelf spoedde zich naar de kamer van Ginny, waar het meisje lag te rusten.

'Ginny – kijk eens! De boodschapper staat te wachten, anders zou ik je niet gestoord hebben.'

De bloemen waren rozen met lange stelen, elk een bed van vuurrood fluweel. Er was een kaartje bij met fors geschreven initialen. 'S.M.'

'Meneer Murdoch! O, Ginny, denk je dat hij terug is?'

Ginny keek nog steeds slaperig, haar haren hingen op haar rug, met bijna lusteloze bewegingen begon ze het mooi verpakte geschenk open te maken.

Ze hoorde Sonya naar adem snakken.

Vurige opalen – die uit hun bed van fluweel naar haar opsprongen. Halssnoer, armbanden, en lange oorbellen, die tot haar schouders zouden reiken. En een ring – een enkele enorme opaal, omringd door parels en diamanten. Opalen brachten ongeluk. Hoe kon ze de laatste keer vergeten, toen ze opalen gedragen had? Een opgevouwen briefje – dezelfde krabbels als die van de initialen en daaronder: '*Eén uur. Smith zal je halen. Vergeet je sleutel niet.*'

Niet Murdock, maar Steve – die dezelfde initialen had en gewetenloos genoeg was om van dat feit gebruik te maken.

'O, hoe durft hij – hoe durft hij?' dacht ze. En dan, terwijl de ene gedachte de andere verdrong: 'Hoe kan hij dat betalen? Wat doet hem denken, dat ik ...'

Maar zelfs terwijl ze dat dacht, wist Ginny dat ze wél ...

Deze keer legde Sonya haar geen beletselen in de weg en evenmin herinnerde zij haar eraan, dat ze ongechaperonneerd niet uit mocht gaan.

Toen het lichte rijtuigje aankwam, bleef ze tactisch boven en hielp haar bij het toiletmaken. Tot haar grote verbazing was er een vrouw meegekomen – een eerbiedwaardige chaperonne. Een vrouw met een olijfkleurige huid, haar kapsel bijna compleet verborgen door een donker gekleurde kapothoed. Ze zei, dat haar naam mevrouw Mary Pleasants was.

'Wat is hij toch een heer! Maar Ginny, je moet voorzichtig zijn. Wanneer Ivan het ontdekt ...'

'Ivan respecteert meneer Murdock. Ik weet zeker, dat hij geen bezwaren zal maken.'

'Wel ...' en toen werd de weifelende stem van Sonya zachter. 'Je ziet er schattig uit. Ik vraag me af, waar hij je mee naar toe wil nemen?'

Sonya had het opgevouwen briefje niet gelezen natuurlijk. En maar goed ook, dacht Ginny cynisch.

Het was Steve zelf, die de gloednieuwe victoria reed, nog steeds 'vermomd' als een van de onpersoonlijke lijfwachten van Sam Murdock. Hoe durfde hij dergelijke risico's te lopen? Wat voor geheimzinnig spel speelde hij eigenlijk?

Zelfs zijn stem was onpersoonlijk toen hij haar in het rijtuig hielp.

'U ziet er buitengewoon goed uit, prinses.'

Het bleef de taak van mevrouw Pleasants om een lichte conversatie gaande te houden tot het rijtuig stopte voor een opzichtig uitziend stadshuis in Washington Street.

'Wilt u me nog eens opzoeken, u allebei? Prinses, het is een groot genoegen geweest u te ontmoeten.' En toen was mevrouw Pleasants verdwenen en zat ze alleen in het rijtuig.

Nu echter, op het laatste ogenblik, zei Steve over zijn schouder: 'We gaan zeilen, ik hoop, dat je het niet erg vindt.'

'Sedert wanneer heb jij me gevraagd of ik bezwaar had tegen iets al of niet te doen?'

'Daarmee had ik dóór moeten gaan.' Zijn blauwe ogen, zo donker onder de schaduw van de grote zwarte hoed, die zijn voorhoofd bedekte, bleven kort op haar rusten. 'Je wordt toch niet zeeziek, is het wel?'

Ze hielden in vóór Ginny de kans had om te antwoorden. Een grote, goedgebouwde zwarte man stapte naar voren om de teugels vast te pakken, terwijl hij grijnsde.

'Dacht, dat u niet meer zou komen. Maar nu u hier bent, het is een prachtdag. Precies genoeg wind en geen mist. Veel plezier ...'

Ondanks zich zelf, alsof ze inderdaad een vreemdeling gadesloeg, moest Ginny de manier opvallen, waarop Steve zich bewoog. Hij had zijn lange benen op de grond laten zakken en tilde haar uit het rijtuig. Zijn nabijheid, de manier waarop zijn handen om haar middel sloten, brachten haar in de war. Ze voelde zich zonder adem, niet langer in staat om de snijdende antwoorden te geven die ze van plan was. Laat alles maar gebeuren. De middagzon scheen warm op haar schouders en de achterkant van haar nek en ze voelde zich belachelijk luchthartig.

Ze bleef dat gevoel houden, toen het kleine jacht met de witte zeilen de haven verliet en koers zette naar de baai waar het water de zon weerkaatste in myriaden kleine rimpeltjes.

'Christus - zet die stomme hoed af! Gooi hem overboord - ik zal je een dozijn nieuwe kopen, wanneer je die met alle geweld wilt dragen. Maar hier niet.'

Lachend deed ze wat hij gezegd had en zag de kraaiepootjes bij zijn ogen waarvan het blauw in het zonlicht nog helderder leek.

Onmiddellijk wapperden haar haren in de wind, koperen lokken die haar bijna verblindden, tot ze haar gehele kapsel losmaakte en er vlechten in begon te maken, doorlopend kijkend naar de manier waarop Steve naar haar keek; hij stond met gespreide benen, zelf nu ook zonder hoed, zijn zwarte jas had hij uitgedaan en zijn witte overhemd stond tot zijn middel open. Een zeerover. Ja, hij zag er als een piraat uit. Had ze dat al altijd niet gedacht?

'Is het zo beter?' Haar stem klonk met opzet uitdagend en ze zag hoe de groeven ter weerszijden van zijn mond dieper werden.

'Veel beter, jij verdomde groenogige sirene. Ik moest je eigenlijk overboord gooien.'

'Nu? Maar ik zou jou waarschijnlijk met me mee trekken.'

'Ik twijfel er niet aan of je dat zou doen. Houd je vast, nu.'

Ze deed het en een windvlaag ving de boot en ze helde over.

Ze hoorde Steve lachen en het schuim beet in haar gezicht en doorweekte haar. Wat deed het ertoe? Zelfs wanneer hij van plan was om haar later overboord te zetten, viel de blik in zijn ogen nu niet te miskennen. De hele middag was als een droom, toen Ginny zich later de bijzonderheden trachtte te herinneren. Het kleine jacht lag nu in de schaduw van een klipper, die voor anker lag, de zeilen opgerold; over het dek zwermden mannen, die met verschillende taken bezig waren.

'Kun je een touwladder beklimmen, denk je, of zal ik je laten ophijsen als oorlogsbuit?'

Zich vastklemmend, haar natte rokken wapperend tegen haar lichaam, zag Ginny toch kans om de eerste methode te verkiezen, maar ze durfde niet naar boven en niet naar beneden te kijken. Ze was zich er maar al te zeer van bewust, dat Steve vlak achter haar was, hij stak zijn hand uit om haar steun te geven wanneer ze leek te aarzelen of naar een voetsteun tastte. Boven waren er andere handen, die haar op het dek trokken en een man die een pet met een klep droeg en gouden galons op zijn mouw had. Was Steve van plan haar te ontvoeren, als een zeerover? Kon het haar iets schelen?

'Meneer Morgan. Ik vroeg me af of u soms van gedachten veranderd was. Mevrouw . . .'

'Het was goed van u om op ons te wachten, kapitein. Ginny, dit is kapitein Benson.'

Hoe oppervlakkig waren die introducties van Steve! Vóór ze het wist werd ze naar een hut gebracht, waarvan de luxe haar verbaasde, zelfs al had ze bij zich zelf de eed afgelegd, dat niets haar nog zou verbazen op deze wonderlijke middag.

De deur sloeg achter haar dicht en ze merkte, dat ze op een vreemde manier buiten adem was. De tijd kwam weer terug, toen Steve tegen de deur leunde en zijn ogen over haar liet dwalen.

'Je bent helemaal nat. Je ziet er halfverdronken uit. Ik vind dat je je maar eerst moet verkleden, voor we weer naar buiten gaan.'

Ginny dacht, dat ze het schip onder zich kon voelen bewegen. Maar misschien waren dat ook haar plotseling wankele knieën toen Steve de kleine ruimte tussen hen overstak.

'Het wordt tijd voor je, prinses, om te betalen. En, mijn God, ik heb lang genoeg gewacht.'

Op een of andere manier lag ze op bed. Zijn handen pakten de hare – zijn lippen – en tenslotte, met haar armen vast om hem heen geslagen: zijn lichaam het hare. Beukend, onvermijdelijk, leek de hele wereld te schokken en te zwaaien en ze riep en ze riep tot zijn mond haar kreten stopte.

Naderhand was het moeilijk om je weer tot de realiteit te dwingen. Ginny zou graag hebben willen blijven in de gelukkige, veilige beslotenheid van haar droomwereld. Ze had half en half gehoopt en ook gedeeltelijk verwacht, dat Steve van plan was haar te ontvoeren, ergens heen, en haar bij zich zou houden – het kon haar niet schelen onder welke voorwaarden. Maar hij was haar althans blijven begeren, ondanks alles wat hij gezegd had. Dat was althans onveranderd gebleven: de reactie van hun wederzijdse lichamen. Ze voelde zich slaperig en bevredigd, ze wilde niet denken, maar ze werd hardhandig tot de werkelijkheid teruggeroepen, toen Steve zich van haar verwijderde en zich begon aan te kleden. Zijn ongevoelige, ietwat onhartelijke manier van doen verdreef het dromerige voldane gevoel, dat nog enkele ogenblikken tevoren bezit van Ginny had genomen.

Boos richtte zij zich op een elleboog op en beet hem toe: 'En wat word ik verondersteld aan te trekken? Ik vermoed, dat je de kleren van een van de matrozen voor me zult lenen.'

'We zwerven niet langer in de woestenijen van Mexico, schat. Waarom kijk je niet eens rond, vóór dat je je humeur verliest? Deze kajuit is opzettelijk ingericht voor vrouwelijke gasten en ik weet zeker dat je wel iets van je gading zult vinden.'

Ongeduldig schoof hij een paneel opzij, waarvan zij gedacht had, dat het alleen maar een ornament was en onthulde een verrassend diepe hangkast, gevuld met vrouwenkleren.

'O!' De plotselinge verrassing en haar woede maakten Ginny bijna sprakeloos, tot ze de geamuseerde stand van zijn wenkbrauwen zag.

'Je gaat toch niet tegen me vloeken, is het wel, schat? Dat zou niet passen bij je koninklijke status. En afgezien daarvan, geen enkele van deze japonnen is ooit gedragen en ze zijn allemaal op jouw maat gemaakt – zo goed en zo kwaad als ik me die kon herinneren. Voel je je nu wat beter of ga je liever aan dek, zoals je nu bent? Niet, dat ik je niet uitzonderlijk aantrekkelijk vind.'

'Jij bent de meest – de meest harteloze en berekenende . . .'

'Maar je hebt altijd geweten wat voor schurk ik was, is het niet? En ik dacht dat we samen een overeenkomst hadden?' Half gekleed, zijn duimen achter zijn riem, deden de harde blauwe ogen van Steve haar blozen, ondanks haar verzet. 'Ginny, we hebben geen tijd genoeg waarin jij voor kuis wilt doorgaan, als dat je bedoeling was. We zijn al op de helft van de route naar Benicia en wanneer we daar aankomen, is het beter dat je gekleed bent en de grote dame kunt uithangen.' Ginny zag de oude duivel weer eventjes oplichten in zijn ogen, wat haar frustratie deed ontnemen. 'Het spijt me dat ik er niet aan gedacht heb een kamenier aan boord te brengen, maar wanneer je hulp nodig hebt, zal ik je graag van dienst zijn. Ik heb in mijn tijd nogal wat ervaring opgedaan.'

Hij had haar slechts hier gebracht om haar te vernederen! Waarom was ze zo blind en dwaas geweest om zich zo aan hem toe te vertrouwen?

Eindelijk gekleed in een japon, die Steve voor haar had uitgezocht, moest ze zich knarsetandend onderwerpen aan de verdere vernedering dat hij haar een halsketting moest omleggen - een enorme hanger van smaragd, die hangende aan een dunne gouden ketting, tussen haar borsten moest hangen.

'Wat doe je nu, in gods naam? Welk spelletje speel je nu weer? Weet meneer Murdock dat? Hoe . . .'

'Een paar van die vragen zal ik later beantwoorden, Ginny. Maar op het ogenblik: waarom kom je niet tot kalmte en ga je met mij mee naar buiten? Uit de opschudding, die ik buiten hoor, vermoed ik dat we de haven van Benicia al bereikt hebben - en in een recordtijd ook.

Allemaal spraken ze over de tijd, die het nieuwe schip gemaakt had, waardoor Ginny de moeilijkheid bespaard bleef om een conversatie te beginnen. Kapitein Benson glimlachte en zijn eerste officier keek triomfantelijk.

'Ik wist wel, dat die ijzeren platen tegen haar casco geen invloed op de snelheid zouden hebben, meneer Morgan! Dit wordt het beste en snelste schip van de Lady Line, let u maar eens op mijn woorden!'

'En een van de veiligste,' opperde de eerste officier. Zijn ogen bleven even op Ginny rusten en gleden toen snel weer weg, alsof hij een onbescheidenheid begaan had.

'Wat kon ik ook anders verwachten?' dacht Ginny ongelukkig. 'Ik ben nu ook in feite zijn maîtresse.'

Ze luisterde naar het gepraat van de bemanning en keek naar Steve, ondanks het feit dat ze boos op hem was. Kennelijk bevatte de kajuit, die in werkelijkheid een hut was ten behoeve van de eigenaar, ook een afdeling herenkleding. Hij had een keurig uitziend donker pak aangetrokken, de somberheid daarvan onderbroken door een brokaten vest met saffieren knopen, die pasten bij zijn manchetknopen. Hij zag er uitgesproken knap uit, op een flamboyante, lichterlijk duivelse manier, en toen zijn ogen de hare ontmoetten, zoals dat een of twee keer gebeurde, voelde Ginny de slapte in haar benen omhoog kruipen.

'Niet eerlijk . . . het is niet eerlijk, en ik haat hem,' dacht ze opstandig. 'Kijk eens wat hij mij aangedaan heeft, wat hij me heeft laten doormaken!'

En het zag er naar uit dat hij besloten had, dat ze binnenkort nog veel meer zou doormaken.

Op de Straat van Carquinez verschenen steeds meer boten, allemaal bestemd voor de klipper, die een beetje uit de bochtige kustlijn voor anker lag. Steve was naast haar komen staan en nam haar arm.

'Ik vrees dat we geen tijd hebben om aan land te gaan, omdat ik je op een redelijke tijd terug moet brengen naar het huis van je ouders. Maar desondanks zullen we aan boord een klein feestje houden. Houd jij nog steeds van champagne?'

Eén enkel ogenblik leken zijn ogen warmer te worden en herinnerden haar aan gezamenlijke intimiteiten - die keer, dat ze van champagne echt dronken geworden was in dat kleine Mexicaanse dorp en Steve geholpen had om Paco Davis uit de gevangenis te halen. Waarom, waarom moest hij haar daar nu aan herinneren?

Op een deemoedige toon, waaruit ze alle sporen van emotie trachtte te weren, zei ze: 'Feestje? Wat bedoel je? Hoe lang ben je nog van plan om zo geheimzinnig te doen?'

Zijn vingers sloten zich steviger rond haar arm ofschoon zijn toon spottend bleef.

'Helemaal geen geheimzinnigheid. Ik dacht dat je daarnet naar onze gesprekken geluisterd had. We zijn hier om het schip te dopen. Ze moet de "Lady Benicia" genoemd worden, maar ik ben van gedachten veranderd, zoals ik zo juist aan kapitein Benson zei. Ze moet de "Green-Eyed Lady" genoemd worden en jij, mijn schat, zult haar dopen.'

27

De rest van de middag en het begin van de avond gingen als een wervelende caleidscoop van indrukken voorbij, die geen van alle lang genoeg duurden om een blijvend beeld in Ginny's brein achter te laten. Mensen - ze had zoveel mensen ontmoet, dat ze op het laatst niemand meer kon herinneren. Daarna had ze in een kleine, wiebelende boot gestaan, met de handen van Steve om haar middel, die haar ondersteunden, terwijl ze een magnum champagne tegen de zijkant van het schip wierp, ze hoorde de toejuichingen vermengd met het gekrijs van de zeemeeuwen en Ginny probeerde opzettelijk om haar geest volkomen leeg te laten blijven.

Tegen de tijd dat het allemaal voorbij was en ze op de terugweg naar San Francisco waren, alle zeilen gehesen zodat het schip over het oppervlak van het water leek te scheren, was Ginny bijna verdoofd door een mengeling van kwaadheid en bezorgdheid.

'Wil je hier aan dek blijven of teruggaan naar de kajuit en nog wat champagne drinken?' Hoe kon hij zo kalm doen, zo zakelijk praten? Alsof . . . alsof . . .

In een plotselinge aanval van woede keerde Ginny zich naar hem toe en wenste intussen dat ze niet zo'n hoofdpijn had.

'Ben je geslaagd in dat wat je van plan was te doen? Heb jij dan helemaal geen geweten? Champagne! Ik heb zoveel champagne gehad, dat mijn hoofd een gevoel heeft of het zal splijten en je hebt me nog steeds geen verklaring gegeven voor je gedrag van vandaag – de manier waarop je mij erin hebt laten lopen.'

De stem van Steve werd harder en hij pakte haar polsen in een greep, die haar ineen deed krimpen.

'Wanneer je van plan bent om nu een scène te maken, Ginny, dan kunnen we beter teruggaan naar de kajuit. Dan kun je daar je verklaring krijgen – als je zeker weet, dat dat alles is wat je wilt.'

Ze zou hem geslagen hebben, als hij niet nog steeds haar polsen had vastgehouden en haar met zich mee sleurde op zijn typerende eigenmachtige wijze. En Ginny had de tijd om zich af te vragen, toen hij haar als het ware in een stoel gesmeten had en begonnen was om twee glazen champagne in te schenken zonder een woord te zeggen, waarom haar gevoelens voor Steve altijd in zo'n toestand van hevige beroering verkeerden. Ze had hem liefgehad, hem gehaat, en gedacht dat ze hem opnieuw liefhad. En nu – nu was ze nergens zeker van!

'Hier, drink je champagne. Een glas méér zal je geen kwaad doen en misschien verdwijnt dan die knorrige uitdrukking van je gezicht. Ik dacht dat je van verrassingen hield, Ginny. Dat heb je me gisteren nog gezegd.'

'Ik wéét wat ik gisteren gezegd heb! En wat jij gezegd hebt. Maar vandaag – waarom, Steve? Wat probeer je te bewijzen? Hoe komt het . . .'

'Ik dacht dat dát wel duidelijk was. Ik heb geprobeerd je te overtuigen, dat ik een maîtresse kan onderhouden – zelfs wanneer ze toevallig de dochter van tsaar van Rusland is.' Tegenover haar verblufte stilzwijgen, maakte hij spottend een halve buiging, dronk haar toe met zijn champagneglas vóór hij het leegdronk. 'Nu ik erover denk, is de situatie toch nog al ironisch, vind je niet? Is dat het, waar je over in zit, mijn lief? Maak je geen zorg – we zullen er beiden wel aan wennen. Tenslotte is het niet alsof we vreemden voor elkaar zijn en weet hoe goed je je kunt aanpassen. Ik herinner me in feite een gelegenheid, waarbij je me zei, dat het een ambitie van je was om zoveel rijke minnaars te krijgen als je maar hebben wilde. Je wilt me nu toch zeker niet vertellen, dat je van gedachten veranderd bent?'

'Hij haat me echt,' dacht Ginny dof. 'Hij wil me alleen maar hebben omdat hij me nog meer wil kwetsen dan hij al gedaan heeft. Om me zijn maîtresse te maken met inbegrip van het idee, dat ik niets anders ben dan een duur-betaalde hoer . . . Oh, ik kan het niet uitstaan!'

Maar hij zou het haar laten verduren – had hij al niet getoond hoe weinig scrupuleus hij was? En was het nodig, dat zij zich herinnerde hoe zwak zij was? Zoals nu, op ditzelfde ogenblik – durfde zij zijn ogen niet te ontmoeten omdat ze bang was, dat hij maar al te gemakkelijk kon lezen wat ze in gedachten had. En als hij haar ook maar even aanraakte – als hij, in plaats van daar midden in de kamer te staan, wijdbeens, en haar bestudeerde met die wrede en toch vreemd nieuwsgierige blik – haar maar even in zijn armen zou nemen . . . O, nee! Steve verachtte zwakheid. Ze had hem in de eerste plaats geïntrigeerd, omdat ze nooit opgehouden had hem te bevechten, hem te dwingen haar als een individu met eigen rechten te zien. Nu moest ze niet toegeven.

'En?' hoorde ze hem zeggen en toen met die sardonische aanstellerige stem: 'Ik moet zeggen dat het nauwelijks complimenteus is, dat jij in dagdromen wegzinkt, wanneer ik probeer om de zaken tussen ons te effenen. Of zat je te denken, welke uitvluchten je moet verzinnen voor je echtgenoot, wanneer die uit Sacramento terugkomt?'

Eindelijk hief ze haar hoofd op en keek hem een beetje verwilderd aan, haar ogen glansden met de schittering van de smaragd, die ze tussen haar borsten droeg.

'Sacramento? Maar hoe wist jij dat? Hij heeft mij zelfs niet gezegd waar hij heen ging.'

Het gezicht van Steve leek plotseling gesloten en kil, alsof er een houten rolluik voorgerold was. Maar zijn stem bleef onveranderd.

'Wat onattent van hem, dat is vast! Vertelt hij je ooit waar hij heen gaat of hoe lang hij denkt weg te blijven?'

Zij verbeeldde zich dat er iets waakzaams in zijn ogen was en ze trilde van boosheid, die haar zelfs haar hoofdpijn een ogenblik deed vergeten.

'Waarom stel je mij die vragen? Wat gaat het jou aan?'

'Maar schattebout, alles wat jou aangaat, gaat mij ook aan - natuurlijk! Wat is er aan de hand? Maakt het je in de war wanneer wij over jouw echtgenoot spreken? Kan het zijn, dat je werkelijk enige schuld voelt?'

Hij leunde met zijn schouder tegen de lambrizering en bekeek haar alsof ze een vreemdelinge was.

'Jij bent de enige vrouw die ik gekend heb, die mijn geduld zó op de proef kan stellen. En me mijn humeur laten verliezen in die mate, dat ik bijna mijn gezonde verstand verlies! Godzijdank zijn we niet langer getrouwd - op deze manier, als minnaars, kunnen we het beste uit ons verleden nog bewaren! Je bent altijd een opwindende en ongeremde maîtresse geweest, Ginny. Wanneer ik met jou in bed lig, vergeet ik helemaal wat een intrigerende, trouweloze teef jij bent. Het is een opluchting, dat dát nu een zaak voor jouw echtgenoot is.'

'O, mijn God! Jij bent ook helemaal niet veranderd, is het wel? Jij bent nog steeds even wreed en even zelfzuchtig en even gewend om je zin te krijgen, ongeacht wie je daarvoor onder de voet moet lopen! Waarom heb je me hier gebracht? Was het om me dit alles te zeggen? Om je zo op mij te wreken?'

'Wreken?' Hij trok een wenkbrauw op en zijn stem werd bijtend. 'Waarom zou ik me op jou willen wreken? We zijn beiden gelukkig ontsnapt, jij en ik, want vermoedelijk zouden we een ellendig kat-en-hondbestaan geleid hebben, als we aan elkaar gebonden waren gebleven. Geloof me, ik ben je bijna dankbaar dat je je hersens gebruikt hebt en de grote kans gegrepen hebt, toen die zich voordeed. Een prinses verdient een prins - en jij, mijn liefste, gloeit als een juweel in de goede zetting. En omdat jouw man zo dikwijls op reis is, zullen we zeeën van tijd hebben om onze ... kennismaking te vernieuwen. Waarom houd je niet op met pruilen en geef je de waarheid toe van wat ik gezegd heb? Ik heb je tenslotte toch niet hoeven te verkrachten.'

'O, houd op!' Ginny sprong overeind als een opgejaagd dier, haar tot vuisten gebalde handen in haar zij. 'Hoe kun je zo . . . zo koelbloedig praten? Waarom blijf je me steeds kwellen? Jij begrijpt het niet! Je hebt me niets verteld, waarom je besloot hier te komen; waarom je zulke risico's wilde lopen, zowel met je eigen leven als met . . . met mijn reputatie! Ja, je kunt lachen. Wat kan het jou tenslotte schelen? Jij weet niet hoe Ivan is, maar jullie hebben één ding gemeen, jij en hij – jullie hebben allebei totaal geen geweten of scrupules! Hij zal je laten vermoorden en wanneer hij ontdekt, wie jij bent . . .'

Met lange passen als van een tijger, stak Steve de kleine ruimte over die hen scheidde, zijn vingers grepen in Ginny's schouders; hij schudde haar licht heen en weer als om haar te tonen hoezeer hij haar plotselinge hysterie verachtte.

'Denk je dat ik bang voor hem ben? Of van zijn gehuurde geweldenaars? Of ben je misschien bang om hem? Ik houd er niet van, Ginny, om kwijt te raken wat van mij is en ik heb de tijd niet gehad om genoeg te krijgen van jouw hartstochtelijke lichaampje vóór hij jou wegtoverde. Ik besef wel, dat geen enkele man jou geheel en al zal bezitten, omdat het niet in jouw aard ligt om trouw te zijn, evenmin als in de mijne. Ik geloof dat we daarom altijd zo goed met elkaar hebben kunnen opschieten – althans in bed! Zeg me nou niet, dat je in dit late stadium hypocriet geworden bent.'

Hij trok haar tegen zich aan en kuste haar. Maar na haar eerste, bijna gedachteloze overgave begon Ginny zich te verzetten. Ze begreep niet helemaal waarom – misschien was het wegens zijn verachtende, snijdende woorden of misschien omdat hij haar kuste alsof hij haar haatte; het was het soort kus die een man aan een hoer zou geven, die eerst weerzin gepretendeerd had maar eindelijk had toegegeven. Hij mocht haar dan al begeren, maar hij verachtte haar ook – dat had hij wel duidelijk gemaakt.

'Niet doen – niet doen!' fluisterde ze buiten zichzelf en wendde haar hoofd af. 'Alsjeblieft, Steve! Ik voel me niet goed, mijn hoofd doet zo'n pijn.'

'Christus!' Hij liet haar zo plotseling los, dat ze achteruit stommelde en tegen een stoel bleef staan. 'Ben je nu ook nog een hypochonder geworden? Blijft je man daarom zo dikwijls van je weg? Goed, Ginny, ik zal me niet aan je opdringen, als de gedachte daaraan je zo van streek maakt, dat je er hoofdpijn van krijgt.'

Ze liet zich in de stoel vallen en drukte haar vingers tegen haar slapen, haar gehele lichaam begon te huiveren en de stem van Steve, die plotseling iets menselijks gekregen had, scheen van heel ver weg te komen.

'Ginny! Mijn God – wat is er? Ben je echt ziek? Was het de champagne?'

'Mijn . . . ik moet een hoofdpijnpoeder hebben . . . alsjeblieft, alsjeblieft, ik kan de pijn niet verdragen! In mijn . . . ik had er een in mijn reticule.'

Zonder een enkel argument, zonder een ander woord, behalve die, welke hij ook gebruikt zou kunnen hebben tegen een vreemde vrouw die hem in verlegenheid gebracht had door plotseling ziek te worden, bracht hij haar wat ze nodig had. De poeder – een glas koud water – en daarna, niettegenstaande haar gesmoorde half uitgesproken protesten, droeg hij haar naar het bed.

'Lig stil, in 's hemelsnaam! Ik zal je niet aanvallen! Hoe lang duurt het vóór die poeder begint te werken?'

'Ik . . . ik kan niet denken. Het is er een van die jij mij gestuurd hebt. Die van Ivan zijn sterker, maar hij heeft er maar vier voor me overgelaten - tot hij terugkwam, zei hij. Ik weet niet wat er met me gebeurt! Maar graaf Chernikoff zegt, dat het gewoon zenuwen zijn.'

'Ginny . . .' Ze dacht - ze verbeeldde zich - dat hij zuchtte. 'Doe je ogen dicht. Houd op met nadenken, als je dat kunt.' En het moest vast haar verbeelding geweest zijn, dat ze dacht dat ze hem bij zich zelf hoorde zeggen: 'Het spijt me. Ik liet mijn driftbuien weer de overhand krijgen.' Steve maakt nooit excuses, dat moest ze dus natuurlijk gedroomd hebben.

Later, toen ze tot de werkelijkheid terugkeerde, zag ze dat het donker was en voelde zij zich ontspannen en veel sterker.

Steve zat aan de tafel, de fles champagne was verwisseld voor een kristallen karaf die half gevuld was met een geelbruine vloeistof. Zijn ogen vingen de hare op en hielden die vast. Waarom had hij haar zo intens gadegeslagen? Hij zat met gefronste wenkbrauwen, maar zijn stem klonk, toen hij overeind kwam en op haar toeliep, volkomen onpersoonlijk.

'Voel je je beter?'

'O ja, dank je wel.'

Wat klonk dat belachelijk formeel!.

'Voel je je goed genoeg om een paar vragen te beantwoorden?'

Haar ogen gingen wijd open. Dat was het laatste, dat ze verwacht had, vooral van Steve.

'Vragen, alweer?' zei ze en vroeg zich af waarom hij bleef staan om op haar neer te kijken; het zwakke licht achter hem maakte dat uit zijn gezicht niets viel af te leiden.

'Ja, vragen!' Zijn stem had weer de bekende, halfsarcastische toon, waarmee ze maar al te vertrouwd was en dat hielp haar om zich tegen hem te wapenen. 'Kijk niet zo, Ginny. Ik ga niet in een zeemonster veranderen om je aan te vallen. Maar vóór ik je terugbreng, vind ik dat er een paar dingen zijn, die we omtrent elkaar moeten ontdekken. Wanneer we die uit de weg kunnen ruimen, kunnen we misschien een vlottere en minder ingewikkelde betrekking tot elkaar krijgen. Wie weet, misschien eindigen we zelfs als vrienden.'

'Zoals jij en Concepción, veronderstel ik?' Ze kon de stekelige opmerking niet weerstaan en ze zag zijn lippen vertrekken in een halve grijns.

'Ja . . . zoiets.'

Hij ging naast haar zitten en deed net of hij haar instinctmatige verstijving niet opmerkte.

'Ik vertrouw jou niet,' zei ze eerlijk. 'Hoe kan ik dat ook? Van het begin af heb je me bedrogen en voorgelogen. Je hebt voorgewend . . .'

'Verdomme! Ik probeer niet opnieuw mijn humeur te verliezen. Zie je dan niet dat ik juist bezig ben om daar een eind aan te maken?' En toen, plotseling, de vraag die haar deed opschrikken doordat ze hem in het geheel niet verwacht had. 'Houd jij van die nieuwe echtgenoot van je? Heb je hem daarom getrouwd?'

Ginny gaf antwoord zonder na te denken.

'Nee! Nee - ik mag hem zelfs niet! Dat heb ik nooit gedaan, van het begin af. Maar hij - ik herinner me zelfs niet hoe het gebeurd is, daar! Er was Carl - en daarvóór de schok door wat ze me verteld hadden. Ik weet niet precies hoe ik aan boord van dat schip gekomen ben - ik herinner me zelfs niet hoe we getrouwd geraakt zijn! Dat gebeurde toen graaf Chernikoff me medicijnen gaf, omdat hij zei, dat ik nog steeds leed onder de gevolgen van de schok . . .'

Het was raar om dit alles zo maar aan Steve te vertellen. Het gevoel te hebben, dat, omdat hij aandachtig zonder enige emotie luisterde, haar af en toe op weg hielp, hij iemand was die ze nauwelijks kende.

'Probeer jij me te vertellen, dat je in dat huwelijk verlokt bent? Precies zoals Hoskins jou in zijn greep lokte? Prins Sahrkanov moet wel dolverliefd op je zijn geworden in de korte tijd, dat jullie elkaar kenden! Ten eerste: jouw kapitein wordt dood in een kelder aangetroffen met een afgesneden keel; en het volgende dat men van je hoort, is, dat je op weg naar Amerika, met een Russische prins. Zijn vrouw. Hij moet wel erg ongeduldig geweest zijn om je tot de zijne te maken en ik veronderstel, dat toen jij het eenmaal ontdekt had, besloot om er maar het beste van te maken? Is het zó gegaan?'

Ginny ging recht overeind zitten en staarde hem met felle blikken aan.

'Jij bent helemaal geen lijfwacht van Sam Murdock, is het wel?' zei Ginny plotseling. 'Hij heeft me verteld dat hij je vader nog gekend heeft en dat hij bevriend is met jouw grootvader - hoe heb je hem kunnen overhalen om jou te helpen bij je schandalige plannen? Hoe kon jij dit schip een andere naam geven, juist als een gril?'

'O, Ginny! Wat heb jij toch een afdwalende geest! Zoals je je zult herinneren, heb ik je al eerder gezegd dat een van de redenen waarom ik hier ben, mijn nieuwsgierigheid was om te ontdekken hoe het met je gegaan was. En toen ontdekte ik dat je nog niets van jouw aantrekkelijkheid voor mij verloren had. Kom nu . . .' zijn stem veranderde, werd harder, ongeduldiger. 'We moesten liever opschieten vóór ze reddingsploegen uitsturen om je te zoeken. Wanneer we hier blijven, zou ik je alsnog kunnen verkrachten.'

Ze huilde bijna van woede en onmacht.

'Is dat alles wat je te zeggen hebt? Jij moest alles over mij ontdekken, wat er maar te ontdekken viel - zelfs over mijn vader en Ivan. En jij, jij vertelt me niets!' Haar vingers probeerden het zware juweel rond haar hals weg te trekken. 'Hoe heb je dit kunnen betalen? Heb je het gestolen of heb je het alleen maar geleend voor deze gelegenheid? En die opalen . . .'

'Vroeger kon ik het niet betalen om jou kostbare snuisterijen te geven maar nu wél. Zie je, ik ben . . . gelukkig geweest met speculeren. Voor de eerste keer in mijn leven bevind ik mij in een positie van geheel rechtmatig verkregen rijkdom. Sam Murdock en ik zijn tussen twee haakjes deelgenoten. Bevredigt dat jouw nieuwsgierigheid?'

Deze keer was het schip recht de baai binnengevaren en lag gemeerd aan een van de steigers van dat gedeelte, dat bekend stond als de Embarcadero.

Ginny was hier vroeger al eens heen gereden om de schepen te zien en de zoute zeelucht op te snuiven, die gemengd leek te zijn met alle kruiderijen, die uit het Verre Oosten hierheen gebracht werden. Overdag was hier een en al activiteit; het geroep van de dokwerkers en de zeelieden, het kraken van het hout van de schepen en het ratelende gegier van de windassen, als de lading aan land gebracht werd.

Maar 's avonds - hoe stil was het nu, wat een contrast. En het was bovendien vrij koud geworden. Ginny was blij met de warme zijden en fluwelen mantel, die Steve om haar schouders geslagen had en die hij ook te voorschijn gehaald had uit de ruime hangkast in de kajuit, die ze enkele minuten eerder nog gebruikt hadden.

'Ik vermoed, dat ik je niet tot zó laat had moeten ophouden, maar je bent in slaap gevallen, alsof iemand je een dreun op je hoofd gegeven had. Hoe lang neem je die poeders al, Ginny? Heb je er enig idee van wat er in zit?'

'Al wat ik weet is, dat ze maken dat ik me . . . ze verdrijven mijn hoofdpijnen en maken me sterker. Wanneer ik ze niet inneem, dan begin ik me zó ziek te voelen - waarom kijk je me op die manier aan?'

'Vroeger kreeg je nooit hoofdpijn, behalve wanneer je te veel gedronken had. En ik herinner me, dat je huid een gouden perzikkleur had - over je hele lichaam. Kom je nooit meer in de zon?'

Ze maakte zich kwaad over zijn voortdurende gevraag en hij kon haar opstandige gedachten aanvoelen. Ze voelde de greep op haar schouder verstevigen en hij liet een kort, tamelijk rauw gelach horen.

'Je bent althans niet vergeten, hoe je moet redetwisten! Of om uitvluchten te verzinnen voor je gedrag. Ik hoop, dat je een aannemelijk verhaal klaar hebt om je ouders te vertellen, wanneer je thuiskomt - of zal ik met je meegaan en het uitleggen?'

'Uitleggen . . .' Ze werd helemaal bleek. Wat moest ze in 's hemelsnaam zeggen? En als Ivan teruggekomen was, zou het alleen maar erger zijn. Ja, hoe moest ze haar lange afwezigheid verklaren - de verandering van haar toilet?

Steve bundelde haar al in het rijtuig, dat uit het niet te voorschijn was gekomen, de paarden werden door dezelfde man geleid, die hen uitgereden had.

'Hebt u prettig gezeild, meneer? Ik neem aan, dat u wilt, dat ik nu rijd?'

De mantel had een capuchon, die Steve heel galant over haar verwaaide haren schikte.

Hij zat naast haar, veel te dicht; uit gewoonte liet hij zijn arm om haar middel glijden toen ze wegreden.

Ginny wendde zich tot hem, haar gezicht een witte vlek in de duisternis.

'Het is allemaal goed en wel om over verklaringen te praten, maar als je met mij het huis binnenkomt, zou mijn vader . . . ik geloof, dat hij zelf je zou neerschieten! Jij bent degene die zo uitgeslapen is voor bedrog, waarom verzin jij niet iets?'

Ze had het gevoel, dat hij niet echt naar haar luisterde. Dat hij alweer aan iets anders dacht. Zijn stem klonk afwezig.

'Zeg hun, dat je bij Sam geweest bent - was je dat oorspronkelijk ook niet van plan? En maak je geen zorgen: je man is nog niet terug. Ik vermoed, dat zijn zaken een beetje meer tijd in beslag nemen dan hij verwacht had.'

28

Ginny had alle mogelijke moeite om de vragen te ontwijken, die Sonya haar later stelde. En die vragen waren nog steeds vermengd met vragen die ook bij haar nog overgebleven waren - vragen, die ze Steve gesteld had. Zoveel raadselachtige dingen. En hoe slim hij was geweest om de antwoorden daarop te ontwijken! Hij had haar tot zwijgen gebracht met kussen tot haar lippen gekneusd leken en ze buiten adem was. Het laatste dat hij gezegd had vóór hij brutaal op de voordeur toeliep, was, dat hij haar morgen weer zou zien.

Sonya volgde Ginny naar haar kamer, haar manier van doen was opgewonden.

'Waarom kon je ons niets laten weten? Ik ben blij dat je vader voor vanavond een afspraak op de club had - hij zou werkelijk erg boos geweest zijn; op mij ook. Ginny, wat is er gebeurd?'

Ze voelde zich roekeloos, zorgeloos en bijna te vermoeid om te liegen.

'Ik ben wezen zeilen. En daarna moest ik een schip dopen - de nieuwste aanwinst van de Lady Line. En daarna was er aan boord een hele partij. Omdat de japon waarin ik uitgegaan was, totaal ongeschikt was - nou, toen hebben ze voor een andere gezorgd. Vind jij dat die me staat?'

'En dat juweel dat je draagt, die smaragd - heb je enig idee wat zo'n ding kost? Hij heeft je al een fortuin aan juwelen gegeven, maar dít . . . Ginny, weet je zeker . . .'

'Meneer Murdock heeft me niet als zijn maîtresse genomen, als dat het soms is, waarover je in zit.'

Delia, zwijgend en met grote ogen, haakte de japon van Ginny los en ofschoon ze voorgaf niet te luisteren, dronk ze als het ware elk woord in. En het was niet de aanwezigheid van de kamenier, die Sonya deed besluiten om Ginny tot de volgende ochtend met rust te laten.

Maar de volgende dag had Sonya andere zorgen. Ze was laat opgebleven om op de senator te wachten en ze had hem merkwaardig onbehulpzaam gevonden, hij was te veel verdiept in zijn eigen problemen.

'Sonya, we moeten proberen eraan te blijven denken, dat Ginny nu volwassen is en een getrouwde vrouw.We kunnen haar alleen nog maar raad geven. En om je de waarheid te zeggen . . .' hij liep een keer de kamer rond met diepe voren in zijn voorhoofd - 'ik kan het me niet veroorloven om ruzie te maken met Sam Murdock. Hij is momenteel mijn enige hoop. Ik kan je net zo goed vertellen - ik heb zware verliezen op de beurs geleden en een deel daarvan is het geld, dat Ivan mij gegeven heeft om te beleggen. Maar Murdock is zeer behulpzaam geweest - alleen al het noemen van zijn naam heeft geholpen. Daardoor ben ik nu in staat om mijn prinselijke schoonzoon af te betalen en ik wil niet doen alsof dat geen opluchting is. Ik heb in de laatste tijd nogal wat onsmakelijke verhalen over hem gehoord en juist vanavond . . .' Hier sloot de senator zijn lippen op elkaar alsof hij te veel gezegd had en Sonya, die de koppige trek op zijn gezicht herkende, liet een kleine zucht horen.

'Ik vermoed dat je me niet méér wilt vertellen. En ik zal niet aandringen. Maar William, we hebben Ginny nog - zij is jouw dochter! Wat gaan we met haar doen? Ik bedoel - als meneer Murdock werkelijk weg van haar is en het is duidelijk dat zij genegen is om zijn attenties te aanvaarden en ook de giften, waarmee hij haar maar blijft overstromen - dan is er toch zeker wel iets wat we kunnen doen? Ik geloof niet dat haar huwelijk gelukkig is en ik . . . O, William, er moet toch een uitweg zijn. Ik heb zó op spelden gezeten, ik ben zó bang geweest dat er hoe dan ook iets zou uitlekken.'

'We hebben elkaar beloofd dat we dat onderwerp niet zouden bespreken!' zei de senator scherp. 'Heb je er enig begrip van wat zo'n schandaal voor mij zou betekenen, voor mijn carrière - speciaal nú? We hebben dit al eens eerder besproken en er is geen andere oplossing dan er het zwijgen toe doen. Begrijp je dat?'

Sonya begreep het maar al te goed en ze hield bescheiden haar mond toen ze naar boven gingen om naar bed te gaan. Maar niettemin kon ze er niets aan doen, dat zij zich bleef afvragen of William misschien niet eens een keer ongelijk zou hebben. Er moest een antwoord op zijn.

Sonya bleef die morgen lang slapen. Zij allemaal trouwens, behalve Ginny.

Toen ze aan de arm van haar man naar beneden ging om te ontbijten, glimlachte Sonya tot ze de zonovergoten ontbijtkamer binnenging en daar de boze blikken van Concepción ontmoette. Werkelijk, er waren tijden dat ze het meisje uitgesproken verafschuwde! Ondanks al haar flamboyante schoonheid en de attenties die de mannen haar bewezen, had ze toch iets gewoons over zich - een vleugje van een dier uit de jungle, ternauwernood in toom gehouden onder een oppervlakte van goede manieren. Maar deze morgen leek het wel of ook de goede manieren ontbraken.

'Wanneer u háár zoekt,' zei Concepción, 'zij is al uitgegaan. En ze heeft me niet gezegd wanneer ze terug zou komen.' Ze zag eruit alsof ze graag nog meer had willen zeggen, maar in plaats daarvan beet ze op haar volle onderlip en keek knorriger dan ooit te voren.

Het was aan Sonya om dit netelige ogenblik te overbruggen, terwijl William weer zijn voorhoofd fronste en haar eigen gezicht bloosde van bezorgdheid. Ze wierp een betekenisvolle blik op de huisknecht en zei opgewekt: 'O? Ik vermoed dat ze nog moest winkelen en dat zo vlug mogelijk achter de rug wilde hebben. Tenslotte lag ze gisteravond vóór negen uur op bed.'

'Ze ging niet uit om te winkelen. Ik was ook vroeg wakker. Híj kwam voor haar en zij ging uit - zo maar. Het is maar goed dat prins Sahrkanov niet hier is, is het niet?'

Door een tactische ondervraging bleek, dat Ginny gewekt was door een boodschap die overgebracht werd door een van de lijfwachten van Sam. En onder het voorwendsel dat ze niemand wilde storen, was het meisje zonder één woord vertrokken. Ze ging toch echt te ver!

Maar Sonya hield haar gedachten voor zich en een poosje later verontschuldigde Concepción zich erg netjes en annonceerde dat ze een rit ging maken met haar nieuwe rijtuig. Ze was zelfs van plan om zelf te mennen.

'Ik ga Eddie bezoeken. In het Cliff House,' voegde zij er uitdagend aan toe. 'U hoeft zich geen zorgen te maken dat Sam het erg zou vinden, hij laat me doen wat ik wil. En "Rode Snor" kan achter me rijden.' Als klap op de vuurpijl zei ze over haar schouder, alsof zij zich het juist herinnerde: 'O, tussen haakjes, er was een brief - een brief van Sam voor u, senator. Ik denk dat een van de bedienden die in uw studeerkamer heeft gelegd. Hij is juist in de stad teruggekomen en hij zou graag met u lunchen in de . . . hoe heet dat ding ook weer? O ja, de Auction Lunch Saloon - wat een gekke naam, dat vind ik altijd wanneer ik die hoor!'

'Ik denk dat ze het briefje gelezen heeft!' barstte Sonya onbeheerst los, toen de deur zich weer sloot. 'Werkelijk, William, ik klink niet graag liefdeloos, maar ik hoop echt dat zijn huis gauw klaar zal zijn of dat hij andere plannen met haar voor heeft. Ik kan haar niet uitstaan!'

Maar de senator zat wenkbrauw fronsend naar zijn bord te staren.

'Ik vraag me wel eens af . . . Murdock is in Virginia City geweest, weet je. Misschien is hij achter de waarheid gekomen van sommige van die wilde geruchten die we de laatste tijd gehoord hebben. Maar ik vraag me af waarom zij gezegd heeft, dat hij juist in de stad terug is? Ginny is gistermiddag nog met hem uitgeweest, is het niet?'

Ginny was die morgen, na het ontvangen van de boodschap, snel naar beneden gegaan zonder verder nadenken. Hij stond in de vestibule en leek volkomen op zijn gemak. Maar terwijl hij haar gadesloeg toen ze de trap afdaalde, kon ze de dansende, roekeloze duivelslichtjes in zijn donkerblauwe ogen zien.

'Ben je nu helemaal gek geworden?' Ze siste hem de woorden toe in een boos gefluister en draaide schuldbewust haar hoofd om er zeker van te zijn, dat er niemand anders was. 'Wat doe jij hier? Je hebt geluk gehad dat mijn vader en Sonya nog slapen.'

'En jij ook. Maar het is hoog tijd dat je wakker wordt. Er zijn in San Francisco te weinig van dit soort dagen om ze te verspillen.'

Verstrooid voelde Ginny aan haar kapsel, dat ze achteloos achter in haar hals vastgebonden had met een breed groen lint, dat bij haar jurk paste.

'Je bent gek!'

'Wat zou je denken van een ontbijt met oesters en warme Franse broodjes?'

Hij nam haar handen in de zijne, trok haar naar zich toen en haar ingehouden adem verried haar. Waarom moest ze altijd zo zwak worden, wanneer Steve haar aanraakte?

'Je bent onuitstaanbaar!'

Hij boog zijn hoofd en kuste plotseling de holte onder aan haar hals en streek toen met zijn lippen langs de hare.

'Zullen we de bedienden iets geven om over te kletsen of ga je met mij mee?'

Als excuus voerde Ginny bij zich zelf aan, dat Steve nog veel te veel vragen moest beantwoorden. Toen ze gisteravond op bed lag, had ze tijd gehad om na te denken, waarbij haar geest een werveling van gemengde gevoelens was. En waarschijnlijk meende hij wat hij zei over de bedienden, om die stof tot kletsen te geven - daarvoor was hij niets te goed!

Tenslotte verliep de ochtend in een soort nevel. Hij nam haar mee naar een klein café, dat gedreven werd door een geïmmigreerde Fransman en zijn vrouw en later wandelden zij langs het strand, hand in hand, als een verliefd paartje. Ginny was vastbesloten om - althans voor een poosje - gelukkig te zijn en om te proberen de muur te vergeten, die tussen hen bestond en Steve scheen iets dergelijks te voelen. Hij had haar geplaagd en haar overdreven complimenten gemaakt en momenteel was de cynische en achterdochtige blik van zijn gezicht verdwenen.

Hij lachte haar zelfs uit toen ze niet vlug genoeg een koude golf had kunnen ontwijken, die haar schoenen en kousen doorweekte en de zoom van haar japon nat maakte.

'En wat ga je nu doen? Je schoenen en kousen uitdoen en op blote voeten lopen?' Hij boog zijn hoofd en fluisterde met een onderdrukte lach in zijn stem: 'Je moet niet kijken, maar ik zie twee duidelijk ongetrouwde dames van een indrukwekkende eerbiedwaardigheid naar jou kijken door hun lorgnons. Ik denk dat ze jou voor een *fille de joie* houden, die zich herstelt van een nacht lang werken!'

'Natuurlijk ga ik mijn schoenen uitdoen,' antwoordde ze en hing aan zijn arm om in evenwicht te blijven. 'Je kunt je niet voorstellen hoe onaangenaam het aanvoelt om je schoenen vol zand en water te hebben! En ik denk dat jij me zit te plagen met die twee respectabele dames, want wat zouden die hier doen op dit uur van de dag?'

'Je kunt ze niet zien - ze zijn achter je, ze zitten op een van die banken, die de stad zo bezorgd heeft neergezet. Maar ik vind wel, dat je ze een beter gezicht op jou moet gunnen, jij groenogige zeenimf!'

Nog voor ze kon protesteren en zelfs zich maar kon beginnen te verzetten, had Steve haar in zijn armen opgenomen en droeg haar, tegenspartelend naar een stenen bank, die vlak naast die stond, die door de twee dames, over wie hij gesproken had, bezet was.

Ginny kon het niet nalaten om een schichtige blik in hun richting te werpen en toen, snakkend naar adem, boog ze snel haar hoofd en begon te morrelen aan de knopen van haar bedorven glacé schoentjes.

Misschien, als ze deed of ze hen niet gezien had - maar van alle ongelukkige toevalligheden! Een van hen was niemand anders dan de schoonzuster van dezelfde mevrouw Baxter, die ze in Vera Cruz ontmoet had en de andere was een onverbeterlijke klets, aan wie ze onlangs tijdens een receptie was voorgesteld.

'Hier, laat mij dat doen. Jouw vingers zijn zo onhandig alsof ze bevroren zijn.'

De stem van Steve was nietszeggend, maar toen hij op zijn hurken zat ving Ginny zijn fronsende blik op. Kalm zei hij: 'Je ziet zo bleek als . . . Ken je hen?'

Ze sloeg haar ijskoude vingers ineen om te verhinderen dat ze trilden. Ginny knikte.

'Bang voor praatjes, prinses?'

Ginny bloosde onbehaaglijk bij het sarcasme in zijn stem, maar vóór ze nog een antwoord kon verzinnen, zei een tamelijk hoge en doordringende stem: 'Neemt u me niet kwalijk dat ik u stoor, maar ... u bent toch prinses Sahrkanov, is het niet? Ik zei juist aan mevrouw Atherton, dat ik trots ga op mijn goede geheugen voor gezichten. En hoe gaat het met die goede senator? Vorige week waren we nog in Belmont en ik heb begrepen, dat we elkaar juist misgelopen hebben ...'

Voor Ginny zat er niets anders op dan de beide dames beleefd te herkennen, haar gelaatskleur was nog onaangenaam rood. En - daar viel ook niet aan te ontkomen - ze moest Steve voorstellen, die heel boosaardig vastbesloten leek om haar in een zo slecht mogelijke positie te plaatsen.

'Mevrouw Terence Atherton, Juffrouw Baxter, dit is meneer Smi-' De stem van Ginny hakkelde, ze kon het niet helpen, zelfs toen ze woedend bedacht, dat de dames haar nooit, nooit zouden geloven!

Tot haar grote verbazing was het Steve zelf, die haar 'redde' en met een charmante glimlach en een buiging voor de beide dames, haar onderbrak, terwijl die hem aanstaarden met toegeknepen ogen en een afkeurende nieuwsgierigheid.

'O, maar met dát hoef je in dit geval niet moeilijk te doen, waar het deze dames betreft. Mevrouw Atherton, ik heb het grote genoegen gehad om uw man in New York te ontmoeten, mevrouw. Juffrouw Baxter, ik heb Sam Murdock horen spreken over het prachtige werk dat u doet als bestuurslid van Select Young Ladies Academy.'

De twee vrouwen steigerden; juffrouw Baxter boog zich voorover, haar lorgnon voor haar ogen, terwijl Ginny van pure woede met haar voet zou willen stampen.

'Maar zeker - is het mogelijk dat we elkaar al eerder ontmoet hebben?'

'Ik vergeet helemaal mijn manieren, neemt u me niet kwalijk. Mijn naam is Morgan, Steve Morgan. Sam Murdock en ik zijn deelgenoten in zaken. En prinses Sahrkanov, natuurlijk,' voegde hij eraan toe en nam Ginny's hand in de zijne en hield die iets te lang vast, 'is een oude vriendin.'

'Een oude vriendin! En de manier waarop je dat zei! Je had net zo goed meteen voor de draad kunnen komen en zeggen dat je ooit mijn minnaar geweest was. En je hebt mij nooit gezegd dat je ooit in New York geweest bent of dat meneer Murdock er over dacht om jou als gevolmachtigde in zijn plaats aan te wijzen. *Jij,* notabene! Ik zou bang zijn voor de deugd van die arme jonge meisjes in de Academy, wanneer dat ooit zou gebeuren.' Ginny was buiten adem van woede - haar ogen leken vurige flitsen te schieten naar haar metgezel, die achterover in het rijtuig leunde, zijn armen achteloos gekruist voor zijn borst en zijn zwarte hoed over zijn voorhoofd getrokken. 'O jij, vervloekt nog aan toe, Steve! Wil je nu eens ophouden om net te doen alsof je me ignoreert? Hoe durfde je hun te vertellen, dat jij me een paar nieuwe schoenen ging kopen om de andere te vervangen, die door het water geruïneerd waren? Dat verhaal gaat nu de hele stad door - ik twijfel er niet aan of Sonya heeft het gehoord tegen de tijd, dat ik thuiskom. O – o, verdomme!' vloekte ze woedend, op het punt in tranen uit te barsten. 'Geef je dan nergens om, Steve Morgan? Weet je wat je gedaan hebt?'

Eindelijk schoof hij zijn hoedrand naar achteren en ging overeind zitten met een uitdrukking, die een mengsel van kwaadheid en afgrijzen was.

'Je klinkt als een furie! In godsnaam! Waarom probeer je niet om je te beheersen? Die twee oude kletsmeiers zullen hun mond wel houden, denk ik – althans voor een poosje, terwijl ze zich verkneukelen met de gedachte, dat ze een geheim mogen delen. Ik heb hun gezegd, dat ik de naam Smith gebruikte omdat ik bezig was met de onderhandelingen over een belangrijke zakelijke transactie. Heb je niet gezien hoe gevleid ze keken? Sam geeft nogal wat geld aan die kostbare Academy van juffrouw Baxter, dus die zal heus niet zo gauw gaan praten. En mevrouw Atherton zal het in vertrouwen aan haar man vertellen, die haar zal zeggen om het stil te houden, terwijl hij probeert uit te zoeken, welke aandelen ik koop. Dus ...'

'Is dat alles wat je te zeggen hebt? En hoe staat het met mij? Ze hebben van het begin af niets anders gedaan dan over mij te fluisteren en nu – o, ze zullen een dergelijk lekker stukje kletspraat heus niet onverteld laten! Ze mogen jou misschien beschermen – tenslotte ben jij een man – maar ze zullen aan iedereen vertellen, dat ik op het strand gewandeld heb met een man, die niet mijn echtgenoot was. Ze zullen zeggen ...'

'Is het dat waarvoor je bang bent? Jouw toegewijde prins? Slaat hij je, Ginny?'

Ze barstte in tranen uit.

In minder dan een uur was alles tussen hen veranderd. Door ogen vol tranen zag Ginny het gezicht van een harde, onsympathieke vreemdeling, die haar zenuwen verscheurde door zijn vragen.

'Hij vraagt dat alleen maar om mij te kwetsen. Het kan hem echt niet schelen,' bleef een stem in haar achterhoofd zeggen, waardoor ze koppig werd ondanks haar tranen van zwakte en tegenwerking.

'Natuurlijk slaat hij me niet!' snauwde ze hem toe en stikte bijna in haar eigen snikken. 'Ik ... we schieten soms niet erg goed met elkaar op, maar wat doet dat er eigenlijk toe? We zien elkaar niet al te veel en wanneer ik naar Rusland ga ...'

'Naar Rusland!' Steve's vingers vielen weg onder haar kin en hij leunde achterover met een rauwe, lelijke lach. 'Je bent dus werkelijk van zins om jouw plannen tot het uiterste door te voeren, is het niet? Ik weet zeker dat de tsaar opgetogen zal zijn – wie kan er anders helpen dan hij?'

'Maar zolang ik hier ben, kan ik ... kan ik geen schandaal hebben, zie je dat niet? Als ... als Ivan het ontdekt, vermoordt hij je! En hij ... zou in elk geval een middel vinden om mij te straffen. De laatste keer heeft hij al mijn poeders weggenomen, zelfs het tonicum dat graaf Chernikoff mij had voorgeschreven. Steve, alsjeblieft.'

Ze kromp ineen toen ze de blik in zijn ogen zag en haar vingers, waarmee ze zijn mouw vastgegrepen had, lieten los.

'Dus dát is het. Geen juwelen, geen dure japonnen, die jouw gunsten kunnen kopen, maar die kostbare poeders. En ik word natuurlijk verondersteld de stad te verlaten om te verhinderen dat jouw man een schandaal veroorzaakt totdat hij je veilig en wel in Rusland heeft - waar je, ongetwijfeld de ene echtgenoot zult kwijtraken om een andere op te pikken.' Hij sprak tussen zijn tanden en de verachting in zijn stem maakte, dat Ginny hem hysterisch zou willen toeschreeuwen. Hij verdraaide ook alles!

'Je hebt ongelijk! Jij ...'

'Heb ik dat? Wou jij me soms zeggen dat je niet beseft wat jij geworden bent? Je bent een verslaafde - dat woord wordt tegenwoordig gebruikt om mensen aan te duiden, die aan een of ander verdovingsmiddel verslaafd zijn geraakt. En in jouw geval, mijn beste prinses Sahrkanov, is het opium. Heb je je zelf nooit afgevraagd waarom je zo afhankelijk van die poeders geworden bent en van dat tonicum? Of waarom je hoofd zo'n pijn doet en je een gevoel krijgt of je verkouden gaat worden, terwijl je dat helemaal niet bent?'

'Nee - nee! Dat is niet waar, je zegt al die dingen alleen maar om ...'

'Je hebt verdomme gelijk! Ik moet je schrik aanjagen zodat je weer tot je verstand komt. En zolang Sahrkanov jou in bedwang houdt door jou je zoete dromen te onthouden, zul je hem niet kwijtraken, althans niet zo gemakkelijk als jij denkt!'

'Ik wil niets meer horen. En ik weet niet waarom jij je tijd en je geld aan mij verspilt, tenzij het was om juist dít te doen, mijn leven te ruïneren - alles te ruïneren, dat met mij te maken heeft! Waarom ben je teruggekomen in mijn leven? Waarom?'

Zijn gezicht was voor haar een gesloten boek, plotseling ontdaan van elke emotie van welke aard dan ook, zelfs van de kwaadheid en de verachting, die ze er eerder in bemerkt had. Hij haalde een zakdoek te voorschijn en gaf die aan haar en zei alleen maar: 'Veeg je gezicht af, Ginny. En neem in godsnaam een van die poeders, als die je tot kalmte kunnen brengen. Zie je niet, dat het geen zin heeft dat wij in dit stadium ons aan wederzijdse verwijten te buiten gaan?'

'Verwijten! Wat stel jij voor dat ik moet doen?'

'Aangezien je mijn raad gevraagd hebt: je kunt maar beter aan niemand zeggen, dat je vanmorgen met Sam uit geweest bent. Hij luncht met de senator in de Auction Lunch Saloon.'

29

Zo lang ze zou leven, zou Ginny nooit de rest van die middag vergeten. Ze werd pijnlijk herinnerd aan de tijd, dat ze een gijzelaar van Steve geweest was - zijn gevangengenomen hoer, gedwongen om alles te doen wat hij eiste niettegenstaande haar eigen opstandige gedachten.

Ze was nu weer voor hem niet meer dan een pion geworden - om gebruikt te worden in elke slinkse manoeuvre die hij nu weer uithaalde. En weer, evenals in het verleden, was ze volkomen hulpeloos om hem te weerstaan.

'Wil je dat ik jouw kostbare reputatie red? Dan zul je precies doen wat ik je zeg, prinses. En veeg je gezicht af, om mee te beginnen. Wil je dat iedereen begint met vragen te stellen?'

Hij kocht schoenen en kousen voor haar in een exclusief klein Frans boetiekje, waar de winkeljuffrouwen hem schenen te kennen. En, tegen haar zin, kocht hij verschillende frivole stukken lingerie. En een kostbare baljapon in een andere, nog duurdere winkel.

'Die japon wordt vroeg in de avond afgeleverd. Trek hem aan.'

'Jij – jij bent gek!' riep Ginny zwakjes uit, meegesleurd in zijn arrogante kielzog.

Steve keek haar lang en peinzend aan. 'Draag er ook die smaragden hanger bij. Ik zal je de bijbehorende oorbellen geven, wanneer we naar het huis gaan. En een van de dienstmeisjes zal je japon drogen en strijken.'

'Ik – ik heb zo'n hoofdpijn, Steve, echt waar! En ik geloof niet, wat jij zegt, dat ik een . . .

'Er zijn nog wel ergere namen, die ik je zou kunnen geven. En die zal ik je geven als je je mond niet houdt, Ginny!'

Hij nam haar mee naar het huis van Sam Murdock – zijn huis? Hij sleurde haar de trap op langs de zich vergapende werklieden en naar de slaapkamer, waarheen hij haar al eens eerder gebracht had. Hij smeet haar op het bed en verkrachtte haar. Er bestond geen ander woord voor.

'Kleed je aan, Ginny. Ik geef je tien minuten. Dat moet genoeg zijn. Zal ik het meisje binnen sturen om je met je kapsel te helpen?'

Slechts een paar minuten geleden had ze zich verbeeld, dat zijn ademhaling even snel was als de hare. Maar nu leek hij weer volmaakt kalm en onbewogen, alsof dat alles niets voor hem betekend had.

'Wanneer ik een mes had, zou ik het op hem gebruiken – en deze keer zou ik op zijn zwarte hart richten!' dacht Ginny woedend bij zich zelf. Hij had het zelfs gewaagd om op de weg hierheen, haar vragen te stellen over de dood van Carl Hoskins. Hij had erop gezinspeeld, dat zij en Ivan samen dit plan beraamd hadden in de hoop dat hij de schuld zou krijgen.

'Hij werd door een paar vrienden aangetroffen in de kelder van een verlaten gebouw en had een messteek in zijn hals. Weet je wel zeker dat je hem alleen met een fles geslagen hebt? Het mes – dat is meer in jouw stijl.'

Ginny had het gevoel alsof ze door een mangel gehaald was, tegen de tijd dat hij haar, uiterst beleefd, in het wachtende rijtuig hielp. Hij had goedgevonden, dat ze een van haar poeders nam – hij herinnerde haar bijna aan Ivan! Ja, hij was volstrekt zonder mededogen; waarom had ze dat niet eerder beseft?

En nu bracht hij haar zelfs naar het Cliff House. Hij had natuurlijk geweten, dat Concepción daar zou zijn met haar toegewijde Engelsman. De viscount keek verbijsterd, maar hij was beminnelijk. Concepción was zoals altijd. Terwijl ze een gesprek gaande hield, hoorde ze op de achtergrond een boos twistgesprek in het Spaans.

'Je gaat te ver, Esteban! Waarom zou ik degene zijn, die haar moet redden? Ik heb nog een rekening met haar te vereffenen, de teef! En jij – jij zou blij moeten zijn dat je van haar af was. Nee, zeg ik je – ik ga met Eddie trouwen en die neemt me met zich mee, dus wat kan het mij schelen?'

De stem van Steve daalde tot een gemompel en Concepción begon knorrig haar schouders op te halen.

'O, goed! Alleen voor deze keer dan – en probeer me niet aan te raken, bastardo!'

Het gesiste scheldwoord leek genoeg op het Engelse equivalent om te maken, dat de viscount een verwarde blik wierp in de richting van Concepición, die hem een stralende glimlach schonk en haar hand op zijn arm legde.

'Je moet het ons niet kwalijk nemen, Eddie. Esteban denkt dat hij als mijn grote broer moet optreden en ik blijf hem maar inhameren, dat het niet nodig is. Sí?' Een niet te bedwingen kwaadaardigheid maakte haar stem veel te zoet. 'Ik zeg hem maar steeds, dat hij beter om zijn eigen veiligheid kan denken en op de eerste plaats aan de reputatie van zijn vriendin.'

'Eh . . . wel . . . echt, ik heb niet het gevoel . . .'

'Concepción houdt ervan om te plagen, is het niet, niña?' Steve glimlachte, maar iets in zijn uitdrukking maakte dat Concepción haar ogen neersloeg en knorrig mompelde, dat ze natuurlijk maar een grapje maakte, dat had iedereen toch wel begrepen.

Ginny had het gevoel dat ze voor één dag nu wel genoeg gehad had en ofschoon haar terugkeer naar huis met een gevaarlijke Concepción met opeengeperste lippen en haar tactvolle begeleider onopgemerkt bleef, behalve door de bedienden, ging ze rechtdoor naar haar kamer om een van haar hoofdpijnpoeders in te nemen. Wat zou het, dat ze een kleine hoeveelheid opium zouden bevatten? Dat werd in andere medicijnen ook gebruikt wegens het verzachtende effect. Steve had het recht niet om te zeggen dat ze verslaafd was, precies zoals die arme Chinezen, over wie ze gelezen had en die al hun dagen in een opiumkit doorbrachten. Dat spul moest je toch zeker roken om er een gewoonte van te maken? En in alle tonicums zat een zekere hoeveelheid opium – zelfs in hoestdrankjes.

'Het is niet waar,' zei Ginny tegen haar spiegelbeeld met het bleke gezicht. Steve was geen dokter – hij had dat maar verzonnen om haar bang te maken. Precies zoals hij ook dat onwaarschijnlijke verhaal verzonnen had over Carl Hoskins. Met of zonder shock: ze kon zich nog heel goed de blik van doodsnood op het gezicht van Carl Hoskins herinneren, toen ze hem met de fles geraakt had – ook hoe de fles versplinterde en het bloed en de wijn zich met elkaar vermengden . . . Steve probeerde opzettelijk haar te misleiden.

Ze had zich uitgekleed en ging op bed liggen. De gedachten spookten door haar hoofd. Wat had Sam Murdock met de senator te bespreken? Misschien had hij er genoeg van om nog langer voor Steve te liegen, deelgenoot of niet. Maar dat betekende . . .

Ik wil er niet meer aan denken tot het moet, zei Ginny vastbesloten. Ze sloot haar ogen en voelde de geleidelijke afname van de spanningen. Ze had de laatste poeder ingenomen van het pakje dat Ivan voor haar had achtergelaten en die werkten altijd veel sneller dan de andere. Waarom had Steve de moeite genomen om haar andere te bezorgen, als hij dacht dat ze eraan verslaafd raakte? Het klopte niet en erover nadenken, juist nu, was te veel moeite. Ze viel in slaap.

Een hele tijd later werd ze wakker en merkte, dat ze in de geelbruine ogen van Concepción staarde.

'Word wakker!' herhaalde de jonge vrouw. 'Zo gauw had je niet in slaap kunnen vallen – tenzij je iets gedaan hebt, waar je moe van wordt. Ze lachte snijdend toen Ginny overeind ging zitten, haar haren hingen tot op haar schouders en ze had een boze trek in haar gezicht.

'Wat doe jij hier?' Ze waren beiden ongemerkt overgegaan tot het gebruik van het bekende Mexicaanse dialect en de herinneringen, die daardoor bij Ginny werden opgewekt, maakten dat haar hart sneller ging kloppen. Ze schoof het haar van haar voorhoofd weg met een arrogant gebaar, waardoor de ogen van Concepción spleetjes werden.

'Ik dacht dat het de hoogste tijd werd, dat wij eens ronduit met elkaar zouden praten, jij en ik. Ik ben niet voor hypocriet in de wieg gelegd en ik word er doodmoe van om gedwongen leugens te vertellen alleen om jou te beschermen!' Het meisje was heen en weer gaan lopen over het vloerkleed, dat tussen het venster en Ginny's bed lag. Ook haar haren hingen los en ze zag er meer dan ooit als een wild dier uit. 'Je kunt niet weten hoe dikwijls ik ernaar verlangd heb om mijn mes in je te steken – de laatste keer dat we gevochten hebben, kreeg je me te pakken omdat je me liet struikelen, maar deze keer . . . Ik denk dat je beschaving jou week gemaakt heeft en dat je bang geworden bent voor wat de mensen zullen zeggen. Ha!' Concepción schudde haar hoofd, met zwaaiende haren. 'Je bent tegenwoordig niet veel vrouw meer. Je moet je maar houden aan het soort man, dat van jouw type houdt.'

'Een echte vrouw hoeft met dat feit niet zo openlijk te koop te lopen als jij schijnt te doen!' antwoordde Ginny en zwaaide haar benen over de rand van het bed. 'Wat kom je hier doen? Was het om mij uit te dagen tot een wedstrijd in het gillen?'

De rode lippen van Concepción trokken zich terug van haar tanden.

'Ik ben hier gekomen om je een paar dingen te zeggen – om je de waarheid eens te vertellen, tenzij je bang bent om die te horen. Of verbeeldde jij je echt, dat Esteban hierheen kwam omdat hij jou begeerde?'

'Je klinkt als een jaloerse feeks,' zei Ginny verachtelijk. Ze negeerde Concepción, liep naar haar kaptafel en begon haar haren te borstelen. 'Is dat alles wat je te zeggen had?' In de spiegel zag ze hoe de vingers van het meisje zich tot klauwen kromden.

'Nee, dat is niet alles!' barstte Concepción los. 'Wanneer jij nog enige trots hebt, dan kun je maar beter luisteren. Zie je, ik heb Esteban veel, heel veel jaren gekend. We zijn vrienden geweest en méér dan vrienden, zoals je heel goed weet. Wij waren samen, hij en ik, die dag dat die bemoeizieke meneer Bishop naar de hacienda kwam.'

'Meneer Bishop?' Ginny's hand bleef in de lucht steken, de bijtende lach van de andere vrouw schuurde tegen haar zenuwen.

'Ja! Meneer Bishop! Waarom dacht jij, dat Esteban in de eerste plaats naar

San Francisco gekomen was? Hij zou naar Europa gaan en mij meenemen – jou was hij al vergeten! En toen kwam die meneer Bishop.'

Heel langzaam legde Ginny de borstel neer en draaide zich om.

'Ga door.'

'Dus nu luister je eindelijk? Begin je het nu te begrijpen? Ja, waarom denk je, dat Esteban je zoveel vragen gesteld heeft en voornamelijk over die prins van jou? Dacht jij dat hij jaloers was. Jij stomme laffe idioot! Toen hij je juwelen gaf en met je naar bed ging, denk je dat dat iets te betekenen had? Hij is nu rijk genoeg om een paar prulletjes voor je te kopen, die dezelfde betekenis hebben als bloemen, die door een andere man gegeven worden. En wat het andere betreft...' Concepción liet haar ogen met verachtende brutaliteit over het lichaam van Ginny dwalen en haar witte tanden flikkerden. 'Moet ik dat nog zeggen? Jij bent een vrouw en het is duidelijk, dat je nog steeds een hartstocht voor hem hebt, want waarom zou je anders zo gemakkelijk over te halen zijn om te sneven? Afgezien daarvan, het zou het voor hem gemakkelijker maken om te weten te komen, wat hij wilde weten – alles over het rampzalige, smerige zaakje, waar jouw prins in gewikkeld is.'

Alle stukken van de puzzel vonden hun plaats in een onverbiddelijke en ondraaglijke logica, terwijl Ginny niettegenstaande zich zelf bleef luisteren en ondanks het gebons in haar oren. Hoe duidelijk zag ze nu de waarheid. Steve werd op een nette manier gechanteerd door meneer Bishop – maar Steve had zelf ook ijzers in het vuur. Hij was kwaad op haar vader. Hij was niet alleen van plan om Ivan te ruïneren, maar haar vader evengoed.

'Jouw prins...' waarom bleef Concepción die term gebruiken? 'Wist jij dat hij geld gestolen heeft van de Russisch-Amerikaanse Maatschappij en het aan je vader gegeven heeft om het te beleggen? En toen de aandelen in koers begonnen te dalen, ging hij in ander soort zaken. Jouw vader heeft aandelen in de Lady Line. Voordien had Steve de andere aandeelhouders uitgekocht, zodat hij een meerderheidsbelang kreeg en dat was hoe de prins in die zaak terechtkwam, die zowel opium als mooie slavinnen uit China invoerde. Doe nou maar niet of je dat niet wist!'

'Nee – hoe kon ze dat geweten hebben? Verzonken in haar eigen ongeluk, had ze zich zelfs niet afgevraagd, ze had het ook niet gevraagd, in welk soort 'zaken' Ivan eigenlijk gewikkeld was.

'Laat mij je dan vertellen, dat het nu allemaal voorbij is. Ze weten het – de mensen waar Esteban voor gewerkt heeft. En de mensen met wie jouw prins werkte, die weten het ook, dat het met hem gedaan is – waarom denk je, dat ze iemand gestuurd hebben om hem te vermoorden? Je kunt maar beter voor je zelf uitkijken, omdat, wanneer hij voor het gerecht komt, je gedwongen zult worden tegen hem te getuigen – tenzij je er zelf in verwikkeld bent! Wat een mooi schandaal, is het niet?'

'Maar ik ben de vrouw van Ivan. Ze kunnen me niet dwingen om tegen hem te getuigen.'

In het besef dat ze nu de bovenhand had, klonk de lach van Concepción diep uit haar keel in een mengsel van triomf en wrok.

'Dus je wou doorgaan prinses te zijn? Dat is beroerd. Als ik jou was zou ik weglopen, naar Rusland, en daar een andere prins zoeken. Want, zie je, idiota, je bent helemaal de vrouw van Ivan niet – en daarom, wanneer Esteban die zaak publiek zou willen maken, zou er nog meer schande en moeilijkheden over jouw familie komen. Die annulering, waarover ze je iets wijs gemaakt hebben, die is er nooit geweest. Jouw papa heeft nooit geweten waar dat noodlottige huwelijk van jou heeft plaatsgevonden, evenmin wist hij de datum – zodat hij, na het een paar keer geprobeerd te hebben, de moed maar opgaf. Maar omdat hij een prins als schoonzoon wilde, in plaats van een vogelvrijverklaarde, zei hij, dat er nooit een huwelijk geweest was . . . Begin je het nu langzamerhand te begrijpen? Je bent bigamiste, prinses! En wanneer je dat niet openbaar gemaakt wilt hebben, dan zou je een braaf meisje moeten zijn, sí? En doen wat je gezegd wordt. Zonder twijfel,' voegde Concepción er achteloos aan toe, 'zal Esteban van je scheiden zo gauw hij maar kan. Ik weet zeker dat hij daar geen moeite mee zal hebben.'

'Nu je je hart gelucht hebt, wil je me misschien vertellen, waarom je dat gedaan hebt? Jouw wraak en die van Steve, zouden veel effectiever geweest zijn, wanneer je dit allemaal als een verrassing had laten komen op precies de juiste tijd. Probeer me niet wijs te maken, dat jouw kleine zwarte hart bewogen werd door een soort medelijden!'

'Jij teef, je bent nog die scherpe tong van jou niet kwijt, is het wel? Maar ik geloof dat het op het eind toch wel zal gebeuren. De enige reden dat ik je dit verteld heb is omdat Esteban een soort eergevoel ontwikkeld heeft, sedert hij en zijn grootvader hun ruzie hebben bijgelegd!' De mond van Concepción vertrok even in een gemelijke grijns. 'Misschien voelt hij wel medelijden voor je, speciaal nadat Francisco zo'n belangstelling voor je toonde. Ik heb je gewaarschuwd, zodat je nog weg kunt gaan zolang het nog tijd is. Die oude graaf leek er erg gebrand op te zijn om jou naar Rusland mee te nemen – waarom doe je dat niet? Ik geloof dat je daar beter af zou zijn.'

'Natuurlijk' – en Ginny stond er verbaasd over, dat haar stem zo koel en onaangedaan kon klinken – 'je kunt natuurlijk liegen, om mij uit de weg te krijgen. Of misschien omdat je bang bent, dat je Steve voor goed aan mij zult kwijtraken. Waarom zou ik ook maar iets geloven van wat jij zegt?'

'Wat ben jij toch een stomme koe!' Concepción stampte met haar voet op de grond en één ogenblik dacht Ginny werkelijk, dat ze zou spuwen. 'Geloof me dan niet! Ontdek het zelf maar! Ja, misschien is dat wel beter ook – jij verdient alles wat je nog boven je hoofd hangt en het zal tenslotte allemaal op hetzelfde neerkomen. Zelfs als Esteban besluit om met jou te trouwen, zal hij niets anders dan verachting en medelijden voelen – hij zal je naar het land terugsturen. Jij kunt dan naar de hacienda gaan en voor de oude man zorgen met een duena die de hele dag achter je aan loopt. Ik, ik zou liever zijn maîtresse zijn dan zijn vrouw!' De jonge vrouw rende bijna naar de deur en daar draaide zij zich om en snauwde met nauwelijks onderdrukte heftigheid: 'Waarom ga je niet naar beneden en probeer je niet te ontdekken wat jouw vader en stiefmoeder samen bepraten achter de gesloten deuren van zijn studeerkamer? Ach, werkelijk! Jij bent blind omdat je niet wilt zien. Zij hebben evenmin keus. Sam heeft jouw vader een paar feiten meegedeeld en we gaan allemaal samen naar de opera en daarna is er een grote receptie in het Palace Hotel. Misschien zal Esteban dat moment uitkiezen om zijn bekendmaking te doen?'

Ofschoon verpletterd door al deze inlichtingen, die zo erg waarschijnlijk leken, richtte Ginny zich op en staarde naar het spiegelbeeld van haar fonkelende ogen, als groene lichten tussen de koperen gloed van haar verwarde haren.

Met een ongewild, woest gebaar nam Ginny de haarborstel weer op en smeet die naar de spiegel en lachte bij het krakende geluid en lette niet op de kleine in het rond vliegende glasscherfjes, die haar gezicht en haar handen verwondden.

Ze sloot haar ogen en haalde diep adem. 'Niemand zal ooit weer gebruik van me maken. Dat zweer ik voor me zelf. Niemand. En ik wil ook nooit meer gekwetst worden. Nooit meer!'

Van nu af aan zou ze alleen op zich zelf steunen. Ze zou niemand meer vertrouwen. Zelfs haar zogenaamde vader, die op zijn manier ook geprobeerd had haar te gebruiken. Had de senator, haar 'vader', ooit iets om haar gegeven? Hij had haar alleen maar nodig als een mooi ornament – toen ze oud en mooi genoeg was om een ornament te zijn. En nu – laat Steve maar doen, wat hij wilde. Het kon haar niet langer iets schelen. Laten ze voor de verandering allemaal maar eens lijden!

Ze ademde zwaar alsof ze lange tijd hard gelopen had. Kwaadheid, vernedering, een pijnlijk besef van haar eigen achteruitgang maakten dat zij zich als een automaat bewoog, onbewust van alles behalve de drang om in beweging te blijven, om iedereen en alles te ontwijken – om voor één keer degene te zijn, die kwetste. 'Ik haat hem, ik haat hem,' schreeuwde haar brein in stilte. 'Ik haat hen allemaal – de hypocrieten, de uitbuiters!'

Ze had zich aangekleed – haar oudste, lelijkste kapothoed achteloos op haar onverschillig opgestoken haar. Ze had zelf nog geen idee, waar ze naar toe zou gaan en wat ze zou gaan doen, maar wat kwam het er ook op aan? Alleen maar weg zien te komen en iedereen vragend achterlaten, laat hen maar een poosje op zoek gaan, terwijl onderhand alles boven hun hoofden in elkaar stortte. Ze kon ergens gastvrouw worden, misschien in een of andere bar als danseres optreden. Of ze kon hoer worden – ze had in die branche ook heel wat ervaring! Ze giechelde bijna, uit zuivere hysterie en nam een poeder in – toen, roekeloos, nog een tweede en propte de rest in haar reticule. Was ze verslaafd? Een slavin? We zullen wel zien. Het zou niet zo moeilijk zijn om een man te vinden, die genegen was om voor alles te zorgen wat ze nodig had. Daarna, toen er wat gezond verstand door de nevel van woede heendrong, smeet ze de deksel van haar juwelenkistje open en propte alles in haar tas. Juwelen verloren nooit hun waarde en deze zouden overal een fortuin opbrengen. Had niet iedereen dat gezegd? Ze lachte in zich zelf, haar lippen werden kwaadaardig smaller. Laat Steve daar later maar eens over nadenken. Zijn achteloos toegeworpen giften zouden haar de vrijheid bezorgen. Het waren evenveel ogen, die naar haar opkeken. Opalen en diamanten en de enkele grote smaragd – het oog van een enorme kat, die naar haar knipoogde met een vuur, dat de gloed in haar eigen ogen evenaarde.

'Wat ga je doen wanneer je ontdekt, dat je je zelf een schaduw gekocht hebt, Steve, schat? Ik zou je zou graag voor iedereen voor gek zetten, juist zoals je dat met mij gedaan hebt.' Jammer, dat ze tegenwoordig geen mes meer bij zich droeg - deze keer zou haar lemmet niet missen, wanneer ze hem terugzag. Maar dat wilde ze niet - ze wilde geen blik meer op hem werpen, nooit, nooit!

In huis was het erg stil, maar ze ging in elk geval toch maar de achtertrap af, ze wilde niet dat iemand haar zou zien.

'Jameson, wil je de kleine sjees naar buiten brengen, alstublieft? Nee - ik zal zelf wel mennen en dat is wel in orde. Ik zal niet lang wegblijven, er is alleen iets belangrijks, dat ik moet doen.' Ze improviseerde snel toen ze de weifelende blik op het gezicht van de man zag. 'Ik moet iemand ontmoeten. Het is meneer Murdock, wanneer iemand je ernaar vraagt of wanneer ik niet op tijd terug zou zijn.'

De naam van Sam Murdock had zoals altijd dezelfde wonderlijke uitwerking. Het zou nog wel even duren vóór Delia naar haar kamer kwam om haar te helpen kleden voor de opera en het briefje zou vinden, dat ze aan Sonya gericht had!

Ik heb besloten om van mijn man weg te lopen, die ik veracht, om naar mijn minnaar te gaan. Pogingen om mij te vinden, zullen, zoals je zeker wel zult beseffen, een nog groter schandaal betekenen, dan er nu al in de maak is. Het zou voor alle betrokkenen het beste zijn om me in vrede te laten gaan of ik zal het schandaal veroorzaken.

Sonya zou het wel begrijpen. En als ze dat niet deed, dan zou Steve dat wel doen. En ze had nog tijd. Daar waren de rivierboten - en de schepen die haar naar elk deel van de wereld konden brengen.

Hoe verder ze ging hoe beter. Voor de eerste keer in haar leven, zou Ginny van niemand afhankelijk zijn dan van zich zelf en haar eigen vernuft.

Jameson, die nog steeds weifelend keek, bracht eindelijk de sjees naar buiten en Ginny schonk hem een stralende glimlach, tegelijk met twee goudstukken.

'Ik zal over een uur wel terug zijn. Dank je wel, Jameson!'

Ziezo - ze had het klaargespeeld. Ze was ontsnapt! Wat was het eigenlijk gemakkelijk geweest! Waarom had ze het niet eerder gedaan? 'Dan zou ik Steve niet opnieuw ontmoet hebben en beseft hebben . . .' ze onderdrukte de verraderlijke gedachte en probeerde zich te concentreren op het mennen van haar sjees door de drukbevolkte straten en de blikken te ontwijken, die haar werden toegeworpen. Een vrouw, die zelf reed. Wat was daar voor vreemds aan? Ze had geprobeerd om zich zo eenvoudig mogelijk te kleden en de vormeloze kapothoed bedekte haar haren. Waarom staarden die mannen?

Ze staarden omdat, niettegenstaande zij zich in een vermomming waande, ze nog steeds een mooie vrouw was. De sjees die ze mende, was nieuw en kennelijk heel duur, het paard was een volbloed. En in elk geval: het was ongewoon om een vrouw zelf te zien mennen. De mannen, die haar aangaapten vroegen zich af of ze een eersteklashoer was. Of misschien een dame, die er voor door wilde gaan. In San Francisco viel dat moeilijk te zeggen. Maar alles bijeen, zij was nu eenmaal het soort vrouw, die door mannen aangestaard werd.

30

Ginny had er geen idee van waar ze was. Ze had nog nooit eerder zelf door de straten van deze stad gereden en het gewirwar van het verkeer, de starende ogen en de halfluide commentaren, hadden haar van streek gemaakt. Waar was de haven.

Volkomen toevallig reed ze eindelijk een straat in, die haar bekend voorkwam. En er kwamen herinneringen boven van de verachtende stem van Concepción: 'Waarom ga je niet naar Rusland? Die oude graaf, die leek er nogal gebrand op om jou mee te nemen.'

Graaf Chernikoff! En waarom niet? Het leek het meest logische, het verstandigste om te doen. Hij was althans, van hen allen, eerlijk tegen haar geweest. Hij zou haar helpen, ook al zou het betekenen dat ze met hem naar Rusland moest gaan. Hij zou haar verbergen, wanneer ze hem dat zou vragen.

Ze draaide de sjees de straat in en zag de stapel bagage, de twee vrachtwagens en het gesloten rijtuig. Een man - ze had hem al eerder gezien, maar ze herinnerde zich niet wanneer of waar - greep de teugels van haar paard.

En daar was de graaf zelf, een bontmuts stond een beetje uitzonderlijk op zijn hoofd.

'Prinses! Hoe hebt u dat geraden? Of was het toeval, dat u hierheen bracht om me op dit ogenblik te bezoeken?'

'Doet het er toe?' Vermoeid liet ze zich van de hoge bok glijden en keek naar het diep doorgroefde gezicht. 'Als u wilt dat ik meega naar Rusland, dan ben ik bereid. Maar het moet wel nu gebeuren - er zijn een paar mensen die me willen tegenhouden.'

Geen vragen.

'Kom. Ik stond op het punt van vertrek en ik denk, dat u ontdekt heb, waarom. Maar bij mij bent u veilig. Dat wist u toch, is het niet?' Plotseling scheen de stem van graaf Chernikoff een echo te zijn van Ginny's eigen verwarde gedachten. 'U hoort in Rusland; ik geloof dat dat altijd al zo bedoeld is. Maakt u zich geen zorgen, u bent nu veilig.' Het was zo'n opluchting, dat de leiding haar uit handen werd genomen, dat ze iemand had om tegen te kunnen leunen. De sterke arm van de graaf omvatte haar middel. 'Niemand komt het te weten. Daar zal ik voor zorgen. U gaat terug naar uw eigen volk, mijn kleine prinses, om hartelijk verwelkomd te worden.'

'Ja, dat was het. Ze zou verwelkomd worden. Eindelijk een persoonlijkheid krachtens zich zelf, niet langer een misbruikte pion in de plannen van iemand anders. Prinses noemden ze haar. En niet omdat ze de vrouw van Ivan was - ze was helemaal de vrouw van Ivan niet, maar de vrouw van Steve Morgan, de nieuwste gouden miljonair van San Francisco, voor haar nu een vreemdeling – een paar vluchtige woorden gemompeld in een verlaten kapel en al te hatelijke herinneringen waren alles wat hen samen bond. Belachelijk. Ze behoorde tot niemand anders dan zich zelf.

'Ben je gekomen om me te waarschuwen?' klonk onverwacht een stem.

Een Russische matroos, die helemaal geen Russische matroos was, maar Ivan. Ivan, die haar aankeek met zijn doordringende blauwgroene ogen. Vreemd, maar zijn uiterlijk maakte haar niet langer bang.

Ginny keek naar de graaf, die haar in het gesloten rijtuig hielp. Ze merkte nauwelijks op, dat Ivan mee naar binnen ging.

'Ik ben niet met hem getrouwd. Ik weiger om met iemand getrouwd te zijn tenzij – tenzij ik dat wil!'

'Ik denk dat ze een van haar poeders genomen heeft. Kijk naar haar ogen.'

Ze dwong zich haar ogen open te sperren en kwaad naar Ivan te kijken en vroeg zich opnieuw verbaasd af waarom hij haar niet langer zorgen gaf.

'Zijn die werkelijk hoofdzakelijk opium? Ik mag de manier niet waarop hij me bedreigt, maar ik zie liever dat u gered wordt dan door hem in een val gelokt te worden!'

'U bent veilig. Niemand zal u bedreigen of in de val laten lopen. Ik zal er zelf voor zorgen dat u beschermd wordt in de naam van de tsaar,' zei de graaf.

Ivan trok met glinsterende ogen zijn matrozenmuts van zijn blonde hoofd en glimlachte.

'Dat is helemaal niet nodig, beste oom. Ik ben van plan haar helemaal opnieuw het hof te maken – ziet u, ze is naar me toegekomen. Ze heeft uit vrije wil haar keuze gemaakt. Zelfs u moet dat toegeven. Mijn schat...' Hij nam de koude handen van Ginny in de zijne en ontmoette haar glazige emotieloze blik. 'In liefde en oorlog is alles geoorloofd, is het niet? Laten we het verleden vergeten en onze kleine misverstanden, je bent mijn vrouw.'

'Nee!' Het rijtuig was nu in beweging, de frisse lucht streek langs Ginny's wangen en deden haar lichtelijk opleven. Ze ging rechtop zitten; de arm van de graaf ondersteunde haar nog steeds. 'Ik ben nog steeds getrouwd met Steve Morgan... of heb je dat gedeelte nooit gehoord? Mijn... de senator heeft vergeten je te zeggen, dat de annulering waarover hij sprak nooit heeft plaatsgevonden. O, dat is maar al te waar! Maar ik wil niet met hem getrouwd zijn, evenmin als ik met jou getrouwd wil zijn. Begrijp me goed, Ivan. Niemand zal me meer schrik aanjagen of me overdonderen. Er worden geen trucs meer uitgehaald. Wanneer het jouw plan is om me heelhuids naar de tsaar te brengen, dan kun je maar beter zorgen, dat ik niets heb om over te klagen.'

'Goed gezegd! U bent een echte Romanov!' Graaf Chernikoff, die stijf rechtop zat, zijn arm nog steeds om Ginny's middel, klonk trots. Tot haar verbazing lachte Ivan Sahrkanov ook.

'O, maar ik ben het ermee eens. Goed gezegd, inderdaad, mijn prinses. Je bent nu veel meer de vrouw, die ik het eerst gezien en begeerd heb. Je hebt je capaciteiten voor woede weer ontdekt en ook je moed. Ik denk, dat ik ervan zal genieten om je opnieuw het hof te maken – en deze keer zullen we elkaar als gelijken tegemoet treden.' Hij gooide plotseling zijn hoofd achterover en zijn gelach werd bijna geluidloos. 'Zou je daar een kleine weddenschap op willen afsluiten? Dimitri? Xenia? Zie je, je bent niet langer de half-Franse Virginie. Je bent Russin en we kunnen echte tegenstanders zijn of minnaars. Zullen we wedden?'

'Ivan, je vergeet je zelf!' mompelde de graaf stijfjes. 'Vergeet niet dat je verondersteld wordt een gewone matroos te zijn. Het was jouw goklust en je allesoverheersende arrogantie, die ons tot dit overhaaste en geheimzinnige vertrek gebracht hebben. Wees in godsnaam een beetje voorzichtig!'

'Wil jij eigenlijk wel een voorzichtige minnaar?' fluisterde Ivan en zijn hand beroerde Ginny's vingers, die hij streelde. Ze keek hem aan en accepteerde niets en verwierp niets.

'We zullen wel zien, is het niet?' zei ze koel en ze herkende nauwelijks haar eigen stem. Haar ogen ontmoetten de zijne, ongeïnteresseerd. Haar lichte gevoel van verbazing, dat hij niet langer de macht had haar schrik aan te jagen, maar dat hij haar voorkwam als elke andere man, was gekoppeld met de wetenschap, dat ze bijna bewondering voor hem kon voelen – op de manier waarop hij zijn verlies kon nemen en alles waarvoor hij gegokt had en nog steeds blijven bestaan. Op zijn manier was Ivan een eerlijke verliezer!

Tegelijk met een lichte, aansluipende slaperigheid, ondervond Ginny een gevoel van welzijn. Ze had nauwelijks behoefte aan de zachte geruststellingen van de graaf.

'We zijn er bijna. Een Russisch schip ligt te wachten, we zullen een sluier voor je zoeken. In deze menigte zal niemand iets vermoeden.'

Indien hij het had kunnen weten, de woorden van de graaf werden op dat ogenblik geparafraseerd en uitgebreid.

Het huis van de senator op Rincon Hill was in een toestand van opwinding sedert Sonya Brandon, tegen de uitgesproken wil van haar echtgenoot in, besloten had om een gesprek te hebben met haar stiefdochter.

Ze trof de kamer in wanorde aan – de laden open, hun inhoud over de vloer verspreid; de spiegel gebroken; de juwelenkist van Ginny leeg; en een wit stuk papier keurig boven op de rommel.

Sonya, die al meer dan ontdaan was over de verschrikkelijke onthullingen die haar echtgenoot in vertrouwen gedaan had, ging over in een toestand van kalme, gecontroleerde hysterie.

'Ze is weg! Ze is weggelopen met hem! Waarom hadden we dat niet kunnen raden? William! In godsnaam – hoe kun je daar staan te kijken naar dat belachelijke briefje en niets doen?'

Het gebeurde maar zelden dat de senator zijn stem verhief tegen zijn vrouw en vooral niet in het bijzijn van het dienstmeisje. Maar nu deed hij dat wél, zijn woorden sneden door de kamer en brachten haar tot zwijgen.

'Je zegt dat je deze brief gelezen hebt? Dan smeek ik je om na te denken met je gewone duidelijkheid, mijn liefste. Ze loopt weg van haar man naar haar minnaar, zegt ze.'

'Natuurlijk! Denk je dat ik dat niet gelezen heb en die woorden in gedachten telkens en telkens weer herhaald heb? Ze loopt weg van Ivan . . .'

'Maar Ivan is haar man niet. Hebben we vanmiddag niet de onaangename waarheid over haar echte man gehoord? Ben je opgehouden je af te vragen of Ginny dat ook niet gehoord kon hebben? Mijn God . . .' hij stond daar als door de bliksem getroffen en begon peinzend zijn kaak te strelen. 'Als zij het weet . . . ik vraag me af wie haar minnaar is? Prins Sahrkanov zelf? Of . . .'

'Maar we zullen haar nu nooit terugvinden! Niet in deze stad. Ze zou overal kunnen zijn. Ze kan vrienden hebben die haar verborgen houden. Ze kan nu de stad al verlaten hebben! William . . .!'

Terwijl hij de brief in zijn jaszak stopte, nam de senator de leiding. Ferm zei hij: 'Jij moet een beetje gaan liggen. Laat Tilly je een oogbad geven - en laat dit aan mij over.'

'Maar - maar wat ga je doen? Gezien alles wat er gebeurd is . . .'

'Zoals ik je al heb uitgelegd, lieve, zijn mijn handen gebonden! Omdat Ginny een getrouwde vrouw is, meen ik, dat de kwestie van haar huidige verblijfplaats een zaak is voor haar echtgenoot. Mijn eerste plicht is naar mijn mening hem in te lichten.'

Sonya lag dwars over een sofa, een zakdoek, gedrenkt in eau de cologne, tegen haar gezicht gedrukt. Nu hief ze haar hoofd op en sperde haar porseleinblauwe ogen wijd open.

'O nee, William! Je gaat toch niet . . . je zult die man toch niet hier in huis halen?'

'Die man,' herhaalde de senator met een zekere droge nadruk, 'is toevallig mijn compagnon in verschillende ondernemingen. Niet Sam Murdock, die - naar het schijnt - enkel voor hem optrad. En hij heeft een controlerend belang in andere ondernemingen. Om het botweg te zeggen, mijn lief, heb ik geen andere keus dan mijn pas ontdekte miljonairschoonzoon te accepteren of enige zeer onaangename consequenties ondergaan! En wat die ander betreft - we mogen ons zelf gelukkig prijzen dat hij er kennelijk achtergekomen is, dat het afgelopen is met zijn spelletjes en zeer welwillend de plaat heeft gepoetst. Lieve God!' Sonya kon er niets aan doen, dat ze ineenkromp bij het horen van de schrille toon die in de stem van haar echtgenoot was gekomen. 'Ik kan nog steeds maar moeilijk geloven aan wat ik vanmiddag allemaal gehoord heb! Wanneer het iemand anders dan Sam Murdock geweest was, die het me verteld had, en als Ralston, Ralston notabene, het verhaal niet ondersteund had . . . Wel . . . en boven op dit alles, schijnt dit wel de laatste strohalm te zijn. Je mag nog van geluk spreken, dat je een vrouw bent en het recht hebt om hysterisch te worden!' En met deze dreigende woorden beende de senator de kamer uit.

Achter hem barstte Sonya in tranen uit.

Voor Ginny zouden er geen tranen meer komen. Dat was nog een belofte, die ze zich zelf deed, terwijl ze tegen de reling van de Russische schoener leunde.

'Je bent nu veilig, mijn kind,' had de oude graaf gezegd toen ze de Golden Gate achter zich lieten. 'Veilig,' herhaalde Ginny en vroeg zich af waarom die gedachte niets deed om haar geest op te beuren of om het doodse lege gevoel binnen in haar te verdrijven. Ze draaide haar hoofd niet toen er iemand naast haar kwam staan ofschoon ze wist wie het was. Ivan. Was het mogelijk, dat hij haar eens ontzag had ingeboezemd en geterroriseerd had? Al wat ze nu nog gemeen hadden, was, dat ze alle twee verliezers waren.

Hij zou haar gedachten hebben kunnen lezen. Ze hoorde hem langzaam uitademen met een zucht voordat hij bijna afwezig mompelde: 'Zo, het spel is dus uit. En nu beginnen we aan een ander. Deze keer ...'

'Ik heb geen interesse. Ik weiger om op het verleden terug te zien.'

'En de toekomst? Interesseert die je? Denk er eens over na, prinses. Die ligt vóór je, goud en glanzend, en je hebt eindelijk beseft, wat je bijna gemist had. Moet je me daarvoor niet dankbaar zijn? Je bent toch zeker nog niet steeds boos op me?' Uit haar ooghoek ving Ginny een glimp op van witte tanden, toen Ivan glimlachte.

'Om je de waarheid te zeggen, als alles gelopen was zoals ik van plan was, zou ik een aanzienlijk genoegen beleefd hebben om jou te slaan.'

Ginny kon het niet helpen, dat ze een onderdrukt geluid maakte en hij lachte zachtjes. Zijn oude, snorrende lach.

'O ja! En je zou me mijn gang hebben laten gaan, zoals je me ook al die kleine afstraffingen hebt laten toedienen. Ik begon het gevoel te krijgen, dat je onbewust ernaar verlangde om gedomineerd en gecommandeerd te worden. Als je eens wist wat een glorieuze fantasieën ik had – maar ik heb te lang gewacht, helaas! Of heb ik dat? Zou je de exquise sensaties willen leren kennen, de heerlijke kwellingen, die uitgaan van genot en pijn met elkaar te vermengen?'

'*Jij* soms?' Toen ze eindelijk haar hoofd omdraaide om hem recht aan te kijken, kon Ginny één enkel ogenblik een trek van verbazing op zijn gezicht zien. Haar voorsprong doorzettend, liet ze een schrille, korte lach horen. 'Wanneer u zich zelf als slachtoffer zoudt aanbieden, prins Sahrkanov, dan zou ik u gaarne van tijd tot tijd van dienst zijn. Maar ik heb helemaal geen neiging om de perverse verrukkingen te ondergaan waarvan u sprak. En nu, indien u mij wilt excuseren, zal ik me bij de graaf voegen.'

Hij stak geen hand uit om haar tegen te houden, toen ze met een onbewuste gratie en waardigheid wegschreed. Maar ze kon voelen hoe zijn ogen haar volgden.

De kajuit van de graaf deed warm en behaaglijk veilig aan na de kille lucht op het dek. Ze sprak over haar hoofdpijnpoeders.

'Opium? Onzin, mijn kind. Misschien een uiterst kleine hoeveelheid voor de kalmerende eigenschappen. Maar niet genoeg om je tot een verslaafde te maken. Natuurlijk, nu je zoveel sterker bent, moet je proberen om het zonder die poeders te stellen. Elke medicijn mist zijn uitwerking, wanneer je die constant gebruikt.'

Ginny geloofde hem. Weer een leugen om toe te voegen aan de lange reeks van leugens, die Steve haar verteld had.

'Wat scheelt je, kind? Je rilt! Je moet op deze tijd van de dag ook niet aan de reling staan; je kunt een verkoudheid oplopen.' De stem van graaf Chernikoff was even vriendelijk en kalm als altijd en Ginny schonk hem een dankbare glimlach. Hij wist hoe de zaken ervoor stonden tussen haar en Ivan en hoe het geweest was. Dat had ze hem verteld. Ginny dronk een glas cognac uit de kelders van de tsaar, dat hij haar had opgedrongen, terwijl hij maar doorpraatte over de tsaar, zijn gezin, zijn intiemste vrienden - allemaal mensen aan wie ze mettertijd voorgesteld zou worden. In Rusland waren de wensen van de tsaar, zijn woord, absoluut. Frankrijk en Engeland hadden democratische monarchieën, maar in Rusland was de tsaar nog steeds een despoot met de macht over leven en dood.

'En stel nu eens, dat ik hem niet beval? Ik ben niet zo erg goed in gehoorzaamheid zonder vragen te stellen, weet u! En ik wil niet, dat er een echtgenoot voor me wordt uitgezocht!'

'Kind, kind! Wacht nu maar eerst af. De tsaar is ook iemand die lang genoeg geleefd heeft om te weten hoe mensen in andere landen leven. Hij weet dat jij opgegroeid bent in Frankrijk en in Amerika - en je bent de dochter van zijn Genevieve. Maak je geen zorgen. Ik zal bij je zijn en je helpen met alles uit te leggen.'

In elk geval, dacht Ginny wrang, ze had zich al in zeker zin verbonden. Ze was op weg naar Rusland en ze had alle oude banden achter zich doorgesneden.

31

Ginny leunde weer tegen de reling en keek hoe de laatste parelende resten van de nevel voor de zon wegsmolten. De frisse wind vulde de witte zeilen boven haar hoofd en deed de kopergouden lokken van haar kapsel over haar gezicht waaien.

'Heb je een aangename nacht achter de rug? Heb je goed geslapen?'

'O, ja. Uw tonicum heeft geholpen. Ik voel me vanmorgen erg ontspannen.' Graaf Chernikoff schonk haar een van zijn zeldzame glimlachjes.

'Goed, goed! Dat moeten we hebben, is het niet?'

Een matroos riep iets en Ginny draaide, tegelijk met de anderen, haar hoofd; de zeilen van een klipper leken uit de ver verwijderde horizon te voorschijn te springen, vér achter hun boeg. Ginny's hart maakte een plotselinge, onverklaarbare tuimeling. Hoe mooi zag dat schip eruit en hoe snel, ondanks haar afmetingen, kwam het op hen af.

Ivan kwam aan dek en zette zich schrap tegen de bewegingen van het schip als iemand met veel ervaring. Zoals gewoonlijk was hij onberispelijk gekleed, zijn ogen glinsterden als bleekgroen glas in het weerkaatste licht van de morgenzon.

'Bewonderen jullie onze medereiziger? Die vaart bijzonder snel, is het niet? En ofschoon ze ons gezien hebben, veranderen ze niet van koers. Denken jullie dat het alleen maar gebrek aan beleefdheid is, of... iets anders, misschien?'

Opgeschrikt, draaide Ginny zich om en keek nog eens naar het andere schip dat inderdaad op hen afkwam met een alarmerende snelheid. Zij herinnerde zich advertenties in de kranten gelezen te hebben: 'In honderd dagen van New

York naar San Francisco . . .' De snelste schepen op de oceaan, ze leken een en al zeil, het schip zelf lag heel laag op het water in de golfdalen.

'Onzin! Ze hebben ons gezien. De kapitein zal wel een beleefde groet wisselen en dan van koers veranderen.'

Maar zouden ze dat – zóuden ze dat? Ginny wist niet waarom ze dit dacht, maar er was iets onweerstaanbaars en bijna iets dreigends in de manier waarop het andere schip hun koers leek te volgen, nooit aarzelend en elke minuut werd het groter en groter.

Naast haar hoorde ze Ivan lachen en ze ving de fletse glans van zijn ogen op.

'Een zeerover, misschien? Jullie Amerikanen – zo grof, zo ver achter bij de rest van de beschaafde wereld. Zou je een weddenschap met me willen aangaan, mijn prinses? Alles wat ik bezit tegen . . . wat anders is er dan je zelf? Ik heb een instinct voor dat soort dingen en in dit geval . . .' Ginny zag de reeks kleine vlaggen, die plotseling omhoog kropen langs een lijn tussen de boeg en de voormast.

'Een kijker, vlug!'

Terwijl Ginny en de graaf stonden te wachten, overhandigde een matroos een koperen telescoop. En toen hij die liet zakken, lachte hij geluidloos.

'Dat was te voorzien. Waarom was je zo bang om met mij te wedden? Zie je, ze hebben juist geëist dat we bijdraaien. Ze willen met ons praten.'

Wat daarna volgde was een en al verwarring. De tweede stuurman kwam de brug afstormen met een rood gezicht, terwijl een vloed van Russische woorden van zijn lippen vloeide.

Alleen Ivan leek van hen allen onbewogen te zijn en niet in het minst geagiteerd.

'Ik geloof – ja. Ik geloof dat we die vastbesloten echtgenoot van jou onderschat hebben, prinses. En misschien was dat mijn fout wel, van het begin af. Ik had hem uit de weg moeten laten ruimen.'

'Waar praat je over?' Ginny schreeuwde hem de woorden bijna toe. 'Wat bedoel je? Het is onmogelijk, ze zouden niet . . .'

'Maar ik denk van wel! Zeeroverij in open zee! En wat een prijs is ermee gemoeid!'

'Ik wil niet! Als het is, wie jij zegt, dat het is – ze kunnen me niet dwingen! O nee! Ik weiger!'

'Ze varen onder Amerikaanse vlag.'

'Dacht jij dat ze een doodskop met twee gekruiste beenderen zouden voeren? Niettemin vind ik het toch zeeroverij.'

'Onmogelijk!' bleef graaf Chernikoff maar herhalen. 'Dit is een Russisch schip. Wij zijn Russische staatsburgers . . .'

'Allemaal, behalve ééntje. En misschien begrijpt u het nu?'

De graaf ging naar beneden om zijn papieren te halen, maar ondanks zijn aanhouden, wilde Ginny niet met hem mee naar beneden gaan.

'Ik blijf aan dek. En als hij het is – als hij het is: ik ga niet! Ik zal het duidelijk maken dat ik uit vrije wil aan boord van dit schip ben en . . .'

De beide schepen deinden zachtjes en leken bijna bewegingloos behalve wanneer ze uit de golfdalen omhoog deinden. De matrozen op het Russische schip droegen allemaal een revolver - prins Sahrkanov had de order gegeven tegen de protesten van graaf Chernikoff in.

Ivan sloeg een arm om de schouders van Ginny en deze keer kromp ze niet ineen. 'Laat hem het maar zien!' dacht ze uitdagend. 'Laat hem maar het ergste denken . . . O, hoe durft hij, na alles in het verleden?'

Hij, Steve Morgan. Onbegrijpelijk en afschuwelijk, die echtgenoot van haar. Ze weigerde om de gedachte te aanvaarden.

Met een gezicht, zo strak als een masker, zag Ginny hoe Steve over de reling van zijn schip klom - moeiteloos, geen onhandigheden, elke beweging even vlot en even zeker, zoals ze zich van hem herinnerde. Hij droeg een revolver in een laaghangende holster. Hij was zelfs als zeerover gekleed, in een wit linnen overhemd met open kraag, een zwarte rijbroek met hoge laarzen, een blauwe zijden sjaal achteloos om zijn hals geknoopt.

Hij werd wonderlijk genoeg gevolgd door de senator, die er in een donker pak erg ongemakkelijk uitzag. En bij hen was een lange man met een dikke buik en een zilveren ster op zijn vest.

'De overvalsgroep!' zei Ivan sarcastisch, terwijl zijn arm zich vaster om de schouder van Ginny klemde. 'Ik vraag me af of deze piraten gekomen zijn om mij te arresteren of om jou te vinden, mijn liefste?'

De Russische kapitein protesteerde luidkeels en tegelijkertijd was graaf Chernikoff in zijn stijve Engels eveneens iets aan het uitleggen. Ginny had al opgemerkt hoe de ogen van Steve over haar gedwaald waren - hard, glanzend saffierblauw. Maar na die eerste blik als een dolkstoot, sloeg hij verder geen acht op haar, en wendde zich in plaats daarvan tot de graaf, aan wie hij kalm uitlegde dat het schip zich nog in Amerikaanse territoriale wateren bevond en dat in zijn gezelschap een senator van de Verenigde Staten was en de sheriff van de provincie San Francisco.

'Maar uw redenen voor deze eigenmachtige daad van . . . ik kan het niet anders dan een vorm van zeeroverij noemen; ik eis van u . . .'

'Graaf Chernikoff, wanneer ik de inleiding mag overslaan: ik ben hier, doodeenvoudig, om mijn vrouw op te halen. Ik ben genegen om de verschillende tenlasteleggingen tegen prins Sahrkanov te vergeten, hoe onaangenaam die ook zijn, en de sheriff hier is het met me eens. Maar u zult toch hopelijk niet mijn rechten op mijn vrouw willen ontkennen?'

'Op mij!' Niet in staat om nog langer te zwijgen, schreeuwde Ginny de woorden bijna uit. En nu had ze hem eindelijk gedwongen om haar rechtstreeks aan te kijken. 'En hoe zit het met mijn gevoelens, mijn neigingen? Ik weiger om met je mee te gaan. Wanneer je me met geweld ontvoert, zal ik een verzoek tot echtscheiding indienen. Ik zal zo'n schandaal veroorzaken, dat . . . dat . . .'

Indien er enige emotie te lezen viel in het gezicht van Steve, dan zou dat alleen kunnen bestaan uit het witter worden van de huid rond zijn ogen en zijn mond.

'Ginny!' zei de senator en ze keerde zich dan ook direct tegen hem met vurige groene ogen.

'En waarom bent u hier? Van alle betrokkenen zoudt u het meeste belang hebben bij het vermijden van een schandaal, zo'n schande! Ik zeg u, ik wil dit schip niet verlaten - u zult me met geweld mee moeten sleuren en de narigheden onder het oog zien, waarvan ik zweer dat ik ze u allemaal zal aandoen!'

Steve keek haar aan alsof ze de twee enige aanwezigen waren en ze kromp bijna ineen toen ze de naakte woede in zijn blik zag.

'Wanneer ik jou met geweld mee moet nemen, dan zal ik dat doen. En als je een echtscheiding in je hoofd hebt, dan zul je die ook krijgen!' Maar eerst - eerst ga je mee terug naar San Francisco en je zult in het openbaar verschijnen en je zult je als een dame voordoen tot al het gepraat bedaard is. Begrijp je dat, Ginny? Over zes maanden kun je doen wat je wilt - wil je soms naar Rusland? Ik zal je erheen sturen. Hoort u me, graaf? Maar nu - uitgerekend nu, verdomme - ga je van dit schip af en met mij mee en ik heb alle recht van de wereld om jou daartoe te dwingen.'

Er viel een plotselinge stilte, terwijl de toekijkende matrozen hen verbaasd aangaapten en graaf Chernikoff naar woorden leek te zoeken.

Als bij toeval liet Ivan zijn arm zakken van Ginny's schouders en hij stond met zijn handen in zijn zij en zijn stem klonk opzettelijk minachtend.

'Ik had al eens gehoord - en nu geloof ik het - dat jullie Amerikanen geen trots kennen! Om een weggelopen vrouw met geweld terug naar huis te slepen! En van dreigementen gesproken! Hebt u niet de wapens gezien, die u van alle kanten bedreigen? Is uw schip uitgerust met kanonnen? Ik geloof, heren, dat we gekomen zijn aan, wat je bij het schaken een patstelling noemt. Kom naar me toe, Virginie!'

Bij verrassing genomen voelde Ginny plotseling hoe ze om haar middel gegrepen werd; en daarna, zich dwingend om geen tegenstand te bieden, leunde ze tegen Ivan, die haar enigszins voor zich uit hield.

'Ziet u? Ze komt. Ze heeft haar keus bepaald. En wanneer er van uw kant roekeloos geschoten wordt . . . Zoudt u haar liever dood zien, dan dat ze haar eigen wensen volgt?'

De sheriff liet zijn hand naar zijn revolver zakken en bleef stokstijf staan. Zwijgend, onbewogen, hoorde Ginny de senator het begin van een uitroep slaken en daarna met moeite zijn kaken weer op elkaar sluiten. Alleen Steve bleef, evenals de prins, volkomen onbewogen.

'Waarom gaat u niet terug? Wees verstandig. Virginie heeft u juist gezegd, wat haar gevoelens waren. En bij het gokspel bestaat er een uitdrukking: "neem je verlies". Is het niet waar, dat men moet leren om altijd zo te handelen?'

Steve haalde zijn schouders op, zijn glimlach was niet meer dan het optrekken van een mondhoek.

'Men moet ook leren om iemand te overbluffen. Uw hand tegen de mijne, Sahrkanov. Of hebt u soms een extra aas achter uw mouw?'

'Ik dacht aan een honorabele oplossing uit deze patstelling, die we beiden hebben toegegeven,' zei Ivan Sahrkanov. 'Een gentleman's agreement, misschien? Ik, ik weet niet veel af van uw Amerikaanse gebruiken maar in

Europa, zou er in een situatie zoals deze, maar één oplossing zijn.'

'Ivan – wat zeg je?' De stem van de graaf klonk hees; de ogen van Steve Morgan staken flitsend blauw af in zijn donkere behaarde gezicht.

'Ga maar door, laten we dat gentleman's agreement maar eens horen,' inviteerde Steve zacht en Ginny had het allervreemdste gevoel, dat hij precies wist wat er ging komen en had het van het eerste ogenblik van het gesprek af dan ook verwacht. Zelfs nu vertrok zijn gezicht geen spier. God, waarom moest ze hem maar blijven aankijken en waarom werd ze plotseling bevangen van een aankomend gevoel van misselijkheid?

'Er ís toch maar één oplossing?' Ivan Sahrkanov legde een klank van verbazing, gemengd met neerbuigendheid, in zijn stem. 'Hier hebben we een vrouw, die door twee mannen begeerd wordt – moet ik u er aan herinneren dat ik Virginia nog steeds als mijn vrouw beschouw? Ik meen, dat zij voor háár bestwil en om háár reputatie te beschermen, zij met één echtgenoot gelaten moet worden. Dan zal er ook geen probleem meer zijn, ja?'

Steve lachte en het geluid van zijn gelach, dat de stilte verbrak, die zich van iedereen op het dek had meester gemaakt, zond koude rillingen langs Ginny's rug.

'Dat ik daaraan nu niet eerder gedacht heb?' De ogen van Steve sneden door haar heen en niettegenstaande haar besluit verbleekte Ginny. 'Wat zou je liever zijn, mijn liefste, weduwe of echtgenote? Of hoef ik dat niet te vragen?'

Zijn stem, met die bijtende bittere klank, hoonde haar; ze kon dat niet op zich laten zitten!'

'Heb ik mijn gevoelens in deze zaak al niet duidelijk gemaakt? En in godsnaam: nu je het conventionele gebaar gemaakt hebt en je verdomde trots weer teruggevonden hebt, waarom ga je dan niet en laat mij met rust? Jullie allemaal! Er hoeft over mij helemaal geen duel uitgevochten te worden – ik weiger om dit schip te verlaten!'

'U ziet, dat de dame wederom verklaart, dat zij weet wat zij wil.'

De zijige stem van Ivan Sahrkanov liet zich na een korte stilte weer horen. 'Ik neem aan, dat u mijn recht om haar te beschermen, betwist?'

'Ik neem aan, dat u de keus van het wapen hebt?' De stem van Steve was droog.

'Ik wil eerlijk zijn – zullen we Virginie voor ons laten kiezen?'

Plotseling viel een straal zonlicht over Ginny's gezicht, die haar bijna verblindde, zodat ze snel met haar ogen knipperde. Ze hoorde haar eigen stem als uit de verte, maar duidelijk en scherp.

'Waarom geen sabels? Ik heb altijd een duel met sabels willen zien.'

Iemand zuchtte, het geluid was abnormaal sterk. Graaf Chernikoff schraapte zijn keel alsof hij van plan was iets te zeggen, maar hij bleef in zijn woorden steken.

Het was de senator, die het eerst het gebruik van zijn stem terugkreeg, toen hij luidkeels uitbarstte: 'Ik heb nog nooit van mijn leven zo'n massa baarlijke onzin gehoord! Een duel! Belachelijk! Heren, dit is de negentiende eeuw en we worden verondersteld gecivilisee rd te zijn!'

'Maar uw revolvergevechten in het Wilde Westen – ik heb er zelf een paar gezien, weet u – zijn dat geen duels tot de dood erop volgt? Zo'n geschiedenis van een revolver uit je holster trekken en dan schieten bang-bang-bang – dat is geen kunst, daar is geen behendigheid voor nodig. Maar de sabel daarentegen . . . Maar misschien heeft mijn geachte tegenstander, de zeerover, nog nooit het gebruik van zo'n wapen geleerd?' De spottende ogen van prins Sahrkanov gingen van de senator naar Steve, die achteloos zijn schouders ophaalde alsof de vraag noch de manier waarop die gesteld werd, van enig belang was.

'Ze hebben ons wat algemene instructie bij de cavalerie gegeven. Maar ik vermoed, dat u aan schermwapens denkt?'

'U gaat er dus mee akkoord? Alles te beslissen door de afloop van onze ontmoeting?

'Luister eens even,' barstte senator Brandon uit, 'jullie zijn toch niet serieus over dit belachelijke idee? Ginny is kennelijk veel te overspannen om helder te kunnen denken. Ik geloof niet, dat zij de ernst beseft . . .'

'Ik geloof dat Ginny precies weet, wat ze wil,' zei Steve onbewogen.

Zij opende haar mond om 'nee!' te willen schreeuwen, maar er kwam zelfs geen gefluister uit en rondom haar was iedereen aan het praten – de senator en de sheriff, die tot nu toe gezwegen had, waren in een heftig argument gewikkeld over de wettigheid en over moord en over praktisch gezond verstand en Ivan riep zijn knecht om de doos met de identieke sabels te halen.

Ze wist bijna niet hoe het gebeurde, maar plotseling ontdekte Ginny, dat ze achteruit tegen een waterdicht schot gedrukt stond met de arm van graaf Chernikoff troostend om haar heen. Op het dek was een ruimte vrijgemaakt.

'Is het begrepen? Zijn we het allemaal eens? Weldra zal een betreurenswaardig incident plaatsvinden en wanneer het voorbij is, dan is deze zaak afgedaan. We gaan onze afzonderlijke en naar ik vertrouw – vreedzame – wegen.'

'Die prins-kerel verzint vast wel rare trucs en grappige regels, is het niet?' mompelde sheriff Meeker binnensmonds. Het stond hem niet aan. Hij had er eigenlijk helemaal niets mee op en begon vurig te wensen, dat hij zich niet had laten overhalen om deel te nemen aan deze idiote achtervolging van een weggelopen vrouw. Nu zag je maar weer eens dat vrouwen, ongeacht uit welke maatschappelijke klasse ze kwamen, allemaal hetzelfde waren! Eigenwijs en te oordelen naar déze, met haar kwade groene ogen, even goed dodelijk.

William Brandon verplaatste zich zodat hij met zijn rug naar de zon stond, zijn aandacht, ondanks al zijn boze voorgevoelens, was nu volkomen geboeid door de twee mannen, die elkaar met een ruimte van een meter, stonden aan te staren. Van het dek van de klipper, 'Green-Eyed Lady' werd elke beschikbare telescoop en verrekijker op dezelfde scène gericht, die door zijn werkelijkheid en primitieve kwaliteiten bijna onwerkelijk leek.

Twee mannen, bijna van gelijke lengte en lichaamsbouw, stonden nu in overhemd tegenover elkaar: Steve Morgan, huurling, vogelvrijverklaarde, en guerrilla-strijder, die miljonair geworden was, zag er meer dan anders uit als een zeerover, met een zwaard in zijn hand, zijn voeten stevig een eindje uit elkaar op het dek geplant, het lichaam bedrieglijk ontspannen; en prins Sahrkanov, de laatste van een edel geslacht, een cynicus en een gokker en op zijn manier een avonturier, zag eruit alsof hij zeker van zijn wapen en van zich zelf was.

Een vluchtige glimlach speelde om Ivan's lippen toen hij het gevest van zijn sabel kuste. 'Aan de overwinnaar – aan de buit. En aan de dood van degene, die het verdient!' zei hij uitdagend.

Over de schouder van de prins ving Steve de gekwelde, glazige blik uit Ginny's groene ogen op en schonk haar een bijna spottende glimlach. Ze zag er niet naar uit alsof ze zich verheugde over het vooruitzicht dat twee mannen om haar zouden vechten. Ze beet op haar lip, hard, en een druppeltje bloed stak duidelijk af tegen de parelwitte kleine tanden. Hij moest haar haten – dat wilde, onvoorspelbare kleine vrouwmens! Maar in plaats daarvan, precies de gek die hij geworden was, ging hij voor haar vechten. Maar de haat was althans uit haar ogen verdwenen. Ze hadden nu een gejaagde uitdrukking – en ongelukkig. Hoe zouden die er later uitzien?

'U hebt geen afscheid te nemen? Geen saluut?'

'Dat laat ik aan u over,' zei Steve kortaf en instinctmatig namen zijn lichaam en zijn voeten de 'en garde' positie in; zijn samengeknepen blauwe ogen keken naar die van zijn tegenstander om gewaarschuwd te worden voor de eerste beweging.

Het was begonnen.

32

Naderhand kwamen bij Ginny alleen maar flitsen van herinneringen terug, indrukken die door haar omgeving des te levendiger gekleurd werden, maar alleen als ze er moeite voor deed.

Het gekletter van de sabels, het schuifelen van hun voeten, het was een droom, een nachtmerrie! Zonder het te beseffen was Ginny gaan rillen alsof ze een verkoudheid had opgelopen.

Graaf Chernikoff fluïsterde met hese stem: 'Ivan is een van de beste schermers die ik ooit gezien heb. Zie je, hij heeft nu de ander al in het defensief gedrongen; hij speelt met hem!'

Haar vingers, die elk zo stijf en strak aanvoelden alsof ze van staal waren, klemden zich om de arm van de oude man. 'O God, mijn God!' Bad ze in zichzelf? Voor wie bad ze? Ze wist het niet. Ze begon op te merken, nadat de graaf iets gezegd had, dat Ivan een vreemde, strakke glimlach op zijn gezicht had en dat Steve, die voorzichtig maar niettemin gestadig terugtrok, voor zijn leven vocht.

Dat wist Steve ook. Hij kon heel redelijk met een sabel omgaan, maar dat was dan ook alles. En Sahrkanov, die eer moest men hem nageven, was een uitblinker. Steve kon zelfs een onpersoonlijke bewondering voelen voor de slimme manier, waarop de man hem rond gemanoeuvreerd had, zodat hij nu de zon in zijn ogen kreeg en de reling van het schip in zijn rug. Het was nu nog een kwestie van tijd, tenzij hij het kon klaarspelen om juist buiten het bereik van die flitsende kling te blijven.

Toen hij zag dat zijn tegenstander begonnen was zijn ogen dicht te knijpen tegen het felle zonlicht terwijl hij zich verdedigde, besloot Ivan Sahrkanov dat het tijd werd om het eerste bloed te doen vloeien en hij deed dat met een minachtende nonchalance.

De sabel in zijn handen werd nu iets levends, terwijl de prins een demonstratie gaf van zijn volmaakte vaardigheid. Maar, ofschoon hij er een eind aan had kunnen maken, wilde hij Morgan de tijd geven om bang te worden - om een begin te maken met het wachten, met een afschuwelijke, steeds toenemende angst voor de genadeslag, die aan alles een einde zou maken.

'Hier komt het,' dacht Steve, die de fletse ogen zag veranderen. De kling van Sahrkanov flikkerde als de tong van een serpent, kwam gemakkelijk door zijn verdediging en maakte het maar al te duidelijk, dat het nu gedaan was met het spel en de prins klaar was voor de genadeslag. Maar nog niet... 'Ik zal je aan stukjes snijden, maar langzaam genoeg om er pijn van te lijden,' zei de prins met een glimlach.

Pijn was er nog niet, alleen een scherp, brandend gevoel toen het lemmet over Steve's ribben streek, en het druppelen van bloed. Hij zoog zijn adem naar binnen, gooide zijn lichaam buiten bereik en Sahrkanov bewoog eveneens. Eén ogenblik kletterden de sabels tegen elkaar en toen gleed de kling van de prins langs die van Steve omlaag, duwde die opzij en gleed eronder met een soort draaiende beweging. De punt trof Steve in de schouder en ketste af tegen zijn sleutelbeen. Als dat niet gebeurd was en hij niet zulke snelle reflexen bezeten had, zou de wond dieper geweest zijn en zijn arm verlamd hebben. Zoals het nu was, moest hij achteruit springen en zijn sabel viel kletterend op het dek.

Er ging een collectieve zucht op uit de halve cirkel van omstanders, toen de prins het gevallen zwaard wegschopte.

Ze stonden nu tegenover elkaar, Ivan Sahrkanov in de klassieke pose van de duellist - een voet vóór de andere, de knieën licht gebogen, de arm met de sabel gebogen in de elleboog, de sabel voor zich uit en recht omhoog. Al wat hij nu nog te doen had, was één snelle beweging maken, zijn lichaamsgewicht overbrengen van zijn linker- naar zijn rechtervoet, terwijl zijn arm en zijn lichaam naar voren schoten... 'Nee...' De stem van Ginny, schril door hysterie, sneed door de stille lucht. 'Ivan - alsjeblieft, zo is het genoeg! Je hebt gewonnen, dat kan niemand betwisten. Doe geen...'

Graaf Chernikoff staarde haar aan met een verbluffende uitdrukking op zijn gezicht. Zelfs de senator wendde zijn hoofd om haar aan te staren, met een bleek gezicht en een nogal verdwaasde uitdrukking.

'Maar dit is geen geval van winnen of verliezen, chérie.' De ogen van prins Sahrkanov weken niet van Steve's gezicht - hij keek uit naar tekenen van angst, voor het uitbreken van zweetdruppels op het voorhoofd van zijn vijand, de tong die de lippen zou bevochtigen, wanneer hij zou beginnen te smeken. 'Je vergeet dat dit een duel is tot de dood erop volgt. Nog een ogenblik en ik zal je vrij maken.' Er was geen teken van enige emotie, geen van de reacties die hij verwacht had te zullen lezen in de alerte blauwe ogen, die naar hem terug staarden.

'Laat dat!' Ginny's stem verstikte bijna in de woorden. Ze had naar voren kunnen stormen met het dwaze idee om zich tussen de vechtenden te werpen, als de graaf haar niet tegengehouden had, door een verbluffend sterke arm om haar middel te slaan.

'Ze heeft gelijk – dit zal koelbloedige moord zijn, wanneer je denkt zo door te kunnen gaan. Echt, Sahrkanov, ik moet je eraan herinneren . . .'

Tot ieders verbazing was het de onbewogen stem van Steve Morgan, die de senator, bijna op het punt van een beroerte, onderbrak.

'Hij heeft gelijk, weet u. "Tot de dood", dat was de overeenkomst die we sloten. Maar . . . het is nog niet voorbij.'

Ginny zou zich naderhand het vuile gelach van Ivan herinneren.

'Nee? U hebt gelijk. Ik ben niet van plan om u snel te laten sterven of op een prettige manier. Het zal iets zijn, dat iedereen zich zal herinneren.'

De sabel flitste weer in het zonlicht, Steve werd weer achteruit gedrongen tot zijn rug tegen de reling leunde.

Ivan lachte.

'Je bent van me weggelopen, maar waarheen wil je nu nog lopen? Zul je proberen om in de oceaan te springen om te ontsnappen aan een verdere afstraffing?'

'Heeft Su Lei zich daarom opgehangen? Of had het iets uitstaande met haar broer?' Steve voegde er spottend aan toe: 'Pijn toebrengen is voor jou een van de plezierigste dingen, is het niet? Daarom wil je dit rekken. Zou je graag willen, dat ik bleef praten tot jij besloten hebt wat je nu gaat doen?'

'Ik ga je aan mijn sabel rijgen en je door je buik vastprikken aan de reling en luisteren naar jouw kreten van pijn!'

Steve stond ogenschijnlijk ontspannen te wachten tot Ivan uitviel.

Daarna gebeurde alles veel te snel voor de jonge vrouw om het nog te kunnen volgen, het was niet anders dan een serie opeenvolgende beelden. Het was alsof ze de plotselinge en heftige uitbarsting van een slapende vulkaan gadesloeg.

Het scherpe lemmet gierde door de lucht, gleed langs de borst van Steve, die zich uit de heupen afwendde, naar links uitweek en met de kant van zijn linkerhand de arm van Sahrkanov juist voldoende wegsloeg om hem te ontwijken en Steve de knokkels van zijn rechterhand liet neersuizen op de binnenkant van Ivan's polsgewricht en dat omhoog sloeg met dezelfde beweging, waarbij de sabel van Sahrkanov uit zijn verlamde hand viel.

Het lichaam van Steve Morgan, dat met berekende precisie bewoog, was een dodelijk wapen geworden, de ene boosaardige beweging vloeide vlot over in de andere.

Hij liet zijn linkervoet naar voren glijden en Steve gaf met zijn linkerhand een achterwaartse slag in de onbeschermde lies van Ivan en toen de ongelukkige prins zich dubbel boog met een kreet van pijn, volgde een tweede slag met de rechterhand tegen zijn borstbeen en toen nog een met de zijkant van de hand tegen de achterkant van zijn nek.

'Lieve Heer Jezus!' riep iemand uit. En nog vóór hij kon inademen, was het allemaal voorbij, behalve dan het beeld, dat zich steeds maar repeteerde in Ginny's verbeelding. Ze had nog nooit zoiets gezien, zich nooit zo iets wilds kunnen indenken, iets zo bruuts, haar hele leven lang nog niet.

Toen de prins naar voren ineenschrompelde alsof hij in tweeën boog, raakte Steve's linkerknie hem in het gezicht, waardoor hij weer overeind kwam en Ginny kon inderdaad het gekraak van brekende beenderen horen. Steve volgde zijn eigen versnelling en zijn rechtervoet kwam neer in de richting van de vallende man toen hij met zijn linkervoet een trap gaf tegen de borstkas, waardoor deze als papier-mâché in elkaar gedrukt werd. Weer terug op de bal van dezelfde voet, maakte hij een halve slag om en nog steeds met de gratie en precisie van een balletdanser bracht hij de genadeslag toe, een laatste verpletterende slag met de hak van zijn rechtervoet op het hart.

'Mijn God - als ik het niet zelf gezien had... In minder dan een minuut - en hij is dood!'

Steve Morgan liep naar de sheriff toe en zei: 'Bedankt voor het vasthouden van mijn revolver, meneer. Ik zal hem nu maar terugnemen.'

Zonder iets te zeggen reikte Brandon, de senator, hem de revolverholster over en keek de man aan, die - het was bijna niet te geloven - zijn schoonzoon was en nu de riem weer om zijn middel bevestigde en er net zo lang mee bezig bleef tot de revolver weer laag genoeg tegen zijn heup hing. Was dit dezelfde beleefde vreemdeling, die vogelvrijverklaarde, die hij gezworen had te achtervolgen en te doden? Dezelfde man, die, toen hij in gewelddadigheid losbarstte een luide kreet als een Indiaan had laten horen?

Hij had Ginny 'teruggewonnen', mijn God, wat een vreemde gedachte! En wanneer Sonya het zou horen... maar Ginny zelf?

Die was aan het overgeven bij de reling, waarbij ze ondersteund werd door de arm van de graaf.

'Ik zal Ginny nu mee terugnemen. Dat begrijpt u zeker wel, graaf Chernikoff? Dit was het verkeerde ogenblik voor haar om weg te lopen,' zei Steve.

'Dus u bent de man over wie ze sprak.' De graaf zuchtte. 'We hebben u onderschat. En vooral die arme Ivan. Hebt u deze manier van vechten in China geleerd?'

'Van een Chinese vriend, die het zijn hele leven lang bestudeerd heeft. Het is erg nuttig - voor iemand, die vergeten is hoe hij een sabel moet hanteren.'

'Aha... u spreekt ook Frans, is het niet? Is het waar dat uw huwelijk...'

'Nooit geannuleerd werd? Ja, dat is waar. Maar dat heb ik zelf pas zeer onlangs ontdekt. Graaf...' De stem van Steve werd harder en werd lichtelijk ongeduldig. 'U begrijpt zeker wel, dat ik hier niet kan blijven om alles uit te leggen? Wanneer u iemand hebt, die de bagage van mijn vrouw kan ophalen...'

'Eén ogenblik! Prins Sahrkanov is dood - het was een duel, goed! En tevoren was er een afspraak gemaakt; u behoeft niet bang te zijn, dat ik daarop zal terugkomen. Maar . . . als Ginny nu nog steeds naar Rusland wil? U ziet hoe overspannen zij is, hoe ziek eigenlijk. U kunt zeker toch . . .'

'Ik ben niet van plan om Ginny te slaan of om haar te vermoorden, als dat het is, dat u dwars zit, meneer. En ik weet waarom u haar mee naar Rusland wilt nemen. Maar ze moet eerst hier aan zekere verplichtingen voldoen.'

'Ik ga niet met je mee! Na alles wat ik gehoord heb, na wat ik zo juist gezien heb . . . ik zou nergens heen willen met jou!' Met een bleek gezicht en een huiverend lichaam, wendde Ginny zich van de reling af, haar groene ogen schitterden ongewoon groot. 'Je hebt me belogen, je hebt me in een val gelokt . . . en je bent me alleen maar achterna gekomen omdat te veel mensen wisten, dat wij . . . nee! Ik wil niet met jou getrouwd blijven! Jij wilt me hebben, omdat je denkt dat ik een bezit van je ben! Omdat jouw stomme, schijnheilige trots dat eist, dat is alles! Ik . . .'

'Ginny! Ga naar beneden en haal je spullen. Breng je juwelen mee, omdat je die gaat dragen wanneer we samen uitgaan. Als je wilt argumenteren dat zullen we dat later doen.'

Tegen de onbuigzame klank in zijn stem was ze machteloos en ze wist het. Zelfs graaf Chernikoff, die een man was met de merkwaardige mannenopvatting van eer, wilde haar niet helpen. En Ivan was dood – zijn wijze van sterven was nog steeds in staat om haar maag in allerlei misselijk makende knopen te draaien.

'Dat zal je berouwen!' zei Ginny kinderachtig met krakende stem. Als een wervelwind draaide zij zich om en holde naar haar kajuit.

'U bloedt nog steeds. Wanneer u mij naar die verwondingen wilt laten kijken, terwijl we bepaalde zaken bespreken . . .?'

Bijna verstrooid veegde Steve met de mouw van zijn gehavende overhemd over zijn gezicht.

'Ik zal er naar laten kijken, zodra we aan boord van mijn schip zijn. En ik weet wat u me wilt zeggen, graaf Chernikoff. Hetzelfde verhaal dat u aan Ginny verteld hebt.'

'Maar het is waar! Zoudt u haar in de weg willen staan? Ik geloof dat u meer om haar geeft dan zij zich realiseert, mijn arme kleine prinses. En ik geloof ook dat ze om u geeft. Maar om haar op dit ogenblik met geweld mee te nemen, nu ze in de war is, zo vreselijk van streek . . .'

'Oh, verdomme!' Steve leunde met zijn rug tegen de reling, plotseling buitengewoon vermoeid, plotseling voelde hij overal pijn. 'Ik zal u wat zeggen, graaf. Ginny gaat nu met mij terug, om te verhinderen dat er een afschuwelijk schandaal losbreekt, dat haar, de senator, en ieder die met haar te maken heeft, zou ruïneren. Maar als ze nog steeds van hetzelfde gevoelen is – laten we zeggen: over een jaar – dan geef ik u mijn woord erop, dat ik haar zelf naar Rusland zal sturen. Met gronden voor een echtscheiding. Maar bezorg me nu geen extra-problemen meer, in 's hemelsnaam!'

Naderhand gedroeg Ginny zich als een bevroren, onverbiddelijk standbeeld en weigerde om met wie dan ook te spreken. Begeleid naar de haar maar al te goed bekende staatsiehut aan boord van de 'Green-Eyed Lady', deed ze de deur achter zich op slot en wierp zich met haar gezicht in de kussens. Ze moest nadenken - en er kwamen geen samenhangende gedachten haar te hulp.

Er werd op de deur geklopt.

'Ik wil met niemand praten! Ik wil met rust gelaten worden!' Aan de andere kant van de deur gedempte stemmen; daarna weer stilte. Ze nam een hoofdpijnpoeder en viel eindelijk in slaap.

Ze was bereid geweest - bijna bereid - om opnieuw met Steve te gaan vechten. Maar zijn eerste woorden, toen zij haar ogen opende en hem over haar heen gebogen zag, ontnamen haar elke grond.

'Je hebt weer een van die vervloekte poeders ingenomen, is het niet?'

Ginny liet zich op haar zij rollen, was klaar wakker en haar ogen spuwden vuur.

'Ja, dat heb ik! Wat had je anders gedacht? Hoe ben je hier binnen gekomen?'

'Ik heb een sleutel.' Zijn stem klonk droog en werd harder toen hij zei: 'Dat zal niet meer gebeuren. Je zult moeten leren om zonder krukken te lopen, Ginny.'

'Krukken? Wat bedoel je?'

Hij had zijn baard afgeschoren en het litteken van de sabel liep loodkleurig over de ene kant van zijn gezicht, toen hij op haar neerkeek, zijn ogen bleven in de schaduw.

'Geen poeders meer, geen tonicum om je te laten slapen. Je zult ze niet nodig hebben van nu af aan. Dat zul je wel ontdekken.'

'Dat klinkt alsof je me dreigt! Wat ben je van plan te doen? Wil je me hier gevangen houden?'

'We zijn op weg naar Monterey. Je bent nog nooit op de ranch geweest, is het wel? Je vader en ik hebben besloten dat je een verblijf van een paar weken daar wel prettig zult vinden en daarbij je vrienden in San Francisco de gelegenheid te geven om aan je weduwenstaat gewend te raken.'

'En . . . daarna?' De stem van Ginny was bijna een gefluister; ze hoopte alleen maar dat hij niet zou zien hoe wit haar knokkels waren door het vastklemmen om de rand van haar bed.

'Daarna gaan we trouwen. In de kerk. En je vader brengt je naar het altaar. En de helft van San Francisco zal uitgenodigd worden voor de receptie, die daarna komt. Ze kunnen misschien een poosje onder elkaar fluisteren, dat je wel erg vlug een bruid was, nadat je weduwe geworden was. En ze zullen ook wel zeggen, dat je tevoren eerst mijn maîtresse geweest bent. Maar dat is nog altijd beter dan van bigamie beschuldigd te worden, is het niet? En te zijner tijd houden ze wel op met fluisteren en accepteren de toestand. Ik heb jouw vriend Chernikoff mijn woord gegeven dat ik je binnen een jaar naar Rusland zal laten reizen, als je dan nog steeds wilt gaan. Maar je kunt ook een reis door Europa maken, dat is helemaal aan jou. Dan kun je nog altijd beslissen of je een echtscheiding wilt of niet.'

'Mijn . . . o, ik kan dit alles niet geloven! Jullie zijn allemaal krankzinnig, Steve, ik wil niet getiranniseerd of gedwongen worden, niet meer! Ik weiger . . .!'

Tenslotte deed het er niet toe wat ze zei of hoe ze ook protesteerde, het uitschreeuwde over zijn eigengereidheid, en haar haat nogmaals bevestigde.

Na de eerste storm van tranen en scheldwoorden, die geleidelijk overgingen in een nederig pleidooi, regen de ogenblikken zich aaneen als regendruppels, die tegen een donker venster spetterden.

Boek twee

Steve

Deel vier

De opera-ster

33

Senator Brandon liet zich behoedzaam zakken in de stoel, die een onderdanige kelner voor hem aanschoof. Zijn schoonzoon, die beleefd opgestaan was, trok een kwaadaardige wenkbrauw op en zijn grijns flitste één enkel ogenblik onder zijn zwarte snor.

'Te veel gereden, meneer? Ik heb over de vossejacht gehoord, die gehouden werd op het landgoed van de commodore.'

Brandon, die er nog steeds knap en gedistingeerd uitzag, gromde van afgrijzen en nam het glas dat de kelner voor hem neergezet had.

'Vossejacht! De Engelsen kunnen wat mij betreft hun gekke gewoonten wel voor zich houden. Ik heb commodore Vanderbilt gezegd dat ik, wanneer hij weer een bezoek aan Californië zou brengen, een echte jacht voor hem zou organiseren. De heuvels achter de ranch zitten vol poema's.' Hij nam een lange teug van zijn whisky en wierp een vragende blik op zijn gezelschap. 'En jij? Waarop heb jij de laatste tijd gejaagd? Louis Van Rink heeft me verteld, dat hij je in de opera gezien heeft met een uitzonderlijk aantrekkelijke brunette. Toch niet di Paoli, zeker? Ik meende, dat die dame niet langer met jou converseerde!'

'Dat vrees ik ook, meneer. Maar het toeval wilde, dat de dame erg gebrand was om een van haar rivalen *Lucia* te horen zingen en omdat ze geen escorte had...'

De luie glimlach van Steve Morgan reikte af en toe tot zijn ogen, deze keer veroorzaakte die kleine kraaiepootjes; hij leunde achterover in zijn stoel en bekeek zijn schoonvader.

'Aha.' Brandon fronste lichtelijk zijn wenkbrauwen, maar dit ene commentaar sprak boekdelen. Peinzend keek hij naar zijn glas, draaide het in zijn vingers rond, terwijl hij behoedzaam verder ging: 'Wel – in New York kun je niet zonder gezelschap uitgaan, neem ik aan. En vooral...' Hij pauzeerde even vóór hij er nadrukkelijk en betekenisvol aan toevoegde: 'vooral wanneer het zijn vrouw niet aan begeleiders schijnt te ontbreken in Parijs en Londen en St. Petersburg!'

Steve Morgan haalde licht zijn schouders op met een gezicht, dat even onbewogen was als dat van een Indiaan. 'Ginny is naar Europa gegaan om wat plezier te hebben en om oude vriendschappen te hernieuwen. We hebben daarover een afspraak, meneer.'

Het glas van de senator werd kletterend op de tafel gezet.

'Mijn God, Steve! Ik sta versteld dat jij de escapades van Ginny zo gemakkelijk opvat! Wanneer ze mijn vrouw was, dan zou ik er de zweep over leggen. Nou, luister.' Brandon boog zich licht voorover en knikte ongeduldig naar de kelner, die zijn glas bijschonk. 'Wat is er tussen jullie tweeën aan de hand? Ze gaat veel te veel om met die Franse graaf, waarmee ze ooit geëngageerd is geweest. Verdomme! Je hoeft je wenkbrauw niet op te trekken! Sonya heeft het me zelf geschreven! Trouwens, zijn vrouw schijnt het ook niet zo prettig te vinden! De kwestie is: wat ga je er aan doen? Ze wil van niemand raad aannemen en toen Sonya probeerde om te protesteren, verdween Ginny en huurde een eigen appartement net alsof een of andere... Je moet haar onmiddellijk laten terugkomen en haar toelage inhouden, als ze niet wil!'

'Wat, en haar kennis laten nemen van mijn eigen pekelzonden?' teemde Steve; maar zijn donkere piratengezicht, met de dunne roekeloze lijnen, leek zich voor een ogenblik samen te trekken onder de spiedende blik van zijn schoonvader en toen brak zijn glimlach weer door.

'Neemt u me niet kwalijk als ik luchthartig klink, meneer. Natuurlijk maakt u zich zorgen. Maar Ginny... ziet u, ik begrijp haar. Plotseling merkte ze dat ze rijk was en volkomen onafhankelijk, en dat voor de eerste keer van haar leven en natuurlijk: ze is een geboren flirt! Maar ik geloof dat het enige wat ze doet, is, haar wilde haren kwijt raken – en het erg plezierig vinden om zoveel mogelijk mensen te choqueren, zolang ze de kans heeft.'

Brandon schudde zijn hoofd.

'Ik begrijp jullie geen van tweeën! Ik kan nu net zo goed bot zijn. Jullie hebben allebei nogal wat opschudding verwekt met dat huwelijk van jullie en ook gedurende het jaar, dat jullie samenwoonden, want jij leek meer op een man met zijn maîtresse dan op een respectabel getrouwd echtpaar! Maar, mijn God, wanneer jullie apart leven...'

'Een tijdje geleden hebt u mij herinnerd, meneer, dat er niets zo goed is dan bezig te zijn.'

Ondanks de effen stem van Steve, wierp Brandon hem een scherpe blik toe; en toen, terwijl hij berustend zijn schouders ophaalde, pakte hij het menu dat een van de kelners hem voorhield.

Natuurlijk waren het zijn zaken niet meer en hij had tijd gehad om er gewend aan te raken – er zelfs lichtelijk jaloers op te worden, op het effect dat Steve Morgan op vrouwen had.

De senator, die – man zijnde – zich maar al te bewust was van het feit, dat vrouwen Steve mochten – en sommigen lieten dat maar al te duidelijk merken. In zekere zin vond hij die achtervolging van zijn schoonzoon wel amusant, want Steve was niet alleen erg gemakkelijk verveeld, maar ook volslagen onmeedogend om dat te laten merken. Hij was niet het soort man die prijs stelde of zijn tijd verspilde aan salonflirtpartijtjes of van heimelijk afspraken met getrouwde vrouwen. In feite, met uitzondering dan van di Paoli, had de senator nooit iets anders gemerkt dan beleefde attenties van Steve Morgan ten aanzien van welke vrouw dan ook. De moeilijkheid was, dat Francesca di Paoli niet het soort vrouw was die een man achteloos kon negeren; ze paste in geen enkele categorie. Een Italiaanse prinses, de laatste van een verarmde maar ontegenzeglijk edele en oude stamboom; ze was bovendien begiftigd met een uitzonderlijke stem als coloratuursopraan, heel wat wilskracht en bijzonder weinig remmingen.

Zij was de gevierde schoonheid van Europa, er waren duels over haar uitgevochten en ze had een huwelijksaanzoek van een koning afgeslagen. Nu was ze bezig de Nieuwe Wereld stormenderhand te veroveren, Francesca bleek totaal anders te zijn dan de traditioneel wellustig gebouwde Italiaanse operazangeres. Ze was slank - haar wellustigheid beperkte zich tot alle juiste welvingen op de juiste plaatsen. Nee, zeker geen gewone vrouw - evenmin als Steve Morgan een doodgewone man was. Niet op zijn gemak, voelde de senator het gevaar naderen; en wanneer hij iets af geweten had van de reacties van signorina di Paoli ten opzichte van haar laatste bewonderaar, zou hij zich nog ongemakkelijker gevoeld hebben. Zoals de zaken nu lagen, dacht hij er met opluchting aan, dat Steve erover gepraat had om weldra naar Californië terug te gaan, om op zijn zaken te letten. Wanneer hij dat zou doen, zou het allemaal voorbij zijn; intussen kon hij misschien zelf naar Ginny schrijven en haar herinneren aan haar verplichtingen en aan haar huwelijk, waarbij hij misschien tegelijkertijd enkele wenken kon laten vallen . . .

Francesca, Prinses di Paoli, was een vrouw die eraan gewend geraakt was om de dingen naar haar hand te zetten. Wanneer ze een affaire met een man had, dan was het om één van deze twee redenen. Hij had geld en kon haar in haar carrière helpen óf hij trok haar aan, een poosje althans, als een mannelijk dier - iets om haar begeerten te bevredigen. In elk geval was zíj degene, die manipuleerde. Maar deze keer was het anders - de bordjes waren verhangen en hoewel ze tegen die gedachte tekeer ging, merkte ze tevens dat ze uitgedaagd werd en ze was méér dan gewoon geïntrigeerd.

Het was nu, zoals ze aan haar kleedster toevertrouwde, die in haar jeugd haar kindermeisje geweest was en nu als haar chaperonne fungeerde, die tevens haar intiemste vriendin was, een kwestie van gelijkgestemde zielen, die elkaar aantrokken.

'Je hebt me dikwijls verteld dat ik net een wild dier was, dat zijn klauwen uitslaat en dat wat het wil, bijt. En? Is dat niet zo, Costanza? En zie je, hij is precies hetzelfde! Hij heeft iets wilds, iets angstaanjagends, dat nog net onder de oppervlakte verborgen ligt. En . . . ja, een primitieve sensualiteit, dat is het! Aha . . . het maakt me zó kwaad, zó woedend, dat hij me niet au sérieux wil nemen! Er zijn tijden dat ik mijn tanden en mijn nagels in zijn vlees zou willen slaan, maar ik ben bang. Kun je je dát voorstellen? Ik . . . ik bang?'

Zij was de toegejuichte lieveling van twee continenten - een vrouw waarvan de woede-uitbarstingen en de temperamentvolle kuren gelijkelijk gevreesd werden door minnaars en theaterdirecteuren.

'En stel, Steve, dat ik erin toestem om in die opera van jou in San Francisco te zingen? Ze hebben me natuurlijk wel veel geld geboden, maar ik doe wat ik wil. Zou jij komen om naar me te luisteren?'

De diamanten, die hij haar zo achteloos had aangeboden alsof het bloemen waren, fonkelden in haar oren en onderstreeptem haar donkere schoonheid. En bij deze gelegenheid waren de diamanten oorbellen het enige dat ze aan had.

'Natuurlijk zou ik komen, mijn schat. Wanneer ik althans in die tijd in San Francisco zou zijn.'

'Maar' - ze kon er niets aan doen, dat haar stem een beetje klaaglijk klonk - 'stel dat tegen die tijd jouw vrouw teruggekomen is?'

Zijn blauwe ogen, die bijna net zo donker waren als de hare, keken haar loom aan.

'Dan zou ik haar natuurlijk aan je voorstellen.'

'Maar dan zou je me niet kunnen vergezellen naar het grote feest, dat ze daarna geven?' hield ze aan.

'Dat weet ik niet,' 'Cesca. Bovendien zou je tegen die tijd ander amusement gevonden kunnen hebben. Er zijn heel wat miljonairs in San Francisco. En in Texas ook,' voegde hij er kwaadaardig aan toe, want hij wist dat ze al een engagement in San Antonio had aangenomen, na een aantal keren optreden in New Orleans.

Ze kneep haar ogen samen en riep met knarsende tanden: 'Ik vraag me af of jij weet hoe kwaad je me maakt? Ik zeg je, Stefan, dat me dat niet kan schelen - al die anderen!' Haar neus ging van afschuw omhoog en toen eiste ze in één adem: 'Waarom ben je niet verliefd op me? Vind je me niet mooi en aantrekkelijk genoeg?'

Zijn lange, bruine vingers trokken de omtrekken van haar borst na.

'Je bent erg mooi. En als ik dwaas genoeg was om verliefd op jou te worden, cara, zou je me in repen snijden met die lange, aanbiddelijke nagels van je.'

Ze zuchtte peinzend en haar armen klemden zich vaster om hem heen.

'Waarom lijken we zoveel op elkaar? Ik zou je er bijna om kunnen haten ...'

'Bijna? Ik geloof, dat ik de manier waarop je haat ...'

Zijn lippen beroerden de hare, eerst heel licht, tot haar handen liefkozend over zijn bruine huid gleden en de spieren daaronder voelden ... die opzettelijk, plagerig, bewogen, tot ze zijn begeerte voelde opkomen en zijn kussen bijna wreed veeleisend werden.

Hij eiste - zij gaf. Zij - Francesca di Paoli, voor wie mannen zich gedood hadden. En dat alles omdat ze op een avond zich ondraaglijk verveelde en deze lange, blauwogige avonturier van Californië haar grondig bekeken had, even onbeschaamd alsof ze een straatmadelief geweest was; zijn ogen werden nauwer terwijl ze de dure japon van haar lichaam schenen te scheuren - waardoor ze zich plotseling duizelig van zwakheid voelde worden nog vóór hij zijn blik had afgewend en haar de rest van de avond negeerde.

34

Meneer Bertram Fields, een financier die ondernemer geworden was, had drie verdiepingen van het Astoria Hotel gereserveerd voor de soiree die hij gaf ter ere van het Amerikaanse debuut in La Traviata van de vermaarde di Paoli. En tegen die tijd was Francesca di Paoli al het onderwerp van gesprek in

Newyorkse hogere kringen. Niet alleen was ze een echte prinses, maar ze was mooi en ze kon niet alleen zingen, ze kon ook acteren.

Francesca recipieerde in de balzaal met de glazen koepel op de bovenste verdieping van het hotel, waar men onder het dansen de sterren kon zien. Daar werden alleen de elite en de zeer rijken toegelaten. Ze stond bij de marmeren balustrade aan het ene einde van de prachtige balzaal, tussen meneer Fields en Luigi, haar impresario; gracieus ontving ze de complimenten van de gedistingeerde gasten, die voorbij stroomden, terwijl ze aan haar werden voorgesteld.

Ze was voorgesteld aan de president van de Verenigde Staten en zijn vrouw. Aan enkele geselecteerde senatoren en leden van het Congres. Evenals aan sommige miljonairs, die met spoorwegen, oliebronnen en goudmijnen speelden. Mannen, die honderdduizenden hectaren land bezaten en nog steeds vol heimwee en bewondering over Europa spraken. En sommigen van die rijke mannen droomden ervan om haar te verblinden met hun weelde - om haar te kopen, al was het maar voor een nacht, voor een paar uur. Want het was nu langzamerhand wel bekend, dat zij weigerde om de permanente maîtresse van een enkele man te worden, of hij nu koning of een rijke burger was. Er ging een gerucht, dat ze ooit aan een minnaar met een titel gezegd had, dat ze nog te veel moest leren. 'Over muziek, waaruit mijn leven bestaat - over het leven zelf. Over de kunst van beminnen . . . Ik wil veel leraren, van wie elk mij iets anders leert. En al het andere moet ten opzichte van mijn carrière op de tweede plaats komen.'

'Francesca, lieverd - mag ik meneer Gould voorstellen? Meneer Jay Gould.' Alsof er nog een tweede meneer Gould was! Ze had van hem gehoord - wie niet? Francesca di Paoli stak haar hand uit naar de gedrongen man met de fluisterstem en flitste haar briljante glimlach. Hij had met een overdreven Engels accent gesproken, juist als die andere man, die ze allemaal de commodore noemden. Waarom waren die rijke Amerikanen zwendelaars? Wat waren ze allemaal saai en hoe verveelde ze zich!

'Pah!' siste ze binnensmonds tegen Luigi. 'Dat zijn helemaal geen mannen! Waar zijn al die ruige avonturiers, van wie je mij verteld hebt, toen je me probeerde over te halen om hier te komen? Ik heb niets anders gezien dan aangeklede marionetten! Ik geloof dat ik die Amerikanen al begin te verachten!'

Haar boze, rusteloze ogen veegden door de enorme kamer zonder dat iemand het zag, terwijl ze daar stond met haar hoofd half gebogen en ogenschijnlijk verdiept in iets, dat meneer Fields haar vertelde.

Hij was zelf een van haar oud-minnaars, maar oud en wijs genoeg om zijn congé elegant te aanvaarden en zelfs filosofisch, terwijl hij toch een zekere genegenheid voor zijn protégée overgehouden had. Nu moest hij plotseling giechelen.

'. . . . En je hebt geen woord verstaan van wat ik gezegd heb, is het wel? Zal ik wat champagne voor je bestellen om je op te vrolijken?'

'Wat? Bertram . . .' Plotseling greep haar hand, waarvan de vingers fonkelden met ringen, naar zijn mouw met een bijna dwingend gebaar en hij zag de plotselinge donkere glans in haar ogen. 'Wie is hij? Vertel het me, vlug!'

'Hij?' De ogen van Fields volgden de richting van haar blik en hij liet een zacht, geamuseerd lachje horen, opzettelijk verkoos hij haar verkeerd te begrijpen.

'O . . . die, Illustrissima, dat is senator William S. Brandon van de Verenigde Staten. Eertijds uit Virginia, nu een van onze gedistingeerde senatoren uit Californië. Nog steeds een knappe man, vind je niet? En wanneer ik me niet vergis, is de dame die bij hem is, de vrouw van zijn goede vriend senator Hartman, die jammer genoeg vanavond ongesteld is.'

De nu gitzwarte ogen van Francesca flitsten gevaarlijk.

'Je weet heel goed, dat ik niet de oudere man bedoel. Hij ziet eruit als een senator, dat had ik niet eens behoeven te vragen. Ik bedoel die andere, de man die bij hem is, die als heer gekleed is maar het gezicht heeft van een Siciliaanse banditti: die lange, met die blauwe ogen, die het litteken van een sabelwond op zijn gezicht heeft.'

' "O.' De stem van Fields was zorgvuldig nietszeggends. De donkerharige man, die tegelijk met de senator was binnengekomen en wel een goede vijftien centimeter langer was, hield zijn hoofd gebogen om te kunnen luisteren naar wat het geesteloze blonde meisje, dat hij vergezelde, naar hem fluisterde. Ze hing tamelijk hulpeloos aan zijn arm met beide handen; haar polsen waren omringd met armbanden van parels en zwarte saffieren.

"O." Is dat alles wat je te zeggen hebt? Nou? Is hij soms een binnendringer - iemand die jij niet kent? Is het dat, waarom je aarzelt?'

De stem van Francesca siste hem toe in het Italiaans van de goot, dat ze gebruikte als ze kwaad was; daarna schakelde ze over naar het volmaakte charmante Engels om een gast te begroeten.

'Ik vermoed dat je het gezelschap van de senator bedoelt? Die man, die eruit ziet als een piraat? Zijn naam is Steven Morgan en hij is een van onze laatste miljonairs uit Californië, bovendien is hij een schoonzoon van de senator.'

'Heeft hij een vrouw? Daarvoor lijkt hij mij het type niet! Ik veronderstel, dat dat het blonde kind is dat zo vast aan zijn arm hangt, dat het wel lijkt of ze bang is, dat hij zal ontsnappen?'

'Dat blonde kind, dat jij bedoelt is de dochter van senator Hartman. De vrouw van meneer Morgan brengt haar vakantie in Europa door met haar stiefmoeder naar ik begrepen heb.'

'Wat interessant!' Francesca snorde bijna, haar lange wimpers overschaduwden haar ogen. 'Hij heeft geen getrouwde blik over zich, die! En hij ziet eruit als een bandiet!' En toen werd haar stem opzettelijk minachtend. 'Maar ik denk dat hij even opschepperig en brutaal is als de rest. Heeft hij zijn geld gemaakt in spoorwegen of in goudmijnen? Of door gelukkig genoeg te zijn om de lelijke dochter van een senator te trouwen?'

Deze keer giechelde Fields hardop.

'Francesca, je laat je klauwen zien! Afgezien van het feit, dat de dochter van de senator verre van lelijk is. En meneer Morgan, ofschoon hij afkomstig is van een van de rijkste families in Mexico, heeft het merendeel van zijn geld zelf verdiend, ofschoon er mensen zijn, die het met je eens zouden zijn dat hij

– hoe zei je dat ook weer? – een bandiet is; ja. Maar ik denk echt . . .'

De prinses de Paoli bewaarde haar meest innemende, briljante glimlach voor de senator van Californië, maar haar manier van doen werd plotseling koel toen haar ogen de donkerblauwe angstaanjagende ogen van Steve Morgan ontmoetten. In de hoop hem in de war te brengen sprak Francesca in het Italiaans, waarbij ze haar parelwitte tanden in een duidelijk onoprechte glimlach liet zien. Dat stuk arrogantie moest op zijn nummer gezet worden!

'En u, signore, laat me eens raden, u moet óf een gouddelver óf een houthakker zijn – nog steeds een beetje onhandig in een salon, zoals zoveel van uw lompe landgenoten!'

Francesca kon het niet helpen, dat zij de kraaiepootjes rond zijn ogen zag uitwaaieren wanneer hij glimlachte, waarbij het lichte litteken op zijn piratengezicht zich verdiepte tot een plooi terwijl zijn tanden flitsend afstaken tegen zijn door de zon gebruinde huid.

'En uw snijdende geestigheid wordt slechts geëvenaard door uw werkelijk prachtige stem, signorina! En uw schoonheid – vooral wanneer die zo benadrukt wordt door die flitsende zwarte ogen.'

'U vleit me, signore,' zei ze ongekunsteld in het Engels, en glimlachte een namaak-verontschuldiging naar de anderen. 'U moet me alstublieft vergeven – soms heb ik de betreurenswaardige gewoonte om me te laten gaan en in mijn eigen taal te spreken! Wat een verrassing, dat u Italiaans spreekt, signore. En nog zo vloeiend ook!'

Francesca krabbelde haar naam op het programma dat miss Hartman haar verlegen voorhield en keek langs het meisje heen naar Steve Morgan met een mengsel van boosheid en uitdaging, die hij volkomen negeerde met een buiging en een beleefde frase.

De roofzuchtige blik, die zij nog een ogenblik geleden in zijn ogen herkend had, had plaats gemaakt voor onverschilligheid.

Francesca zag hem nog enkele keren daarna ergens in de balzaal; hij was van top tot teen de toegewijde en galante cavalier, niettegenstaande de als een slingerplant vastgrijpende vingers van de blonde miss Hartman. Hij danste met geen enkele andere vrouw, behalve met de moeder van Sally Hartman en alsof hij belediging op onverschilligheid stapelde: zij gingen vroeg weg.

'Wat een barbaar! Waarom wordt er van mij verwacht, dat ik deze klungelige, ongemanierde Amerikanen moet verduren – ik vraag je, waarom?'

Dit en nog veel meer werd afgevuurd in haar slaapkamer op Fields en haar impresario Luigi, terwijl Francesca met haar handen op haar heupen op de manier van een Siciliaanse wasvrouw, dodende blikken op de arme Luigi wierp.

'Die kerel! Waarom werd hij geïnviteerd op mijn receptie? Hebben jullie gezien hoe hij naar me keek? Zo grof en zo brutaal! Wanneer ik een man geweest was zou ik . . . ik zou hem geslagen hebben om die blik!'

'Maar, Principessa . . .'

'Praat niet tegen me! Er waren geen mannen in de buurt! En hij, die zwartharige bandiet – hij heeft me zelfs niet voor een dans gevraagd, zo dat ik hem had kunnen weigeren. Vertel me eens, wat voor soort man is dat? Om me van kop tot teen te bekijken alsof ik een gewone slet was, die te koop is en dan verder de schijnheilige uithangen – was dat omdat zijn schoonvader er was? Is hij bang voor zijn vrouw? Bang voor elke vrouw? Misschien geeft hij daarom de voorkeur aan het gezelschap van kleine, geaffecteerde meisjes!'

Twee avonden later werd het genot van Francesca di Paoli in de donderende ovatie, die ze ontving toen ze het toneel betrad, grondig verknoeid toen ze haar 'bête noir' ontdekte, die alleen in een loge zat met een verblindend mooie blonde vrouw.

Na afloop van het bedrijf, toen haar geduldige kleedster haar handen met een gebaar van berusting in de lucht stak, smeet Francesca elke vaas en elke kristallen kom met bloemen op de vloer van haar kleedkamer.

Ze ging terug naar het toneel voor het tweede bedrijf, waarin ze een meegaande en eenvoudige Violetta speelde – terwijl ze haar impresario en meneer Fields hoofdschuddend, maar wel opgelucht, achterliet, terwijl Costanza de boel met een stalen gezicht opruimde.

Daarna barstte ze nog eens los.

'Ziezo! Vertel me nu eens, die bandiet! Hij houdt van die koele noordelijke types, die geen uitdaging voor zijn mannelijkheid betekenen, sí? Ik neem aan, dat zijn vrouw er zo eentje is. Bleke haren, kleurloos, en een bevroren lichaam, als ijs?'

Bertram Fields, die alle tekenen van zijn temperamentvolle ex-minnares herkende, had de moeite genomen om enkele inlichtingen over Steve Morgan te verzamelen.

'Zijn vrouw, zoals bijna iedereen zegt, ziet er uit als een Hongaarse zigeunerin; en haar eerste echtgenoot was een Russische prins, die heel geheimzinnig op zee gestorven is. En wat die meneer Morgan betreft, ik zou maar voorzichtig zijn als ik jou was, Principessa. Ik heb horen fluisteren, dat hij niet veel verschilt van de bandiet die jij hem genoemd hebt. Vóór hij plotseling in de financiële wereld verscheen, was hij een gelukssoldaat. Hij heeft voor Juarez gevochten in die afschuwelijk bloedige revolutie, die keizer Maximiliaan van zijn troon gestoten heeft. En daarvoor: ik heb geruchten gehoord, dat hij vogelvrijverklaard was, met een beloning op zijn hoofd, dood of levend. Vergeet hem. Er zijn andere mannen – en jij houdt ervan dat de jouwe tam en aanbiddend zijn, is het niet?'

'Zoals jij?' beet ze hem wreed toe en hij haalde hulpeloos zijn schouders op.

'De korte relatie, die jij en ik eens gedeeld hebben, is al heel lang geleden, bellissima! En op het ogenblik beteken jij voor mij een aanzienlijke geldbelegging. Wat is er aan de hand, kan je carrière je plotseling niets meer schelen?' Zijn stem werd harder toen hij eraan toevoegde: 'Je moet je tot het soort mannen bepalen, die genoegen nemen met je hier en daar te begeleiden en je dagelijks juwelen en bloemen sturen, terwijl ze geduldig wachten tot je klaar bent met de voorstelling. Vergeet die Steve Morgan. In elk geval zal hij toch binnenkort naar Californië vertrekken.'

Met een van die plotselinge, wispelturige stemmingsveranderingen, die karakteristiek voor haar waren, hield Francesca plotseling op het voedsel op haar bord met haar vork heen en weer te schuiven. Ze nam de dunne kristallen roemer op, die bij haar bord stond, hief die op en glimlachte geheimzinnig met toegeknepen ogen.

'Denk je dat? Maar vóór die tijd zal ik hem nog ontmoeten! En dan zullen we wel zien!' Haar ogen hadden een vreemde glans, die Bertram Fields maar al te goed herkende. Nog steeds glimlachend boog ze haar hoofd achterover om de rest van haar wijn te drinken vóór ze zich over de tafel boog. 'Je weet hoe ik erop sta om altijd mijn eigen zin door te drijven, is het niet, Bertram? En omdat ik voor jou zo'n voordelige belegging ben, zul je alles doen om me gelukkig te maken . . . ja, dat weet ik. Jij bent zo'n vriendelijke man! Daarom zullen we dus de uitnodiging aannemen van die bijzonder rijke meneer Gould om het weekeinde door te brengen op zijn buitengoed in een of andere onuitspreekbare plaats - ik vermoed, dat hij ook senator William Brandon uit Californië uit zal nodigen. En zijn schoonzoon, natuurlijk!'

35

De logeerpartij van meneer Gould gedurende het weekeinde bestond slechts uit een honderdtal personen. Bertram Fields had aan Francesca uitgelegd, dat de lijst van bezoekers bijzonder select was en ze haalde haar schouders op alsof het haar niet bijzonder veel kon schelen.

'Je zult een aantal buitengewoon rijke mannen ontmoeten - en natuurlijk ook de compagnons van meneer Gould in de Erie Railroad.' Praktisch binnensmonds voegde Fields eraan toe: 'Ik veronderstel dat zijn programma voor het weekeinde overeenkomt met enkele geruchten, die ik gehoord heb. Cornelius Vanderbilt inviteert zijn gasten op een vossejacht in Engelse stijl - maar meneer Gould cultiveert meer het Amerikaanse Westen. Natuurlijk. dat is het land waar de spoorwegen eerstdaags hun voelhorens zullen uitsteken.'

Meneer Fields had een goed hoofd voor zaken en Francesca vertoonde deze keer dan ook enige belangstelling en trok een donkere wenkbrauw op.

'Zo? Vertel me eens iets meer over die Westelijke achtergrond, zoals jij het noemt. Zullen we ons moeten verkleden?'

Fields wierp haar een snelle, spottende blik toe en legde het verder uit.

Meneer Gould had inderdaad een typische stad uit het Wilde Westen nagebouwd op de uitgestrekte terreinen van zijn landgoed. Er was een kroeg en de nagemaakte voorgevel van een hotel. Zelfs een gevangenis en een bank.

'Wat interessant!' snorde Francesca. 'Je moet me er meer van vertellen. Tenslotte wil ik niet voor achterlijk doorgaan!'

Francesca di Paoli maakte plannen voor haar aankomst op vrijdagavond. Ze werd vergezeld door haar trouwe Costanza, haar impresario, Luigi Rizzo en door meneer Fields. Ze was reeds gekleed voor haar rol als zangeres in een danstent, ze droeg een opzettelijk opzichtige en ordinaire satijnen japon, laag genoeg uitgesneden om een groot gedeelte van haar borsten te laten zien. Haar rok was uitdagend gespleten aan de zijkant om zwarte visnetkousen te laten zien en een felrode kouseband. Niettegenstaande de protesten van Costanza had ze rouge op haar wangen gedaan en haar lippen geverfd en een rode satijnen roos in de donkere haarwrong in haar nek gestoken.

'U bent nu al veel te opgewonden!' had Costanza haar uitgescholden toen ze haar hielp bij het kleden. 'U hoeft niet zoveel rouge op uw gezicht aan te brengen - of op uw mond!'

Francesca had ondeugend geantwoord en sloeg geen acht op de pruilende lippen van haar kamenier.

'Maar wanneer ik de rol van een demi-mondaine moet spelen, dan moet ik er toch ook zo uitzien, sí? Je zeurt me te veel, Costanza!'

Tijdens het souper, dat buiten gehouden werd, zal ze tussen senator Brandon en een zekere meneer Shangai Pierce, die zij op het eerste gezicht verfoeide. Ze zou er meer van genoten hebben, behalve dan de afwezigheid van een bepaalde man en de hatelijke aanwezigheid van meneer Pierce, waarvan ze begrepen had, dat hij geweldig rijk was, maar door zijn vreemde accent kon ze maar half verstaan wat hij zei. Bovendien moest ze hem met haar opgevouwen waaier ettelijke malen op zijn vingers tikken waarvan het enige effect was, dat hij schril giechelde en opmerkte: 'Maar verdomme! Maar dat verwachten de dansmeisjes thuis ook!'

Francesca was opgelucht te ontdekken dat de senator, aan haar andere zijde, de volmaakte heer was. Opzettelijk keerde ze één blote schouder naar de afschuwelijke meneer Pierce en besteedde het meest van haar aandacht aan de senator, ofschoon haar ogen, verborgen achter de donkere wimpers, onophoudelijk ronddwaalden. Waar was hij? Indien hij niet gekomen was, zou ze Bertram vermoorden en dat dacht ze gedurende de gehele tijd, terwijl ze bescheiden en discreet met de senator flirtte.

Vanavond liet ze haar accent sterker uitkomen dan gewoonlijk.

'Maar ik heb begrepen, signore, dat u een buitengewoon mooie vrouw hebt. Hoe komt het dat ik haar niet ontmoet heb?'

'Ze houdt vakantie in Frankrijk, met mijn dochter, vrees ik. Ik weet zeker dat ze anders geen enkele van uw voorstellingen overgeslagen zou hebben!' Zijn galante antwoord leverde hem een glimlach op en een flirtende tinteling in haar ogen.

'Aha, maar ik weet zeker, dat u niet al te eenzaam geweest zult zijn, hè?' zei Paola plagend. 'Zo'n knappe man . . . u vindt het toch niet erg, dat ik zo uitgesproken ben. In Italië nemen we het leven zoals het valt. Uw vrouw en uw kleine meid - u mist hen erg?'

'U vleit me, signorina! Mijn kleine meid, zoals u haar noemt, is helaas een getrouwde vrouw. Volslagen volwassen en veel te eigenwijs. In feite werd ze in Parijs opgevoed . . .'

'Maar . . . dit begrijp ik niet! Uw dochter? Het is moeilijk te begrijpen dat u een dochter hebt, die oud genoeg is om getrouwd te zijn! Maar waarom laat ze haar man in de steek om naar Frankrijk te gaan? Is hij soms meegegaan?'

Terwijl Francesca voorzichtig zat te vissen amuseerde Shangai Pierce zich met zijn andere tafeldame, die niet protesteerde tegen zijn avances.

'Houdt u van opera?' vroeg Francesca. 'Helaas komen de meeste mannen naar de opera omdat hun vrouwen dat willen. En dan vallen ze in slaap.'

'Ik betwijfel of er wel één man in slaap zou vallen, wanneer u op het toneel staat!' Nog steeds galant gaf Brandon dit voorspelbare antwoord.

'Wat bent u een vleier! Maar toch: u herinnert zich niet eens de eerste keer, dat we elkaar ontmoet hebben. Geeft u dat maar toe!'

'Hoe zou ik dat kunnen vergeten! Bertram Fields was zo vriendelijk om ons uit te nodigen - en ik ben alleen gekomen om aan u voorgesteld te worden.'

Donkere ogen lachten plagend onder gekrulde wimpers.

'U bent buitengewoon beleefd. U heeft niet eens gevraagd om met me te dansen - en u bent erg vroeg weggegaan. Ziet u, ik zie wél de dingen waarin ik geïnteresseerd ben. En u had twee mooie dames bij u. Heb ik gelijk?'

'Ik begeleidde de vrouw van een dikke vriend van me bij die gelegenheid.' Brandon verkneukelde zich inwendig. 'En, als ik me goed herinner, moest ik die deugniet van een schoonzoon van me, nog overreden om haar dochter te begeleiden.'

'O?' Francesca klonk bestudeerd ongeïnteresseerd. 'Oh, ja - nu ik eraan denk, herinner ik me, dat er nog een man bij u was. Iemand die Italiaans sprak. Uw schoonzoon, zei u?'

William Brandon, die lang niet gek was, liet inwendig een zucht ontsnappen. Hij had het kunnen raden. Hij had het kunnen raden, Steve natuurlijk.

Hardop zei bij beleefd: 'Juist, dat is zo. De man van mijn dochter Virginia. Hij is hier ook ergens - waarschijnlijk in de kroeg met een paar van die cowboys uit Texas.'

Toen de dinergasten eindelijk op hun gemak weg gingen, was senator Brandon de begeleider van signorina di Paoli toen ze de opzichtig geverfde houten tent naderden, die zich tooide met de naam van 'Nugget Saloon'.

Een indrukwekkend uitziende vrouwelijke gids, die eruit zag en ook gekleed was als een rood-satijnen madame, toonde Francesca de achtertrap.

'Maak je geen zorgen, liefje,' zei de vrouw geruststellend met een hese stem. 'Je loopt maar achter mij de trap af. En je nummers zing je op het toneel, dat zie je wanneer we aan de overloop komen.'

'O, maar ik ben niet bang!' zei Francesca luchtig. De split in haar rok vertoonde een uitdagend stuk van haar been, toen ze de trap afliep en opzettelijk lichtelijk met haar heupen wiegde.

Voor de eerste keer hoorde ze het wilde gebrul - een geschreeuw dat door merg en been ging en die haar bijna van gedachten deed veranderen om hier te zingen voor zo'n lawaaierig en bij elkaar geraapt gezelschap. Ergens op de achtergrond tingelde een piano, maar verder was er het luide gezoem van stemmen en gelach met een ondertoon van flessen, die tegen glazen tinkelden. Zo dit was dus zoals een kroeg uit het Westen er van binnen uitzag.

De meer belangrijke gasten van meneer Gould zaten aan tafeltjes, die door de zaal verspreid stonden. Verschillende mannen hingen rond de speeltafels en keken zelfs niet op. Een lange bar, die langs de gehele zijwand liep, die met spiegels bekleed was, werd bemand door verschillende onvermoeibare barkeepers, die deskundigen bleken te zijn in het laten glijden van glazen langs de gehele lengte van de met mahoniehout beklede bar. En hier was het, dat de gehuurde cowboys uit Texas op het eigen wijze feestvierden, door zoveel mogelijk lawaai te maken en met flessen en glazen op de bar te timmeren en elkaar dubieuze verhalen te vertellen.

Francesca was gewend aan een eerbiedige stilte of aan een beleefd applaus, wanneer zij op een toneel verscheen en ze dacht boosaardig, dat deze kerels inderdaad niet ver verwijderd waren van bruut geweld. Hun manier om bijval te betuigen bestond in gefluit en gestamp van hun voeten en het roepen van schunnige opmerkingen! Haar zwarte ogen flitsten van boosheid, zelfs toen ze bleef glimlachen.

'Elke kleine meid, die zoveel van haar benen en boezem laat zien, vraagt erom!' verklaarde Shangai Pierce met luide stem tegen senator Brandon, die naast hem zat. 'Let eens op mijn ploegbaas, Jed Langley - die lange vent met dat geruite overhemd. Jed weet hoe hij met de meiden moet omspringen en wanneer hij iets gezien heeft, dat hij wil hebben . . . Hij is snel genoeg met die revolvers van hem om elke competitie uit te sluiten.'

'Ik denk dat dat ook nog afhangt van wie de dame eigenlijk wil hebben,' zei Brandon peinzend in zijn temende tongval van Virginia. Evenals alle andere aanwezige mannen had hij di Paoli gadegeslagen en hij had opgemerkt dat zij haar glimlachjes en flirtende blikken tussen twee mannen verdeelde - Langley en een man, die aan het eind van de bar stond.

'Wedden om een duizendje, dat Langley haar krijgt!' Shangai trok een bundel bankbiljetten uit zijn jaszak en wierp ze uitdagend op tafel.

'Ga je die weddenschap aan, Brandon? Ik geloof, dat de andere man, waaraan de dame enige aandacht heeft geschonken, toevallig jouw schoonzoon is!'

Verstoord omdat hij in zo'n onmogelijke positie gemanoeuvreerd was, slaagde Brandon erin een uitgestreken gezicht te bewaren, terwijl hij zijn portefeuille te voorschijn trok. Hij had geen keus; het was nu een erezaak geworden.

Er waren reeds verschillende heren aan het tafeltje komen zitten om onderling weddenschappen af te sluiten, maar het was voorbehouden aan de flamboyante en ongeremde meneer Fisk om listig de vlammen aan te wakkeren. Hij stelde voor, dat een revolvergevecht misschien nog amusanter was dan de rodeo.

'En is dat niet de manier, waarop de mensen in het Westen hun geschillen beslissen? Van wat ik nu opmerk, geloof ik dat er een klein meningsverschil zal ontstaan tussen de twee bewonderaars van de dame!'

De verschrikte ogen van de senator Brandon volgden het hoofdgebaar van Fisk. Francesca di Paoli was klaar met haar lied bij een begeleiding van stampende laarzen en luide kreten van de enthousiaste cowboys. Ze pakte de galant uitgestrekte hand van Jed Langley met een stralende glimlach en een uitdagende trilling van haar wimpers, plagend schudde zij haar hoofd toen hij haar iets toefluisterde en verkoos zelf naar de bar te lopen, waarbij ze uitdagend haar hoofd op haar hand liet rusten en haar elleboog op de bar plaatste om te glimlachen in de lichtelijk spottende, ondoorgrondelijke blauwe ogen.

'Koop je een borrel voor me, cowboy?'

'Weet u zeker, dat u geen moeilijkheden wilt, signorina? Uw vurige aanbidder kijkt naar deze kant met bloed in zijn ogen.' De stem van Steve was droog, maar niettemin trok hij één mondhoek op met een sardonisch genoegen.

De neusgaten van Francesca gingen uit staan en verrieden haar opkomende boze bui, maar opzettelijk tuitte zij met haar lippen.

'Wat ongalant! Of misschien bent u . . . bang?'

Hij keek glimlachend op haar neer en de groeven in zijn gezicht werden dieper.

'Dat hangt er vanaf wat u van plan bent, signorina. Wanneer ik in een gevecht gewikkeld wordt, wil ik weten waarvoor ik vecht.'

'Voor . . . mij? Vindt u de inzet hoog genoeg, zodat het de moeite waard wordt, signore?'

Ze ving zijn blik op en hield die een ogenblik vast en liet de half-plagende, half-trotserende uitdaging openlijk tussen hen tot uiting komen.

En juist deze blik werd door Jed Langley onderschept, toen hij zich agressief naar de bar drong, waarbij mannen achteruit deinsden om plaats voor hem te maken tot ze in een oogwenk geïsoleerd waren in een kleine open ruimte, Langley, de vrouw en Steve Morgan.

Behalve het getingel van de piano scheen er een stilte over de menigte gevallen te zijn in de overvolle rokerige kamer. Vanavond droeg Steve een verschoten blauw overhemd onder een zwart leren vest en een donkerblauwe broek, die wegestopt was in zijn hoge laarzen. Er was weinig verschil tussen hem en de jongens uit Texas, behalve misschien de spanning van een opgewonden veer, die men bij hem kon opmerken, zelfs op die afstand; het was het teken voor hen die het konden herkennen, van de professionele revolverheld. Langley had het moeten zien, maar Langley was nu veel te kwaad om nog rechtlijnig te denken.

'Ik hoop dat uw schoonzoon iets afweet van de revolver, die hij draagt,' mompelde Dan Drew. Zoals al de andere heren aan het tafeltje waar Jay Gould zat, had hij zijn hoofd gekeerd om te kijken naar een bijna geënsceneerd toneel aan het andere einde van de bar.

Bij senator Brandon was de spanning alleen maar zichtbaar aan het kloppen van een ader op zijn voorhoofd. Zijn stem klonk kalm. 'O, dat geloof ik wel, heren. Ik maak me over hem geen zorgen.'

Pierce lachte schril. 'Ik kan alleen maar dit zeggen: Morgan is een duivel, van wat ik gehoord heb. Dat was hij althans een paar jaar geleden, tenzij het gemakkelijke leventje hen verwekelijkt heeft! Wanneer ik een weddenschap afsluit, wil ik altijd dat de kansen zowat gelijk zijn. Ik zou een beginneling niet op Jed Langley loslaten. Maar wanneer ik een lijfwacht huur, dan huur ik de beste en ik geloof, dat jullie dat heel gauw zullen ontdekken.'

Ginny zou het dansende, gevaarlijke licht in de ogen van Steve Morgan wel herkend hebben, maar Francesca di Paoli was Ginny niet. Plotseling was dat, wat begonnen was als een amusant spelletje, helemaal geen spel meer en ze probeerde niet ineen te krimpen tegen de bar, toen Jed Langley ertegen kwam leunen, waarbij zijn mouw langs haar blote arm streek. Ze merkte op, dat, hoewel hij tegen haar sprak, zijn toegeknepen ogen het gezicht van Steve Morgan geen ogenblik met rust lieten.

'Weigert deze "hombre" een borrel voor u te kopen, madame? Ik zal u graag van dienst zijn, zodra de lucht hier binnen een beetje beter begint te ruiken.' Hij was uit op een gevecht en liet dat merken. 'Het komt me voor,' zei Jed Langley met een stem vol verachting, 'dat u een echte man nodig hebt om voor u te zorgen, madame. Borrels voor u kopen en namaak-cowboys van u vandaan houden, die denken dat het dragen van een revolver en cowboykleren hem tot een echte man maken.'

Deze keer, toen hij weer langs haar keek naar de koude ogen van de beginneling, viel zijn bedoeling niet te miskennen. Maar tegelijkertijd flitste er een of ander waarschuwingssignaal door Langleys brein, dat hem - te laat - voorzichtig maakte.

Deze namaak-cowboy uit het oosten, deed helemaal niet zenuwachtig zoals hij eigenlijk verwacht had. En hij toonde ook geen aanstalten te maken met achteruit te wijken. Hij was óf dapper óf gek - of dacht hij misschien dat dit alles komedie was?

'Luister . . .' begon Langley en sprak voor het eerst rechtstreeks tot Steve, maar hij werd afgesneden door de effen, lichtelijk ongeduldige stem.

'Luister jij eens, Langley. Jij wilt komedie spelen voor meneer Gould en zijn vrienden: maar laten we dan naar buiten gaan. De dame heeft al beloofd om de rest van de avond door te brengen met degene, die wint - heb je geen oren?'

Nog voor Langley kon antwoorden sneed de rauwe stem van Shangai Pierce door de stilte.

'Jullie kunnen de zaak hier niet platschieten, jullie verdomde idioten! Buiten, op straat - en dan laten we iedereen zien wat een revolvergevecht in het Westen eigenlijk betekent.'

De kleine man, in zijn laarzen met hoge hakken en zijn onevenredig grote Stetson-hoed, leek de leiding overgenomen te hebben, toen hij naar de bar stapte.

'Jed, jij neemt de noordkant van de straat. Morgan jij kunt uit het zuiden komen. En we dulden geen trucjes, denk erom! Dit is echt en die mooie dame is voor de rest van de avond het meisje van de overwinnaar, is het niet, schatje?'

Uitgedaagd reageerde Francesca met een kort uitdagend lachje, dat althans meneer Fields herkende met een inwendig gekreun van wanhoop.

Er was niets, dat hij kon doen - zij had het allemaal al gedaan. Hij zag hoe gretige handen zich om haar middel sloegen en haar op de bar tilden. En ze lachte nog steeds en genoot elke minuut van de aandacht, die aan haar geschonken werd.

'Een weddenschap is een weddenschap. Ik zal voor de winnaar zingen en de hele avond met hem dansen. En voor degene die verliest - misschien huil ik een beetje voor hem?'

36

De 'straat' buiten, verlicht door petroleumlantaarns, opgehangen aan lange palen, stond aan weerskanten al vol met rijen mensen. Francesca di Paoli stond met meneer Gould en zijn compagnon, Jim Fisk, aan haar linkerzijde – senator Brandon en Shangai Pierce stonden aan haar rechterkant. Achter haar kon ze de afkeurende aanwezigheid van Bert Fields voelen.

Ze had de indruk dat dit alles een zorgvuldig geënsceneerd toneelstuk was – de lantaarns vormden het voetlicht . . . En toch was ze pas enkele minuten geleden eraan herinnerd, dat, evenals het stieregevecht waarvan ze in Spanje tijdens haar bezoek zo genoten had, dit gevecht met revolvers heel erg echt zou zijn. En Shangai Pierce leek vast besloten om iedereen van dit feit te overtuigen.

'Die revolvers zijn geladen met echte kogels en Jed Langley is gek genoeg om die schoonzoon van jou te doden, Brandon. Ik hoop, dat die het in de gaten heeft?'

'Mijn schoonzoon beschouwt een revolver heus niet als een stuk speelgoed,' antwoordde de senator droogjes. Zijn gezicht zag er hol en oud uit in de oranje gloed van de lantaarns ondanks zijn overtuigende toon. 'Ik hoop dat jouw ploegbaas beseft, dat hij niet met een groentje te maken krijgt.'

'Er gaat geen dag voorbij of Langley oefent met de revolvers, die hij draagt,' lachte Pierce vol vertrouwen voor hij eraan toevoegde: 'Weet je wat, laten we de inzet hoger maken, alleen om je te laten zien hoe zeker ik ervan ben.'

De stem van meneer Gould drong tot hen door. 'Dit belooft erg interessant te worden, maar . . .' Zijn stem werd luider en liet een koude rilling over de rug van Francesca lopen, 'als er een dode mocht vallen, dan wordt dat uitgelegd als een ongeluk bij de jacht. Ik neem aan, dat we het daarover allemaal eens zijn?'

Een toestemmend gemompel ging door de menigte en Brandon zei grimmig, zijn kaken op zijn sigaar geklemd: 'Natuurlijk een ongeluk! En Pierce . . . ik neem je weddenschap aan!'

'Signore?' Francesca Paoli klonk voor haar doen vreemd aarzelend toen ze zacht zei: 'Hebt u werkelijk zoveel vertrouwen als u zegt? Ik zou niet graag denken . . .'

'Over Steve zit ik niet in. Die kan wel voor zichzelf zorgen, of het nu een revolver is of een . . .' De grimmige stem van Brandon hield plotseling op en hij voegde er op een andere toon aan toe: 'Maar ik hoop in godsnaam dat mijn dochter nooit ontdekt, welke rol ik in deze zaak gespeeld heb!'

'Maar uw dochter, zij is niet hier – en ik ben er.'

Er viel een stilte over het geheel. Francesca hield haar adem in. Er waren vroeger al meer duels om haar geweest, in Europa, maar ze had er nooit een gezien. Dit . . . dit was zó totaal anders! Het leek niet echt en toch . . . Zou ze een man zien sterven? Welke?

Hier waren geen pompeuze formaliteiten, geen secondanten, zelfs geen dokter in de buurt, voor zover zij wist althans. Misschien zou er ook geen dokter nodig zijn. En de twee mannen, die plotseling binnen het lamplicht kwamen aan de beide uiteinden van de straat, bleven ook niet wachten om zorgvuldig op elkaar te mikken. Ze bleven lopen, geen enkele emotie op hun beschaduwde gezichten. Wat zou er gebeuren wanneer ze stil stonden? Het was waar - alles wat ze ooit omtrent die Amerikanen gevoeld had. Het waren nog steeds wilden; ongetemd geweld, nauwelijks verborgen onder een oppervlakkig laagje van de beschaving, die ze pretendeerden aan te hangen. Te laat begon Francesca te beseffen, wat ze zo gedachteloos had uitgelokt.

De twee mannen in de straat sloegen elkaar gade.

'Weet je wel zeker hoe je met een revolver moet omgaan, jij fat?' De stem van Jed Langley was opzettelijk spottend om het gevoel van onbehagen te camoufleren, dat hem plotseling overvallen had.

'Weet je zeker, dat ik een fat ben?' Steve Morgan had zijn stem niet verheven en ze waren nu dicht genoeg bij elkaar om Langley de gelegenheid te geven alles op te merken, wat hij al lang had moeten zien: de laaghangende holster, de slenterende gang en bovenal, de ogen - licht toegeknepen, die er in het donker bijna zwart uitzagen.

Wat voor de duivel had Pierce hem ook weer toegeroepen?

'Neem geen risico's, Langley. Deze "hombre" komt van Californië . . .!'

Hij had zich op dat ogenblik afgevraagd, maar zijn brein was nog te beneveld door kwaadheid, wat voor de duivel dat kon betekenen. Hij had gedacht, dat Shang probeerde om iedereen te doen geloven, dat het geen eenzijdig gevecht zou worden, zodat hij zijn inzet kon verdubbelen. Maar was het mogelijk, dat zijn baas hem gewaarschuwd had?

Zijn gedachten werden plotseling vlijmscherp, zijn gang werd langzamer terwijl Langley zijn tegenstander opnam gedurende de paar seconden, die hem nog restten. Morgan - hij had die naam ergens gehoord, verdomme! Een tijdje geleden. Maar wie voor de duivel zou verwachten, dat je hier een revolverheld uit het Westen zou aantreffen? Hij dacht niet meer aan de vrouw, maar keek hoe de hand van Steve Morgan losjes bleef hangen - vlak in de buurt van zijn revolver.

'Gaan we elkaar vermoorden voor het plezier van die rijke lui of houden we het op het eerste bloed?'

'Ik ben er niet op uit om je te doden, Langley.' De stem van Steve Morgan was effen en lichtelijk gekleurd door ongeduld. Hij keek naar het gezicht en de handen van Langley en wachtte op het spannen van zijn spieren, dat zou betekenen dat de man op het punt stond zijn wapen te trekken. Langley zou goed zijn, dat zei zijn instinct hem. Maar hij was het soort man, dat graag praatte om de aandacht van zijn tegenstander af te leiden vóór hij echt begon.

'Ik jou ook niet,' zei Langley op zijn gemak en bijna op hetzelfde ogenblik schoot zijn hand naar beneden.

Maar Steve had zijn revolver al getrokken en wendde zijn lichaam, terwijl hij uit de heup schoot. Jed Langley voelde een schroeiende pijn door zijn arm schieten terwijl zijn nauwelijks getrokken revolver uit zijn gevoelloze vingers viel. Er druppelde bloed langs de mouw van zijn geruite overhemd en de lucht van verbrand kruit vermengde zich vreemd met een gevoel van duizeligheid in zijn hoofd.

Francesca di Paoli stond daar als een bevroren standbeeld, haar donkere ogen als kneuzingen in haar witte gezicht.

Op straat waren een paar vrienden van Langley zijn arm aan het verbinden. 'De kogel ging er schoon doorheen . . . Hey, makker, hoe komt het dat we nooit van jou gehoord hebben?'

'Ik geloof dat het tijd wordt dat jij betaalt, Principessa,' zei Fields met een ongewoon harde klank in zijn stem. 'Of loop je nu weg?'

'Ik ga natuurlijk zingen!' ze schudde haar hoofd achterover, haar ogen flitsten en ze voelde hoe meneer Pierce haar arm nam.

'Wat een meid! Er steekt toch geen kwaad in, dat de verliezers elkaar een beetje troosten, hè?'

De piano speelde nog steeds en het kleine orkestje viel in toen Francesca weer begon te zingen, daarna een tweede en zelfs nog een derde lied. Daarna bleef het orkestje spelen, terwijl het dansen een aanvang nam.

Jed Langley, zijn gezicht wat bleek, zijn arm nu in een draagverband, de stekende pijn van de zalf, die de eigen dokter van meneer Gould erop gedaan had, keek een beetje verlangend naar de vrouw.

'Ik vind nog steeds dat ze het mooiste danszaalmeisje is, dat ik ooit gezien heb.'

'Waarom vraag je haar dan niet om te dansen?' De stem van Steve klonk bijna onverschillig.

'Maar jij hebt haar gewonnen.'

'Dat houd ik nog wel tegoed. Ga je gang maar, jongen en ga dansen. Ik geloof dat mijn schoonvader mij wil spreken.'

Francesca was als een smeulende vlam, terwijl ze van het ene paar armen overgezwaaid werd naar het andere paar. Ze had nog nooit zulke energieke dansers ontmoet als deze cowboys en het leek erop alsof elk van hen vast besloten was om minstens één keer met haar te dansen. Allemaal behalve hij – Steve Morgan, die haar gewonnen had in een belachelijk tweegevecht, een weddenschap, die ze stom genoeg gebruikt had, om hem uit te dagen. Het leek er bijna op alsof hij moedwillig zijn verachting wilde tonen door haar te negeren.

Hij benaderde haar pas toen de avond bijna voorbij was en tegen die tijd had Francesca het gevoel alsof de stralende, zorgeloze glimlach die ze vertoonde op haar gezicht geplakt was als de grime van een clown.

Hij nam haar bij verrassing, verscheen plotseling uit het niets, greep haar bij de pols en trok haar naar een gedeelte van de vloer, waar ruimte was om te dansen. Hij had haar zelfs niet de gewone beleefdheid bewezen om te vragen of ze deze dans wilde en tegen de tijd, dat hij zijn hand om haar middel legde was Francesca zó woedend, dat ze inderdaad beefde en haar polsen klopten van machteloosheid.

Ze liet een stroom scheldend Italiaans horen, al was het dan op zachte toon. En toen: 'Hoe durf je me op die manier te behandelen? Ik geloof dat jij vergeet dat ik niet – niet een van die vrouwen ben.'

Hij lachte zacht alsof ze iets leuks gezegd had.

'Ik geloof dat jij zelf meer dan voor de helft barbaars bent, Francesca. Waar heb je al die schuttingtaal geleerd, die je zojuist tegen mij gebruikt hebt?'

'Jij verdient – als ik een man was, zou ik je behandelen, zoals je verdient!'

'Maar ik ben blij, dat je geen man bent.' Plotseling hield hij haar veel te stevig vast en boog zijn hoofd om plagend in haar oor te fluisteren. 'Ga je nu huichelaarster worden en je terugtrekken achter die verontwaardigde blik of kunnen we afzien van de beleefde, langdradige inleidingen, nu we elkaar herkend hebben?'

Ze haatte zich zelf omdat ze buiten adem raakte.

'Jij neemt veel te veel aan als vanzelfsprekend!'

'En jij verandert van danszaalmeisje 's morgens weer terug tot de prinses. Wil jij, wat er van de nacht is overgebleven, met mij doorbrengen of zal ik je terugbrengen naar Bert Fields?'

Het geval wilde echter dat zij Bertram gedurende de rest van dat fatale beroemde weekeinde nauwelijks terugzag, een weekeinde waarover later nog veel gefluisterd zou worden. Francesca di Paoli had nooit iets om geklets gegeven of om wat de mensen over haar zeiden en in dit geval kon het haar minder dan ooit schelen.

Het feit dat Steve Morgan getrouwd was, deed er helemaal niets toe – de meesten van Francesca's minnaars waren getrouwd. Wat er wél toe deed, was de ontdekking dat hij niet vastgehouden kon worden zoals de anderen. Ze kon geen marionet van haar maken en ze kon hem evenmin naar haar hand zetten. Hij zou haar wel hier en daar begeleiden – naar Saratoga, naar Newport, naar de schouwburg en naar een diner in New York zelf. Maar alleen wanneer het hém uitkwam en het was heel goed mogelijk dat ze dagenlang niets van hem hoorde. Er kwam zelfs een tijd, dat Bert Fields, die dacht dat hij Francesca beter kende dan elke andere man, ernstig ongerust werd, ofschoon hij wijs genoeg was om zijn twijfels voor zich te houden.

Ondanks de ijselijke opmerkingen van Costanza en de wanhoop van Luigi Rizzo, trachtte hij zich te overtuigen dat het wel niet blijvend zou zijn. Francesca werd even snel verliefd en vergat het ook weer even snel als de wind van richting veranderde. En Steve Morgan was, alles wel bezien, toch niet het soort man dat enige vrouw serieus nam. Zelfs zijn eigen vrouw niet, naar het scheen.

Na het instellen van een onderzoek was Fields tot de ontdekking gekomen dat Morgan een verblindend mooie Spaanse vrouw als maîtresse had onderhouden vlak voor zijn huwelijk met de dochter van senator Brandon, die onlangs weduwe geworden was, en waarvan San Francisco nog verdoofd was door het plotselinge daarvan – gelukkig was zijn maîtresse eerst nog uitgehuwelijkt aan een Engelse viscount. En er gingen geruchten dat zijn huwelijk helemaal niet volgens de conventies verliep. Zowel Steve als Virginia Morgan waren in openbare gelegenheden gesignaleerd met andere partners, terwijl zij samen de maatschappij geschandaliseerd hadden doordat hij haar meegenomen had naar zekere gelegenheden waar een man wél zijn maîtresse maar nooit zijn vrouw kon meenemen. Een gevaarlijke, onberekenbare man – kil onmeedogend in zijn zaken, zoals Fields gehoord had. Toen hem ter ore kwam, dat Morgan van plan was om weldra naar Californië terug te keren, kon de ondernemer niet nalaten een zucht van verlichting te slaken. Misschien zou dat het einde zijn. Het was senator Brandon, die even bezorgd was over het verloop van deze zaak, die tenslotte de hele geschiedenis op de spits dreef.

Hij had een lunchafspraak met zijn schoonzoon, zoals gewoonlijk wanneer Steve in de stad was en het was niet onopgemerkt aan hem voorbij gegaan dat Steve, die zich niet gauw overgaf aan uiterlijke manifestaties van zijn zorgen, verscheidene seconden wenkbrauwfronsend in de leegte had zitten staren. Er was een maand verlopen sedert ze voor het eerst over signorina di Paoli gesproken hadden - sedertdien had Brandon zich stil gehouden in de hoop, dat de gehele affaire wel over zou waaien. Maar nu begon zelfs de boulevardpers verhalen af te drukken.

Plotseling zei senator Brandon botweg: 'Heb jij in de laatste tijd nog iets van Ginny gehoord?'

De frons van Steve verdween, zijn ogen waren half toegeknepen, toen ze op zijn schoonvader bleven rusten.

'De laatste weken niet. Maar zelf ben ik ook geen held in brieven schrijven, zodat ik haar dat nauwelijks kwalijk kan nemen.' Hij klonk onverschillig maar een of ander instinct waarschuwde hem dat Brandon de zaak deze keer niet zou laten rusten.

'Ik heb vanmorgen een brief van Sonya gehad, daarin vertelt ze me, dat sedert Ginny uit Rusland teruggekomen is, ze amper een week achter elkaar in Parijs is gebleven. Nu is ze weer naar Madrid als de gast van een of ander Spaanse meneer, die stieren fokt en ermee vecht. Virginia heeft geannonceerd, dat ze flamencodansen gaat leren van de zigeuners in Madrid.' Brandon schraapte zijn keel een beetje onbeholpen. 'Luister eens, je kunt maar beter weten, dat bepaalde - eh - geruchten doorgedrongen zijn in de kranten aan de overkant. En Sonya heeft natuurlijk de Newyorkse kranten gekregen. Zij wil wel terug naar huis, maar Ginny . . .'

Ginny. Wat was die verduiveld nu weer van plan? Ze was niet in Rusland gebleven, maar had zich wel een breed pad gebaand door de hoofdsteden van Europa.

Het gezicht van Steve Morgan bleef hard ofschoon hij zijn schoonvader een vluchtige glimlach schonk.

'Ginny is vrij om zelf te besluiten wat ze wil doen, natuurlijk. We hebben elkaar geen beperkingen opgelegd voor ze vertrok. In feite . . .' Steve leunde achterover in zijn stoel, zijn lange benen voor zich uitgestrekt en de senator kon niet wijs worden uit zijn gezichtsuitdrukking toen hij zijn glas opnam voor een halfspottende toost. 'Ik ben van plan om weldra New York te verlaten en naar Texas te gaan. Op weg naar Californië. Ik heb daar wat zaken af te handelen en signorina di Paoli geeft een concert in Austin en ik heb beloofd om haar daarheen te begeleiden.'

Feitelijk had Steve pas diezelfde morgen besloten tot zijn korte zakenreis - en op dat moment was hij nog helemaal niet van plan geweest om Francesca mee te nemen of haar zelfs maar over zijn plan iets te vertellen. Maar tenslotte was er geen enkele reden waarom zaken niet met plezier gecombineerd zouden kunnen worden – althans voor een poosje. Het betekende voor hem alleen maar een uitstel van een week, tot het engagement in New York voor Francesca afgelopen was; ze zouden over zee kunnen gaan. Later kon hij haar dan begeleiden naar Austin en vandaar verder gaan om zijn eigen zaken te behartigen.

Steve glimlachte minzaam tegen zijn sombere schoonvader. 'Ik had gedacht om dat terrein bij Baroque te inspecteren dat u me gegeven hebt, als ik toch in de buurt ben, maar dan zal ik wel een paar maanden weg blijven. U zou misschien aan mevrouw Brandon kunnen vragen om Ginny uit te leggen, wanneer u haar de volgende keer schrijft, dat ik het vermoedelijk te druk zal hebben om zelf te schrijven.'

Brandon, die dacht dat hij eindelijk begreep wat Steve wilde, bracht de rest van de middag door met het opstellen van een lange brief aan zijn vrouw, waarin hij zijn afkeuring uitsprak over het recente gedrag van zijn dochter en dat in zo krachtig mogelijke bewoordingen en feitelijk verdedigde hij zijn schoonzoon.

Hij hoopte dat Sonya de brief aan Ginny zou laten lezen zonder haar gevoelens te sparen. Het werd hoog tijd, dat het meisje uit haar zelfgenoeg-zaamheid geschokt werd.

'De kranteknipsels die ik hierbij insluit, spreken voor zich – en wanneer jij ze ietwat choquant vindt, liefste, dan moet ik je herinneren aan de verhalen die ik gehoord heb over het schandalig onconventionele doen en laten van Ginny, en reeds in New York bekend waren voor Steven met signorina di Paoli kennismaakte, die ternauwernood het soort vrouw is, die men kan bestempelen als een goedkope flirt – of het soort vrouw met wie een man zich tijdelijk kan amuseren, wanneer zijn vrouw door Europa banjert zonder ook maar ooit te denken aan haar echtgenoot of haar familie of haar goede naam. Ik heb het gevoel, dat, wanneer Ginny om niets anders geeft dan frivoliteiten en bewondering van bepaalde heren van zeer bedenkelijke reputatie, ze maar beter kan blijven waar ze is... en proberen om enig middel van bestaan te vinden, wanneer haar echtgenoot besluit om zich van haar te laten scheiden. Steven zal binnenkort naar Texas vertrekken en vraagt mij om Virginia op de hoogte te stellen dat hij ternauwernood tijd zal hebben om te schrijven zolang hij daar is...'

De brief besloeg meer dan tien kantjes en samen met de kranten, die de senator bedachtzaam had ingesloten, werd het een tamelijk pakket, dat met de volgende mailboot verzonden moest worden, die de volgende dag naar Le Havre zou vertrekken.

37

'Dit is al de tweede avond, dat jij me zegt dat je vroeg weg moet en vanavond ga je kaartspelen!' Francesca pruilde. Maar ze klonk niet al te boos en ze wriegelde haar lichaam met elegante katachtige bewegingen. Ze steunde op een elleboog en staarde naar de man, die naast haar lag. 'Waarom vinden jullie mannen het toch zo leuk om samen te kaarten? Spelen jullie om hoge inzetten? Die man – die oude vriend van je, die we gisteren in het Park ontmoet hebben? Hij zag er niet uit of hij rijk genoeg was om dat te kunnen betalen!'

Toen Steve met opzet zijn ogen gesloten hield, boog ze zich met een plagerig lachje voorover en raakte met haar vingertoppen lichtjes zijn oogleden aan, de enorme vierkante smaragd van haar ring glansde in het gouden licht als het oog van een heidense godheid.

'Wat een lange wimpers voor een man – het is gewoon niet eerlijk! En het is evenmin eerlijk, dat jij doet of je slaapt, wanneer je mijn vragen niet wilt beantwoorden. Misschien kan ik je weer eens klaar wakker maken?'

'Je weet, dat je dat kunt en ík weet dat je het kunt, het is dus helemaal niet nodig om je macht over mij te bewijzen, jij wilde Italiaanse kat!'

Met een beweging, die te snel voor haar was om erop verdacht te zijn, sloeg Steve de ondersteunende elleboog onder haar weg en rolde zijn lichaamsgewicht over haar wriegelende lichaam en klemde haar onder zich vast. Zijn ogen, die nu open waren en half toegeknepen, keken zonder te lachen in de hare vóór hij zijn hoofd boog, zijn lippen tegen haar oor. 'Ik moet gaan, 'Cesca en dat weet je verdomd goed. Al je listen zullen me vanavond niet tegenhouden.'

'Je zou niet in staat zijn om je los te scheuren, wanneer ik echt iets voor je zou betekenen!'

Haar vingers begonnen zijn schouders te masseren en de achterkant van zijn nek en streken iets van de spanning weg, die hem de hele dag al bezeten had en één ogenblik was Steve in de verleiding om bij haar te blijven en zijn afspraak te vergeten. Francesca was een gecompliceerd en temperamentvol schepsel – gedeeltelijk katachtig en gedeeltelijk kille berekening. Maar op een bepaalde manier begreep hij haar, vooral sedert hij haar had aangemoedigd om over zich zelf te praten, over de manier waarop ze grootgebracht was, haar besluit om zich naar de top van de ladder te vechten. Ze was begaafd – daar bestond geen twijfel over. Ze was intelligent en een boeiende, heerlijke metgezel met wie een man zich niet gauw zou vervelen. Hij was beslist niet verliefd op haar, evenmin – zoals hij vermoedde – dat zij op hem was. Maar op dit ogenblik, hadden ze elkaar nodig.

Het was echter een feit, dat op een bepaalde niet te omschrijven wijze, Francesca hem aan Ginny herinnerde. Ze hadden dezelfde veerkracht, dezelfde slag om te overwinnen zelfs terwijl ze zich overgaven. En het was de gedachte aan Ginny en de opkomende woede, die deze gedachte altijd met zich mee bracht, die hem wegtrok uit de armen van Francesca en haar al te comfortabele bed, dat vergetelheid kon brengen.

Op haar rug liggend met de moedwillig gespreide stand van haar benen als een hoer, keek Francesca hoe hij zich aankleedde.

'Zo, dus je gaat echt kaartspelen? Maar kom je voor het ontbijt terug? En moet je me zo kwaad aankijken? Je ziet, dat ik niet probeer om je tegen te houden.'

'Dat zie ik,' zei hij droogjes. Maar zijn gedachten waren al bij de afspraak, waarvoor hij al te laat was en hij hoorde amper het gekeuvel van Francesca terwijl zij zich uitrekte als een luie kat en doorging met hem gade te slaan.

'Omdat je me zo weinig over je zelf wilt vertellen: vind je het dan erg wanneer ik ernaar raad? Je hebt in de gevangenis gezeten, vandaar al die littekens, je was een banditti - dat had ik al geraden, de eerste keer dat ik je zag. Misschien heb je ook wel moorden gepleegd. Is dat wat je nu van plan bent? Wanneer je een vrouwelijke medeplichtige nodig hebt, dan zou ik je helpen, weet je! En dan zouden we samen naar Texas kunnen ontsnappen . . .'

'Jij moest romannetjes schrijven in plaats van ze te lezen, cara.'

Voor de spiegel trok Steve zijn jas aan. Francesca liet een gorgelend lachje horen.

'Alles is mogelijk, geloof ik - en speciaal met jou! Waarom draag jij bijvoorbeeld altijd een revolver? Ik zal nooit vergeten hoe snel jij die arme cowboy raakte - die, met wie je later zulke goede maatjes werd. En ik herinner me die meneer Pierce, die zei dat je in Texas je brood verdiende met je revolver. Het was toch in Texas, was het niet? Maar ik heb een bewonderaar in Texas, een rechter, een erg belangrijke man, dat zegt hij althans. Hij schtijft me brieven en zend me cadeautjes. Misschien kan ik, wanneer je ooit in moeilijkheden bent, hem overhalen zijn invloed te gebruiken.'

Halverwege de kamer werd het gezicht van Steve plotseling gespannen en eventjes dacht ze dat ze te ver gegaan was.

Steve echter boog zich over haar heen en streek met zijn lippen over de hare.

'Je moet me eens meer vertellen over die geheimzinnige bewonderaar van je. Maar nu niet. Ik ben al te laat.'

In het rijtuig dacht hij: toeval of geen toeval? De manier waarop de stukken van de legpuzzel in elkaar pasten, vormden een patroon. Jim Bishop had het natuurlijk van het begin af al gezien. Waarom moest Jim in zijn leven opdoemen op alle verkeerde momenten? Net zoals hun ontmoeting vanmiddag in het park. Hoe had Bishop geweten, dat hij Francesca mee uit rijden zou nemen? Hij twijfelde eraan of dat wel een vermoeden geweest was - zijn eerste impuls was dan ook woede geweest, enkel in toom gehouden door de aanwezigheid van Francesca naast hem.

Na zorgvuldig alle beleefdheden uitgewisseld te hebben, had Bishop Steve geïnviteerd om hem op te zoeken. 'Alleen een paar oude kennissen weet je. De meeste ken je wel. Ik was al van plan geweest om je op te zoeken, maar je bent dezer dagen nogal moeilijk te bereiken. Toch - ik denk niet dat je het verloren tijd zult vinden . . .'

Had de zorgvuldig effen stem van Bishop een bedreiging ingehouden of een waarschuwing? Was hij het doelwit geworden van de geheime, onbekende organisatie, waarvan Bishop het hoofd was of had het iets te maken met zijn nieuw verkregen kennissen? Zijn zaken? Laat het maar aan Bishop over om hem te benaderen als Francesca aanwezig was, waardoor hij niet te veel vragen kon stellen.

Toen ze eenmaal rond de tafel gezeten waren, de kaarten rondgedeeld en de gebruikelijke flessen whisky en wijn te voorschijn gehaald waren, leek alles erg vertrouwd. Bishop was ogenschijnlijk de enige man, die zich op zijn kaarten kon concentreren en tegelijkertijd over zaken praten. Er waren vijf mannen, behalve Draper, die Steve nooit eerder gezien had en Bishop zelf. De andere vier kende hij, dat waren ook lieden uit het Westen, deze keer buiten het hun vertrouwde territorium. Eén bekend gezicht ontbrak: en Steve, die nu kwaad genoeg was om de aanloop maar te vergeten, stelde de vraag, waarvan hij voelde, dat ze zaten te wachten tot hij die zou stellen. 'Waar is Paco?'

Iemand schraapte zijn keel. Zonder stembuiging antwoordde Bishop: 'Hij ligt in het ziekenhuis. Hij werd nogal zwaar gewond, maar de dokter zegt dat het weer in orde zal komen. Alleen - het zal wel een tijdje duren. Ik heb natuurlijk iemand anders gestuurd, maar het schijnt dat de brave burgers van Baroque, vooral een weduwe, genaamd Lassiter en haar zwager, rechter Nicholas Benoit, niet erg op vreemdelingen gesteld zijn. Paco heeft geluk gehad, wat dat betreft. Hij eindigde althans niet als lijk, zoals de anderen.'

'Baroque?' Steve stak een sigaar op; zijn ogen ontmoetten de koele grauwe blik van Bishop over de vlam van de lucifer.

'Ik dacht dat de naam je bekend zou voorkomen. Shanghai Pierce heeft daar juist een van de grootste bezittingen van de streek gewonnen in een spelletje poker. Een paar weken later verloor hij het weer in een weddenschap met jouw schoonvader. Naar ik begrepen heb, heeft senator Brandon dat land aan jou overgedaan, omdat hij dacht, dat jij het voor hem gewonnen had.'

'Jij bent goed op de hoogte. Om je verdere moeite te besparen: ik heb het land nog niet gezien, ofschoon ik dat wel van plan ben en al wat ik weet, heb ik van horen zeggen. Het kan misschien geschikt zijn voor de spoorwegen en ik ga dat ook onderzoeken. Is er iets illegaals met de eigendomsrechten? Gaat het daarover?'

'Wat dat betreft is alles in orde. Het land is van jou door een speling van het noodlot. En daarom hebben we vanavond deze ontmoeting gearrangeerd.'

Bishop spreidde zijn kaarten en smeet er een op tafel. Zijn stem was effen. 'Herinner jij je Dave Madden?'

De blauwe ogen van Steve Morgan werden donkerder.

'Ik herinner me Dave. Maar hij trok zich toch terug, lang geleden, nadat hij getrouwd was. Of laat je niemand terugtrekken?'

Bishop klont onbewogen, ofschoon zijn ijskoude blik eventjes botste met die van Steve.

'Dave woonde in dat gedeelte. Zelf had hij een kleine bezitting. En toen kwamen de immigranten uit het Noorden. En de soldaten. En toen kwam hij in conflict met de bende van Benoit-Lassiter. Dave was goed. Hij merkte dat iets fout was, zodra hij het zag. En in dit geval vocht hij voor zijn eigen bestaan. Ik veronderstel dat hij daarom zo lang gewacht heeft voor hij contact met ons opnam.'

Kieskeurig veegde Bishop de as van zijn jasje, zijn grijze ogen werden harder toen zij de voorzichtige, plotseling waakzame blik van Steve Morgan ontmoetten. Op vlakke toon zei hij:

'Dave Madden zit in de gevangenis. Wegens moord. Hij werkt in een ploeg kettinggangers. Zijn boerderij werd in beslag genomen wegens het niet betalen van belasting en in het publiek verkocht. En zijn vrouw... Misschien herinner jij je Renate nog? Blond, van Duitse afkomst, heel knap. Ik geloof dat jij en Dave haar in dezelfde tijd ontmoet hebben.'

Bishop vroeg zich af hoe goed Steve Renate gekend zou hebben vóór ze verkoos om met Dave te trouwen.

'Wat is er met Renate gebeurd?'

'Ze werkt in een bordeel in Matamoras. Daarvóór was het Baroque. En dáárvoor was het dat mooie huis van rechter Nicholas Benoit in Baroque. De geruchten willen, dat zij naar hem toeging om te proberen het leven van Dave te redden. Toen hij genoeg van haar kreeg...'

'Waarom?'

'Een interessante plaats, Baroque,' antwoordde Bishop dubbelzinnig. 'Bijzonder vruchtbaar land. Strategisch, zou je kunnen zeggen, als je in spoorwegtaal praat. Niet ver van de grens met Louisiana - aan de ene kant moerasland; geïrrigeerd door de Red River. Daar graast het beste vee van Texas - als je van vee houdt. Boeren en tuinders noemen het verdomd goede grond, akkergrond. Werd voor de oorlog door een paar families bezeten; maar sedertdien... je hebt het zo vaak zien gebeuren! De wet op het privé-bezit. De gewone gevolgen van elke oorlog. Texas werd gestraft wegens steunverlening aan de verkeerde partij en de immigranten worden rijk. Het is hard voor de mensen, die vochten voor dat, waarin ze geloofden. Maar...'

Zacht ging hij door: 'Maar als je een vrouw bent, een weduwe, die vriendelijk deed tegen de Noordelijken toen ze voor het eerst binnentrokken? En wanneer jij een zwager had, die toevallig in het Noorden woonde toen de oorlog uitbrak - een man van enige betekenis, nu is hij een federale rechter - misschien zou dat de zaken veranderen, het zou misschien zelfs een voordeel kunnen zijn! En plotseling, heren, was er een toevloed van immigranten, onder de wet op het privé-bezit. Kleine boeren, de vroegere bewoners, werden eruit gegooid wegens het niet-betalen van belastingen of verschillende andere redenen. Een paar van hen verdwenen of hebben hun gezinnen meegenomen. Het is verbluffend hoe snel dit land opgevuld en bebouwd werd. Maar nog steeds lieten de plantage-eigenaren en de veebaronnen hun vee op al dit vruchtbare land grazen... En, zoals ik al gereleveerd heb, hebben vreemdelingen, die niet kunnen bewijzen, dat ze bijzondere zaken in dit deel van de wereld hebben, het klaargespeeld om onaangename "ongelukken" te krijgen - begrijp je wat ik bedoel? Je begrijpt nu natuurlijk wel, waarom ik - hm - je vanavond geïnviteerd heb? Het land van Pierce - het land, dat hij precies op tijd gewonnen had vóór een onzalig ongeluk de vroegere eigenaar doodde - is tot nu toe met rust gelaten, omdat iedereen Shanghai Pierce kent en zijn reputatie. Rechter Benoit heeft onderhand ook gehoord van de verandering van eigenaar - voor zoverre hij en dat mens Lassiter zien, ben jij gewoon maar een van die miljonairs uit het Oosten, benieuwd om te zien wat je gewonnen hebt, maar niet al te geïnteresseerd. Je hebt natuurlijk een pracht van een voorwendsel om Baroque te bezoeken. En ze zullen je niet durven benaderen. Je kunt een excuus verzinnen om daar een poosje te blijven. Al wat we nodig hebben is een paar feiten, om die te koppelen aan wat we al weten. Een paar antwoorden op zekere raadselachtige vragen. En dan, wanneer ik alles aan de president uiteengezet zal hebben, kunnen wij binnentrekken.'

'En wat heb jij verdomme voor Dave gedaan? Of ben je niet van plan om iets te doen? Renate . . . Je bent een verdomd koelbloedige bastaard, Jim! Ik vermoed, dat ik alleen maar geluk gehad heb, gedurende al de tijd dat ik voor je werkte, dat ik . . .'

En toen herinnerde Steve zich het gevoel van de zweep op zijn blote rug en daarna de 'gevangenis' waarheen hij gezonden was - een zilvermijn die diep in de ingewanden van een berg reikte, waar hij vergeten was hoe daglicht eruit zag en gelijk een dier werd. Hij had toen geweten en was gewaarschuwd - juist als zij allemaal - voor de risico's die zij liepen. Het beroerde was, dat Dave zich teruggetrokken had omdat Renate dat wilde, maar zelfs daarom . . . kon een man zich ooit terugtrekken uit dit bijzondere beroep, dat hij ooit aanvaard had? Werd hem dat toegestaan? Er was die tijd geweest, niet zo lang geleden, dat Bishop hem in Mexico bezocht had; waar hij op zijn slinkse manier begon te vertellen wat er sedertdien allemaal gebeurd was. En dat alles had geleid, dat hij hier nu zat vanavond en luisterde naar wat Bishop te vertellen had.

'Het zijn slimme lui en ze hebben de plaatselijke justitie, wat die dan ook is, in hun zak. Er is een zekere kolonel Vance, hij is de commandant van het fort. Een man die op zijn carrière uit is, tot dusver heel zuinig op zijn reputatie; maar geld speelt een grote rol, vooral wanneer je de pensioengerechtigde leeftijd nadert. Zoals de meeste mannen daar, eet hij uit de hand van Antoinette Lassiter. Voor een weduwe is ze tamelijk jong en buitengewoon aantrekkelijk. En ofschoon Nick Benoit de hersens heeft, geloven wij, dat zij de ware macht en stuwkracht is achter alles wat daar aan de gang is. Benoit is de halfbroer van haar overleden echtgenoot. Ze zeggen bovendien dat hij méér dan half verliefd op Toni is. Zij vormt zowat zijn enige zwakheid - behalve nog een . . .'

Dat ene, dat op het laatst nog was overgebleven, maakte de oppervlakkige coïncidentie bijna te veel om te geloven. Want Nicholas Benoit, de plaatselijke bollebof, was toevallig gek op opera's. En in het bijzonder was hij weg van een zekere signorina Francesca di Paoli. De man aanbad haar. Hij bombardeerde zijn afgod met brieven en bloemen en kostbare cadeaus. Door grote bedragen uit te geven en gebruik te maken van zijn niet onaanzienlijke invloed, was hij erin geslaagd meneer Fields over te halen om zijn protégée te contracteren om in de opera van Texas te komen zingen.

Zoals Steve al wist zou haar reis door het Zuiden haar enorme bedragen opleveren - de enige reden waarom Francesca zich had laten overhalen om in zulke buitenplaatsen te zingen als: San Antonio, Austin, Houston, New Orleans en Natchez; daarna weer in Texas alvorens ze naar Californië vertrok en de betrekkelijke civilisatie van San Francisco.

Steve keek op van zijn spel kaarten en ontmoette de ogen van Bishop.

'Ik zal het je laten weten,' zei hij kortaf en vroeg zich af waarom hij eigenlijk niet meteen geweigerd had.

Met een nietszeggend gezicht begon Bishop op de bijzonderheden in te gaan. 'Alleen voor het geval dat,' zei hij. En voor iemand, die er niet genoeg van af wist, wist hij genoeg. Hij gaf een overzicht van de stad Baroque en de naburige steden. En namen - méér namen! En dan meer achtergronden.

'Dan heb je de Carters. Vroeger heetten die Cartier, maar de oude heer veranderde dat, nadat hij met de zuster van Benoit getrouwd was. De oudste zoon, Matthew, is zo'n onaangepaste opstandeling. Vogelvrij, sedert hij uit de oorlog terugkwam. Maar het is een feit, dat hij voor Toni Lassiter - mevrouw Antoinette Lassiter - bijna alles zou doen. Zij is geboren in Louisiana, niemand weet precies waar en wanneer. Ze kwam zo maar opdagen; blond, erg mooi, lachend - de oude John Lassiter had haar mee teruggebracht van een tocht, die hij vlak voor de oorlog gemaakt had. Toen ging hij mee de oorlog in en dat duurde niet lang. Zij nam de leiding over alsof ze ervoor geboren was. Ze zegt, dat haar familie vroeger een grote plantage had en dat ze weggelopen was van een klooster, waar ze haar in gestopt hadden en van het huwelijk, dat ze voor haar gearrangeerd hadden.'

'Het lijkt me, dat je al genoeg van die mensen afweet!' Tot verbazing van Steve was het Greg Porter, voor zijn vrienden Port, die de opmerking maakte met samengetrokken wenkbrauwen. Hij herinnerde zich ook, tamelijk laat, dat Port en Dave Madden heel lang kameraden geweest waren - ongeveer even lang als hij en Paco. En Paco lag in een ziekenhuis, vol kogelgaten.

'Maar we weten niet genoeg over wat ze nu van plan zijn. We vermoeden wel iets, maar we hebben geen bewijs.'

'En in de tussentijd is Dave aan het wegrotten in zo'n verdomde troep kettinggangers en zijn vrouw . . . zeg me eens, Jim, weet hij wat er met zijn vrouw gebeurd is?'

Denk je zelf maar eens in de plaats van Dave, dacht Steve bitter. En Ginny in plaats van Renate. Alleen was er toentertijd een revolutie aan de gang en misschien - maar dan ook maar misschien - wist Bishop het niet. Maar dat vervloekte koelbloedige brein van hem!

Wanneer hij zich in de plaats van Bishop indacht, veronderstelde Steve dat hij het wel kon begrijpen. Bishop kon Dave niet vrij krijgen, zonder dat er heel wat vragen gesteld zouden worden - waardoor mensen dingen zouden camoufleren, die ze van plan waren te gaan doen. En Renate was zo maar een vrouw, die de moeilijkheden waarin ze nu verkeerde zelf op haar hals had gehaald. Zonder twijfel zouden ze haar ook gadeslaan.

'Wanneer ben je klaar om te vertrekken?'

'Volgende week,' zei hij aan Bishop. 'Over zee. Je zult er nog wel van horen. Geef me alleen de namen van de contactpersonen en je kunt de opmerking, dat ik helemaal op eigen houtje werk, wel overslaan.' Zijn stem werd zachter en werd bijna achteloos. 'Ik zal dat feit heus wel in gedachten houden - en ik zal jou de feiten bezorgen die je nodig hebt. Maar jij moet er ook aan denken, Jim, dat ik op eigen verantwoordelijkheid werk.'

38

Verslaggevers mengden zich onder de aanzienlijke gasten aan boord van de snelle klipper, die juist herdoopt was in 'Lady Francesca' en een magnum champagne was zojuist door signorina di Paoli zelf tegen de wand stuk gegooid. De ceremonie was het begin geweest van feestelijkheden, die tot het ochtendgloren zouden duren, wanneer de laatste slaperige gasten naar de kust gebracht zouden worden vóór het schip met het tij mee uitzeilde.

Di Paoli was vanavond briljant, haar donkere ogen fonkelden als sterren, die boven het door lampen verlichte dek hingen en ze glansde met hetzelfde geheime vuur als de enorme smaragd, die haar ene slanke vinger naar beneden scheen te trekken.

Luigi Rizzo, de manager van Francesca, zag er uit als een ongelukkige walrus met zijn hangsnor en hij koesterde talloze glazen wijn. Bertram Fields, die meevoer, behield zijn gewone onverstoorbare houding en gaf geen commentaren aan de verslaggevers, die hem ondervroegen; maar voor deze keer was di Paoli heel gracieus toen de verslaggevers haar omringden en haar indringende persoonlijke vragen stelden.

'Signorina, die werkelijk prachtige ring - dat is toch geen verlovingsring, is het wel?'

Francesca schonk de man haar mysterieuze Botticelli-glimlach.

'O, nee! Dat is - nog . . . niet.'

Ze vielen op die laatste kleine aarzeling aan.

'Is het waar, dat de smaragd een cadeau is van een heer uit Californië?'

'Het was het cadeau van een . . . vriend.'

'Zal meneer Morgan u de gehele reis naar Austin vergezellen, signorina?'

De glimlach van di Paoli krulde omhoog, toen ze een ogenblik haar ogen neersloeg.

'Waarom vraagt u het hem zelf niet?'

Steve Morgan, lang, met een ontspannen uiterlijk in een donker pak van onberispelijke snit, een rijk-geborduurd brokaten vest onder zijn jas, vertoonde zijn gebruikelijke tamelijk cynische glimlach aan de verslaggevers.

'Ik ga voor zaken naar Texas, heren.'

'Zaken voor meneer Gould?' waagde één verslaggever, brutaler dan de rest, te vragen.

Steve trok een wenkbrauw op.

'Heren, meneer Gould behandelt zijn eigen zaken en ik de mijne. En, als u me nu wilt excuseren . . .'

'Wanneer wordt uw vrouw in de Verenigde Staten terugverwacht, meneer?' De vraag was afkomstig van een jongeman met een verwarde haardos en een brutale grijns.

'Wanneer ze klaar is om terug te komen.'

Het gezicht van Steve Morgan was niet veranderd; zijn toon klonk nog steeds lichtelijk geamuseerd. Met een beleefde buiging van zijn hoofd, ging hij weg en liet de verslaggevers gegroepeerd rond de stralende prima-donna,

die het object was van zoveel nieuwsgierigheid.
'Signorina di Paoli – neemt u me de vraag niet kwalijk . . .' een tamelijk verlegen journaliste, die vlak bij de zangeres stond, liet haar stem dalen. 'U bent overal in het openbaar met meneer Morgan gezien – is het waar dat u verliefd op elkaar bent?'
Francesca wierp de vrouw een bedeesde, half-sensuele glimlach toe.
'Toevallig stellen we erg veel prijs op elkaars gezelschap.'
'Maar is hij . . . er gaan geruchten, dat hij van plan is van zijn vrouw te scheiden,' hield de vrouw aan en herinnerde zich de instructies van haar hoofdredacteur.
'Een heer laat zijn vrouw de echtscheidingsprocedure beginnen.' De stem van de signorina was lichtelijk verwijtend, toen ze overeind kwam en hen allen gracieus wegzond.
Niet alleen de verslaggevers maar ook de schandaalmakers en de roddelaars beleefden een grote dag.
'Heb jij gezien hoe hij haar arm vasthield, alsof hij haar eigenaar was?'
'Aha, maar de manier waarop hij naar haar kijkt! Lieve, ik moet bekennen dat die donkerblauwe ogen van hem in dat gebruinde gezicht me uitgesproken rillingen bezorgen . . .'
'Wat een goddelijk mooi, wat een goddelijk geknipt paar vormen die twee, dat is wel zeker!' zuchtte een sentimentele vrouw; en haar buurvrouw, minder sentimenteel, fluisterde vol betekenis: 'Maar heb jij gezien, dat zijn schoonvader – senator Brandon; je hebt hem natuurlijk ontmoet – vanavond niet aanwezig is? Nogal raar, vind je niet?'
Senator Brandon, die al eerder op de dag afscheid van Steve had genomen, was opzettelijk weggebleven van die doopceremonie, om door zijn aanwezigheid de zeereis, die Francesca en Steve gingen ondernemen, niet te sanctioneren. Wat zou Ginny, en vooral, wat zou Sonya zeggen?
'Wanneer Ginny verwacht, dat ik me als een echtgenoot gedraag, dan kan zij maar beter beginnen zich als vrouw te gedragen,' was het nogal dubbelzinnige commentaar dat Steve met een onverschillig optrekken van zijn schouders, geuit had. En met een gevoel, dat hij zijn plicht gedaan had door een laatste, halfzachte protestuiting, had de senator verder niets meer gezegd.
'La Francesca' begon haar zeereis. Het feest aan boord was nog steeds aan de gang toen Brandon zich in zijn studeerkamer terugtrok met een glas whisky om een volgende brief aan zijn vrouw te sturen. Hij had de plattegrond van het schip bestudeerd en hij wist, wat de enkele selecte gasten, die uitverkoren waren om de reis mee te maken, eveneens opgemerkt hadden. De luxueuze staatsiehut van de signorina di Paoli, speciaal gedecoreerd in haar geliefkoosde kleuren, lag vlak naast de meer sobere hut van de eigenaar . . .
De deinende, zacht wiegende beweging van het schip leek een nieuwe dimensie toe te voegen aan hun vrijerij, terwijl het schip de Sound uitvoer en haar elegante lijnen van haar boeg naar de open zee wendde.
Beweging volgde op beweging, terwijl hun lichamen samenkwamen en zich weer verwijderden en weer opnieuw zich bijeenvoegden. Het licht van de open

patrijspoorten viel over het bed en de vingers van Steve trokken langs de omtrek van haar gezicht, heel lichtjes, alsof hij het in zijn geheugen wilde prenten.

'Je hebt het meest volmaakte, mooiste gezicht, dat ik ooit gezien heb, mi amore. Als een madonna, vervaardigd uit porselein. En je haar is als zijde . . .'

Het klonk alsof hij haar voor de eerste keer ontdekte – of dat hij afscheid nam – en Francesca voelde een plotselinge steek van angst, gemengd met enige wrevel, dat hij – na hun liefdesspel – zich zo gemakkelijk van haar kon losmaken. Langzaam liet ze haar ogen opengaan om in de zijne te kijken.

'En jij? Ik heb iemand horen zeggen, dat je een piraat bent, een zeerover. Ga je me ontvoeren? Ik geloof, dat ik dat prettig zou vinden ... Waarom neem je me niet mee naar Mexico?' Ze begon hem te kussen, plagend, smekend.

'Je gaat me niet tot iets overhalen door die achterbakse vrouwelijke trucjes van je,' zei hij ruw, maar zij voelde zijn vingers langs haar blote schouders omhoog kruipen om zich vast te grijpen in de dikte van haar haren.

Ze bewoog haar lichaam naar het zijne in een beweging, die tegengesteld was aan de deining van de oceaan, die hen beiden wiegde en fluisterde: 'Alsjeblieft?' vóór ze hem kuste.

Hij kuste haar bijna ruw terug en smoorde haar protesterende uitroep. Hij kuste en kuste haar tot ze amper meer kon ademen en ze een gevoel kreeg of ze verdronk. En ze klemde zich aan hem vast, blindelings, ze vergat alles behalve het gevoel dat zij zou krijgen, wanneer zijn lichaam het hare in bezit nam . . .

Senator Brandon verzond weer een brief naar zijn vrouw, de kranteknipsels, die hij deze keer insloot betreffende het feest aan boord, maakten het pakje nog dikker dan het vorige. De 'Lady Francesca' voer in volmaakt weer langs de kust en maakte een recordtijd.

Bertram Fields zag hoe Francesca van dag tot dag meer en meer begon te stralen en innerlijk begon hij zich zorgen te maken, ofschoon het uiterste, dat hij zich veroorloofde tot Francesca te zeggen, een gemompeld: 'Wees voorzichtig, Principessa. Jouw bandiet houdt zich niet aan de regels.'

Maar Costanza durfde tegen haar 'bambina' wél ronduit te praten. 'Je gaat verliefd worden. Nee – dat kun je niet ontkennen, niet tegenover mij, die jouw kindermeisje geweest ben, sedert je zó groot was! Denk je soms, dat ik je niet gadegeslagen heb met de anderen en nu gezien heb dat het heel anders is? Je moet voorzichtig zijn, cara mia!'

'Hij begint me te waarderen – we praten met elkaar, Costanza! Hij respecteert het feit, dat ik verstand heb en dat ik mijn eigen weg in het leven gevonden heb. Ik geloof . . .'

'Jij bent verliefd,' zei de oude vrouw vlakweg en Francesca schudde haar hoofd, sloeg haar handen rond haar knieën, iets, dat ze al deed toen ze nog een kind was en een standje kreeg.

'Nee! Nee, ik ben niet verliefd! Dat wil zeggen . . . we spelen een spel, wij tweeën, en ik geloof, dat het gaat om te ontdekken wie van ons sterker is en wie het eerst zal toegeven . . . En ik vraag me af, Costanza, wanneer dat gebeurt, wat dan? Begrijp je? Mijn muziek, die mijn leven geweest is, die mijn leven ís! En hij is een man, die eisen stelt en zijn eigen manier van leven wil leiden - hoe moet dat eindigen? Als het bij ons ooit zou beginnen? Die liefde, waarvoor ik zo bang ben.'

Ze spreidde haar armen uit in een gebaar van onzekerheid.

'Ach, Costanza, maak me geen verwijten! Het is nu genoeg, dat we plezier met elkaar hebben, misschien is het een beetje meer dan dat. Zie je, ik wil hem hebben en ik zal hem niet laten gaan . . . nog niet!'

'En zijn vrouw, met wie hij in de kerk getrouwd is? Ben je vergeten, dat hij haar toebehoort, wanneer jij praat over hem niet te laten gaan?'

De stem van de oude vrouw klonk onverzoenlijk; haar zwarte ogen keken vurig in die van haar beschermelinge, en zagen daarin de verraderlijke flitsen van woede oplichten.

'Zijn vrouw? Bah!' Francesca knarste op haar tanden. 'Ze verdient geen man, wanneer ze die niet kan houden! Waarom is ze naar Frankrijk gegaan? Waarom is ze daar nog steeds? Als Stefano haar echt terug zou willen, zou hij haar achterna gegaan zijn om haar terug te halen, in plaats van hier bij mij te blijven. En hij is dat soort man, weet je.'

'Dus nu denk je aan een huwelijk, is het niet? Wanneer hij zich voor jou van zijn vrouw laat scheiden, wat zul je dan doen? Denk jij, dat hij jou zal trouwen? Jij dwaze stijfkop? Ben jij bereid om alles op te geven en dik te worden en veel bambini te krijgen?'

Wild zei Francesca: 'Wie praat er over trouwen? Ik denk aan nu, nu! Wat we nu in elkaar gevonden hebben is genoeg!'

Het werd heet en vochtig in de Golf van Mexico en toen de snelle China-klipper zijn passagiers aan wal zette even buiten Matamoros - want Francesca had, verbluffend genoeg, Steve weten over te halen om een kleine omweg naar Mexico te maken - voelde Francesca zich alsof zelfs haar kleren gekrompen waren.

'Ik heb je gewaarschuwd, cara. Van hier uit is het een ongemakkelijke reis over land naar de hacienda van mijn vriend bij Monterey. Weet je wel zeker, dat je niet liever wilt omkeren en teruggaan naar New Orleans?'

'Ik ben de hitte gewend. En Costanza ook. Zolang jij maar zeker weet, dat je genoeg wagens kunt huren om al mijn koffers te vervoeren.'

Meneer Fields was in New Orleans van boord gegaan om voorbereidselen te treffen voor haar optreden in die stad en Francesca was daar blij om, want ze kon zich maar al te gemakkelijk voorstellen hoe hij zijn wenkbrauwen zou optrekken, terwijl hij zich over de hitte beklaagde of over de accommodatie in deze vervloekte stad. Maar ze was vastbesloten om Steve te bewijzen, dat zij het soort vrouw was, die alle ongemak en noodtoestanden onder het oog kon zien. 'Is dit echt ons land, Stefano? Is heel Mexico zo?'

'Matamoros ligt te dicht bij de grens om werkelijk representatief te zijn voor Mexico, schat. Daarom dacht ik, dat je het prettig zou vinden om eerst een poosje een bezoek te brengen aan de hacienda van mijn vriend.'

En plotseling kreeg ze spijt dat ze hem overgehaald had tot deze verandering in hun plannen. Toen hij zich kleedde in de ruwe kledij van het

Westen en een revolver op zijn heup droeg, had ze het gevoel alsof hij zich moedwillig in een vreemdeling veranderd had. Hij had gezorgd voor een passende accommodatie - de beste, die in deze smerige stad te vinden was - maar hij was in gedachten verzonken geweest sedert ze onverwacht tegengehouden waren door een grijnzende kapitein van de Rurales, die Steve als een oude vriend begroette - en hij had haar gedurende het gehele snelvuurgesprek, dat ze niet kon begrijpen - volslagen geïgnoreerd.

Francesca was nog meer verstoord, toen ze de volgende morgen heet en transpirerend wakker werd en tot de ontdekking kwam, dat Steve al heel vroeg weggegaan was met diezelfde Capitan Altamonte.

'Hij was gekleed als een banditti, met twee revolvers in plaats van één,' had Costanza gemopperd. 'Wat is dit een verschrikkelijke plaats!'

'O, houd op!' Haar eigen boosheid maakte Francesca scherper van toon dan anders. 'Heel Mexico is niet zo - en hij zal gauw terugkomen!'

Hij kwam echter pas laat in de middag terug en had hetzelfde donkere gefronste voorhoofd, dat Francesca had leren vrezen.

Maar tegen die tijd was ze zelf erg boos en onderbrak haar koortsachtige ijsberen door de kleine kamer om hem aan te staren met haar flitsende zwarte ogen.

'Ik ben over de grens geweest, naar Brownsville,' zei hij en voorkwam daarmee haar woedende vragen. 'Het spijt me, 'Cesca. Ik heb een paar mensen ontmoet die ik vroeger gekend heb.'

'Jij - spijt het jou? Nou, ik...'

Hij onderbrak kortaf haar woorden en zei effen: 'Het spijt me, dat ik je hier gebracht heb. Het was onvergeeflijk van me om niet eerst geïnformeerd te hebben. Er heerst overal tyfus.'

Hij was door de zon verbrand en zag er vermoeid uit, zijn stem had afwezig en nadenkend geklonken, alsof hij in zichzelf praatte.

Francesca vergat haar woede, gooide zich tegen hem aan, maar hij hield haar ongeduldig op een afstand en zijn stem werd ruwer.

'In godsnaam! Ik heb vandaag iemand gesproken die tyfus had en hij stierf - alleen, verdomme, ik wist niet waaraan hij stierf tot heel veel later. Blijf van me weg tot ik een bad genomen heb en me verschoond heb, wil je?'

Ze trok zich onwillig terug naar het andere einde van de kamer en keek hem hongerig aan, terwijl hij de stoffige kleren van zijn lichaam trok, ze in een slordige hoop op de vloer gooide en de jonge vrouw negeerde, die giechelend heet water binnenbracht om zijn zinken badkuip te vullen.

'Laat me je helpen - ik kan je rug schrobben. Stefano, dit is allemaal zo dwaas! Al die voorzorgen, alleen omdat je met een man gepraat hebt ...'

'Die dood is - door de tyfus. Blijf van me vandaan tot ik schoon ben, 'Cesca. Ik meen het.'

Ze staarde hem ongelovig aan.

'Maar je... we gaan toch niet weg? Zo vlug nadat we aangekomen zijn? We kunnen ergens anders heen gaan.'

'We gaan vast en zeker weg, zo gauw jouw kamenier ingepakt heeft!'

Zijn stem was weer hard geworden, onbuigzaam. 'Je kunt met mij argumenteren zolang je wilt, de hele weg terug naar het schip en tot we in New Orleans zijn, als je dat leuk vindt. Maar we gaan hier weg vóór zonsondergang.'

Hij stapte uit de badkuip, het water droop van zijn lichaam en Francesca gooide hem werktuiglijk een handdoek toe, terwijl haar geest nog steeds bezig was om in zich op te nemen wat hij gezegd had en wat hij vast van plan was.

Tot haar ergernis constateerde zij, dat ze zich afvroeg hoe zijn vrouw gereageerd zou hebben.

39

Virginia Morgan kwam van haar impulsieve, wild-onpraktische reis naar Spanje terug om haar stiefmoeder in een kille afkeurende stemming aan te treffen, precies zoals ze verwacht had.

Ginny zag er bleek en moe uit en ze had niet de moeite genomen om haar lange fluwelen reismantel af te doen toen ze binnenkwam, maar Sonya was te kwaad om dat op te merken.

'Zo, ben je eindelijk terug? Waar is die knappe matador van je? Ik had verwacht, dat je die mee terug zou brengen, terwijl hij de slippen van je rok vasthield!'

De stem van Sonya was stekelig, maar voor deze ene keer antwoordde haar stiefdochter niet brutaal. In plaats daarvan zette ze haar hoed - volgens de laatste mode - af, smeet die achteloos op een stoel en hield de mantel om zich heen geslagen alsof de koude buitenlucht haar verkleumd had.

'Hij besloot om in Madrid te blijven. En je hoeft me niet op die manier aan te kijken, Sonya! Er zat niets verkeerds in zijn aanbod om mij naar Spanje te begeleiden. In feite: hij was een volmaakte heer, behalve één keer, en toen heb ik hem heel snel op zijn nummer gezet!' De groene ogen van Ginny vlogen naar het kleine bureautje bij het venster, waar Sonya onveranderlijk haar brieven zat te schrijven. 'Zijn er boodschappen voor me geweest? Is de zeepost binnengekomen, toen ik weg was?'

'Al jouw heren hebben bijna dagelijks aangebeld om te vragen wanneer je terug zou komen,' zei Sonya op een gespannen, bijna krakende toon. 'De compte D'Arlington, natuurlijk; hij zei dat hij zich bezorgd maakte! En die jonge Engelse hertog, met wie je iedere dag ging rijden - weet je nog? En natuurlijk was er een brief van je echtgenoot. Die kwam daags nadat jij vertrokken was. Hij ligt boven op de stapel andere brieven op het bureau. Waarom ga je niet even zitten om die te lezen?'

Terwijl Ginny iets van haar vroegere bedaardheid terug trachtte te winnen, trok ze een wenkbrauw op toen ze naar het bureau ging en verborg opzettelijk haar nieuwsgierigheid. Sonya was een kreng! En waarom was die brief van Steve zo dun? Die vervloekte Steve - en Sonya ook, met haar geaffecteerde manieren!

Terwijl ze ging zitten, zei Ginny hardop: 'Sedert wanneer ben je begonnen om Steve mijn "echtgenoot" te noemen en op die toon? Eerlijk Sonya, je bent bijna even ergerlijk als hij is. Eén bladzijde maar - en zelfs dat niet...' Haar toon veranderde, toen ze de brief uit de envelop trok en ze vergat dat Sonya naar haar zat te kijken. Ginny beet geërgerd op haar lip. 'Hij had niet eens de moeite hoeven te nemen om te schrijven!'

'Misschien had hij het te druk om te schrijven.' De ironie in de stem van Sonya ontging Ginny, terwijl ze naar het gebruikelijke gekrabbel van Steve staarde; ze fronste haar wenkbrauwen.

Hij vertelde helemaal niets, behalve dan dat New York hem begon te vervelen en dat hij erover dacht om naar Californië terug te gaan. Hij zei niet dat hij haar miste, niet dat hij haar graag zou zien terugkeren. Integendeel, hij voegde er de beleefde hoop aan toe dat zij zich zou vermaken en dat ze niet moest aarzelen om naar de bank te gaan, indien ze geld nodig had.

'En? Wat heeft hij te vertellen - of is het een geheim?'

Ginny keek op, knipperde met haar ogen om scherp te kunnen zien, want die waren wazig geworden terwijl ze naar die ene bladzijde staarde. Waarom klonk de stem van Sonya zo - zo vreemd? Bijna zelfvoldaan.

'Natuurlijk is er geen geheim - er staat eigenlijk niets in dat de bedienden niet zouden mogen lezen! Steve zegt alleen maar, dat hij binnenkort teruggaat naar Californië.'

'O?' En nu viel het venijn in de gewoonlijk zachte en kalme stem van Sonya niet te ontkennen. 'Maar ik veronderstel dat hij van gedachten veranderd kan zijn, sedert hij jou geschreven heeft. Ik heb verschillende brieven van jouw vader gehad, van een latere datum, en volgens hem is jouw echtgenoot nu goed en wel op weg naar Texas.'

'Texas?' Ginny herhaalde het woord, ze wist niet waarom, tenzij het was om tijd te winnen. Er was iets in de blik van Sonya, een zekere hardheid in haar stem, die haar waarschuwde, die haar stijf en sprakeloos maakte, terwijl Sonya grimmig doorging: 'Ik geloof, dat je maar beter de brieven kunt lezen die je vader mij gestuurd heeft. Dan zul je zien dat hij minder terughoudend is als Steve geweest schijnt te zijn. Ik heb ze in volgorde gelegd, samen met wat knipsels. En doe in 's hemelsnaam die mantel uit! Ik krijg het er warm van!'

'Ik wilde hem liever aanhouden. Parijs is kil na Spanje.' Ginny antwoordde mechanisch en stak haar hand al uit naar de stapels brieven en opgevouwen kranten.

'In dat geval zal ik maar om warme thee bellen - maar misschien heb je liever sherry? Houd alsjeblieft niet op met lezen; ik zal je niet onderbreken.'

Maar het was een feit, dat toen Ginny eindelijk begon te lezen, ze de aanwezigheid van Sonya volkomen vergat. Ze werd kouder en kouder en soms leken de woorden in elkaar te vloeien en moest ze met haar ogen knipperen om verder te kunnen gaan.

Met een boos gebaar legde Ginny de brieven van haar vader terzijde en begon te bladeren in de knipsels.

Een gematigd verslag van het Newyorkse debuut van een Italiaanse operazangeres, die zich prinses noemde... Een lange lijst van aanzienlijke gasten, die aanwezig waren op een receptie gegeven door Bertram Fields, de miljonair-ondernemer.

En toen, de koppen in de krant vielen haar onmiddellijk op, zelfs toen ze minachtend haar neus optrok toen ze de naam van de krant las: *Westers weekeinde op het landgoed van Jay Gould begint met een echt revolvergevecht.* Het was natuurlijk allemaal zwaar overdreven! De aangeboren roekeloosheid van Steve, die uit de band sprong. Maar er waren andere knipsels – zelfs enkele wazige foto's: *Di Paoli met haar permanente begeleider op de wedrennen: zoals gewoonlijk begeleidde de jongste miljonair van Californië, Steven Morgan, de liefelijke signorina di Paoli naar het bal bij Vanderbilt; welke rijke, nieuwe bewonderaar blijft de Prinses van de Opera overladen met juwelen, die passen bij haar stralende schoonheid?; Signorina di Paoli heeft de vleespotten van onze stad verruild ten gunste van intieme soupers bij kaarslicht in het gezelschap van een zekere heer S.M. Zou dit eindelijk liefde kunnen zijn?*

'Het is gemene vuile kletspraat – alles!' Ginny smeet de kranteknipsels weg, zodat ze overal in het rond vlogen en op de vloer terechtkwamen. 'Ik sta verbaasd dat mijn vader de moeite genomen heeft om die op te sturen – dergelijke vuilnis per post! Een Italiaanse operazangeres – natuurlijk een of andere dikke koe met een schurende stem! Steve zou niet . . .'

'Misschien ben je vergeten om de beschrijving te lezen van die operazangeres, die je zo achteloos terzijde schuift! En durf jij je vader ook tot die kletswijven en roddelaars te rekenen?' De stem van Sonya werd schriller, maar met enige moeite kon ze dat onderdrukken. 'Je kunt maar beter zijn laatste twee brieven lezen, Ginny. Misschien geven die een verklaring, waarom jouw echtgenoot in alle openheid een andere vrouw achternajaagt . . . waarom hij een van zijn schepen naar haar genoemd heeft . . . waarom hij daar aan boord een feest heeft aangericht, waar letterlijk iedereen uitgenodigd was, en waarom hij haar een enorme smaragd gegeven heeft, gezet in een ring, die ze trots liet zien en die aan haar verlovingsvinger prijkte!'

Ginny sprong eindelijk overeind, haar gebalde vuisten op haar heupen, en haar groene ogen spoten vuur.

'O! Ik weet wel waarom je me al die dingen vertelt – je denkt me schrik aan te jagen me bang te maken voor . . . voor die bastaard! Hij probeert om mij jaloers te maken, dat is het!'

'Virginia! Ik wilde dat je in mijn aanwezigheid een beetje meer op je taal lette. En wanneer jij denkt, dat Steven je alleen maar jaloers probeert te maken, waarom zou hij tot dergelijke extreme maatregelen overgaan als . . . als er praktisch vandoor te gaan met die signorina di Paoli?' Sonya voegde er met opzettelijke berekening nog aan toe, terwijl ze de ogen van Ginny zag flitsen in haar bleke gezicht: 'Misschien hoopt hij dat jij je van hem zult laten scheiden? Een van die verslaggevers duidde daar al op – ze haalde jouw rivale aan, als zou die gezegd hebben, dat een heer altijd zijn vrouw de echtscheidingsprocedure laat beginnen.'

Het volgende ogenblik vroeg Sonya zich af of ze niet te ver gegaan was, want Ginny liet zich plotseling terug in de stoel vallen, die ze juist verlaten had, haar neusvleugels trilden alsof ze naar adem moest snakken.

'Het is niet waar! Hij houdt niet van haar! Steve is niet in staat om van welke vrouw dan ook te houden; je dacht toch niet, dat ik dat niet kon weten?'

'Ik wil zijn gedrag zeker niet goedpraten. Integendeel! Maar William schijnt te denken . . .'

'Wat een ironie!' lachte Ginny bitter. 'Te bedenken dat mijn vader Steve nu de hand boven het hoofd houdt, hij, notabene! Hij legt bovendien alle verantwoordelijkheid bij mij, omdat ik nu eenmaal als vrouw geboren ben.'

'Jouw gedrag is bepaald niet alledaags geweest,' zei Sonya scherp. 'En de reputatie van een vrouw . . .'

'O, mijn God, bespaar me dát, alsjeblieft!'

'Heel goed. Ik zal verder niets meer zeggen.' Niettegenstaande de koelte in haar stem, kon Sonya haar boosheid evenmin als haar agitatie nog langer verbergen. Ze nam haar theekopje op en het rammelde op het schoteltje, terwijl ze dat deed.

'Jij moet natuurlijk precies doen als je wilt – zoals je trouwens altijd gedaan hebt! Maar ik, ik heb mijn terugreis naar Amerika al besproken. De enige reden dat ik nog hier ben, is dat ik eerst met je moest praten. Ik heb je in geen twee maanden gezien en ik begon me af te vragen of je besloten had, niet meer naar Parijs terug te komen.'

Ginny stond weer op, alsof ze het niet kon verdragen stil te zitten en Sonya vroeg zich af, toen de jonge vrouw zich over het bureau boog en haar vingers om de rand klemde, of ze er ook maar een enkel woord van gehoord had.

Ginny merkte dat haar ogen star gericht waren op een kranteknipsel dat boven op de laatste brief van haar vader lag. Het was een gezwollen verslag, door een journaliste, van de prachtige afscheidspartij ter ere van signorina di Paoli aan boord van de klipper 'Lady Francesca'. Het was waar! Ze had een gevoel of ze een dodelijke slag gekregen had, ze versteende als het ware. Ze kon zich niet bedwingen om het verhaal te lezen, liet haar ogen over de kolommen schieten van dicht opeengedrukte smoezelige woorden. 'Het is waar – het is waar,' bleef het in haar geest hameren, terwijl haar verbeelding haar beelden voortoverde, die haar nog meer moesten kwellen.

Steve – zoals hij daar stond met zijn arm om het middel van die vrouw en lachend op haar neerkeek. *'Een heer laat zijn vrouw de echtscheidingsprocedure beginnen . . .'* En de smaragd in haar ring, die als een groot oog fonkelde, toen zij later haar hand op zijn mouw legde. Haar aanraking zou wel zijn als die van een eigenares – was zij al zo zeker van hem, deze di Paoli, of hoe ze dan ook mocht heten? En hij – om haar een heel schip ter beschikking te stellen, even gewoontjes alsof het een jacht was; om met haar de hele route naar Texas mee te zeilen. Om zoveel ruchtbaarheid te geven aan die smakeloze affaire – maar wás het slechts een affaire? Was het mogelijk, dat Steve van een andere vrouw zou kunnen houden?

'Ginny!' De stem van Sonya klonk geïrriteerd. 'Heb je één woord verstaan van wat ik gezegd heb? Ik heb je gevraagd wat je plannen waren.'

Ginny draaide zich zo plotseling om, dat haar mantel achter de hoek van de tafel bleef hangen, zodat er een klein scheurtje in de stof kwam. En op dat ogenblik tekende de gestalte van de jonge vrouw zich af tegen het licht van het venster . . .

Sonya brak af met een uitroep, een mengeling van schok en angst en geheel onbewust stak Ginny haar kin in de lucht en deed deze keer geen pogingen om de beschermende plooien van de mantel om zich heen te trekken.

'Ja! Het is niet nodig om de voor de hand liggende vraag te stellen, die ik op jouw lippen zie trillen. En voor mij is er geen reden om het feit te verbergen dat ik - ongelukkig genoeg - zwanger ben.'

Sonya was doodsbleek geworden - haar mond hing open maar er kwam geen woord uit.

'O, in 's hemelsnaam! Je denkt toch niet, dat ik niet geschokt was toen ik het ontdekte?' Ondanks haar uitdagende houding begon Ginny haar vingers in elkaar te draaien, terwijl ze sprak. 'Al die jaren ... Weet je hoeveel specialisten ik geraadpleegd heb om te ontdekken of ik - of ik onvruchtbaar geworden was of niet? En dan moet het nu gebeuren - op het verkeerde ogenblik?'

'O, Ginny!' zei Sonya zwakjes en niettegenstaande haar kennelijk zenuwachtige staat schoot het meisje een bittere, boze blik uit die scheefstaande groene ogen, die haar er als een zigeunerin deden uitzien.

' "Oh, Ginny" - is dat nu werkelijk alles wat je kon zeggen? Ik had half en half verwacht, dat je in een tirade zou losbarsten over de straf, die de zondaars altijd wel achterhaalt. Je had nooit iets geweten - als ik - als ik maar dapper genoeg was geweest! Ik heb niet al die tijd in Spanje doorgebracht, ik ben naar Zwitserland geweest, omdat ik gehoord had dat daar een beroemde dokter woonde, die . . . Maar ik kon het niet! Ik had toen al leven gevoeld, ondanks alles wat ik geprobeerd had; strakke korsetten, wilde ritten te paard, zelfs de dansen, waar jij zo tegen was! Niets heeft geholpen, zoals je ziet. En ik ben het stadium al voorbij, waar ik het nog kan verbergen - ik word zo zwaar als een huis vóórdat . . . En nu dít! Wat moet ik doen?'

'Als je het me maar verteld had!' Sonya sprong overeind, heen èn weer geslingerd tussen de impuls Ginny in haar armen te nemen en haar praktische gezonde verstand, dat zei, dat ze kalm moest proberen te blijven.

'Waarom denk je, dat ik eigen appartementen betrokken heb? Ik wilde niet dat je erachter zou komen! Ik ben nooit misselijk geweest, ik dacht alleen maar dat ik te veel at, tot ik naar Rusland geweest ben. Graaf Chernikoff heeft me gezegd, wat het was . . .'

'Wat moeten we doen?' Nu was het de beurt aan Sonya om die kwestie aan de orde te stellen. 'Ginny, je moet me goed begrijpen, maar er moet toch iets zijn . . . wanneer niemand het weet . . . heb je . . .' ze beet op haar lippen, maar zag geen kans om de volgende vraag op delicate wijze te stellen, vandaar dat ze maar doorpraatte - 'heb je de vader verteld over het kind, dat je nu van hem draagt? Misschien dat hij - wanneer je toch van je man gaat scheiden, misschien . . .'

Toen brak Ginny in een hysterisch gelach uit, dat plotseling een eind aan haar tranenvloed maakte.

'De vader! De vader! Geloofde jij echt, dat ik - o mijn God, jij ook! Wanneer jij dat denkt, geloof je dan dat Steve ooit zal aannemen, dat het van hem is? En nu, nu kan het hem misschien niet eens meer schelen.'

Na een poosje hield haar gesnik op, zuiver uit gebrek aan adem en Sonya, die eerst zorgvuldig de deur op slot gedaan had, kwam naast haar zitten, klopte haar op de schouder en mompelde, dat het geen zin had om je van streek te maken, ze zouden toch wel íets kunnen bedenken?

'Als ik maar geen brief aan je vader geschreven had, dat ik van plan was om volgende maand terug te komen! En dat ik hier de huur heb opgezegd, maar ik vermoed . . .'

'Er is voor jou geen reden om in afzondering te gaan wonen omdat . . . omdat ik me in een ongelukkige toestand gemanoeuvreerd heb,' zei Ginny met een opleving van haar oude geestkracht. 'Denk eens hoe de mensen zullen beginnen te fluisteren en te gissen. Je hebt me er juist aan herinnerd hoe ze al over me praten! En eigenlijk had ik er al aan gedacht om zelf wat regelingen te treffen.' Ze nam een slokje van de sherry, die Sonya zorgzaam voor haar had neergezet. 'Ik heb aan Pierre gezegd – nee, het heeft geen zin om me zo aan te kijken; ik moest het toch aan iemand vertellen en Pierre . . . we zijn altijd goede maatjes geweest; hij begrijpt het al is hij dan ook een man! Ik ga met hem op vakantie en mijn tante Celine zal ons chaperonneren. Ze hebben ergens op het land een klein chateau, ver uit de buurt van Parijs en veel te ver in het land om vrienden aan te lokken. Daar zal ik het kind krijgen en – daarna besluiten wat ik moet doen.'

'Maar . . . maar daarna. Je bent nog steeds een getrouwde vrouw en je kind zal een naam dragen, maar . . . wat ga je aan Steven vertellen? Ga je het hem vertellen? Of ga je tenslotte toch van hem scheiden?'

'Van hem scheiden?' De stem van Ginny schoot omhoog, ze kneep haar ogen samen, waardoor ze eruit zag als een kwaadaardige kat. 'O nee – waarom zou ik de boel gemakkelijk maken voor meneer Steve Morgan? Ik mag verdoemd worden vóór ik van hem zou scheiden – ik zal verdoemd worden als ik hem aan die vrouw over laat! Het kind dat ik draag is het zijne, en hij heeft een verantwoordelijkheid. Waarom zou ik hem er zo gemakkelijk van af laten komen?'

Nu de eerste gevoelens van ontzetting en vernedering wat minderden, gebruikte Ginny woede om haar tot een besluit te brengen. Te denken dat al die tijd, dat zij zich zorgen had gemaakt tot het uiterste, zodat ze haar kind bijna ging haten, omdat die zwangerschap tussen haar en Steve zou kunnen komen! En dat in diezelfde tijd hij zich in het openbaar misdragen had met een andere vrouw!

In het begin had ze opzettelijk geprobeerd om hem jaloers te maken, want ze wist, dat het toch tot hem zou doordringen hoeveel plezier ze had en hoeveel verschillende begeleiders. Toen ze voor die jonge beeldhouwer geposeerd had, ongeveer naakt, zelfs tóen had ze aan Steve gedacht en aan zijn mogelijke reacties. O . . . waarom had ze haar tijd verdaan met zulke stomme voorwendsels?

'Ik had evenveel minnaars moeten nemen als waarvan ze me beschuldigen!' dacht Ginny koortsig. 'Misschien kan ik het nog doen!' Maar ze was nu bijna acht maanden zwanger en toen ze zich ontkleedde en voor de spiegel stond, jammerlijk opgezwollen en lelijk – ja, lelijk!

'Ginny, liefje – ' De stem van Sonya was verrassend zacht. 'Het – het spijt me, dat ik me zo onsympathiek heb voorgedaan! Maar zie je niet, hoe dom je geweest bent? Wanneer je het maar aan iemand verteld had, zodra je je van je eigen toestand bewust werd, je had onmiddellijk aan Steve moeten schrijven!'

'Je begrijpt het niet,' zei Ginny met een klank van ellende in haar stem. 'Eigenlijk wilde ik helemaal niet naar Europa. Lang geleden heb ik wel eens zoiets gezegd toen ik kwaad op hem was en waardoor hij beloofde, dat hij me naar Europa zou sturen. En toen . . . ik weet niet hoe het gebeurd is, maar we waren net beleefde vreemdelingen voor elkaar! Wanneer Steve me maar ooit eens één keertje gezegd zou hebben, dat hij mij liever niet zag gaan – maar wat heeft het voor zin om nu nog terug te denken?'

'Je houdt dus nog van hem!' zei Sonya en haar stem had een klank van verwondering.

'Natuurlijk houd ik van hem! Wanneer de dingen die hij doet of zegt maar niet maken, dat ik hem ga haten! En ik wil niet, dat zij hem krijgt, dat Italiaanse kreng!'

Sonya zat nu langzamerhand zo vol zorgen om nog uiting te geven aan enkele twijfels, die bij haar opkwamen, toen ze zag hoe vastbesloten en kwaad Ginny geworden was. Maar beter kwaad dan wanhopig en vooral in de bijzondere omstandigheden van haar stiefdochter. Maar ze kon het niet helpen, dat ze zich tóch, afvroeg, vol angst en beven, waarop dit alles moest uitlopen.

Het zou al moeilijk genoeg zijn om alles aan William uit te leggen . . . Maar wat zou de reactie van Steve zijn? Als Ginny toch maar niet zo'n stijfkop geweest was – en zo oliedom! En hier zat ze nu, in Frankrijk, acht maanden zwanger, terwijl haar echtgenoot in Texas aan de rol was met een Italiaanse prinses!

40

'Dus je wilt niet eens tot New Orleans met me meegaan!' De stem van Francesca di Paoli was hees van kwaadheid en de bittere reeks scheldwoorden die zij naar zijn hoofd gegooid had, waren onvervalst Italiaans uit de goot. 'Zeg eens, Stefano, wie is die vrouw, voor wie je zo'n haast maakt om die te ontmoeten? En zeg nu niet opnieuw dat het voor zaken is! Ik geloof niet in een zaak, die maakt dat jij me plotseling als een vreemdeling behandelt – een gewone slet die jij opgepikt hebt en voor je plezier gebruikt hebt alleen maar om haar op staande voet weg te kunnen sturen!' Haar vingers kromden zich tot klauwen en haar stem steeg nog steeds. 'Wie is ze? Heb je haar in die smerige stad ontmoet waar je naar toe gegaan bent? Er is helemaal geen tyfus, is het wel? Jij – jij – hoerenzoon! Barbaarse Amerikaan! Denk je dat je mij, mij, kunt behandelen als al die gewone vrouwen, waaraan je gewend bent om mee om te gaan?'

Ze had elk ornament in de kamer al kapotgegooid en nu ging haar hand uit naar de borstel met zilveren handvat, die op de kaptafel achter haar lag, terwijl haar andere hand naar zijn gezicht graaide om hem te krabben. Maar Steve was haar vóór, zijn gezicht was een ijzeren masker, hij greep haar polsen beet, draaide die om tot ze begon te gillen van pijn en frustratie.

'Zo is het genoeg. Wanneer je doorgaat je als een teef te gedragen dan zal ik je ook als zodanig behandelen. En ik ben nu – op dit moment – aan het eind van mijn geduld – begrijp je dat? Ik ben jouw eigendom niet, 'Cesca, evenmin als jij het mijne bent. We hebben elkaar niets beloofd, weet je wel? Ik vertrek over een paar uur en wanneer jij niet naar New Orleans wilt gaan, dan kun je precies doen waar je zin in hebt. Alleen ben ik dan niet in de buurt om aan je grillen te voldoen of om naar jouw viswijvengeschreeuw te luisteren.'

'Viswijven . . .! Durf jij te zeggen . . .'

'Je krijst als een straatmadelief, Francesca. Dat moet je voor het toneel bewaren en voor de rollen die je speelt.'

Zijn woorden sneden koud door haar opkomende hysterie en brachten haar tot tijdelijke sprakeloosheid terug.

Steve Morgan keek neer op haar gedwarsboomd, door tranen vertrokken gezicht en voelde alleen maar ongeduld. En dat was te zien in zijn toegeknepen, op een of andere manier verachtende blauwe ogen; want plotseling vergat Francesca haar woede, ze werd bang niettegenstaande haar trots en liet een lichte snik horen. Ze hield op zich te verzetten tegen die onbeweegbare pijnlijke greep en liet zich slap worden, zodat hij gedwongen was om haar tegen zich aan te trekken.

'Stefano! Praat niet zo tegen me! Kijk me niet aan alsof ik niets voor je beteken – je begrijpt toch wel, waarom ik zo kwaad ben? Ten eerste wil je me niet aanraken wegens die tyfus. En dan, ineens, zijn het zaken, zaken, die zo dringend zijn dat je mij niet naar New Orleans kunt brengen. En je had beloofd dat je dat zou doen! Je hebt me gezegd dat we nog een poosje samen zouden zijn – dat kun je niet ontkennen! En ik – het ligt niet in mijn aard om iets van welke man dan ook af te bedelen, maar jij bent begonnen om tegen me te praten, me te behandelen alsof . . . O, verrek jij! Waarom kun je tenminste niet eerlijk tegen me zijn?'

Lang, nadat hij haar verlaten had en al aan boord was van de praam, die hem de Sabine-rivier zou opvaren tot Brown's Bluff en zelfs nadat hij het klaargespeeld had om Francesca en haar warme kronkelende lichaam uit zijn geest te verbannen, moest Steve nog steeds aan haar woorden denken.

Hij had veel te veel tijd, terwijl hij in het modderige groene water tuurde, en dacht dus aan Ginny, Ginny die dezelfde gedachten naar hem trachtte over te brengen, haar witte tanden geklemd in haar onderlip, haar ogen glanzend van tranen. En hoe kwam het nou, dat, zodra Ginny in het spel was, hij altijd kans zag om te reageren als een stom, maanziek kalf? Eén keer was hij eerlijk tegen haar geweest, maar toen was de trots tussen hen beiden gekomen; en stijfhoofdigheid, terwijl ze op elkaar zaten te wachten, wie het eerst zou toegeven. Vandaar dat hij Ginny maar had laten gaan en Francesca gevonden had, die in veel opzichten te veel op Ginny leek en toch Ginny niet was – ook nooit Ginny zou kunnen zijn, die te veel van hem begreep en de enige vrouw was, die, hoe dan ook, kans gezien had om verraderlijk en arglistig onder zijn huid te kruipen en in zijn brein door te dringen, zodat hij de gedachte aan haar niet kwijt kon raken, evenmin als aan al te veel herinneringen. En in zijn poging om haar zijn zwakheid niet te laten ontdekken, had hij haar van hem verdreven . . .

Steve drong de gedachte aan Ginny uit zijn geest en begon de informaties te combineren, die hij zo onverwacht gekregen had met de feiten, die Bishop hem verstrekt had. Bishop zou zijn plotselinge verandering van zijn plannen nooit goedkeuren, maar wat voor de duivel deed dat er toe, zolang de resultaten maar die waren, welke Bishop nodig had? Dus ging hij niet naar Baroque rijden als een verklede miljonair uit het Oosten, met een liefelijke signorina dí Paoli, die hem begeleidde als lokaas om rechter Nicholas Benoit zand in de ogen te strooien. Hij kon dat soort list altijd later nog gebruiken wanneer het nodig mocht zijn; maar zijn onverwachte ontmoeting met capitan Altamonte, een oude vriend uit de dagen van Juarez, had hem een middel verschaft om het vijandelijk kamp binnen te dringen bij wijze van spreken – en als dat betekende dat hij enig risico moest nemen, waarom niet? Hij was eraan gewend om met gevaren te leven en de kans was veel te mooi om te laten lopen. De moeilijkheid was – Steve glimlachte ironisch – dat hij de gewoonte kwijt was om bevelen op te volgen en geleerd had zelf het initiatief te nemen. Maar in dat geval was het enige dat hij riskeerde: zijn eigen leven en de manier waarop hij zich dat had voorgesteld, maakte dat risico niet eens zo groot.

Hij ging contact leggen met een man, Refugio Orta geheten, bijnaam Chucho – een ex-Comanchero, die voor Dave Madden gewerkt had.

In gedachten ging Steve nog eens systematisch de paar feiten na, die hij vernomen had. Refugio was getrouwd met een vrouw die hij Teresita noemde. Ze was weduwe van een Comanche-krijger, zelf was ze voor de helft een Caddo en nadat Dave gearresteerd was en zijn kleine boerderij in beslag genomen was wegens het niet betalen van belasting, had Chucho samen met zijn vrouw een toevlucht gezocht in de moerassen, die grensden aan het Caddo-meer – een schuilplaats die vóór de burgeroorlog door slaven gebruikt werd en nu door vogelvrijverklaarden en 'nog niet- hervormde opstandelingen'. Het was de broer van Chucho geweest, capitan Altamonte, die Steve had meegenomen om te gaan kijken en die hem gezegd had hoe hij contact moest maken voor hij aan tyfus stierf terwijl Steve nog in de kamer was.

Maar Matamoros lag al twee en een halve week reizen achter hem en Steve was die hele tyfus al vergeten, totdat hij op een ongewoon warme middag de eerste rilling kreeg.

De kleine boot, die veel sneller en onopgemerkt ging dan grotere, was dicht genoeg bij Brown's Bluff zodat de plotselinge beslissing van Steve om hier aan land te gaan onopgemerkt bleef. De schipper, een zwijgzame Indiaan, Gaston genaamd, met een doorgroefd jong-oud gezicht, had alleen maar ongeïnteresseerd zijn schouders opgehaald. Hij was al betaald in goud, en hij had al vermoed dat zijn passagier een man was, op de loop voor de justitie - het soort man, die zijn plannen vóór zich hield en nu een schuilplaats zocht. Hier, op Brown's Bluff; het maakte geen verschil. Het was duidelijk, dat deze blauwogige man met een stoppelbaard, die een revolver droeg alsof het een lichaamsdeel was en die bovendien nog uitstekend Frans sprak - die zou wel weten waar hij heen moest. Gaston wilde het in elk geval niet weten. Hij hield ervan om te zeggen, dat hij een vredelievend mens was, die voor geld deed wat hij doen moest.

Hij liet de boot stoppen onder een gekromde oude cipres, die met zijn grillige vorm boven het water hing en keek zonder belangstelling toe, hoe zijn voormalige passagier over de zijkant stapte en terechtkwam in de modder, die bijna tot de rand van zijn laarzen reikte. Het soort man, dat de moeilijkheden zoekt, als die hem al niet het eerst gevonden hadden, en die licht reisde, alsof hij verwachtte om snel te moeten reizen. . . . Enfin, het waren zijn zaken niet! De kleine boot verdween in stilte rond een bocht in de rivier, toen Steve Morgan met een binnensmondse vloek zijn laarzen uit de modder trok en beschutting vond onder de bomen die langs de rivier stonden.

Het was nog steeds heet - een vochtige drukkende middag, die Gaston genoopt had zijn hemd uit te trekken. Maar Steve had zijn jasje nog aan en hij moest zijn tanden opeenklemmen om ze niet te laten klapperen. Langdurige rillingen beulden zijn lichaam en terwijl hij door de dichte begroeiing strompelde, moest hij af en toe ophouden en tegen een boom leunen tot de golf van kilte weer wegtrok. Eerst die rillingen, daarna kwam de koorts opzetten. Een objectief deel van zijn geest ging de symptomen na, waarvoor hij was blijven staan. Hoe lang zou het duren vóór de koorts hem gedachteloos zou maken? Hij was het vergeten. Nu, op dit ogenblik, nu hij nog in staat was te denken, moest hij proberen zich te herinneren in welke richting hij op weg was, wat zijn reisdoel was.

Koppig bleef hij voorwaarts gaan, hoewel het hem niet veel tijd kostte om te beseffen, dat hij hopeloos verdwaald was. Het deed er niet toe. Wanneer het nacht werd, en een heldere nacht, zou de stand van de sterren hem helpen. Als hij althans nog in staat was om tegen die tijd nog samenhangend te denken. Tyfus kwam altijd heel plotseling op - hij had geprobeerd er alles over te weten te komen, toen hij wist dat hij in contact geweest was. Maar hoeveel goeds kon die kennis hem nu doen?

In zijn geest ging Steve, tussen de rillingen in die zijn lichaam teisterden na, welke bezittingen hij eigenlijk bij zich droeg. Zijn revolver in de holster en een reserve in zijn broeksriem. Een mes. Een beetje geld - niet al te veel. Niets dat hem zou identificeren - de oude training verloochende zich niet.

Zijn hoofd begon pijn te doen. Elke straal zonlicht, die door het bladerdak kwam, scheen op zijn ogen te beuken, waardoor hij pijnscheuten door zijn schedel voelde gaan.

Hoe ver was hij gekomen sedert hij de rivier achter zich gelaten had? Hoe ver zou hij nog kunnen komen? Het was doodstil - een geheimzinnige, donkergroene wereld, waarin de stilte alleen verbroken werd door zijn eigen strompelende voetstappen en de kleine geluidjes van stromend water en kleine dieren, die erin sprongen wanneer hij voorbij kwam. Eens struikelde hij bijna in een klein stroompje, terwijl hij als een slang door het weelderige groen voortkroop. Hij zat midden in een land dat hoofdzakelijk uit moerassen en zijarmen van kreken bestond met af en toe plotseling een eiland dat uit het dikke modderig-groene water omhoog rees. Hij probeerde het water zorgvuldig te vermijden. Alles dat er als een onschuldig stuk hout uitzag kon een alligator zijn. En afgezien van het drijfzand, dat iemand binnen een paar minuten kon bedelven, waren er nog de waterslangen - om nog niet te praten over de menselijke rovers, die eveneens door deze moerassen zwierven. Onder normale omstandigheden was hij bereid geweest dat alles onder het oog te zien en er mee af te handelen; maar met die doffe bonzende slapen en de rillingen, die hem hulpeloos maakten . . .

Steve hoorde zichzelf vloeken, maar zijn stem klonk als een onbegrijpelijk gemurmel. Hij bleef maar doorlopen - viel - klauterde weer overeind en daarna, slechts even later, struikelde hij en viel opnieuw

Tyfus komt altijd heel plotseling op . . . Dat had hij ergens gelezen of van iemand gehoord. Maar het was één ding te weten wat er met hem aan de hand was; het was een ander ding om te proberen om zijn reeds verzwakkend lichaam de bevelen van zijn hersens te doen opvolgen. De pijn in zijn achterhoofd was begonnen scheuten langs zijn nek uit te zenden, die tot in zijn ruggegraat reikten. Na het ijskoud gehad te hebben begon hij zich plotseling heet te voelen; als iemand in een woestijn, gevangen door watergebrek, was hij begonnen te hijgen. *Tyfus komt altijd . . .* Veel te plotseling. Té snel . . . Hij wist dat zijn geest begon af te dwalen en kon niets doen om dat te voorkomen. Soms, wanneer hij niet langer kon lopen, begon hij te kruipen; een diepgeworteld instinct zei hem om in beweging te blijven, zelfs toen hij zich niet meer kon herinneren waarom of waarheen hij op weg was. Ergens onderweg had hij zijn jasje uitgetrokken en weggeworpen. De koorts steeg nu regelmatig. Steve Morgan was nog maar half bij bewustzijn, niet in staat tot helder denken. Hij kon ergens stromend water horen en zijn vlees voelde aan alsof het door de hitte verteerd was; zijn keel was zo droog, dat hij niet meer kon kreunen. Elk bot in zijn lichaam deed pijn, vooral wanneer hij zich bewoog. Waarom bewoog hij zich, waar ging hij heen? Hij had op zijn buik gekropen, maar nu, plotseling had hij de kracht niet meer om verder te kruipen. Zoals hij daar nu lag met zijn gezicht gedrukt in het koele, vochtige mos, voelde Steve zijn hoofd bonzen, bonzen . . . met elke hamerslag van zijn hart zette het uit tot het tenslotte ontploftte in het niets.

Deel vijf

De moerasvrouwen

41

'Missie!' De stem van haar broer Matt deed haar opspringen en daardoor liet ze bijna de oude verrekijker van Pa vallen, die ze overal met zich meedroeg. 'Missie Carter . . . zit je in die oude boom weer de helft van de tijd te dromen?'

'Matt, ga weg, hoor je? En val me verder niet lastig; je besluipt me als een Indiaan en je laat me halfdood schrikken! Je weet dat ik hier ben, waarom plaag je me dus?'

'Je zou huishoudwerk moeten doen in plaats van Teresita ervoor te laten opdraaien,' zei hij.

Maar voor hem wilde ze niet van haar tak afkomen en na een poosje ging haar broer, mopperend weg en haalde zijn schouders op. Zijn waarschuwing dat ze maar beter niet te laat voor het avondeten moest zijn, sloeg ze in de wind en het meisje bleef verborgen in de takken van de knoestige oude boom, die ver over het water hing.

Toen Matt weer weg was, even stilletjes als toen hij haar was komen zoeken, zijn mocassins maakten bijna geen geluid in de vochtige, zachte aarde, zuchtte Missie. Ze liet de verrekijker zakken en op haar maag rusten, terwijl ze haar houding veranderde om behaaglijker te kunnen zitten. Waarom dacht Matt, dat hij haar voortdurend moest bewaken? Hij had een manier van doen, die haar gek maakte, al wist ze dan wel dat hij van haar hield en zich op zijn manier zorgen over haar maakte. Maar waarom moest hij met haar dagdromen spotten?

Missie sloot haar ogen, sloeg geen acht op het gezoem van muskieten en andere insekten en ging vastbesloten door met haar dagdromen. De meeste daarvan – die haar favorieten waren – gingen over haar zelf en hoe ze weer op de plantage zou wonen, waar haar moeder geboren was als meesteres. En waarom zou die droom niet wáár kunnen worden? Haar moeder was van geboorte een echte Lassiter en Missie was haar dochter en de kleindochter van de oude Tom Lassiter. Zij had veel meer recht op de plantage dan die vervelende Toni, die alleen maar een Lassiter was omdat ze oom John tot een huwelijk verleid had toen hij de middelbare leeftijd al bereikt had. Oom Nick zei, dat haar hoofd vol zat van romantische ideeën en niet veel anders; maar hij had toegeeflijk gelachen toen hij dat zei, zelfs al was hij kwaad, omdat zij weigerde naar de school te gaan die hij voor haar had uitgezocht. Maar oom Nick, ook hij, speelde met Toni onder één hoedje, had van zijn halfzuster gehouden, zelfs toen haar vader haar verstoten had, toen ze met Pa wegliep. Misschien . . . misschien . . . op een goede dag. En waarom zouden al haar dromen niet uitkomen, zei Missie weerbarstig bij zich zelf, en ze herinnerde zich weer het oude verhaal, waarvan ze nooit moe werd om het nog eens te horen.

Eens, heel lang geleden, had Tom Lassiter het land hier gezien; uitgestrekt, vruchtbaar en wild en hij had besloten zich hier te vestigen. Hij was een man van de bergen geweest - en ook een squaw-man, fluisterden de mensen om uit te leggen waarom de Caddo-Indianen hem hadden laten blijven. Maar tegen de tijd dat hij zijn kinderen gekregen had, had hij twee blanke vrouwen gehad: Een Engelse, rechtstreeks van een schip, die de moeder van John Lassiter geworden was; en daarna, toen ze jong gestorven was, trouwde hij opnieuw - een weduwe uit Quebec in Canada, die ook zelf een zoon had, Nick Benoit. Vóór ze stierf aan moeraskoorts, had de tweede vrouw van Tom Lassiter hem nog een dochter geschonken, die ze Melissa Louise genoemd hadden; en die Melissa was Missie's eigen moeder geweest.

Tegen die tijd had Tom natuurlijk zijn eigen grote huis van natuursteen gebouwd, twee verdiepingen hoog, met het maandgeld dat zijn familie in Engeland hem bleef sturen. Hij had suikerriet geplant en hij had slaven die de plantage bewerkten, die hij letterlijk aan de ruwe aarde ontrukt had.

Melissa Louise was zijn lievelingskind geweest tot ze wegliep met Joseph Cartier, een Cajun van Louisiana, die zich gevestigd had op een smalle strook land dat aan de moerassen grensden.

Er waren nog meer kolonisten in het territorium, die de Oude Tom zo ongeveer als de zijne beschouwde. Boeren, kleine veehouders. Toen Texas een staat werd, waren ze komen binnenstromen en er was niets dat Tom eraan kon doen.

Maar toen zijn enige dochter er vandoor ging met een straatarme Cajun deed de Oude Tom moeite om hem vermoord te krijgen - en dat was het gedeelte waardoor Missie altijd kwaad werd.

Pa was een goed man en haar grootvader was ook met niets begonnen. Hoe kon hij gehandeld hebben alsof zijn dochter voor hem niet bestond alleen omdat ze verliefd geworden was op een man, die hem niet aanstond? Indien de moeras-Indianen niet vriendelijk geweest waren en indien Joe Cartier de moerassen en kreken niet gekend had als de achterkant van zijn hand, zouden Missie en haar drie broers nooit geboren zijn. Zoals de toestand nu was, had haar grootvader zich gedragen alsof hij nooit een dochter gehad had - hij liet de plantage na aan zijn zoon John en zette genoeg geld vast op zijn stiefzoon om diens opvoeding aan de oostkust te bekostigen.

Melissa Cartier was geboren met alles, maar toen ze stierf had ze slechts twee behoorlijke jurken - maar niettemin was ze gelukkig geweest en Missie kon zich nog altijd herinneren hoe het gezicht van haar Mama opklaarde zodra Pa het kleine huis binnenkwam. Mama was nu dood en had haar verhalen verteld uit de boeken, die ze meegenomen had toen ze wegliep, en ook uit de boeken die ze zich herinnerde als klein meisje gelezen te hebben. En Missie had, evenals haar moeder het rode haar en de groene ogen van de Lassiters, terwijl haar broers, Matt en Henry en Joe Junior de donkere kleur van hun Pa hadden.

Het kwam door de boeken en de romantische verhalen, die Mama haar vertelde, die van Missie zo'n kleine droomster gemaakt hadden, althans dat zeiden haar broers en schudden hun hoofd. Maar wanneer Pa ooit hoorde dat zij haar plaagden, zei hij hun om haar met rust te laten en legde hij zijn armen om haar schouders en drukte die om te laten zien hoeveel hij van haar hield.

Voor de zoveelste keer dacht Missie: 'Als Toni maar niet gekomen was. Toni was zilverblond en mooi en daaronder zo hard en boosaardig als spijkers. Alleen schenen mannen niet te zien, hoe ze in werkelijkheid was. Ze had alles bedorven – ze had het beheer over de plantage overgenomen en die veranderd in een veehouderij, alsof die van haar geweest was. Ze maakte zelfs oom Nick, die helemaal niet gek was, tot haar vriend en bondgenoot. En niet alleen oom Nick, die oud genoeg was om beter te kunnen weten, maar haar broer Matt even goed.

Zoals altijd deed het nadenken over Toni Lassiter haar wenkbrauwen fronsen. Zelfs, hoewel Pa niet wilde dat ze vloekte, kon ze dat wel binnensmonds, is het niet? Toni . . . Toni was een kreng! Oppervlakkig gezien deed ze zich goed voor; maar ze misbruikte de mensen. En als dat mannen waren, dan liet ze zich misbruiken. Het was Tonie, die Missie een wild schepsel van de moerassen had genoemd en getracht had haar oom Nick over te halen om haar naar een kloosterschool te sturen. Toni mocht haar niet, ofschoon ze dat verborg onder een voorwendsel van liefelijke bezorgdheid, wanneer er andere mensen in de buurt waren. Ja – Toni haatte haar des te meer, omdat ze wist dat oom Nick van Missie hield en niet zou toestaan dat haar iets overkwam.

En er was nog iemand die Toni doorzag. De frons van Missie werd dieper en het ongelukkige, ziekmakende gevoel dat ze altijd kreeg wanneer ze aan Renate Madden dacht, gaf een gevoel als een knoop, die in haar borst dichtgetrokken werd. Renate was haar vriendin geweest en haar man Dave, was een goede man geweest. Rustig, alleen bezig met zijn eigen zaken. Tot ze begonnen te praten over het gevecht, waarin hij in Baroque gewikkeld werd en de mannen, die hij gedood had. Eén daarvan was een soldaat van de Noordelijken. Dave was naar de gevangenis gestuurd; en spoedig daarna was Renate verdwenen. En nu liet Toni haar vee grazen op het bezit van de Maddens. Juist zoals ze altijd van plan geweest was, bedacht Missie kwaad. Hoe kwam het dat Toni op het eind altijd haar zin kreeg? De helft van hun vrienden was weg – failliet gegaan, of gestorven, of – zoals Missie's eigen vader en broers – gedwongen hun land op te geven omdat ze voor het Zuiden gevochten hadden. Alleen Toni had het overleefd en was er welvarend bij geworden – en oom Nick . . . Maar Missie wilde er niet aan denken, dat oom Nick iets te maken had met al die ongelukkige voorvallen. Hij had in Boston gezeten toen de Burgeroorlog uitbrak en hij – evenals de hele rest – werd verblind door de schoonheid van Toni en haar onschuldige uiterlijk.

Die arme Dave – met een ketting aan zijn been als een dier. En die arme Renate – wat was er met haar gebeurd? Waarom was ze zo plotseling vertrokken? Missie had ooit een gesprek afgeluisterd tussen Matt en Hank, waarin iets voorkwam dat Renate in Baroque zou zijn, maar toen zij losbarstte met vragen, waren ze opgehouden met praten – hun gezichten waren toen nietszeggend. Waarom bleven ze haar altijd als een kind behandelen, waarom vertelden ze haar nooit iets, terwijl ze volgende week zeventien werd - dezelfde leeftijd die Mama had toen ze met Pa wegliep? En als Hank Renate gezien had, waarom wilde hij er dan niet over praten?

Renate was een vriendin van Missie geweest, die haar koken geleerd had en naaien met kleine nette steken - en die haar zelfs enkele woorden Duits geleerd had.

Renate vertelde haar over haar familie en hun kleine boerderij, hoe ze allemaal gedood werden door deserteurs, die blauwe uniformen droegen, behalve Renate zelf. 'Maar Dave heeft je gered, is het niet? Dave en zijn vriend hebben jouw leven gered. Vertel het me nog eens, Renate. Hoe ze de boot enterden, net als zeerovers.'

'O, ja! Juist als zeerovers. De vriend van Dave kwam het eerst aan boord met een mes tussen zijn tanden.'

'En daarna is Dave verliefd op je geworden en met je getrouwd... Maar wat is er met zijn vriend gebeurd, die, van wie jij zei, dat hij er als een echte zeerover uitzag? Is hij ook niet verliefd op je geworden? Hoe heette hij? Heb je hem ooit teruggezien?'

Over het gezicht van Renate gleed een licht schaduw. 'Dave noemde hem Whit, maar ik ben bijna zeker dat dat zijn ware naam niet was. En hij - hij was beslist een avonturier. Hij was rusteloos. Het soort man die er plezier in had zijn leven te wagen, omdat hij het een soort spel vond om risico's te nemen. Ik geloof niet dat hij het prettig vond, toen ik Dave overhaalde om zich veilig te vestigen en de zaak in de steek te laten, waarin zij betrokken waren.'

'Maar wat waren ze? Hoe kwam het, dat zij jou konden redden?'

Missie zat altijd vol met vragen, maar op dit punt aangekomen begon Renate altijd te zwijgen. Later vertelde ze eens, hoewel tegen haar zin, dat ze geloofde dat de vriend door de Fransen in Mexico gedood was tijdens de revolutie. Hij was het type dat altijd op gevaar uit was. Maar Dave en ik, zei ze, we hadden wel niet veel maar we waren gelukkig.

Missie werd er dol van om te denken, hoe onrechtvaardig het allemaal was, maar wat kon ze doen? Pa schudde alleen maar zijn hoofd en knauwde op zijn pijp en het kwetste haar om de droevige, gefrustreerde uitdrukking van zijn gezicht te zien. Hank en Joe Junior keken alleen maar kwaad en zeiden haar, dat er gauw veranderingen zouden komen, ze moesten maar kalmpjes afwachten. Ze had het opgegeven om nog bij haar oom Nick te protesteren - wat had dat voor zin? Oom Nick glimlachte toegeeflijk of hij begon te praten over het feit, dat ze nu toch wel een echt goede opvoeding moest hebben. En Matt - wanneer hij niet op een of andere geheimzinnige expeditie uit was, sprak duister over het 'Statenrecht' en over de tijd, dat de soldaten van de Noordelijken en de vuile immigranten van het noorden weer verdwenen zouden zijn en ze allemaal rijk zouden zijn.

Het kwam Missie voor, dat die tijd nog een heel eind weg was - als die al ooit zou komen. Ze geloofde niet dat Toni hun ooit hun oude stee terug zou geven; en wanneer Pa ooit begon te praten over het verzamelen van een kudde, groot genoeg om de lange reis te maken naar de veehallen van Abilene, stuurde Toni hem altijd een soort waarschuwing via Matt - behelzende, dat de soldaten hem niet zouden doorlaten, of dat hij moest wachten tot zij klaar was om háár kudde weg te sturen en op die manier, met háár brandmerk op al het vee, zou het veilig zijn en zou zij zorgen, dat ze hun eerlijke deel kregen.

Toni - altijd Toni! Die wilde al hun levens dirigeren, precies zoals ze de levens dirigeerde van die arme, domme kolonisten, die ze hier gebracht had. 'Ik wou dat ze in een moeras viel en verdronk!' Dat waren Missie's gedachten, terwijl ze een gemakkelijker plaats op haar tak zocht en nog steeds wachtte op de boot van Gaston en zich afvroeg waarom hij deze keer zo laat was. De reden, dat Matt haar toestond om de rivier af te turen was, dat Gaston altijd tabak en Mexicaanse sterke drank meebracht en dat er iemand aan de oever moest zijn om hem te waarschuwen, dat het veilig was om aan te leggen, anders zou Gaston doorvaren, want hij was een voorzichtig man.

Deze keer had ze hem bijna gemist want de schemering begon al in te vallen en de lege maag van Missie begon te rommelen als ze aan het avondeten dacht, waarmee Teresita zat te wachten. Ze moest vóór donker thuis zijn - dat was een belofte die ze Pa gedaan had.

Met een zucht liet Missie zich uit de boom glijden, waarbij ze van tak tot tak afdaalde. En toen hoorde ze de zwakke geluiden van een boot die door het water gleed, het zachte gefluit dat Gaston altijd liet horen wanneer hij deze plek passeerde.

Ze liep naar de waterkant, waar hij haar duidelijk kon zien en hij bracht met zijn stok de boot tot stilstand en keek zo dreigend, dat zijn gezicht er nog gegroefder uitzag dan vroeger.

'Gaston! Ik dacht dat je nooit zou komen. Je bent laat, weet je dat? Heb je meegebracht...'

Het zure gezicht van Gaston werd zo mogelijk nog zuurder.

'Meegebracht... heb ik meegebracht! Ja, ik heb de sterke drank voor die dorstige broer van je meegebracht. Maar je kunt hem namens mij zeggen, dat wanneer hij zelf naar Mexico zou gaan, hij net zoveel kon krijgen als hij maar wilde hebben. Ik moest er een boel voor betalen - dat mag je hem ook zeggen! Overal gaan de prijzen omhoog en ik ben maar een arme man.'

'Heb je deze keer passagiers gehad?' De groene nieuwsgierige ogen van Missie gleden langs hem heen, terwijl hij de zware kruik op de oever plaatste met een overdreven gekreun van inspanning. De frons van Gaston werd dieper 'Hé, wat moet dat? Waarom stel je me altijd dat soort vragen? Je weet dat het soort passagiers, dat op mijn boot wil reizen, altijd op een of andere manier moeilijkheden betekent - net als Billy-Boy. Valt hij Teresita nog steeds lastig?' Plotseling, nog vóór Missie een antwoord kon geven, giechelde Gaston. 'Haha! Toen was je erg kwaad op me, is het niet? Maar hoe kon ik weten waarom hij hierheen kwam? Je weet dat ik nooit vragen stel - dat is slecht voor de zaak. Ik wist niet, dat hij een revolverheld was, die voor haar zou gaan werken. En jij, kleintje, moet je neus niet in slechte zaken steken en je kunt aan je papa zeggen dat ik dat gezegd heb. Jou tante zou het helemaal niet prettig vinden als ze wist hoeveel vragen jij altijd stelt - oui, en ze zou waarschijnlijk mijn tong laten uitsnijden als ze wist, dat ik op deze manier met jou praatte.'

'Ze is mijn tante niet! Heb het hart niet om Toni Lassiter zo te noemen! Zij ... Zij is een kwaadaardige, samenspannende ... heks, dat is ze en het kan me niet schelen of je dat aan haar vertelt! En wanneer je mij alleen maar wilt plagen, wanneer ik jou verteld heb hoeveel zorg ik me maak, dan ... dan ga ik weg en wacht nooit meer op jouw boot en ik zal ook geen woord meer tegen je zeggen, Gaston Labouche!'

'Oho! Ze is kwaad nu, is het niet? En dat tegen haar eigen peetoom. Jij ondankbaar wicht. Goed, loop maar weg, je zult ook niets meer van mij horen en dat is een feit.'

Op haar blote voeten stond ze al klaar om weg te lopen, maar de sluwe, bijna triomfantelijke toon in zijn stem, maakte dat Missie aarzelde en zich weer langzaam omwendde.

'Wat horen? Ik wil wedden dat je me niets te vertellen hebt, oude man! Wanneer jij een fatsoenlijke peetoom was, dan zou je proberen om me te helpen, in plaats van zulk soort stomme spelletjes met me te spelen, wanneer je weet dat ik hier de hele dag naar je heb zitten uitkijken; ik heb zelfs geen hap gegeten.'

'Je kunt maar beter leren om met een beetje respect tegen me te spreken, wicht!' schold hij en daarna, op zachtere toon: 'Wil je dat mooie zijden lint niet hebben dat ik meegebracht heb? Je kunt er je haar mee opbinden of er een leuke jurk mee afzetten, waardoor je er als een dame uit zult zien. Nou?'

'Is het groen?'

'Is het groen, vraag je nog. Wat anders, om bij je ogen te kleuren? Ik ben voor deze reis tamelijk goed betaald. Je kunt aan Joe zeggen, dat ik over een paar dagen een fles wijn met hem kom delen.' Het lint wapperde in de lichte bries en Missie greep er naar met glanzende ogen.

'O, o! Dank je, Gaston, het is prachtig! Het mooiste lint op de wereld. En ik zal aan je denken, telkens wanneer ik het draag.'

'Goed – goed! Je bent je arme oude peetoom vergeten op het moment dat de boot uit zicht is en dan ga je weer dromen, is het niet? Waarom zeg je me niet, waar je naar uitkijkt?'

'Ik kijk naar ...' Bijna had ze het hem gezegd – bijna had ze gezegd, dat ze – sedert de arrestatie van Dave – op de uitkijk was naar zijn vriend. Maar dat zou Gaston natuurlijk niet begrijpen. Missie zuchtte en omdat Gaston haar nieuwsgierig gadesloeg met zijn scherpe eekhoorntjesogen, zei ze geheimzinnig: 'Ik denk, dat hij helemaal niet zal komen – of misschien geeft hij niets meer om zijn oude vrienden. Als dat wel zo was, denk je dan niet, dat hij al lang gekomen zou zijn? Het is alleen maar ...' ze keek weer naar Gaston en haar stem werd harder en werd koppig. 'Ik had een soort gevoel. Hier.' Haar handen raakten het verschoten katoen van haar jurk aan, die over de jonge, groeiende borsten spande. 'Teresita zegt, dat je voorgevoelens of dromen nooit moet negeren – en je weet dat de Indianen haar een tovervrouw noemen en zij geloven alles wat zij hun over hun dromen vertelt.'

'Wat? Waar praat je over? Je bent nog een beetje jong om nu al te beginnen met over vreemde mannen te dromen die je nog nooit ontmoet hebt, is het wel? Wat is dit, hè? Word jij soms ook een tovervrouw?'

'Nee – nee, dat word ik niet! En ik wist, dat je het niet zou begrijpen.'

'Misschien doe ik dat ook niet! Ik zeg je, juffie, voor wie je ook op de uitkijk staat, het is niet waarschijnlijk dat ze een tochtje stroomopwaarts in mijn boot willen maken, dus je kunt maar beter ophouden mij met je idiote vragen lastig te vallen. Je weet even goed als ik welk soort passagiers ik vervoer – Mex peons, die van hun hacienda weggelopen zijn om hier een stuk modderig land te vinden, waarvan ze kunnen leven. Vogelvrijverklaarden. Revolverhelden zoals Billy-Boy Dozier. En mensen die op de vlucht zijn en niet lastig gevallen willen worden met vragen en ook niet over zich zelf willen praten. Zoals die gevaarlijk uitziende klant met zijn revolver op zijn heup, die tijdens de hele tocht stroomopwaarts bijna geen woord met me gewisseld heeft in twee weken, behalve dan om vragen te stellen. Vragen – aha! Toen hij ontdekte dat ik te slim was om iets te zeggen, zweeg hij verder ook als een oester. En dat is het soort passagiers dat ik vervoer. Een echte wolf, maar hij verstond bovendien heel goed wat ik zei, wanneer ik in het Frans tegen hem begon. Hij moest naar Brown's Bluff, zei hij – en toen, helemaal opeens, verandert hij van gedachten. Hij wil meteen aan land. En maar goed ook – ik begon al te denken dat ik weer een van die gehuurde revolverhelden van Miz Lassiter aan boord had, die hier de boel wel weer eens zou opscheppen . . . Hé, gekke meid! Kijk uit – wil je in het water vallen?'

Gelukkig was het Teresita en niet Matt, die naar Missie kwam zoeken en zwijgend en uitdrukkingsloos toefluisterde naar de uitlatingen van het meisje.

'Hij is het! Ik weet dat hij het is! Heel groot heeft Gaston gezegd, met zwart haar en donkerblauwe ogen. En hij draagt een mes en ook een revolver – Gaston heeft het gezien! We moeten hem vinden, zien jullie dat niet? Hij gaat natuurlijk recht op het huis van de Maddens af – misschien weet hij niet, dat Toni daar nu Billy-Boy laat wonen. Hij moet gewaarschuwd worden!'

Slank als een riet en met rechte rug, haar gladde lichtkoperen gezicht volkomen effen, zei de Indiaanse vrouw niet – zoals Matt gedaan zou hebben – dat het kind nu moest ophouden met haar dwaasheden.

In plaats daarvan zei ze praktisch: 'Wees voorzichtig met die kruik. Wanneer je de drank vermorst of de kruik laat vallen, zodat die breekt, zal jouw broer erg kwaad op je zijn. Hij is nu al kwaad omdat je zo lang buiten gebleven bent.'

Missie stampte ongeduldig met haar blote voet.

'Het kan me niet schelen, wat Matt denkt of hoe kwaad hij is! Gaston zegt, dat hij hem maar vijf kilometer terug aan land heeft gezet en hij had niet eens een paard. Als ik de geheime weg over de rivier zou nemen naar Wildcat Bayou, dan vond ik hem misschien vóórdat hij . . .'

'En wanneer je die man vindt en hij een vreemdeling blijkt te zijn? Een slechte man, zoals al die anderen? Er zijn massa's mannen met zwart haar en blauwe ogen. Misschien had deze man ergens anders zaken te doen. Misschien wil hij, als zoveel anderen, de moerassen gebruiken als schuilplaats. En daar je hem niet gezien hebt en er niet zeker van kunt zijn . . .'

'Maar dat ben ik wel! Wie anders zou de naam van jouw man kennen? Natuurlijk spijt het me, Teresita dat ik dit moet oprakelen, want ik weet dat het jou bedroefd maakt om eraan te denken, maar hij heeft Gaston gevraagd of hij een man kende met de naam Refugio Orta - hij zei, dat hij een vriend was van zijn broer in Mexico. Gaston heeft hem niets verteld, natuurlijk - je weet hoe zwijgzaam die oude man kan zijn. Maar hij gaf toe, dat deze man zelf ook een Comanchero had kunnen zijn. Alsjeblieft - alsjeblieft, Teresita! Zie je nu niet waarom ik zo zeker ben? Het gevoel, dat ik had - alles! Je moet naar me luisteren -ik zou je in elk geval gevraagd hebben en nu ben je hier.'

Het gezicht van Teresita bleef onbewogen, maar haar zwarte ogen begonnen te glinsteren.

'De vrienden van mijn overleden echtgenoot hebben hem nooit bij zijn eigen naam genoemd, ze noemden hem altijd Chucho. En hij had heel veel vijanden. Gisteravond kreeg ik een vreemde droom, ofschoon de ware betekenis daarvan me nog niet geopenbaard is. Maar ik denk - ja, ik denk, dat die ongeluk voorspelt. Maar voor wie? Mijn gevoel zegt me, dat de komst van een vreemdeling, op dit ogenblik, niet goed is.'

'Dat moet je niet aan Pa of aan Matt vertellen! En het is niet waar ook. Je hebt zelf gezegd, dat je de ware betekenis van die droom nog niet kende! En wanneer jij me niet helpt of me zelfs maar begrijpt, dan ga ik hem zelf zoeken. Omdat ik zeker ben!'

Bijna onmerkbaar werd de stem van Teresita scherper.

'Weet je zeker, dat de man over wie de schipper zo terloops gesproken heeft, dezelfde is als die waarvan de Duitse vrouw sprak? Een man die je nooit gezien hebt? Een man, die nu zelfs dood kan zijn? Ik vind het niet prettig om dit tegen je te zeggen, Missie Carter, maar ik geloof dat je te druk bezig bent om je dagdromen om te zetten in feiten. En dromen kunnen niet in de hand gevangen worden - ze worden ons gegeven als tekens. Luister alsjeblieft naar me en wees verstandig. Deze man, die de naam van mijn echtgenoot noemde, betekent natuurlijk moeilijkheden. Refugio kende een paar erg slechte mensen . . .'

Maar natuurlijk luisterde Missie niet. Het kind zag eruit alsof ze in trance was - een flauwe, geheimzinnige glimlach rond haar mond maakte, dat dat puntige kleine gezicht er geheimzinnig en betoverd uitzag. Het kon haar niet schelen wat iedereen dacht. Ze wist!

42

Op een of andere manier wist hij, zonder dat het hem gezegd werd, dat hij verschrikkelijk ziek geweest was. Hij voelde zich erg zwak en zijn instinct zei hem, dat hij niet gewend was aan zwakheid. Hij lag in een soort schuilhut van kreupelhout en had het vreselijk koud. Wanneer hij probeerde te denken schoot de pijn door zijn slapen en verdoofde alles. En toch werd een apart stuk van zijn geest zich langzaamaan wat meer bewust. Er waren gezichten, die zich over hem heen bogen. Een vrouw sprak tegen hem en hij hoorde zijn stem, die hem vreemd in de oren klonk, antwoord geven. Een vrouw . . . Maar na een poosje waren er twee vrouwen, die elk een verschillende taal spraken; en toch verstond hij wat ieder van hen zei. Verstond - en hij wist wat hij zei - maar anders niets, niet wie hij was of wat hij hier op deze plek uitvoerde of zelfs waarom hij zich zo zwak voelde. Na een poosje gaf hij het op en vond, dat het gemakkelijker was om aan de pijn in zijn hoofd te onsnappen door te slapen.

Toen hij in staat was de realiteit te aanvaarden, en dat leek wel een eeuwigheid later, herinnerde hij zich niets. Zijn naam niet, ook niet waar hij vandaan kwam, zelfs niet hoe hij eruit zag.

Hij woonde bij Indianen - en enige tijd lang dacht hij dat hij een van hen was. Hij was getrouwd met een Indiaanse vrouw, waarvan de Comanche-naam Stromend Water betekende, maar ze was bij ieder ander bekend als Teresita.

'Je hebt hoge koorts gehad.' De stem van Teresita was leeg en klonk lichtelijk hees wegens de kracht van haar emoties. 'Mijn eerste man, jouw broer, heeft het eens gehad, maar gelukkig waren we toen in Mexico en er was een dokter in de buurt. Dus wist ik wat ik moest doen.'

'Ik heb steeds gedroomd, dat ik ergens in een gevangenis zat.' Hij fronste zijn zwarte wenkbrauwen.

'Dat heb je ook. Tijdens de revolutie in Mexico. Herinner je je verder niets?'

De stem van Teresita was kalm en zakelijk, ondanks het plotselinge bonzen van haar hart.

'Waarom voor de duivel herinner ik me niets meer? Behalve de dromen . . . en zelfs die begin ik te vergeten.'

'Denk er dan niet meer aan. Dat is misschien beter. Op weg hierheen heb je wat moeilijkheden gehad, maar nu ben je veilig. De hoge koorts heeft je geheugen weggenomen, maar dat komt wel terug, vroeg of laat.'

Hij mompelde half binnensmonds: 'In voor- en tegenspoed, hè?' Maar toen Teresita niet-begrijpend naar hem keek, voelde hij een soort tederheid voor haar en richtte zich op om haar gezicht met zijn vingers glad te strijken.

'Dat doet er ook niet toe. Ik denk dat je gelijk krijgt en dat het allemaal wel eens zal terugkomen. Maar ik wilde wél, dat ik me althans sommige dingen herinnerde.'

Ze had naast hem op haar knieën gezeten, zich over hem gebogen en plotseling verstevigde de greep van zijn arm en trok haar naar zich toe. Wat voor soort man was hij? Teresita vroeg het zich af. Hoe kon ze Missie hebben toegestaan om haar over te halen, tegen haar eigen voorgevoel in, om die avond het moeras te gaan doorzoeken?

'Ik geloof dat jij je al veel te veel herinnert. En afgezien daarvan: je bent niet sterk genoeg. Alsjeblieft - nu niet!'

'Waarom? Wanneer jij mijn vrouw bent, wat mankeert er dan aan dat je naast me komt liggen? Vandaag heb ik God zij dank een helder hoofd en ik kan me niet indenken, dat ik vergeten kon hebben hoe zacht en soepel jouw lichaam aanvoelt.'

Ze voelde zijn vingers tegen haar vlees en zijn lippen op haar gezicht en haar hals. Hij maakte geen ruwe beweging om haar benen uiteen te spreiden om haar te kunnen beklimmen, maar leek tevreden te zijn met haar stevige omhelzing, terwijl hij haar liefkoosde; en ofschoon ze dat in het begin niet begreep, kon Teresita er niets aan doen, dat ze zich herinnerde dat zelfs Chucho zich niet op deze manier tegenover haar gedragen had. Ze was grootgebracht in de kennis wat mannen wilden; om onderdanig te zijn, om de plichten te vervullen die van een echtgenote verwacht werden. Ze had nooit iets anders nodig gehad of verwacht. Maar deze man - wat moest hij van haar hebben?

Haar vlees kromp ineen en trilde onder zijn tastende handen en lippen en werd toen warmer en warmer totdat zij het was, die brandde alsof ze koorts had en ze werd hulpeloos. Het enkele kledingstuk dat ze droeg scheen van haar lichaam af te glijden en hij, onder de ruw geweven deken, droeg niets. Ook de deken viel terzijde, terwijl hij haar betastte alsof hij een nieuw land aan het ontdekken was.

En Teresita ontdekte voor de eerste keer in haar leven, welk gevoel het gaf om bemind te worden in tegenstelling met genomen te worden - ofschoon ze deze pas ontwaakte gevoelens niet onder woorden zou kunnen brengen.

'Teresita,' hoorde ze hem fluisteren en het was alsof ze haar naam voor de eerste keer hoorde, dat die haar voor het eerst gegeven werd, evenals de gevoelens, die hij in haar lichaam opriep.

Teresita was die avond met Missie meegegaan, omdat het meisje vastbesloten was om op zoek te gaan naar de geheimzinnige passagier van Gaston. Ze had niet verwacht dat ze hem zouden vinden; en toen ze hem vonden herkende Teresita het soort koorts dat hij had, en ze had in dubio gestaan om weg te gaan en hem achter te laten om te sterven. Maar Missie was vastbesloten geweest en de enige manier om te beletten, dat Missie te dichtbij zou komen en zelf geïnfecteerd zou worden, was haar belofte aan het meisje, dat zij - omdat ze de kwade koorts al eens gehad had - hem mee naar haar hut zou nemen en hem zou verplegen. Maar zelfs toen had Teresita nog gehoopt dat hij zou sterven. Haar gevoel zei haar, dat hij moeilijkheden met zich meebracht, behalve de tyfus. Ze geloofde niet, dat hij een vriend van de broer van haar echtgenoot geweest was. Jesus-Maria was een rustige, onopvallende man geweest, tevreden met de zorg voor de schamele oogsten, die amper voldoende waren om zijn snel groeiende gezin te voeden. Wat kon hij gemeen gehad hebben met de soort man, die deze half bewusteloze vreemdeling scheen te zijn? Maar in zijn delirium had hij niet alleen Spaans gesproken, maar ook de taal der Comanchen. Hij scheen ogenblikken van helderheid te hebben, vooral in het begin, toen hij haar naam kende, ofschoon ze niets van hem afwist. Misschien was hij zelf ook een Comanchero geweest? Maar, in dat geval: waarom was hij dan niet eerder gekomen. Waarom was hij juist nu gekomen?

Teresita had tijd gehad om zich dat alles af te vragen en haar eigen nieuwsgierigheid te bevredigen, terwijl ze hem terwille van Missie verpleegde. In de maanden nadat Chucho gestorven was, had ze alleen in haar hut gewoond en geen man toegestaan om bij haar te liggen. Ze hadden haar met rust gelaten - de Indianen even goed als de blanken - wegens haar droomuitleggingen en haar kundigheid op het gebied van geneeskrachtige kruiden. Nu moest het feit, dat ze een man bij zich genomen had, verklaard worden en ze gaf een verklaring, waarvan ze de leugen betreurden. Ze zei, dat hij de broer van haar overleden echtgenoot was en dat hij gekomen was om met haar te trouwen volgens de gewoonten van de Comanchen. Na zijn beterschap en nadat hij vertrokken was kon ze altijd nog zeggen, dat hij in de moerassen verdwaald was geraakt...

En toen verraste hij haar, die namiddag toen zijn mannelijkheid de overhand kreeg en haar, in het begin onverhoeds, maar spoedig daarna noopte tot overgave. Hoe had ze kunnen weten dat dergelijke gevoelens bestonden? Of dat er zoiets bestond als hartstocht? Hij maakte, dat zij hem begeerde en wel op een manier, die ze niet voor mogelijk gehouden had. Hij zei haar, dat ze mooi was en kleedde haar volledig uit, zodat hij elke centimeter van haar lichaam kon liefkozen en haar een dergelijk genot bezorgde, dat ze dacht te zullen flauwvallen. Ze had nooit gedroomd, dat het zo'n verpletterend, glorieus gevoel kon geven om door een man genomen te worden; het maakte haar bijna bang, zodat ze eerst zich wat wilde inhouden, weer aan zich zelf wilde toebehoren, tot hij haar met een lichte blik van verwondering aankeek.

'Waarom houd je je zo stijf? Heb ik je al niet eens eerder gezegd hoe aantrekkelijk je bent? Hebben we elkaar al niet eerder op deze manier bemind?'

'Deze manier' wilde zeggen heel veel manieren, waar ze tevoren slechts één manier gekend had. En boven haar gefluisterde half-gemeende protesten uit, liet hij haar het verschil tussen goed en slecht vergeten.

Tegen deze tijd had Teresita zich gerealiseerd, dat hij geen herinnering aan het verleden had en dat hij het verhaal geaccepteerd had, dat zij aan de anderen vertelden had. Dat hij haar man was - de broer van haar overleden echtgenoot.

Zodra hij sterk genoeg was, leidde Teresita hem dieper het moerasland in, langs onbestemde sporen, uitsluitend bekend aan de Caddo-Indianen, die hier langer gewoond hadden, dan zij zelf zich konden herinneren. Daar waren eilanden waar wild vee en wilde paarden in volle vrijheid leefden, die nog nooit een touw of een teugel gevoeld hadden. Ook wild was er in overvloed en ze hadden nooit honger, want de man, die ze Manolo genoemd had - een naam die hij in zijn delirium gestameld had - wist hoe hij moest jagen met pijl en boog, die hij zelf maakte.

Ze leefden bijna een maand in dit paradijs, waar ze elkaar konden beminnen op elk uur van de dag of de nacht en op elke plaats, die hun inviel en Teresita wilde deze geheime, ongestoorde plek die ze gevonden hadden helemaal niet verlaten. Maar niettegenstaande het genot, dat haar man in haar scheen te vinden, was ze wijs genoeg om bij hem een zekere rusteloosheid te ontdekken en daarom ook niet tegenpruttelde, toen hij op zekere dag annonceerde dat het tijd werd, dat ze naar de anderen terugkeerden. Zonder het te beseffen, had ze hem zoveel ze kon verteld over de moerasbevolking en de anderen, die zich te goed deden aan de rijke, vruchtbare landen, die aan de moerassen grensden. Over de moeilijkheden, die spoedig ontstonden na het beëindigen van de Burgeroorlog - maar de onrechtvaardigheden bleven.

'Waarom doet niemand er iets aan? Waarom moet dat mens Lassiter in alles haar zin krijgen? Hier in de moeraslanden loopt het vee wild rond, en als zij dat van haar op de markten in het Noorden verkoopt, wat belet anderen dan om precies hetzelfde te doen?'

Zij gaf ten antwoord en de angst maakte haar stem scherp: 'Diezelfde vraag, gesteld door anderen, leidde tot hun dood of hun ondergang. Zij, die bleven leven, zijn alleen nog maar in leven omdat ze zulke vragen niet stellen. Bemoei je er niet mee. Ik smeek het je - laat de boel lopen!'

Maar hij was het soort man niet om de boel te laten lopen, zoals Teresita zelf van het begin af had kunnen vaststellen. Hij was van het soort, dat dingen liet gebeuren. Ondanks haar angsten en voorgevoelens klonk zijn stem bedachtzaam, toen hij langzaam zei: 'Het komt me voor, na alles wat je mij verteld hebt, dat er geen enkele reden is, waarom iemand niet rijk zou worden door genoeg van dit los rondlopende vee te brandmerken en het daarna naar een markt te drijven, die behoefte heeft aan vlees. Er kan genoeg winst gemaakt worden, waarin iedereen kan delen en wanneer er mensen zijn die zelfzuchtig zowel als begerig zijn, wordt het misschien tijd dat ze beseffen dat het ene leven even goedkoop is als het andere.'

Zijn achteloze woorden joegen haar angst aan en toch bleef ze uit gewoonte en instinct zwijgen. Ja - het werd tijd dat zij terugkeerden. Wanneer hij misschien met de anderen zou spreken - mannen als de vader en broers van Missie Carter, die hier hun hele leven gewoond hadden, zou deze roekeloze man van haar beseffen wat je wél en niet kon doen. Misschien zou Missie zelf enige hulp kunnen bieden . . .'

Teresita voelde zich lichtelijk schuldig wanneer ze aan Missie dacht, maar ze veegde die gevoelens terzijde. Missie was nog een kind; en kennelijk was deze man gekomen om haar, Teresita, te vinden. Hij had haar naam geweten. En die van haar echtgenoot. Maar ze was voorzichtig en wilde het noodlot niet tarten, door hem te vertellen dat het Missie was, die van zijn komst gehoord had van Gaston, de schipper. Wanneer ze terugwaren, zou ze zelf met Missie praten en het uitleggen.

'Waarom blijft iedereen me maar steeds behandelen alsof ik een kind ben?' riep Missie uit en stampte met haar voet met een mengeling van woede en ontroostbaar verdriet. 'Er hoeft me niets uitgelegd te worden, Pa, waarom denkt Teresita dat. Ze heeft zijn leven gered - en ik weet, wat de Indianen geloven: wanneer je iemands leven redt, behoort het jou toe. Maar . . .' haar groene ogen waren groot en glanzend, alsof ze elk ogenblik konden overlopen met tranen en Joe Carter kon niets anders doen, dan hulpeloos zijn schouders optrekken en wensen dat Melissa niet zo jong gestorven was. 'Maar Pa!' barstte Missie uit en liet iets van haar gemengde gevoelens blijken, 'Ik weet, dat hij dezelfde man is, over wie Renate altijd sprak! Misschien kende hij Chucho - waarom niet? Chucho is hierheen gekomen omdat hij Dave kende . . . ik bedoel, het is heel duidelijk, is het niet? Maar nu . . . nu heeft hij alles vergeten! Zelfs zijn naam of waar hij vandaan kwam of waarom! En het is niet eerlijk, dat Teresita overal rondbazuint, dat hij de broer van Chucho is. Dat is niet juist, de manier waarop ze diep in het moerasland verdwenen en zó lang wegbleven en toen terugkwamen, samen, juist alsof ze . . . alsof ze . . .'

'Kom, Missie! Je hebt Teresita horen zeggen dat deze man - deze Manolo - de taal van de Comanchen spreekt en nog Spaans ook. Ik wil wedden dat hij een Comanchero is. In elk geval, dochter, hij voelt zich helemaal thuis bij de Indianen.'

'Hij schijnt zich overal helemaal thuis te voelen - bij iedereen!' Joe Junior barstte in lachen uit en Missie rende weg met een hoog blozend gezicht; het kon haar niet schelen waar ze heenging of ze over de wortels struikelde of in het water viel. Ze haatte hen, allemaal! Niemand begreep er iets van, zelfs Pa niet!

Zonder nadenken eindigde Missie bij haar favoriete schuilplaats - de oude boom aan het water. Door haar oude verrekijker zag ze Billy-Boy Dozier zijn paard bestijgen en als de duvel vandoor gaan . . . Misschien had hij gehoord dat Teresita terug was uit de wildernis, met een man voor zich zelf. Hij had al lang een oogje op haar gehad, ondanks het feit, dat hij voor het ogenblik het lieve jongetje van Toni Lassiter was. Of misschien had Billy-Boy de geruchten gehoord, dat moerasbewoners vee naar Abilene wilden drijven. Het nieuws in deze streken circuleerde erg snel. En niettegenstaande zij zich ontdaan voelde, was Missie toch blij dat Toni er niet was, maar zelf al halverwege Abilene was. Wanneer zij uit de weg was, gedroeg zelfs Matt zich verschillend. Minder prikkelbaar. Meer de grote broer, die Missie zich nog van vroeger kon herinneren, vóór die vervloekte oorlog uitbrak en alles bedierf.

Met een zucht liet ze zich weer langs de dikke, ruwe stam van 'haar' boom glijden en kwam behendig op haar blote voeten terecht - maar ze bleef daar staan alsof ze wortel geschoten had; de kleur ebde af en aan in haar gezicht en ze voelde het meest vreemde getril in haar binnenste, van de polsslag in haar hals recht naar beneden naar haar gekrulde tenen.

Ze merkte, dat hij haar even openlijk en achterdochtig bestudeerde als zij hem bekeek; zijn ogen werden wat nauwer toen zijn wenkbrauwen zich min of meer vragend fronsten. En toen: alsof hij plotseling haar spanning gemerkt had, zag ze één mondhoek in een grijns omhoog gaan, waardoor het litteken, dat over één kant van zijn gezicht liep, tot een diepe groef werd toen hij glimlachte.

'Hallo, groenoog.'

Missie had het vreemde gevoel, dat die woorden hem gewoon ontglipt waren, alsof hij zelf niet geweten had dat hij haar op die manier zou begroeten. Hij had iets strelends in zijn stem, alsof hij haar vroeger gekend had. Het was in een ogenblik gebeurd, maar even daarna was zijn gezicht weer een gesloten boek toen hij haar op belachelijk formele wijze vroeg of hij haar geen schrik had aangejaagd.

'Zocht u mij?' Door een zuivere nerveuze reactie was haar vraag bot, het verbaasde haar dat hij even uitgesproken reageerde.

'Ja. Je vader zei me, dat ik je op deze plek zou aantreffen. Vind je het erg?'

Ze schudde haar hoofd en werd plotseling verlegen. Wat moest hij van haar?

'Ze hebben me gezegd, dat jij dacht dat ik een vriend kon zijn van de mensen, die vroeger aan de overkant van de rivier woonden.' Hij zei het kortaf en wees met zijn hoofd in de richting, waar de Maddens gewoond hadden; de achteloze manier waarop hij Dave en Renate aanduidde als 'de mensen, die vroeger aan de overkant van de rivier woonden' joeg een blos van kwaadheid naar Missies wangen.

Omdat zijn onverschilligheid haar kwaad maakte, antwoordde ze hem in het houterige Franse dialect, dat haar vader haar had trachten bij te brengen.

'Wanneer u werkelijk hun vriend geweest was, monsieur, denk ik dat u al veel eerder gekomen zou zijn, toen zij hulp nodig hadden. Nu . . . nu is het te laat!'

'Was dat bedoeld als een soort test?' vroeg hij haar kalm in een Frans, dat veel correcter en zuiverder was dan het hare en hij ging peinzend verder: 'Ja, ik spreek Frans. Ik dank je voor je hulp, dat ik dat nu ontdek. Maar . . . noemden die vrienden van jou hun vriend bij zijn naam?'

Er schenen plotseling vreemde, dansende lichtjes in zijn ogen, terwijl hij haar gezicht gadesloeg.

Missie gaf onwillig antwoord, haar gezicht was nog steeds warm door boosheid en verlegenheid.

'Renate heeft me eens een keer verteld, dat de vriend van Dave Whit genoemd werd. Maar ze zei erbij, dat ze dacht dat het niet zijn ware naam was. Zij . . . ofschoon de beschrijving die ze gaf op u van toepassing is!' zei ze snel vóór ze de moed zou verliezen. 'En u spreekt Frans – u spreekt ook Spaans, is het niet? Herinnert u zich dan helemaal niets meer? Wat zou u hier anders moeten doen als u niet . . .'

'Maar zoals je zo juist zei, als ik werkelijk de vriend was die zij . . . jouw vrienden verwachtten, zou ik dan niet eerder zijn gekomen? Misschien kom ik uit Louisiana en werd de grond me daar te heet onder de voeten. Misschien ben ik deze kant opgedwaald om mijn revolver voor geld te verhuren – ik heb begrepen, dat er hier nogal een markt is voor revolverhelden.' Zijn stem was hard geworden en er klonk zelfverachting in. 'Ik heb geoefend met het trekken van de revolver, die ik draag.' Zijn ogen keken in die van Missie, maar ze had het gevoel, dat hij haar helemaal niet zag. 'Ik geloof dat ik goed genoeg ben om die man Whit te kunnen zijn. Wat weet je nog meer over hem?'

Missie stond met haar rug tegen de boom – als het ware door hem gehypnotiseerd; maar vreemd genoeg voelde zij zich meer opgewonden dan bang.

'Waarom vraagt u dat, wanneer u denkt dat u hem niet bent? Renate zei, dat hij die dag drie mensen gedood had – de dag dat ze van de boot gered werd. Ze zei, dat hij lachte alsof het allemaal een opwindend spelletje was.'

Ongeduldig fronste hij zijn wenkbrauwen.

'Is dat alles? Kijk, ik vind het nou niet bepaald leuk om voor me zelf een vreemdeling te zijn. En vóór ik verder ga, zou ik willen weten of er ook opsporingsbiljetten voor mij aangeplakt zijn. Of ik ben een oud-Comanchero óf een soort avonturier – werd er een beloning uitgeloofd na die redding van Renate?'

'Dave Madden was getrouwd met Renate! En misschien had ze het bij het rechte eind, toen ze zei, dat u – dat die vriend van Dave – iets te maken had gehad met de revolutie in Mexico en nu waarschijnlijk dood was!'

Teleurstelling en verdriet deden de stem van Missie haperen en ze meende, dat ze de blauwe ogen plotseling zag verzachten, die haar tot nu toe zo onpersoonlijk hadden aangekeken.

'Spijt het je werkelijk, dat een man die je zelfs nooit gekend hebt, dood zou zijn?' Zijn stem leek met haar en met zich zelf te spotten, alsof hij zijn eigen zwakheid verachtte. 'Je kunt maar beter leren om je gevoelens te verbergen, groenoog. In deze wereld worden de zachtaardigen meestal het kind van de rekening.'

'Ik zie nu wel hoe erg ik me in u vergist heb! U – u bent het soort man, die nergens om geeft en om niemand, is het niet? Dus wat kan het u schelen of ik het kind van de rekening word? En waarom blijft u me groenoog noemen, alsof u mij ergens al eerder gekend hebt?'

Haar plotselinge woede-uitbarsting scheen geen uitwerking op de man te hebben, behalve dat hij dieper ging nadenken. Vragend trok hij een wenkbrauw op.

'Misschien herinner ik me dat kleine puntige gezichtje van je en die ogen, toen je over me heen boog toen ik die koorts had. Heb je echt geriskeerd, om zelf tyfus te krijgen, alleen omdat je dacht dat ik die geheimzinnige "vriend" zou zijn?'

Ze maakte een beweging alsof ze hem voorbij wilde rennen en hij ving haar met zijn hand op haar arm, waardoor ze zich helemaal slap en ademloos voelde worden.

'Houd op me voor de gek te houden! Ik haat u!'

'Dat spijt me, Missie Carter. Miss Melissa.' De manier waarop hij haar volledige naam uitsprak, als een liefkozing, deed de adem in haar keel stokken. 'Waarschijnlijk zou ik hier niet blijven staan om jou in de war te brengen als het niet was om jou en je gevoelens. En dat is de reden waarom ik hier kwam. Om je te bedanken. En wat jouw groene ogen betreft' – hij liet een lach horen, die meer een kort, kwaad geluid in zijn keel was – 'ik bleef me afvragen waarom ik in mij dromen geplaagd werd door groene ogen. Ik heb een keer gedroomd dat ik omsingeld was door wolvinnen, allemaal met dezelfde ogen, die als lantaarns schenen, en ze zaten in afwachting om mij te verscheuren ... Er is een oude gezegde, dat een man nooit zijn vertrouwen moet schenken aan een vrouw met groene ogen!'

Hij sprak meer voor zich zelf dan voor haar – misschien omdat dit groenogige meisje nog maar een kind was met een sproetig gezicht en verwarde haren. Ze was nog heel ver verwijderd van het moment, dat ze zou ontdekken, dat ze een vrouw was en dat was misschien maar goed ook.

De man, die Manolo genoemd werd en wist, dat dit zijn naam niet was, maar iets anders, was begonnen te ontdekken dat hij een cynicus was - althans, dat hij niet gemakkelijk iemand zijn vertrouwen zou geven. Maar er bestonden bepaalde dingen, die híj zelfs accepteerde - misschien door instinct of door gewoonte. Je had die vrouw, Teresita, die zijn vrouw was; haar lichaam gaf hem warmte en genot nadat de eerste aarzelingen verdwenen waren. En nu had je dat groenogige kind-vrouwtje, aan wie hij zijn leven dankte - en die gedachte hinderde hem op een of andere rare manier, zelfs nu haar onschuld en de eenvoud van haar blik, hem bijna beschaamd maakten over zijn rauwheid. Zij had zijn leven gered, evenzeer als Teresita of zelfs nog meer. En sedert hij het bewustzijn herkregen had, met een geest die volkomen van herinneringen ontdaan was, ontdekte hij, dat de gewoonten die hij had aangenomen meer bij een Indiaan dan bij een blanke hoorden. In een of ander opzicht was hij Missie Carter iets schuldig. Eerlijkheid, om die van haar te evenaren? Was er iets, dat hij kon geven om die behoedzame ongelukkige blik in haar ogen, die hij had veroorzaakt, weg te vegen?

Een ver verwijderde herinnering trok aan de uithoeken van zijn brein en herinnerde hem aan dezelfde blik in een ander stel groene ogen toen verdween de herinnering weer.

43

Nog geen drie weken later bracht Manolo, met de vader en broers van Missie en een paar andere moerasboeren, zoals zij zich noemden, een kudde vee naar Abilene.

Hij ontdekte tijdens de lange rit naar het noorden, dat hij dit soort dingen al eerder gedaan moest hebben. Misschien had hij vroeger al hetzelfde spoor gevolgd of misschien handelde hij zuiver uit instinct. Maar of dat nu waar was of niet, binnen tien dagen merkte hij dat hij hun leider was.

In Abilene bleef Manolo, die nu zijn haar lang droeg op de manier van de drie halfbloed Caddo's die met hem meegekomen waren, uit de buurt van de kroegen en hij liet de onderhandelingen over de prijs van het vee over aan Joe Carter en aan Matt.

Rundvlees was bijzonder duur en ze kregen achttien dollar per stuk vee en de eerste avond werd de oude Joe Carter dronken en moest terug gedragen worden naar het hotel waar ze logeerden. Matt en Hank en Joe Junior vierden feest in stijl - ze hadden nieuwe kleren gekocht en een paar mooie vrouwen en lieten het aan de anderen over om de voorraden aan te vullen en om wat geld op de bank te zetten, zoals ze overeengekomen waren vóór ze vertrokken.

Het was Manolo - die het wist zonder te weten hoe - die de jongens gezegd had om voor hun pretjes naar Texas Street te gaan.

'Het schijnt dat al die nieuwe marktplaatsen een Texas Street hebben - en elk daarvan probeert een slechtere reputatie te krijgen dan de vorige.' Terwijl hij het zei, fronste hij zijn wenkbrauwen en Matt, die zich niet al te gelukkig voelde sedert Toni Lassiter haar kudde naar Abilene had gevoerd zonder hem iets te zeggen, merkte toen op: 'Het schijnt dat jij je een verduivelde hoop dingen herinnert, zonder iets te herinneren wat werkelijk van belang is, amigo! Je hebt gecontroleerd of er een aanplakbiljet over jou uithing in het bureau van de marshal?'

'Ik dacht dat ik dat aan jou wilde overlaten, amigo!'

Er waren ogenblikken dat Matt niet zeker wist of hij wel zoveel om Manolo gaf – of hoe hij dan ook mocht heten. Vooral zijn manier van doen. Maar iets omtrent de wijze waarop de man zijn revolver droeg en de onverschrokken bijna spottende blik in die verdomde blauwe ogen, maakten dat Matt zich kalm hield. Bij deze gelegenheid deed hij hetzelfde, hij haalde alleen maar zijn schouders op, terwijl hij op weg ging.

'Misschien zal ik het dan maar voor je controleren, hè? Het zou nuttig kunnen zijn om zoiets te weten.'

Nu ze in Abilene waren en Matt voor de eerste keer sedert jaren over geld beschikte, begon hij te denken over de volgende grote kudden die ze hier naar toe zouden drijven.

Ze moesten een eigen brandmerk hebben – de Circle Star – en dat op hun paarden aanbrengen – en op al het niet-gebrandmerkte spul, dat wild door de moerassen zwierf en op de eilanden, in de zijarmen van de kreken. Dat was geen diefstal – ofschoon hij er niet graag aan dacht, hoe Toni zou reageren wanneer ze dat hoorde. Maar . . . wel verduiveld! Een man moest toch eerst voor zich zelf zorgen!

Zonder zich er bewust van te zijn, ging Matt 's morgens, toen hij meer of minder nuchter was van de uitspattingen van de vorige avond, op zoek naar Toni.

Mevrouw Antoinette Lassiter verliet de bank; ziedend onder haar koele ongerepte oppervlak, ofschoon niemand anders dan de oude Ben, de neger die haar rijtuig mende, het geraden kon hebben. Hoe durfden ze een kudde van háár vee te verkopen! En die zalvende meneer Daviot, de nieuwe bankdirecteur, die had haar nog gefeliciteerd met de ruggegraat en ondernemingsgeest van de Texanen in haar gedeelte van de staat!

'Dit is nu juist wat het land nodig heeft, natuurlijk! Herbouw! De oude meningsverschillen vergeten en samenwerken om er iets van te maken. Vee, mevrouw Lassiter. U hebt in Texas rundvlees rondlopen en dat hebben ze in het Noorden nu juist nodig. Een goed oude Amerikaans initiatief! Dat moet verschrikkelijk goed vee zijn, in de buurt van Baroque!'

Ze had gelachen en bleef lachen en boog gracieus haar hoofd, terwijl meneer Daviot, die weg van haar was, doorging met praten.

'En nu: over uw geld. Weet u zeker dat u zoveel aan contanten mee wilt nemen? Neem me niet kwalijk, mevrouw Lasitter, wanneer ik me ermee bemoei, maar met de toeneming van de misdaad na afloop van de oorlog . . .'

'Ik betaal mijn mensen de hoogste lonen, meneer Daviot. En van de cavalerie hebben ze mij een escorte beloofd. Kolonel Vance, die een vriend van me is, heeft onlangs een bezoek gebracht aan Fort Worth. Ik verzeker u dat ik uitstekend beschermd naar huis zal gaan. Maar in elk geval bedankt voor uw bezorgdheid.'

Mevrouw Lasitter had haar eigen rijtuig meegebracht. Het geboende tuig glom en het bijbehorende span ruinen - die als het ware haar handelsmerk waren - wierpen speels hun hoofden in de lucht, alsof ze het gewend waren dat iedereen naar hen keek en naar de vrouw, op wie ze stonden te wachten, die in een rijtuig van Engelse makelij door hen getrokken werd.

De oude Ben, haar koetsier, was met Toni uit Louisiana gekomen toen ze trouwde en hij zat met kaarsrechte rug en droeg het fantasie-uniform en de zijden hoge hoed, die Toni hem zo graag zag dragen. Alleen al het zien van Ben, die er zo fantastisch uitzag, was genoeg om de mensen te laten staren, omdat zijn aanblik hen herinnerde aan de goede oude tijd in het Zuiden, toen zij, die het konden betalen, in stijl leefden. En Toni Lassiter was het soort vrouw, voor wie elke man zou blijven staan om nog eens te kijken. Ze was mooi, met een fijngevormd, arrogant gezicht en bleke topazen ogen die pasten bij haar zijdeachtige blonde haar. Haar lippen waren vol en tuitten ietwat. Wanneer ze haar stem liet zakken, klonk die hees en sensueel - genoeg om de rillingen over iemands rug te laten lopen. En ofschoon haar middel slank was, waren haar heupen en borsten weelderig en veelbelovend. Toni was gewend, dat ze mannen het hoofd op hol bracht en beschouwde dat als iets wat haar toekwam. Al toen ze een kind was en geleerd had hoe gemakkelijk ze haar vader rond haar pink kon winden door alleen maar te pruilen of te huilen, had ze nooit enige aarzeling gekend of scrupules om de macht die haar schoonheid haar over mannen gaf, te gebruiken. Zelfs wanneer zij ze allemaal verachtte . . .

Indien Toni Lassiter zich maar al te goed bewust was van haar eigen charmes en hun ontredderende effect op het genus man, had ze toch ook haar speciale zwakheden - ofschoon ze weigerde om die als zodanig te beschouwen.

Ze had van haar slappe, knappe vader gehouden - en had hem tegelijkertijd geminacht. Ze had er altijd plezier in gehad om hanengevechten bij te wonen en bokspartijen met blote handen. En straatgevechten, en duels - vooral wanneer die om haar gingen. In de oude tijd, vóór de oorlog alles overhoop gehaald had, vóór haar vader de plantage verspeeld had met gokken, had Toni zich altijd verheugd op een bezoek aan de slavenmarkten - juist zoals ze ervan hield om de opzichter weerspannige slaven te zien afstraffen.

Gisteravond was Toni, gekleed met een zwarte sjaal die haar kapsel en haar halve gezicht bedekte en een zwarte japon, die haar figuur verborg, naar een kleine boerderij een paar kilometer buiten de stad gegaan. Ze was gegaan om te kijken naar de dingen die daar plaatsvonden en het kon haar niet schelen om voor dit privilege te betalen, want het amuseerde haar om de zwakheden van andere mensen te zien; het gaf haar een lichthoofdig, opgewonden gevoel dat vermengd was met minachting.

'Grote Sadie' had alleen maar rijke klanten, mannen of vrouwen - het kon Sadie niet schelen, zolang als ze maar betaalden wat zij hun schulden noemde - wanneer zij het extra-speciale of ongewone wensten. Sadie mocht graag zeggen, dat zij voorzag in de behoeften van de kenners, daar zij zelf oorspronkelijk uit New Orleans kwam.

Zij gaf circusvoorstellingen en haar meisjes waren mooi en voorzagen in ieders behoefte. Ze was nogal bekend om haar talentenjachten; ze keek steeds uit naar nieuwe 'hengsten' - mannen die haar meisjes onder de duim hielden, hen sloegen voor het genot van bepaalde klanten en de klanten zelf te bevredigen, wanneer ze daarvoor gevraagd werden.

Je ging niet zo maar naar het huis van Sadie. Slechts een paar selecte mensen wisten waar het lag en hoe er binnen te komen. Je moest geïntroduceerd worden - en wanneer je eenmaal binnen was en geen geld genoeg had om de fantastische prijzen te betalen, moest je bepaalde talenten hebben om in natura te betalen.

Toni Lassiter had het geld en ze had ervaring, indien ze genegen was om te tonen hoeveel ze wist, zonder dat iemand een cent wijzer werd omtrent haar identiteit. Bovendien had ze Sadie al gekend toen de vrouw nog een andere naam droeg en ze hadden allebei in Louisiana gewoond. Toni was dus een geregelde bezoekster bij Grote Sadie, soms liet ze zich zien - een geheimzinnige vrouw in het zwart - en soms gaf ze er de voorkeur aan om eerst te kijken en later haar eigen particuliere vermaak te zoeken . . .

De stoffige helderheid van de zonneschijn buiten de bank was de oorzaak dat zij haar zijden parasol naar voren hield om haar ogen te beschermen. De woede van Toni Lassiter over Matt Carter, die iets had durven doen zonder te wachten op haar toestemming - en dat stomme rund van een vader van hem en zijn nog stommere broers was vermengd met woede over haar ervaringen bij Sadie op de avond tevoren. Sadie ging zeker in stand achteruit. Ze zou er nooit meer heen gaan!

Ben sprong van de bok en hielp haar het rijtuig in en de hele tijd dacht Toni aan gisteravond.

Alles was zo goed begonnen. De wijn, die Sadie voor haar speciale klanten had, was subliem zoals altijd. En het amusement was eveneens opwindend - vooral toen Sadie haar cirucus wijzigde in een impromptu talentenshow en vrijwilligers uit het publiek opriep.

Later, nog steeds nippend van haar wijn, had Toni zich ontkleed op een tulen sjaal na, die attent door Sadie werd aangedragen, terwijl ze haar gezicht bedekt hield door haar kanten voile.

'Liefje, ik zou verduiveld graag willen dat je voor mij werkte! Jij en ik zouden samen een fortuin kunnen maken!' Sadie had haar hoofd geschud en Toni had gelachen. Ze voelde zich opgewonden, het kloppen van haar polsen en de blos op haar gezicht, die altijd voorboden waren van wat zij haar wilde perioden noemde. Mijn God, ja. Vanavond voelde zij zich wild. Wilder dan een wolvin en precies even vrij. Dat was nog de meest dronken makende gedachte van allemaal. Dat ze aan niemand anders toebehoorde, deze avond, dan aan zich zelf en dat ze het maar voor het uitkiezen had - de hoer uithangen of de wrede meesteres, dat deed er niet toe.

Bij Sadie kon van alles gebeuren en haar klanten waren eraan gewend dat voyeurs hun kamer binnenwandelden, een poosje stonden te kijken en dan weer wegslenterden. Er waren kijkgaatjes voor die begluurders, die zelf niet gezien wensten te worden en alle klanten van Sadie wisten dat; evenzeer als ze wisten dat dit geen gewoon bordeel was voor de bedeesden.

Met een fles gekoelde champagne ging Toni na enige tijd op jacht. Bovendien droeg ze een kleine gevlochten rijzweep, dicht tegen haar lichaam. Ze was op zoek naar een man. Welke man dan ook, als puntje bij paaltje kwam. Een bijzondere man, als ze hem kon vinden en ze hoopte dat het een van Sadies 'hengsten' zou zijn, omdat ze hem wilde afbeulen en hem voor haar laten kruipen vóór ze hem zou gebruiken. Hij had haar eens Messalina genoemd, juist toen hij haar de rug toekeerde en minachtend wegliep. Een lange, ruw uitziende man met zwart haar, dat ruig was en veel te lang. Blauwe ogen. Zoveel herinnerde zij zich nog wel. En het feit, dat hij niet veel interesse in het circus had getoond, evenmin als in de hand, die Toni op zijn dij gelegd had. Feitelijk had hij helemaal niet naar de meisjes gekeken en had Toni zover gekregen, dat ze kwaadaardig fluisterde dat hij misschien hier gekomen was om een mooie rijzige jongeman te vinden. En hij had slechts gegrinnikt en zei met een licht schouderophalen: 'Misschien zijn we allebei gekomen voor hetzelfde soort van het een of ander, Messalina,' en hij was weggegaan en liet haar achter met de vraag hoe zo'n man iets kon afweten van de oude Romeinen.

Ze had hem niet gevonden tijdens haar speurtocht; ze had wél gevonden datgene, waarvoor ze naar Sadie was toe gegaan en hoe! – en als ze dat verhaal niet gehoord had van de Carters, die een kudde ongebrandmerkt vee naar Abilene hadden gebracht, vee, dat zij altijd als haar eigendom had beschouwd – zou Toni eigenlijk in een opperbeste stemming geweest moeten zijn.

Ze had deze ochtend zelfs een nieuwe japon aangetrokken – een lichte tint blauw, die haar blonde haar bijna onwezenlijk deed lijken. Maar het was verspild geweest aan dat stomme rund van een bankdirecteur.

'Terug naar het hotel, Ben!' beet Toni hem toe met een stem, die helemaal niet in overeenstemming met haar uiterlijk was.

En toen – door een van die toevalligheden, die niet hadden moeten gebeuren en in feite vroeger Toni Lassiter ook nooit overkomen waren – legde een jongeman, die haar uit de bank gevolgd was, zijn hand over haar kleine, gehandschoende hand, die zich over de rand van de open landauer klemde.

'Ik weet, dat u het was. Van gisteravond – bij Sadie. Herinnert u zich mij nog? Ik kon me niet vergissen in de manier waarop u loopt. De manier waarop u ... Aah!'

Ze had de rjizweep gepakt, die ze altijd bij zich droeg en ze had hem in zijn gezicht geslagen, haar ogen bliksemden tegen de blankheid van haar huid.

'Hoe durft u me aan te spreken? Ben, doorrijden!'

Ongelukkig genoeg was de jongeman Billy Jennings, de verwende zoon van een rijke plantagebezitter, die zich verbeeldde een hele revolverheld te zijn zowel als een populaire figuur bij de dames. Hij wist, dat hij de blonde vrouw van gisteravond herkend had en alle excessen waarvoor hij betaald had – hij was er dan ook inderdaad niet zeker van of hij niet voor haar betaald had. Om in het gezicht geslagen te worden, wat iedereen had kunnen zien, door een hoer die zich als een dame voordeed, dat was te veel!

Met een onbestemd gebrul van woede greep de jongeman de teugels, op het moment dat de verwaand kijkende zwarte koetsier op het punt stond het rijtuig van de blonde vrouw weg te rijden.

'Wacht even, oompje! En jij . . . jij . . .'

Het was deze aanblik waar Matt Carter, die doelbewust op de bank afstevende, toevallig in terechtkwam. En dezelfde aanblik, aangevuld met verschillende onderdelen, die de man, die ze allemaal Manolo noemden, kalm stond te bekijken voor hij besloot om tussenbeide te komen.

Matt Carter, die niet eens een twistgesprek begon, sloeg de man neer, die Toni Lassiter beledigd had. En de dame, die een zeer zakelijk uitziend klein pistool van groot kaliber uit haar reticule genomen had, vroeg ijskoud waarom ze Matt niet zou neerschieten, daar hij een stelende, samenzwerende vogelvrijverklaarde hond was.

'Maar hij – maar verdraaid nog aan toe, Toni! Die vuilak viel jou lastig, is het niet? Ik dacht . . .'

'En wie heeft jou toestemming gegeven om mij bij mijn voornaam te noemen? Je bent niets anders dan een vuile veedief, Matt Carter en wanneer je geen verwijderd familielid van mijn arme gestorven echtgenoot was, dan zou ik . . .'

De ogen van Toni waren nu met tranen gevuld, die ze trachtte weg te wissen met een lief kanten zakdoekje, dat merkwaardigerwijze het pistool vervangen had. Ze was zich zeer wel bewust van het effect, dat ze bij mannen teweegbracht en daarvan begon zich nu een hele verzameling te vormen. Boosaardig hoopte ze dat de marshal van de stad zich weldra zou vertonen, zodat ze Matt kon laten arresteren, samen met zijn vader en zijn broers.

'Smerige veedieven! Ze stelen me arm, omdat ik maar een weduwe ben, en dan hebben ze nog het lef om hier te paraderen, voor mijn eigen ogen . . . Zijn er geen mannen meer in dit land sedert de oorlog?'

De mond van Matt Carter ging hoe langer hoe verder openhangen in zijn stomme ongeloof en zijn gezicht liep rood aan. De arme dwaas besefte zelfs niet, in welk soort ellende hij zich gestort had! En achter hem was Billy Jennings, de man die hij met een hevige kaakslag neergeveld had, weer in beweging gekomen en was nu bezig om zijn revolver te trekken en hield toen op en plaatste langzaam en voorzichtig zijn handen boven zijn hoofd.

Een dof dreigend gemompel ging door de snel toenemende menigte en de roze lippen van Toni gingen vaneen, om zich weer snel te sluiten toen een lange man, met slordige haren en ruw gekleed, een getrokken revolver in zijn hand, uit het niets verscheen en haar bezorgd kijkende bediende zei, dat hij door moest rijden.

'Jij!' Toni's mond vormde het woord; maar er kwam geen geluid te voorschijn dan het sissen van haar adem.

Een van zijn mondhoeken ging in een vreugdeloze grijns omhoog, die bovendien nog spottend was.

'Dit is geen plaats voor een dame. Er is herrie op komst. En behalve dat, zijn er misschien nog anderen, die gisteravond bij Sadie te gast waren, die de menigte doen toenemen . . . mevrouw.'

Hij had iets van een wolf over zich, zoals hij daar stond, met een duim achteloos achter zijn riem gestoken; een schrale glimlach trok om zijn lippen zonder die bijzonder koude blauwe ogen te bereiken, die haar al ontkleed hadden en achteloos hadden verworpen.

Toni klemde haar mond opeen en haar rug verstijfde, maar ze wist wanneer ze verslagen was. Op dit ogenblik althans. Want ze was nog niet klaar met hem en hij zou veel, heel veel spijt krijgen voor ze dat was.

'Laten we gaan, Ben.'

Zij negeerde hem. En die stomme Matt Carter ook. Maar zodra ze buiten gehoorsafstand waren, zei ze Ben om haar recht naar het bureau van de marshal te rijden.

44

Twee dagen later kookte Toni Lassiter nog steeds van woede, toen ze eindelijk uit Abilene vertrok met haar escorte van in het blauw geklede soldaten.

Ze was kwaad omdat ze had moeten wachten op die oude gek, kolonel Philip Vance, die, zoals gewoonlijk te laat kwam met een dwaas, opgeblazen verhaal over het verdwijnen van Indianen, waarmee hij het uitstel trachtte verklaren. En ze was woedend omdat die stomme marshal haar meermaals uitgesnikte verhaal verschillende keren had laten herhalen, vóór hij besloot een 'onderzoek' in te stellen en toen was het allemaal al voorbij! De Carters hadden de stad verlaten met wat Toni hun oneerlijk verkregen verdiensten noemde en dat blauwogige beest, die haar bespot had en haar Messalina had genoemd was met hen meegegaan. En het was deze ontdekking, die Toni kwader dan ooit gemaakt had – woedend genoeg om verscheidene telegrammen zelf te verzenden boven op die, welke gezonden waren door kolonel Vance en de lethargische marshal.

'Maakt u zich maar geen zorgen – onze jongens zullen die veedievende rebellen vinden en een eind maken aan hun dieverij en onruststoken vóór ze terug zijn in die moerassen, waarin ze zich verbergen,' had kolonel Vance troostend gezegd. En de marshal, die zelf enige reputatie als schutter had, bleef zijn hoofd schudden, terwijl hij door het register van Gezochte Personen bladerde en probeerde om een beschrijving te vinden, die overeenkwam met de man, die Billy Jennings te vlug was afgeweest.

'Niet alleen was hij Billy te vlug af – en die is bijna even snel als ik – maar die revolverheld uit Nieuw Mexico, die ze Ace noemen, bezwoer dat hij hem ergens van kende. Hij was het, die aan de vrienden van Billy de raad gaf om er buiten te blijven.'

'Natuurlijk is hij een vogelvrijverklaarde! Waarom zou hij anders zich verborgen houden in de moerassen en kreken? Wie anders zou zich met die Carters bemoeien in het stelen van mijn vee? De man heeft me beledigd – hij . . . wel, hij heeft me bedreigd, marshal! Van nu af zal ik zó bang zijn . . .'

Ze legde een verklaring onder ede af, natuurlijk; en de marshal beloofde om het door te geven, maar op een of andere manier had Toni een voorgevoel van moeilijkheden, die boven haar hoofd hingen. Ze wenste nu - chagrijnig - dat ze Billy-Boy niet achtergelaten had om op de zaak te letten. Billy-Boy was een van de snelste revolvertrekkers die nog in leven was en wanneer hij zich niet zo het air van de eigenaar had aangemeten, had hij mee kunnen komen en dan zou ze geen last meer gehad hebben van die halfbloed-Indiaan of Mexicaan of wat de man ook mocht zijn.

Waar was hij vandaan gekomen? Wie was hij? Ze moest Billy-Boy zeggen dat die een steek had laten vallen - Nick ook trouwens. Hoe kon een vreemdeling hen allemaal voorbijgeslipt zijn? En hij had tweedracht met zich mee gebracht. Waarom anders zouden de Carters, die zich sedert de oorlog in de moerassen verborgen hadden gehouden en zich met hun eigen zaken bemoeid hadden, plotseling de moed hebben opgebracht om een kudde vee helemaal naar Abilene te drijven? En Matt, die altijd toegewijd en gemakkelijk hanteerbaar geweest was... nee, ze zou het Matt niet vergeven dat hij zich op deze manier tegen haar gekeerd had. Het speet haar dat ze het niet klaargespeeld had om hem gelyncht te krijgen, toen hij daar op straat stom naar haar stond te gapen in de verwachting, dat ze dankbaar zou zijn, omdat hij die jongeman met die grote mond neergeslagen had.

Onder haar preutse, zacht-glimlachende, subtiel-belovende uiterlijk, dat de meeste mannen die zo ooit ontmoet had voor gek had gezet, verborg Toni Lassiter haar gedachten en maakte haar eigen plannen, zelfs terwijl ze kolonel Vance liet denken, dat ze zijn snoevende beloften onvoorwaardelijk vertrouwde.

Wanneer ze terug zou zijn, zou ze doen wat ze al heel veel eerder had moeten doen. Ze moest erop staan, dat Nick iets moest doen aan de Carters; hun ongehinderde aanwezigheid in de moerassen moedigde alleen maar andere ongewenste elementen aan om zich daar ook te vestigen. En wat dat betreft waren moeilijkheden nu net het laatste dat ze kon gebruiken. Wanneer Nick zou horen hoe brutaal Matt Carter zich in Abilene vertoond had, zou hij het eindelijk wel met haar eens zijn. Tenslotte had die lieve Nicky ook een vinger in de pap en hij had evenveel te verliezen, wanneer de boel mis mocht lopen.

De terugreis van Toni Lassiter naar Baroque kostte haar minder tijd dan de omgekeerde route naar Abilene gekost had. Deze keer, met haar escorte van blauwjassen, werd de weg voor haar geëffend - zelfs het tijdstip van het dagelijkse vertrek en het rusthouden tegen de avond werd gearrangeerd met het oog op haar gerieflijkheid. Toni aanvaardde dit als haar recht, maar niettemin had ze haast om terug te keren en ze had het gevoel, dat Phil Vance eigen redenen had om zo snel mogelijk naar Baroque te komen.

De Carters deden er meer dan een maand over - feitelijk zes weken; ze moesten zoveel mogelijk de steden ontlopen en de rivier in Louisiana oversteken en langzaam en zorgvuldig hun weg terug naar Lake Caddo afleggen en de myriaden stroompjes en zijarmen, die als haarvaten dat deel van het land doorsneden. De Indianen die zij bij zich hadden, wisten de weg en vóór ze aan het meer kwamen en daarna aan de rivier, was het hun allemaal al duidelijk geworden dat Manolo een man was, gewend aan vluchten en verbergen, en die beide dingen bijna instinctmatig deed.

'Hij is een moordenaar, dat zeg ik je, Pa,' zei Matt Carter. 'En hij staat bekend. Iemand in Abilene kende hem. Ik geloof helemaal niet dat hij een Mex is.'

'Je kunt maar beter nadenken over wat je eigenlijk wilt, Matthew. En denk eraan, terwijl je daarmee bezig bent, dat hij je gesteund heeft en je uit een benauwde situatie gehaald heeft.'

'Mij kan het niet schelen, wie hij is of wat hij gedaan heeft.' Hank, die gewoonlijk de zwijgzaamste was van de drie gebroeders, sprak plotseling. 'Sedert hij gekomen is, heeft hij dingen laten gebeuren. Hij heeft gemaakt, dat wij ons allemaal weer kerels voelen.'

'Weet je wat? Misschien ís hij wel die vriend van Dave Madden, waar Zus altijd over praat. Ik wil wedden, dat Dave in de oude tijd een hele branieschopper geweest is ondanks zijn latere kalme levenswijze. Vrouwen! Die hebben op een vent altijd een slecht invloed!'

Matt keek over het haardvuur naar Joe Junior, die brutaal teruggrinnikte. Maar toen kwam Manolo juist terug met zijn armen vol met hout en het gesprek ging toen natuurlijk over andere dingen - zoals wat ze met het geld gingen doen, dat ze mee terugbrachten.

'Het is je reinste waanzin om het bij de bank in Baroque te brengen. Ze zouden ons op het eerste gezicht neerschieten, wanneer we onze gezichten in de buurt van de bank zouden vertonen - en dan zeggen dat we van plan waren de bank te beroven, hoogstwaarschijnlijk!'

'Nou, er zijn in Louisiana nog heel wat plaatsen waar je je geld kunt uitgeven, zoals Shreveport of zelfs New Orleans!'

'En in San Antone of Dallas, waar niemand ons kan onderscheiden van werkelijk rijke grondbezitters zoals kolonel King of Shanghai Pierce.'

'Om van Pierce te spreken, ik vraag me af wat er gebeurd is met de vroegere bezitting van Desmoulins? Ze zeggen, dat Shanghai die in een pokerspel gewonnen heeft, de avond vóór die dronken gek Raoul zijn eigen kop eraf schoot.'

'Ik heb gehoord dat meneer Pierce dat weer verloren heeft bij een of andere weddenschap. Aan een of andere rijke spoorwegman uit het Oosten.' Matt Carter hield zijn stem strikt neutraal, zoals altijd wanneer hij Toni citeerde. Toni was zo razend geweest als iets toen ze het nieuws hoorde - en was alleen maar tot bedaren gekomen toen ze besefte dat die vent uit het Oosten niets wist van en waarschijnlijk ook niets gaf om het land, dat hij gewonnen had. De bezitting van de Desmoulins was eersteklas land, strategisch gelegen tussen alle andere bezittingen in de streek en de stad, om nog niet te spreken van de toegangswegen, die naar de eindstations van de spoorwegen voerden. De oude Amos Fenster, die de bezitting geleid had, terwijl Raoul Desmoulins, de laatste van zijn geslacht, zich ruïneerde met drinken en gokken, gaf nog steeds de orders. In theorie althans. Amos was nu echt oud en gaf er de voorkeur aan het grootste deel van zijn tijd binnenshuis door te brengen, met een jasje van schapevacht om zijn schouders geslagen om de vochtige lucht van de moerassen tegen te houden. Hij herinnerde zich Tom Lassiter en John – en Toni had de moeite genomen om bevriend met hem te raken, toen ze als bruid hier aankwam. Het kon Amos geen fluit meer schelen en hij liet Toni met de hectaren van Desmoulins doen wat ze wilde en met het ongebrandmerkte vee, dat wild en vrij over het land van Desmoulins liep. Miz Lassiter was een stijfhoofdige kleine meid uit het Zuiden, was het niet? Moeite om de eindjes aan elkaar te knopen – en nog weduwe op de koop toe. Amos had niet veel op met landeigenaars, die ver weg woonden en vooral niet met Noordelijken, die geen hart hadden voor Texas of voor het Statenrecht en die in de eerste plaats zich niet als heer konden gedragen.

Dit alles werd aan Manolo uitgelegd – niet doelbewust, maar rond kleine kampvuurtjes en tijdens koude nachten, wanneer ze helemaal geen kampvuur durfden aanleggen en iemand wakker moest blijven. En tegen de tijd dat ze 'thuis' kwamen, in het moeras, wist de man die twee, drie maanden geleden nog een vreemdeling geweest was, evenveel van de provincie af als ieder ander. Maar dat betekende niet, dat iemand iets meer van hem afwist – afgezien van wat ze zelf konden zien of raden.

Hun thuiskomst ging gepaard met tranen, boosheid en angst. Missie kwam hen tegenmoet met gezwollen ogen na dagen van tranen, uit de hut van de oude Indiaan, die vroeger, toen hij jong was, ooit opperhoofd was geweest.

'Ze hebben ons huis verbrand! Alles . . . zelfs de boeken van Mama. En toen later oom Nick kwam en net deed of hij helemaal ontdaan en ontzet was, heb ik net gedaan of ik hem niet hoorde. Het was . . . het was die Billy-Boy Dozier. En de enige manier waarop hij Teresita zo ver kreeg, dat ze te voorschijn kwam om te kijken wat hij wilde, was dat hij zei, dat jullie allemaal dood waren! Hij zei dat jullie neergeschoten waren op weg hierheen . . . en we wisten dat de soldaten al overal gezocht hadden – en de mannen van de sheriff, die vuile huurlingen uit het Noorden, met hun smerige grote bloedhonden . . . Ik dacht . . . wij dachten allemaal, dat ze jullie te pakken hadden! Oh Pa – Matt – we dachten . . .'

Ze was het eerst op Manolo afgerend. Ze wierp zich zonder nadenken tegen zijn plotseling star geworden lichaam, als een kind dat troost zoekt. Of, zoals haar vader dacht met pijn in zijn hart, als een vrouw, die opgelucht is dat ze haar man veilig terugziet . . .

De soldaten hadden geprobeerd om alles in brand te steken, om alles en iedereen, wie of wat ze ook maar konden vinden, uit te roken, maar natuurlijk waren ze daarin niet geslaagd. Ze hadden het huisje te pakken gekregen, dat de Carters voor zich op een eiland gebouwd hadden, maar dat was ook alles. De rest van de moerasbevolking had zich verder teruggetrokken en er bestond een punt, waar de blauwjassen met hun geweren en de bloedhonden van de sheriff niet voorbij probeerden te komen.

Joe Carter, die al geraden had wat er gebeurd was, trok Missie met zich mee, zijn arm stevig rond haar schokkende schouders, juist zoals hij gedaan had toen ze nog een klein meisje was en ergens over ontdaan was.

Ze lieten Manolo achter bij de oude man, de Caddo-Indiaan, die een gezicht had als oud, gerimpeld, bruin perkament; hij was de broer van

Teresita's moeder geweest.

'De jongeman, die altijd met hete ogen naar mijn nicht keek, kwam aan de waterkant, met een deken om zijn lichaam. Hij lachte, toen hij haar vroeg, waarom ze voor de derde keer zo'n dwaze keuze gedaan had, wanneer ze zijn vrouw had kunnen worden. Hij noemde de verre stad, waar jullie heengegaan waren, met het vee - en hij zei, dat de soldaten jullie gedood hadden, toen je probeerde om terug naar hier te komen. Zij geloofde hem.'

Het gezicht van de oude man verstijfde, zodat het er als een blok graniet uitzag, uitgesleten op plaatsen waar water gestroomd had.

'Moet ik nog meer vertellen, wanneer mijn hart bloedt alsof er een mes op vele plaatsen doorheen gegaan is? Jouw vrouw was het jongste kind van mijn liefste zuster. Een paar dagen tevoren was ze nog bij me geweest, gelukkig omdat ze jouw kind onder haar hart droeg. Toen de blanke man haar verkrachtte, nadat hij haar eerst geslagen had, toen ze zich tegen zijn geweld verzette . . . Ze viel op haar eigen mes, liever dan jou tegemoet te treden met de schande die over haar gekomen was.'

De oude man sprak in zijn eigen taal, zoals hij gedaan zou hebben tegen iemand van zijn stam en de man tegen wie hij sprak, verstond hem. Ofschoon zijn ogen blauw waren in plaats van bruin, waren er toch lichtjes te zien van woede en de lust naar wraak, als brandende vuren in de halfduistere woonplaats van de oude man.

'Mijn vrouw zal gewroken worden. En het haar van de blanke man, die haar te schande maakte, zal jouw tentpaal versieren. Dat zweer ik!'

Noch Missie, noch haar vader, noch haar broers wisten hier iets van tot heel veel later. De Indianen rouwden om hun doden op hun eigen manier - en de man, Manolo genaamd, was plotseling een van hen in de eerstvolgende dagen.

Hij wachtte twee dagen tot de voorgeschreven periode van rouw voorbij was. En daarna bereidde hij zich zorgvuldig voor, zoals een krijger van de Comanchen behoort te doen, verliet 's nachts de veiligheid van het diepe moeras en vertrok te voet.

Hij had zijn haren, die nu bijna tot schouderlengte gegroeid waren, samengebonden met een reep ongelooide huid. Hij had verf op zijn gezicht en op zijn lichaam; en afgezien daarvan enkel een soort lendendoek en mocassins.

De mannen van die vrouw Lassiter waren natuurlijk overal. Er was zelfs een kleine groep soldaten, die zwaar zaten te drinken buiten dat wat eens het huis van de Maddens geweest was. Maar een krijger van de Comanchen, te voet, kon als een spook langs hen hee glippen - evenals een deskundige paardendief, waarvoor alle Comanchen van hun jeugd af opgeleid waren.

Billy-Boy Dozier was niet in het huis, dat hij gekregen had om in te wonen. Maar in het grote huis was het venster van Toni Lassiter nog verlicht, een roze licht, dat langzaam zwakker werd en tenslotte uitdoofde. De maan was begonnen haar gezicht te laten zien van achter de donkere wolken.

Er was een klein balkon met ornamenten juist buiten het venster van Toni Lassiter en de oude wijnranken die tegen de muren klommen, maakten het de man gemakkelijk om naar boven te komen. Hij bleef een poosje staan waar hij was en luisterde naar het geluid van zacht gepraat en de boze, spottende stem van Toni Lassiter.

Nu was Toni Lassiter in een ongewoon slechte stemming, zelfs voor haar doen en bijna voor Bill-Boy klaar was met hijgen boven haar lichaam begon ze hem te tarten; haar stem was zacht maar boosaardig.

'Je bent een gek en als er iets is dat ik niet kan uitstaan, dan is het een gek! Zó stom! Wat dacht jij te winnen voor je zelf met die Indiaanse teef? Ik zou het begrijpen, wanneer je het gedaan had om hem in een val te lokken – die man van haar. Maar nu, wanneer hij nu terugkomt, zal hij jouw spoor volgen en je vermoorden. En dat alles omdat jij denkt, dat je een soort hengst bent en je iedere vrouw nodig hebt, waar je oog op valt. Waarom kon je die verdomde squaw niet met rust laten? Of althans wachten tot je van mij orders gekregen had?'

'Houd op, verdomme!' De stem van Billy-Boy klonk knorrig, zwaar van onderdrukte wrevel. 'Wat voor de duivel denk jij, dat een man zou doen, wanneer hij er genoeg van heeft om naalden uit zijn huid te trekken? Jij wou me niet mee laten gaan naar Abilene, omdat je indruk wilde maken op die dikke kolonel van de Yankee's. En toen je dat telegram stuurde, wel, toen dacht ik dat alles geoorloofd was! Hoe kon ik weten dat die stomme teef zelfmoord zou plegen, alleen omdat ze voor de verandering eens door een echte man geneukt werd, hè?'

'Een man . . . noem jij je zo tegenwoordig? Nou, die oude echtgenoot van me – zelfs die dikke kolonel van de Yankee's – die zijn meer mans dan jij, Billy-Boy, met je snoeverij en opschepperij en jouw geblaas en gehijg voor het gebeurd is en dan nog vlugger dan een prairiehaas! Zelfs Nicky – met al zijn eigenaardigheden . . .' Het schrille, spottende gegiechel van Toni maakte plaats voor een onderdrukte kreet toen gedurende een ogenblik een donkere schaduw over haar gezicht viel, die het maanlicht onderschepte. Ze kon maar amper geloven dat ze zag, wat ze zag – een man was met een geluidloze sprong het open venster van haar kamer binnengekomen en een zwak licht glinsterde op het wapen in zijn hand. Maar wat was het – een revolver of een mes?

'Maak geen geluid. Geen van beiden.' De stem was zacht en gemeenzaam, maar met een ondergrond van koud staal.'

Plotseling lachte Toni. 'Ik heb het je wel gezegd, is het niet? Je bent altijd een dwaas geweest, Billy-Boy Dozier! Laat eens kijken wat je nu gaat doen!'

Alsof hij voelde wie van hen tweeën de sterkste was, sprak de man weer tegen Toni.

'Hem moet ik hebben. Maar het is mij precies gelijk als ik jou ook nog krijg.'

'Goddomme!' Billy-Boy zat recht overeind, zijn ogen doorkruisten de duisternis, terwijl hij zich trachtte te herinneren waar hij zijn revolverriem had laten vallen. Eén wild moment lang vroeg hij zich af of zij het misschien niet gearrangeerd had, dat dit zou gebeuren.

'Toni . . .'

'Je hoeft mij niet aan te kijken, schat! Ik heb er niets mee te maken. En je hebt gehoord wat de man zei – hij moet jou hebben. Is dat niet zo?'

'Luister nou eens . . .' begon Billy-Boy, die nu pas zijn positie ten volle besefte, naakt als een geplukte kip, niet wetend waar zijn kleren of zijn wapens waren, en het begon nu pas tot hem door te dringen waardoor hij in paniek raakte.

Hij lag nog steeds bij Toni in bed, ofschoon hij snel overeind was gaan zitten; maar zelfs in het duister van de kamer moest zijn snelle steelse beweging om zijn voeten over de bedrand te zwaaien gezien worden. Billy-Boy hijgde toen hij het koud staal tegen zijn nek voelde; hij werd heel stil.

'Blijf zitten,' zei Manolo zacht en even verachtelijk alsof hij tegen een hond gesproken had. Billy-Boy bleef zitten, half gebogen boven het mat glanzende naakte lichaam van Toni. Zijn vlees was nog steeds in aanraking met haar vlees, zodat hij het bijna kon voelen trillen. Hij kon het op en neer gaan van haar blanke, roze-gepunte borsten zien als ze giechelde.

'Wat ga je met hem doen? Wanneer jullie gaan vechten, zal ik niet tussenbeide komen – dat beloof ik je. Ga je zijn keel afsnijden?' Bijna met dezelfde ademtocht, terwijl haar stem niet in het minst veranderde, ging ze in het Frans verder: 'En wanneer je terug wilt vechten, er ligt een mes onder mijn kussen – je moet het alleen zelf pakken. Ik wil niet in stukken gesneden worden.'

Manolo lachte, één ogenblik glommen zijn witte tanden in de donkerte van zijn gezicht. Maar het geluid dat hij liet horen was kort en dreigend, helemaal geen echte lach; de haren in de nek van Billy-Boy gingen recht overeind staan.

'Goed, waarom pak je haar mes niet? Je hoorde haar zeggen, dat je van haar geen bescherming te verwachten hebt. Maar eerst – ik geloof, dat je maar beter eerst haar handen op haar rug kunt binden. Gebruik dat nachthemd maar, dat zij niet gebruikt heeft.'

'Je spreekt dus Frans? Een Indiaan die een beschaafde taal spreekt? Of ben je een halfbloed? Misschien was je vader een squaw-man – ben je daarom zo kwaad op Billy-Boy, omdat hij jouw vrouw gepakt heeft? Hij zei, dat ze niet al te veel weerstand had geboden . . . vertel hem, wat je aan mij gezegd hebt, Billy-Boy. Misschien verandert hij van gedachten en zal hij niet je keel afsnijden maar zich tevreden stellen met het afsnijden van je . . .'

'Houd je mond,' zei Manolo zonder enige uitdrukking in zijn stem. 'Houd je mond en ga op je zij liggen. En probeer niet onder je kussen te graaien, tenzij je wilt dat dat mooie gezicht van jou gekerfd wordt.' Hij sprak in het Franse dialect, dat Billy-Boy sedert zijn kindsheid gesproken had en met een stem als een mes: 'Bind haar handen samen, daarna kun je opstaan, wanneer je benen je althans kunnen dragen.'

'Betekent dat, dat je hem een kans geeft om zich te verdedigen? Of ben je bang om als man tegen man tegenover hem te staan? Als je zo goed met dat mes dat je in je hand hebt, waarom zou je dan bang zijn? Als het een eerlijk gevecht is en jij hem doodt, zal ik je vrij laten gaan.'

'Ik ben vrij.' De woorden klonken als een slag, maar ze deden Toni giechelen, schril en ademloos. En de manier waarop ze haar lichaam kronkelde was op zich al een uitnodiging.

'Ja, dat is zo . . . en de handen van Billy-Boy trillen zo hevig, dat hij me niet kan vastbinden, zoals jij hem gezegd hebt. Weet je zeker, dat je het niet liever zelf doet?'

'Teef! Jij . . . jij teef!' De stem van Billy-Boy schoot omhoog, maar bleef plotseling steken toen hij de koude aanraking van een mes tussen zijn liezen voelde. Hij kreunde en was bijna misselijk van angst. 'O, God! Luister . . . zij heeft me aangezet! Ik heb haar . . . hebben ze jou niet verteld, dat ik haar niet vermoord heb? Ze was beschaamd, omdat ze wist wat ze gedaan had – ze had mij laten denken dat ze me mocht, tot jij verscheen . . . Toni, in 's hemelsnaam!'

'Houd op tegen me te schreeuwen, Billy-Boy. Waarom ga je niet staan juist zoals de Comanche hier je gezegd heeft en leg je geen verantwoording af?'

Billy-Boy had vast en zeker gedacht, dat de Indiaan hem nu zou doden. Hij begreep niet waarom de man zich van het bed verwijderde, zijn rug nog steeds naar het raam. Tot hij Toni hoorde lachen.

'Ik geloof, dat dit . . . erg opwindend gaat worden. En geef het maar toe . . . je zou die arme Billy al eerder gedood hebben, als je dat echt gewild had. Maar is dit geen betere manier, in een gevecht? Zou jouw Indiaanse bloed dat ook niet prettiger vinden, Comanche?'

Het zwakke licht glom op de korte loop van het met zilver ingelegde kleine pistool van groot kaliber, dat plotseling in de hand van Toni verscheen toen ze rechtop ging zitten. En Billy-Boy ving zuiver uit instinct het mes op, dat zij hem toewierp.

'Jullie vechten zonder enige beperkingen en jullie vechten in stilte. Ik zal de eerste van jullie, die probeert weg te lopen, of om hulp roept, neerschieten!'

De hoge, schrille obsceen-opgewonden lach van Toni sneed door de reeds getergde zenuwen van Billy-Boy en hij had nog tijd zich af te vragen, terwijl hij zich stil bewoog en het mes laag hield, tegen de nietbewegende schaduw van de Indiaan – hoe hij het ooit met Toni Lassiter had kunnen aanleggen. En toen dacht Billy-Boy aan niets anders meer dan aan overleven – fatalistisch wist hij binnen de eerste seconden, nadat hun messen voor de eerste keer elkaar geraakt hadden, dat hij zou sterven.

Hij wist, binnen diezelfde paar seconden, dat Toni hem niet zou redden door te schieten. Maar hij had ook beter moeten weten. Wist hij niet een paar dingen af van Toni Lassiter? Zij was een van de redenen, waarom hij naar die Indiaanse vrouw gekeken en haar begeerd had. Zij was het tegenovergestelde van Toni. Een vrouw, die grootgebracht was om een man iets te geven. Hem zich een man te doen voelen. Een warme goudhuidige vrouw . . . waarom had ze zich verdomme plotseling zo'n stijfkop getoond?

Daarna had Billy-Boy geen tijd meer om te denken. Hij had altijd gedacht dat hij met een mes kon omgaan, maar de Indiaan, die andere man van wie hij het gezicht niet eens gezien had – en waarschijnlijk nooit zou zien – bewoog zijn mes zó snel, dat het precies de levende, flitsende tong van een slang was.

'Naar de hel met jou, jij Indiaans gebroed, naar de hel!' Het ademen van Billy-Boy klonk als snikken en achter hem – zelfs toen ze beseft moest hebben, dat hij zou sterven – aan het sterven was – bleef Toni Lassiter giechelen.

Toen werd de Indiaan het spelletje moe en maakte zich gereed voor de genadeslag. Het mes van Billy-Boy werd verachtelijk gepareerd met een slag op zijn pols, die zijn gehele arm verlamde. En toen volgde de verscheurende snede in zijn buik - de zijkant van een hand, even hard en onontkoombaar als het mes zelf, die de laatste schreeuw van Billy-Boy afsneed nog vóór die zijn keel verlaten had.

Zonder een woord, zonder naar Toni te kijken, nam Manolo de scalp van de dode man.

'O, God! Ik heb nog nooit zo iets gezien - je was prachtig - zo wild - je bent een beest - en een man - een primitief mannelijk schepsel - waar wacht je op? Denk je, dat ik dit dwaze kleine ding op jou zal gebruiken?' Het kleine pistool viel op het tapijt naast het bed. Toni rekte zich uit, zwoel, haar stem klonk hees, verdoofd bijna. 'Daar. Zie je wel - ik ben aan jou overgeleverd. Je kunt alles met me doen wat je wilt - hij heeft jouw vrouw genomen, is het niet? Oog om oog. Daarom ben je gekomen, is het niet, Comanche? Billy-Boy was mijn minnaar - nu kun jij mij nemen. Neem me - verkracht me - is dat niet een deel van de wraak, die je kwam zoeken?'

Hij bleef zwijgen en bekeek haar. Nu de moordlust bij hem verdwenen was, werd die bij de aanblik van haar lichaam vervangen door een andere.

'Hoeveel meer verborgen wapens?'

'Alleen dit, minnaar.' Ze kromde haar lichaam en opende haar benen. 'Ben je mans genoeg voor dit soort gevecht?'

'Jij bent een teef, rechtstreeks uit de hel, Messalina.'

'Ja . . . En jij wil mij even graag neuken als ik jou. Nu. O, God, nu!'

Zij ontving hem als de teef, die hij haar genoemd had. Als een dier - te hongerig om te wachten - sloeg ze haar armen en benen om hem heen, lange nagels verscheurden zijn reeds met littekens getekende rug, totdat hij haar woest sloeg tot een klaaglijk maar vreugdevol gekreun van onderdanigheid. Het gekreun ging over in gefluister, toen ze hem zachtjes obsceniteiten influisterde, ze beet in de hand, die hij tegen haar zachte, tuitende mond hield, terwijl al die tijd haar lichaam onder het zijne woelde.

'Je hebt me waarschijnlijk een bloedvergiftiging bezorgd!' gromde hij later en streek zijn hand, nog steeds plakkerig van zijn eigen bloed, over haar gezicht.

'Laat me dan het vergif uitzuigen . . .'

Ze pakte zijn hand in haar beide handen en zoog tot hij zijn andere hand gebruikte om haar terug in de kussens te duwen.

'Nu zijn we van hetzelfde bloed - ik ben je bloedzuster, je zuster in bloedschande, is dat zo niet? Is dat zo niet, Comanche?' fluisterde ze met aandrang.

'Houd je mond - je bent gek!'

Ze lachte.

'Misschien! Maar jij ook! Daarom ben je hier, in mijn bed . . . en je weet welk plezier we in Abilene hadden kunnen hebben, is het niet? Was je toen bang?'

'Er ligt een dode man, zonder haar, op jouw Perzische tapijt te bloeden, Messalina. Je kunt maar beter beginnen na te denken over wat je gaat zeggen over de manier waarop hij stierf. Zal ik je vastbinden om het echter te laten lijken?'

'Maar je gaat toch nog niet weg? De nacht is nog jong en wanneer je niet bang bent, hoef ik alleen maar aan dit koord te trekken en dan brengt Ben wijn naar boven. Hij komt niet in de kamer, tenzij ik hem dat zeg. Hij laat die bij de deur staan. Zou je dat willen? Of... houd je eigenlijk wel van wijn?'

Ze klemde zich aan hem vast en gleed voortdurend met haar vingers over zijn blote rug.

'Comanche... Hoeveel van de Comanche is er eigenlijk in jou? Al die littekens - hebben ze je dat in de gevangenis aangedaan? Bezweek je toen ze je geselden?'

'Het spijt me, dat ik niet kan blijven om je de details te verstrekken,' zei hij. 'Die moet je maar voor je zelf verzinnen.'

'Ga nog niet weg, Comanche! Luister naar me. Je vertrouwt me niet, maar nadat ik hem kwijt ben, of wat je van Billy-Boy overgelaten hebt, zonder dat iemand er wijzer van wordt, wil je je dan herinneren wat ik nu tegen je ga zeggen? Ik wil dat jij voor mij werkt - mij helpt. Ik heb een man nodig, die sterk is. Billy-Boy was wel snel met zijn revolver, maar hij was helemaal niet sterk - je zag hoe hij kroop. Jij zou nooit kruipen, zou het wel, Comanche? Jij bent een bruut, een duivel en ik geloof, dat je nog minder geweten hebt dan ik... en heel veel minder scrupules. Begrijp je het?'

'Teef!' riep hij rauw uit toen ze aan het eind van haar gefluisterde toespraak in zijn lip beet, zodat het bloed te voorschijn sprong. Ze was een teef, en of. Een bloeddorstige wolvin - en hij had haar scalp ook moeten nemen... of hij had haar blanke zwanehals moeten doorsnijden on voor altijd dat gegiechel tot zwijgen te brengen, dat ze nu liet horen, schor, triomfantelijk en op de hoogte, alles tegelijk.

'Ja, natuurlijk. O... Christus! Ik vind het fijn wanneer je dat doet. Zelfs wanneer ik het gevoel krijg dat je me open wilt scheuren. Doe me pijn wanneer je dat wilt... verkracht me... alleen: laat me iets voelen!'

45

'Telkens wanneer die meneer Bishop "toevallig langs komt" gebeurt er iets. Het frappeert me, dat hij het soort man is die onvermijdelijk ontsporingen aanricht in onze overigens zo kalme levens.' De stem van don Francisco klonk droog en met opzet uitdrukkingsloos. 'Weet je zeker, dat je hem wilt spreken, Genia?' Hij voegde eraan toe, meer voor zich zelf dan voor de jonge vrouw, wier gezicht plotseling erg bleek was geworden: 'Ik vraag me af hoe hij ontdekt heeft, dat jij hier bent! Misschien kan ik beter Renaldo eerst met hem laten praten, om te ontdekken wat hij deze keer weer in zijn schild voert.'

Ondanks het feit dat hij het deed voorkomen alsof hij zo maar wat converseerde, was het de oude man toch opgevallen, dat zijn aangetrouwde kleindochter toch tekenen van agitatie vertoonde.

'U hebt hem toch niet weggestuurd? Is hij echt hier? Hij heeft nieuws van Steve – o, ik weet het! Waar is hij?' En toen, alsof ze zich iets herinnerde: 'Het spijt me, don Francisco. Maar wanneer meneer Bishop hier is, dan heeft dat een reden. En u hebt zich ook zorgen gemaakt, is het niet?'

Borstelige witte wenkbrauwen trokken zich fronsend samen boven blauwe ogen, die Ginny maar al te heftig aan Steve herinnerden.

'Die schurkachtige kleinzoon van me! Wanneer zal hij ooit eens tot rust komen? Hij had me bijna overtuigd dat hij veranderd was – en dan verdwijnt hij ineens zonder een woord te zeggen tegen wie dan ook... Dus jij denkt, dat die meneer Bishop enig idee kan hebben over zijn verblijfplaats? Ik zie wel, dat je erg veel haast hebt om hem te spreken... goed, ik zal je niet tegenhouden. Jaime heeft hem in mijn studeerkamer gelaten. Daar kun je ongestoord praten. Maar denk erom, ik geef je maar vijftien minuten alleen met hem! En je laat me weten wat zijn echte boodschap is – ik wil geen verder mysteries en geheimzinnigheden, is dat duidelijk?'

Ondanks zijn kortaangebondenheid en zijn voorgewende boosheid, had Ginny don Francisco voldoende leren kennen om te weten hoe ongerust hij was over de onverklaarde afwezigheid van Steve. In het begin had ze gedacht dat hij alleen maar trachtte haar te ontlopen maar zelfs Sam Murdock ontkende enige kennis van Steve's verblijfplaats of waar hij uithing of van zijn plannen. En nu, nu kwam Jim Bishop zo maar uit de lucht vallen. Of was dat geen toeval?

Ze stond al op, terwijl haar hart angstaanjagend bonsde en Ginny's eerste impuls was om van de kleine patio weg te gaan, waar ze had zitten rusten onder het voorwendsel een boek te lezen, zonder een bladzijde te zien.

Nu de scherpe blauwe ogen van don Francisco haar gadesloegen onder zijn neergeslagen oogleden, deed ze een vastberaden poging om zich in te houden. Het ging niet aan om Jim Bishop te laten merken, hoe ellendig en verward ze zich gevoeld had sedert ze met de tweeling in Mexico was aangekomen, zonder te weten waarin ze terechtkwam of wat de toekomst haar brengen zou. Sedert haar vader geschreven had dat Steve plotseling uit het gezicht verdwenen was nadat hij prinses di Paoli op een zeereis had meegenomen, had ze niet geweten wat ze moest denken.

De argumenten van haar tante Celine en van Pierre, die gewild hadden dat ze in Frankrijk bleef, hadden geen invloed op Ginny's besluit uitgeoefend. Ze zeilde van Frankrijk naar Vera Cruz en had een toevlucht gezocht in de kleine hacienda, waar ze voor het eerst met Steve herenigd was na de angstige maanden, waarin ze hem doodgewaand had en ze was nu weer gegaan ondanks de smekende brieven van Sonya en haar vader om naar huis terug te keren.

Maar ze herinnerde zich Mexico – althans dit gedeelte van Mexico – met liefde, toen ze aan Sonya schreef: 'Ik wil niet dat mijn kleintjes blootgesteld worden aan kletspraatjes, aan al die smerige rommel, die ze in de kranten drukken en de oude vrouwen, die op hun vingers zitten na te rekenen. Nee, het kan me niet schelen als de mensen zich afvragen waarom ik naar Mexico gegaan ben. Het spijt me, Sonya. Maar ik ben te zeer gewend om mijn eigen zin te doen!'

Beide kinderen herinnerden haar, op hun miniatuur-manier, aan Steve. Haar zoon had donkerbruin haar, doorschoten met koper, zodat het bijna brons leek en háár ogen. En haar dochter, Laura Louise, had de kleur van Steve, zowel de ogen als het haar. Zou Steve dat zien?

Ze was verhuisd naar de grote estancia van don Francisco op diens aandringen. Zij verzoek werd haar overgebracht door haar vriend, Renaldo Ortegea en als ze de tweeling niet gehad had om haar eraan te herinneren, had ze bijna het gevoel kunnen hebben dat de tijd teruggedraaid was en blijven staan. Ze had dezelfde suite, die ze al eerder gebruikt had, de kamers, die van Steve's moeder geweest waren. De tweede slaapkamer werd nu in beslag genomen door de kinderen en hun kinderjuffrouw in plaats van door een dueña. Ze herkende de bedienden nog, die vroeger in het huis gewerkt hadden en precies zoals het vroeger geweest was, zat ze in zekere zin op de terugkeer van Steve te wachten.

Tevergeefs probeerde zij zich wijs te maken, dat ze nu de kinderen had om voor te zorgen - de tweeling waarvan ze zich nog steeds niet kon voorstellen, dat zij die geproduceerd had, al was ze ook enorm opgezet geweest gedurende de twee laatste maanden van haar miserabele zwangerschap.

'Eén van elk, madame! Wat een geluk!' had de vroedvrouw gezegd, toen Ginny haar ogen weer opende en zich afvroeg waarom die helse pijn haar niet gedood had. 'Hun vader zal erg trots zijn.'

Steve. Zou hij trots zijn? Zou hij zelfs geloven, dat de kinderen van hem waren?

Don Francisco althans twijfelde niet aan het vaderschap van de kinderen! Hij had haar een miniatuur van zijn eigen dochter gegeven, de moeder van Steve, geschilderd toen ze nog een baby was en dat had haar Laura Louise kunnen zijn met inbegrip van de donkerblauwe ogen.

Ze zou het Steve laten zien, wanneer hij terugkwam. Maar zóu Steve terugkomen? Waar was hij heengegaan toen hij zijn minnares verliet? Die vragen bleven haar kwellen en gaven haar het gevoel, dat ze alle wilskracht en energie, die haar in het begin naar de hacienda gevoerd hadden, verloren had; die vragen zouden misschien vanmiddag beantwoord kunnen worden! Er kon geen andere reden zijn voor het bezoek van meneer Bishop.

Jim Bishop, in zijn gewone conventionele zwarte pak, leek niet helemaal op zijn gemak in de donkere studeerkamer, ondanks het glas wijn, dat Jaime Perez zorgzaam bij zijn elleboog geplaatst had. Hij zat rechtop in een rijk gebeeldhouwde stoel en Ginny meende, dat ze bijna een blik van verlichting op zijn gezicht kon zien, dat hij gewoonlijk goed in bedwang had, toen hij opstond bij haar binnenkomst.

'Ik mag dus met haar alleen spreken,' dacht Bishop, terwijl hij zich beleefd over de toegestoken hand boog. Hij merkte hoe koud haar vingers waren en vermoedde de innerlijke beroering, die de jonge vrouw kennelijk trachtte te verbergen onder haar kalme uiterlijk. Tot zijn eigen verbazing betrapte Bishop zich op de overweging, dat zij een van de weinige vrouwen scheen te zijn, die na haar bevalling nog mooier geworden was. Haar figuur had niets van de vroegere slankheid verloren. Hij vroeg zich af of ze nog steeds zo wispelturig en stijfhoofdig was, zoals hij zich haar van vroeger herinnerde. Ze leek wel onveranderd, behalve dan een zekere rijpheid in haar manier van doen, toen ze hem begroette. Ze kwam rechtstreeks tot de zaak.

'Meneer Bishop! Hebt u nieuws van mijn man?'

De stem van Bishop was zorgvuldig zonder enige uitdrukking.

'U bent nooit het soort vrouw geweest, met wie iemand omzichtig moest omspringen, is het wel? Maar misschien wilt u eerst gaan zitten vóór ik begin uit te leggen, waarom ik hier ben. Ik ben bang, dat het een lang verhaal is en ik behoef u er niet aan te herinneren, dat wat hier tussen ons beiden besproken wordt, absoluut vertrouwelijk moet blijven. Het beste zou zijn dat ook don Francisco niet te veel te weten komt. U zult het wel begrijpen, wanneer ik het u vertel.'

Voor meneer Bishop was dit een lange toespraak en Ginny, die de man ternauwernood kende, voelde dat. Ze kreeg een week gevoel in haar knieën, zodat het een opluchting was om zich in de stoel te laten zakken, die hij beleefd aanbood. O, God! Wat ging hij haar nu vertellen? Er was iets in de zorgvuldig bewaakte, uitdrukkingsloze trekken van zijn gezicht, dat haar meer schrik aanjoeg dan zijn openingswoorden al gedaan hadden.

Ze vergat al haar eerdere voornemens en Ginny boog zich voorover, haar ogen leken ongewoon helder in de halfdonkere kamer.

'Het is geen . . . geen slecht nieuws?'

Meer op zijn gemak, leunde Bishop achterover, zijn kille grijze ogen bestudeerden haar gezicht.

'Hij leeft. Daarover behoeft u zich geen zorgen te maken. Maar . . .' hij pauzeerde opzettelijk, waarbij hij zijn voorhoofd licht fronste. 'Mag ik vragen, dat u mij zonder onderbrekingen aanhoort tot ik klaar ben? Mevrouw, ik geef toe, dat ik het buitengewoon moeilijk vind om te weten hoe ik moet beginnen! En dit is niet een bekentenis, die ik gewoonlijk tegenover iemand afleg.'

'Meneer Bishop!'

Bishop keek haar onderzoekend aan, merkte geheel objectief de licht koperen glans van haar haren op, de zachte zwelling van haar boezem onder de eenvoudige katoenen jurk en de ongewoon zinnelijke uitdrukking van haar mond. Bishop was een man, die elke inlichting, die hij verkreeg, opsloeg voor later, wanneer die nog eens van pas zou kunnen komen; hij had ook de dingen niet vergeten die Paco Davis hem verteld had. Ja, Ginny Morgan was het bijzonder type vrouw, die voor zich zelf kon vechten, wanneer de nood aan de man kwam. Hij veroorloofde zich zelfs een geheim lachje, toen hij zich afvroeg hoe zij zou reageren op een ontmoeting met Toni Lassiter. Ja, hij had gelijk gehad om hier te komen. En nu, wanneer hij haar zou kunnen overhalen . . .

'Eén ogenblik, mevrouw. Ziet u, wat het voor mij zo . . . zo moeilijk maakt, is het feit dat uw man, toen hij naar Texas vertrok, erin toegestemd had om bepaalde inlichtingen voor mij in te winnen. Hij ging naar Baroque zoals u misschien weet. Om een terrein te inspecteren, dat uw vader met pokeren had gewonnen en aan Steve had overgemaakt. Hij werd daar ettelijke maanden geleden verwacht, maar toen we niets hoorden en toen – hm, zelfs uw vader of zijn compagnon Sam Murdock niets van hem gehoord had, werden we... Natuurlijk werd ik ietwat bezorgd.'

Enkele keren tijdens het botte en opzettelijk onaangedaan verhaal dat volgde, kreeg Ginny het gevoel of ze flauw zou vallen. Hoe durfde meneer Bishop aan te nemen, alsof Steve nog steeds voor hem werkte? En Steve zelf – welke duivel verleidde hem altijd tot het nemen van risico's? Niet dat er verondersteld werd, dat er enig risico aan zat, maar zoals meneer Bishop haar grimmig herinnerde, had Steve de slechte gewoonte om te 'improviseren', wanneer hij verondersteld werd orders letterlijk uit te voeren. En Bishop gaf toe, dat hij zelf er niet op gewezen behoefde te worden, dat Steve Morgan er altijd plezier in gevonden had om de uitdaging van het gevaar te aanvaarden.

De stemming van Ginny veranderde van boosheid in angst en wanhoop en dan weer terug tot kwaadheid, naarmate ze verder luisterde. Het was allemaal te ongelooflijk. Indien het iemand anders dan Bishop geweest was, die haar een dergelijk onmogelijk verhaal opdiste – zijn kleurloze stem liet het ene na het andere feit in haar schoot vallen – zou ze geweigerd hebben er iets van te geloven.

'Ik vond het zelf ook zo moeilijk te geloven,' zei Bishop, alsof hij de gedachten van Ginny geraden had. 'Maar er is geen andere verklaring voor de merkwaardige handelingen van uw man in de laatste tijd. Dat wil zeggen, toen hij plotseling opdaagde, zich Manolo noemde en meer onrust in Baoque zaaide dan ze al hadden, om mee te beginnen! Pas toen we die kolonel Vance naar een ander commando overgeplaatst hadden gekregen, en kolonel Belmont, die toevallig een oude kennis van mij is, militair commandant van dat district werd, hoorde ik de feiten. En om helemaal zeker te zijn heb ik gesproken met een aantal zeer geleerde doktoren, een van hen een beroemde psychiater uit Wenen, die momenteel lezingen houdt in dit land en deskundig is op het gebied van geestesstoornissen. Niet, dat ik op een of andere manier beweer, dat Steve gek is!' voegde hij er haastig aan toe, toen hij de uitdrukking op het gezicht van Ginny zag. 'Het is mogelijk, dat hij tyfus heeft opgelopen. Capitan Almonte van de Rurales releveerde, dat hij er in Matamoros aan blootgesteld is geweest. Een abnormaal hoge koorts – zelfs een slag op het hoofd – of iets van dien aard kan een tijdelijk geheugenverlies veroorzaken. Dat heeft die beste dokter me althans verteld. We weten ook, van kolonel Vance zelf, dat die Manolo het feit niet verbloemd heeft, dat hij zich niets van zijn verleden herinnert, zelfs zijn eigen naam niet. Waardoor het voor zekere... hm... belangstellende groepen moeilijk werd om te achterhalen of hij misschien door de justitie gezocht werd of niet! De Indiaanse vrouw, over wie ik u verteld heb, beweerde dat hij de broer van haar overleden man was, maar kapitein Almonte zelf had Steve aangeraden om contact te zoeken met die Chucho – zijn echte naam was Refugio Orta. Begint u het te begrijpen?'

En hoe ongeloofwaardig het ook allemaal geklonken had toen meneer Bishop begon te spreken, Ginny moest toegeven dat het allemaal te goed in elkaar paste om niet waar te zijn. De man die meneer Bishop had horen beschrijven moest Steve zijn. Steve - zonder herinnering aan het verleden; geen herinnering aan haar: denkend dat hij een halve Indiaan is en er naar handelen. Steve, die voor een niets ontziend, geldgierig vrouwmens werkt, die om het geld een gemene moordenaar is geworden. Steve had altijd al een ondergrond van koude meedogenloosheid - had ze dat zelf al niet lang geleden ontdekt? En wat verwachtte Bishop van haar? Waarom had hij haar, merkwaardigerwijze, zoveel over zijn operaties verteld?

'Hij moet tegengehouden worden vóór ze daar een tweede burgeroorlog beginnen!' zei meneer Bishop met ongewone heftigheid. 'Vóór dat vervloekte land losbarst in een monumentale oorlog, die meer levens zal kosten - en dat niet alleen; die Texas achteruit zal zetten in zijn gevecht om weer een van de Verenigde Staten te worden. Wanneer het in Baroque begint kan het zich overal heen verspreiden - als een bosbrand of als een serie explosies. En, mijn God, als het niet snel ophoudt, loopt mijn eigen baan gevaar. De president wordt al ongedurig - er zijn al te veel klachten geweest. En ik ben de man geweest die uw man daarheen gestuurd heeft om een mogelijke oorlog tussen de boeren te voorkomen en om bepaalde ongewone gebeurtenissen te onderzoeken. In plaats daarvan zet hij de boel aan de gang - hij en dat Lassiter-mens. Zelfs haar zwager, rechter Benoit, maakt zich zorgen. Hij is voorzichtig, ofschoon we redenen hebben om te denken dat hij er ook tot over zijn oren in zit. Maar op zijn aandringen werd een deputy-marshal van de V.S. naar Baroque gestuurd, nog niet zo lang geleden. Een geheim agent - ik wilde, dat ze mij tevoren op de hoogte gebracht hadden. Hoe dan ook, hij werd neergeschoten en stierf.' De stem van Bishop werd harder en Ginny wachtte misselijk op het vervolg. 'Steve had het natuurlijk gedaan. Ze raakten in een van de kroegen in een twistgesprek en in die stad zijn er nooit getuigen als er een schietpartij heeft plaatsgevonden! Maar in dit geval was het enige, dat hem van de galg redde - of althans als "gezocht moordenaar" aangeplakt te worden - het feit dat marshal Purdue niemand had laten weten wie hij was of wat hij was. En dat is, naar ik vrees, niet de enige moord die daar onlangs heeft plaatsgevonden. Er zijn nog meer moorden geweest - er is geen ander woord voor om die te omschrijven. Iedereen die oppositie voert tegen de Lassiter-groep. Ik heb u al verteld, hoe haar andere uitvoerder zo toevallig verdween juist voordat uw echtgenoot, mevrouw, bij Toni Lassiter in loondienst kwam.'

'Probeert u mij te vertellen ...' de stem van Ginny kwam niet verder dan een gefluister en ze moest slikken vóór ze duidelijk kon spreken - 'probeert u me te vertellen dat Steve een ... dat hij vogelvrijverklaard is? Dat hij zich bij die vrouw gevoegd heeft ook - maar hoe kunt u dat zéker weten? Meneer Bishop ... misschien speelt Steve een of ander spelletje en geeft voor aan hun kant te staan, zodat hij meer te weten kan komen. Dat is de manier waarop hij vroeger werkte, is het niet? U hebt vroeger nooit enige scrupules gehad over zijn methoden - en u kunt niet ontkennen, dat u hem aangezet hebt om het goud van mijn vader te stelen! Of dat u hem een berisping gegeven hebt omdat hij mij ontvoerd heeft! Of, wat dat betreft, voor al die andere vreselijke dingen die hij gedaan heeft! Steve is opgeleid tot moordenaar, is het niet? Alleen wanneer hij iemand doodt ten behoeve van uw groep dan noemt u het waarschijnlijk executie!'

Bishop was nooit helemaal zeker geweest hoeveel Steve Morgan eigenlijk gaf om de vrouw, die hij getrouwd had, omdat Steve even slim was in het verbergen van zijn gevoelens – als hij die al had, dacht Bishop cynisch – als Bishop zelf. Maar de emoties van Virginia Morgan waren duidelijk zichtbaar. Zonder op haar woede in te gaan zei Bishop rustig: 'Als ik gedacht zou hebben dat Steve overgelopen was of dat hij in flagrante tegenspraak met mijn orders, probeerde om een of ander plan van zich zelf te verwezenlijken, zou ik hier nu niet zo open met u zitten praten, mevrouw. Zoals u zo juist gezegd hebt, zijn de mensen in mijn afdeling volkomen meedogenloos. Daarvoor zijn ze opgeleid en dat moeten ze ook zijn. En allemaal kennen ze de risico's en de regels. Wanneer ik zou denken, dat Steve moedwillig de regels overtrad, zou ik een federale marshal gestuurd hebben, of een van mijn eigen mensen, om hem achterna te zitten. Het was misschien voor ons allemaal erg gelukkig, dat Dave Madden wist los te breken van de kettinggangers, waartoe ze hem veroordeeld hadden. En dat hij de grens overstak, op zoek naar zijn vrouw.

'Dave Madden?' Ginny voelde zich meer beduusd dan ooit tevoren.

'Dat vergat ik. U zult hem niet kennen. Hij is een man, die vroeger voor mij werkte. Hij trok zich terug toen hij trouwde. Maar hij en Steve kenden elkaar erg goed. Het interessante hiervan is, dat het Steve was, die Dave bevrijdde – en wie weet waarom? Omdat Dave bezwoer dat Steve hem niet herkende.'

46

Het was op verzoek van Missie, de voortdurende verwijten van Missie, die hem er uiteindelijk toe overhaalden; en toch, toen hij eenmaal het dwaze plan had opgevat om vijf mannen te bevrijden, die met hun benen aan elkaar geketend waren als beesten en die werkten onder toezicht van twee bewakers met geweren, was het een soort uitdaging tot een avontuur geworden.

De mannen werkten aan een van de wegen die weggespoeld waren door de sporadische overstromingen, die de dijken overspoelden en toen Manolo hen voor het eerst zag, had hij zich verwonderd over het vreemde onbehaaglijke gevoel, dat hem zijn paard deed inhouden en een grotere omweg maken dan gewoonlijk naar het huis van de Carters. Misschien had het iets te maken met de diepe littekens op zijn eigen polsen en enkels. Hij wist hoe het voelde om als een dier geketend te zijn en de bijtende zweepslag te voelen, wanneer die in het blote ineenkrimpende vlees sneed – en ook die herinnering zweefde op de rand van zijn brein als een vage vlek, die nooit helder werd. Wanneer? En waarom? En hoe was hij ontsnapt? Zoals gewoonlijk werd hij kwaad en voelde zich gefrustreerd omdat hij niet in staat was zich iets te herinneren en het hielp helemaal niet toen Missie direct begon met te vragen, met tranen in haar ogen, of hij die arme mannen gezien had.

'Eén daarvan is Dave. Hebt u hem niet gezien? Hij is degene met de bruine baard en zijn haar heeft blonde strepen. Kan het u niet langer iets schelen? Hoe zou u het vinden om zo aan elkaar geketend te worden en gedwongen om in de gloeiende zon te werken en in de regen en . . .'

'Nou nou, Missie!' De waarschuwende stem van haar vader deed haar ophouden, ze beet een ogenblik op haar lippen, draaide zich toen om, vloog de kamer uit en gooide de deur met een klap achter zich dicht.

'Missie is op een leeftijd, dat alles haar opwindt,' zuchtte Joe Carter en wreef met zijn hand langs zijn bakkebaarden. 'Ze is overgevoelig, precies haar moeder. En ze had ongelofelijk veel op met Renate Madden. Ik liet dat zo, omdat Renate haar bemoederde en Missie had altijd al heel veel moederhulp nodig.'

Joe had Manolo geaccepteerd, evenals al het andere, dat hij sinds de oorlog had leren te aanvaarden, zelfs de dood van zijn vrouw. Een instinct, dat even diepgeworteld primitief was, als dat waardoor Manolo gedreven was om op zoek te gaan naar Billy-Boy Dozier, nadat Teresita zelfmoord gepleegd had, zei hem dat Missie van deze man geen kwaad zou ondervinden. En vandaar dat Joe Carter zijn zoon Matt met een handgebaar tegenhield, toen Manolo na nog een paar beleefde zinnen, eveneens vertrok.

'Maar hij is de laatste minnaar van Toni Lassiter, Pa! Bent u gek geworden of zoiets. Om hem alleen te laten met Missie . . .'

'Hij zal Missie geen kwaad doen. En je kunt er maar beter aan denken, mijn zoon, dat het door hem komt, dat we genoeg geld hadden om de achterstallige belasting op onze oude boerderij te betalen. Laat je niet verblinden door jouw jaloezie. Al heb je dan nog zo achter die vrouw Lassiter heen gezeten, denk jij, dat zij en rechter Beniot ons toegestaan zouden hebben om de boerderij terug te eisen, als hij haar niet had omgepraat? Laat je zuster met rust. En wees dankbaar voor wat we gewonnen hebben.'

Manolo wist waar hij Missie kon vinden – ze zou nu halverwege haar geliefkoosde boom zijn, hoewel dat betekende dat ze het moeras moest oversteken. Op blote voeten reisde ze snel en even licht als een bang dier van het woud.

'U had me niet achterna behoeven te komen! Waarom zouden de gevoelens van iemand anders u iets kunnen schelen? U bent net als de rest, achter haar aanzitten, opspringen wanneer ze maar met haar vingers knipt. Soms denk ik, dat u niet echt wilt ontdekken wie u eigenlijk bent. U wilt niet weten wie vroeger uw vrienden waren en daarom doet u niets aan . . . aan . . .'

'Jouw pa zou je een keer over zijn knie gelegd moeten hebben en de scherpte van je tong eruit geslagen moeten hebben! Eigenlijk heb ik wel zin om het zelf te doen. Er zijn twee dingen, die een man in een vrouw nooit kan verdragen en dat is een scherpe tong en een kwaadaardig humeur en je kunt dat maar beter onthouden, als je hoopt ooit nog een echtgenoot te vangen.'

'En hoe zou ú dat weten? Ik wil erom wedden, dat u zich nooit door een vrouw zult laten vangen – behalve als ze zo'n serpent en zo boosaardig is als die Toni!' Missie stampte met haar voet, wat een zuigend geluid in de modder veroorzaakte. 'O, hoe kon u? Toen ik u over haar vertelde en hoe ze is, dacht ik, dat u haar zou doorzien. Maar u bent even slecht als oom Nick. Of als Matt.

U kan niemand wat schelen, is het wel?'

'Verdomme!' Hij snauwde haar bijna toe, wanneer hij kwaad was leken zijn blauwe ogen nog donkerder. 'Wat verwacht je van me voor de donder? Die knul Madden, die ik verondersteld word te kennen en me niet kan herinneren, zo maar uit die mooie openluchtgevangenis te pikken, waar ze hem vasthouden? En de blauwjassen achter me aan krijgen? Ik moet wel gek zijn om jou achterna te gaan en nog meer van dat gezanik aan te horen.'

Haar stem trilde, maar ze bleef op haar stuk staan en keek hem moedig aan met tranen, die nog in haar ogen glinsterden.

'Waarom bent u dan achter me aan gekomen? Het kan u evenmin wat schelen, hoe ik over u denk en ik hoor genoeg zedepreken van de anderen die me zeggen hoe dwaas ik doe. Waarom laat u me niet met rust en gaat u naar háár terug?'

Zijn stem veranderde zó plotseling van kwaadheid tot kalmte, dat daardoor de woede van Missie zakte en haar met een leeg gevoel achterliet, enigszins beschaamd over haar uitbarsting.

'Is het werkelijk zo belangrijk voor je, kleine groenoog? Wil je die Dave Madden echt vrij hebben?'

En nu, plotseling, veranderde haar stemming en werd ze bang voor hem; bang genoeg om zijn arm te grijpen.

'Niet voor mij - begrijpt u dat niet? Maar om Dave en om Renate en om ... omdat ik wil dat uw geheugen terugkomt. Ziet u dat niet?'

Maar niettemin, nadat hij Missie gekalmeerd had, bleef hij in een peinzend bijna stuurs humeur; en de tweede keer, toen hij die gevangenen zag, reed hij met Toni zelf, omdat de gevangenen nu op haar land werkten.

Ze hield halt om met een van de bewakers te spreken en vanmorgen waren er ook nog twee soldaten in blauwe jassen van de dichtstbijzijnde legerpost, die ook op wacht stonden; ze hadden hun tuniek losgeknoopt wegens de hitte. Ze lagen op hun gemak in de schaduw en slobberden als varkens water uit hun veldflessen, terwijl de vijf miserabele misdadigers in de zon zwoegden met hijgende adem. Toni hield in - natuurlijk bleef ze staan; hij kende haar goed genoeg om dat nu wel te kunnen raden. En zonder te kijken wist hij, dat haar ogen glansden met die typische glans, die ze altijd hadden wanneer ze opgewonden was.

'Dus jullie gaan eindelijk die oude weg repareren. Ik moet er aan denken om die vriendelijke kolonel Belmont te zeggen, hoe dankbaar ik ben! Nu kan ik weer mensen inviteren zonder excuses te maken over die weggespoelde brug. Hebben ze enige moeite gegeven? Moeten jullie die grote oude zweep dikwijls gebruiken?'

Zonder het te willen keek Manolo naar de gevangenen in hun gestreepte gevangeniskleding. Ze zagen er meer als vogelverschrikkers dan als mensen uit, nu ze hun overhemden uitgedaan hadden en hun ribben zich aftekenden in hun door de zon verbrande vlees. Wie van hen werd hij verondersteld te kennen? Lichte ogen keken een enkel ogenblik in de zijne vóór een haardos, met blonde strepen doorlopen, weer naar beneden zonk. Dave Madden? De vriend van Missie, die ook zijn vriend zou moeten zijn?

Later, toen hij zich tegenover zich zelf trachtte te rechtvaardigen om zijn stommiteit, zei hij, dat het die wellustige klank geweest was in de schrille, ademloze toon waarop Toni Lassiter met de bewakers sprak, die hem overhaalde om te doen wat hij deed. Of het nu dieren of mensen waren, die gekweld werden: Toni keek het altijd met plezier aan. En afgezien daarvan: Missie was er ook nog met haar verwijtende blikken.

Nog méér zelfs: hij gaf het zich zelf toe met een wrang soort van innerlijk vermaak, hij beleefde werkelijk plezier aan het risico dat hij gelopen had; zelfs het doden van de dikke bewaker, die hij voor zijn rekening genomen had; hij was van achteren op de dikke man toegeslopen, die met gekruiste benen bij het vuurtje zat, en had zijn keel afgesneden. En toen hij dat gedaan had en de man zonder een enkel geluid voorover zag vallen, had hij het allervreemdste gevoel, dat hij dit soort dingen al eens meer gedaan had en maar al te vaak. In elk geval: die bewaker diende te sterven - iets eerder, in aanwezigheid van Toni, had de man moedwillig een van die miserabele gevangenen bewusteloos geslagen, omdat de gevangene te intens had durven kijken.

Nee - spijt had hij er niet van. Zelfs niet van het feit, dat de dood van de twee soldaten toegeschreven zou worden aan die 'nog niet heropgevoede rebellen, die zich in de moerassen verborgen', hetgeen nog meer soldaten zou oproepen, die door de moerassen zouden zwermen als een zwerm boze bijen. Er zou geen positief bewijs zijn, dat een van de gevangenen het hele geval in elkaar gezet zou hebben en terwijl de soldaten bezig waren het moeras te doorzoeken, zouden hun gedachten afgeleid worden van die kudde vee, die juist bij elkaar gedreven was op de oude bezittingen van Desmoulins.

Het enige dat hem lichtelijk stoorde, was, dat Dave Madden gedaan had alsof hij iets tegen hem wilde zeggen, nadat het allemaal voorbij was - maar er was geen tijd om te blijven staan en praten of zelfs om te luisteren naar dankbetuigingen, indien de halfverdwaasde mannen daartoe al in staat geweest zouden zijn.

Manolo en de twee Indianen die hij bij zich had, hadden de vijf man, die zij gered hadden in een kleine boot gestopt, die hen stroomafwaarts zou voeren, de veiligheid tegemoet, indien ze niet verdwaalden.

Dave Madden, zijn ogen raadselachtig, had de leiding bijna automatisch overgenomen, toen Manolo hun ruwweg zei dat ze nu op weg moesten gaan.

'Ik ken deze kreken tamelijk goed. We spelen het wel klaar. Maar, in godsnaam, man, hoe heb je . . .'

'Je hebt geen tijd om te praten, wanneer je wilt blijven wat je bent - levend en vrij. Schiet op!' De stem van Manolo was laag, maar had een klank van rauwheid, zelfs van bedreiging, die onmiskenbaar was, vooral toen hij eraan toevoegde: 'En denk eraan, wanneer ze je te pakken krijgen, dat je op je zelf bent aangewezen - jullie allemaal. Omdat ik iedereen de keel zal afsnijden, die zijn mond voorbij praat - is dat duidelijk?'

Zelf zette hij de boot van de oever af en duwde zo hard, dat het ranke bootje bijna omsloeg.

'Christus!' mompelde een van de mannen binnensmonds, 'eventjes dacht ik, dat hij ons allemaal zou vermoorden en zou lachen, terwijl hij ermee bezig was! Ik was banger voor hem dan voor de bewakers...'

Dave Madden had maar even tijd om een blik achterom te werpen, omdat hij onmiddellijk moest beginnen hun koers te bepalen, maar Manolo was al op weg naar huis en het grote bed, waar Toni zelf zou wachten - zonder enige twijfel kwaad, haar nagels gekromd en klaar om zijn ogen uit te krabben. Maar hij had geleerd, dat er methoden waren om Toni tam te houden...

Ze was nog steeds in een goed humeur, twee dagen later, toen ze een beetje kwaadaardig glimlachte om de woede van haar zwager.

'Maar Nicky, schat, waarom ter wereld ben je zo kwaad? Ik heb je gezegd en nog eens gezegd, dat die Comanche de hele nacht hier bij mij geweest is - en bovendien, waarom zou hij zijn hals riskeren om die geketende beesten te bevrijden? Ik wil wedden dat die vent Madden er iets mee te maken had - die, van wie jij de kleine Duitse frau een tijdje gestolen hebt. Ben je bang, dat hij terug zal komen en je keel afsnijden, Nicky?'

De stem van Nicholas Benoit, die even tevoren nog schril van boosheid geweest was, werd plotseling zacht en dodelijk.

'Begin jij nou ook niet de fout te maken door mij te onderschatten, Toni, mijn liefste. En vergeet niet, dat we lang geleden overeen gekomen zijn om eerlijk tegenover elkaar te wezen. Denk je nu heus dat je tegen mij kunt liegen? Dat ik niet zou weten hoe jij en de manier, waarop jouw kronkelend, roofzuchtige brein, werken? Je wordt die halfbloed-gigolo van je even snel beu als je kans zag om het lot van de ongelukkige Dozier te vergeten en mijn advies aan jou, is, beste schoonzuster, om een begin te maken met te denken dat hij... laten we zeggen, dat hij het soort man is, die voorbestemd is voor een geweldadig uiteinde?' Nog vóór Toni, die al kwaad begon te pruilen, kon uitbarsten met een weerwoord, ging Benoit rauw verder: 'Luister naar me, Toni! Hij is niets anders dan een krankzinnige hondemepper, zie je dat niet? Ik vermoed dat hij bezeten is door geweld - hij is voorbestemd om elk ogenblik uit de band te springen en alles te ontwrichten, wat wij in jaren hebben opgebouwd! De truc die hij die avond uithaalde om die verdomde gevangenen te bevrijden en de helft van het regiment van kolonel Belmont op ons losliet, zodat ze nu overal rondneuzen - hoe noem jij een dergelijk gebaar? Waarom deed hij dat?'

'Dat deed hij niet! Ik blijf het maar zeggen, schat, maar je wilt niet luisteren. En in elk geval...' Toni trok pruilend aan een losse rafel in het brokaat van de sofa - 'wie je ook denkt die het gedaan kan hebben, hij was nogal uitgeslapen, vind je niet? Tenslotte was het een soort afleiding - en wie dan ook een duizend stuks rundvee verzamelde van het land van Desmoulins, zal waarschijnlijk eindigen met behoorlijk rijk te zijn, is het niet?'

De stem van rechter Benoit werd bedrieglijk mild.

'Is dat zo? Je moet me iets meer vertellen over dat hypothetische genie, en wel heel binnenkort, zodat ik kan gissen wat er gebeurd zou kunnen zijn met de verdiensten van een dergelijk magnifiek uitgevoerde operatie! Maar intussen ben ik hier gekomen om een andere boeiende informatie te verstrekken - en een waarschuwing, terwille van de goede oude tijd!' Zijn eerst zijdeachtige toon maakte plaats voor wat bijna een snauw leek. De amberkleurige ogen van Toni vernauwden zich.

'Nicky, nu ben je akelig en haatdragend! Je weet, dat ik er niet van houd . . .'

'Naar de hel met wat jij al of niet mag, indien je mij mijn grofheid wilt excuseren, natuurlijk! Het was verdomd stom om zo iets te doen – om zo'n grote kudde vee op uitgerekend dit moment bij elkaar te drijven! Ben jij vergeten wie tegenwoordig de eigenaar is van het landgoed van Desmoulins? Een miljonair uit het Oosten, Steve Morgan genaamd, een hele zakenman volgens iedereen en een harde, taaie tegenstander. Toevallig is hij ook nog de schoonzoon van een senator van de Verenigde Staten, niet minder dan dat. Weet je wat dat kan betekenen? Federale agenten, regeringsambtenaren die overal gaan rondneuzen! Om de zaak nog erger te maken: vanmorgen was er een telegram van de dochter van de senator, mevrouw Morgan. Het schijnt dat ze op weg hierheen is, op vakantie, kun jij je dat voorstellen? Haar echtgenoot is ergens op rondreis en ze heeft besloten om zijn laatste aanwinst te bezoeken. Heb jij enig idee, wat voor wespennest die vrouw kan loslaten en vooral als ze te horen krijgt, dat het merendeel van haar vee gestolen is?'

'Ik wou dat je ophield met al die zorgen en al dat gedoe, Nicky! Je bent wel heel plotseling een oude juffrouw geworden, weet je dat?' Toni was overeind gesprongen en haar stem klonk bestudeerd zorgeloos. 'O, in 's hemelsnaam!' voegde zij er snel aan toe, toen ze de uitdrukking zag op het gezicht van haar zwager. 'Waarom houd je niet op met zo verduiveld bang te zijn, alleen omdat een of andere stomme oude koe van een dochter van een senator, het in haar hoofd krijgt, dat het een prachtig idee zou zijn om de wildernis van Texas te bezoeken?' Plotseling begon ze te giechelen. 'Man, ik zeg je dat ze het hier helemaal niet leuk zal vinden! Ik geloof dat ze rechtsomkeert maakt en terug naar het Oosten gaat, waar het veilig en beschaafd is. En misschien besluit ze wel om het bezit van Desmoulins te verkopen. Aan mij. En jij, Nicky, mijn schat, jij moet al je charme aanwenden.'

De luchtige manier waarop Toni zijn waarschuwing had ontvangen en haar afscheidswoorden, droegen er niet toe bij om de stemming van rechter Benoit te verbeteren, toen hij naar de stad terugreed. Die kleine Toni was veel te gulzig en ze werd ook té zeker van zich zelf – hij mocht het niet. En vooral mocht hij niet en vertrouwde ook niet de man, die hij minachtend bestempelde als haar 'Indiaan met de blauwe ogen'. Wie was die man? Waar kwam hij vandaan en wat bracht hem hier? Het was vreemd, dat geen enkele van zijn zorgvuldige nasporingen enig resultaat had opgeleverd. Er bestond geen mens zonder verleden en iemand, die zo snel met een revolver was als deze Comanche en die zo volkomen gespeend was van scrupules, had toch ergens sporen achter moeten laten. De vraag was alleen: waar?

'Ik zal me in verbinding moeten stellen met het bureau "Pinkerton", dacht Benoit somber. 'Eigenlijk had ik dat al veel eerder moeten doen.'

Thuisgekomen overhandigde zijn bediende hem de brief, die met de laatste postkoets meegekomen was en toen vergat Nicholas Benoit alles waarover hij zich zorgen gemaakt had. Hij staarde naar de kleine vierkante envelop van velijnpapier, die nog steeds een spoor droeg van een uitmuntend, kostbaar parfum.

Francesca! De onvergelijkelijke di Paoli, voor hem reeds zo lang een voorwerp van verering. Ze had hem eindelijk geschreven! De brief kwam helemaal uit San Francisco, waar hij de duurste bloemen van het seizoen besteld had om na elke voorstelling bij haar bezorgd te worden.

De envelop bevatte een vel dik schrijfpapier met in reliëf het oude wapen van di Paoli's.

'Ik zal in uw stad Dallas zingen over ongeveer twee maanden en ik hoop, dat u de gelegenheid zult hebben met mij te souperen . . .' Eindelijk! Te langen leste!

Met een zucht liet Benoit zich zakken in de met fluweel beklede waaierfauteuil die zijn voorkeur had; de brief, die zijn hele leven veranderde had hij nog steeds in zijn hand.

Reeds begon rechter Benoit plannen te maken voor zijn reis naar Dallas. Plotseling leken Toni en haar intrigerende geest - zelfs haar Indiaanse minnaar en de roekeloze daden, waarvoor hij haar toestemming had weten te krijgen, veel minder belangrijk dan ze enkele uren geleden waren. Twee maanden had ze gezegd. Hij begon te overleggen welk antwoord hij zou geven. Hij liet in gedachten elk woord de revue passeren. En hij moest Toni zien over te halen om - hetzij onder dreigementen, hetzij met beloften - een deel van het geld af te staan, dat de verkoop van dat gestolen vee opgebracht moest hebben. Di Paoli moest onderhouden worden in een stijl, die haar zou verbazen en haar voor hem zou doen wegsmelten. Ze was gewend aan Europese koningshuizen en miljonairs uit het Oosten. Nu, hij zou wel zorgen dat ze hem opmerkte - niet alleen wegens zijn lange toewijding, maar ook om zijn vrijgevigheid. En uit de kranten wist hij, na zorgvuldige studie, dat ze op het moment zonder minnaar zat.

Omdat hij alleen was en de deur van zijn studeerkamer zorgvuldig was afgesloten, permitteerde Benoit zich om luidkeels te lachen. Het was een coïncidentie, waarvan hij niet de moeite genomen had om Toni erop te wijzen, dat de laatste minnaar van di Paoli juist dezelfde miljonair was, die nu eigenaar van de plantage van Desmoulins was met al de bijbehorende hectaren! Wat een ironie! Maar Toni zou dat toch niet geapprecieerd hebben.

Deze Steve Morgan had natuurlijk van de prinses zijn congé gekregen - natuurlijk had ze genoeg van hem gekregen niettegenstaande zijn uitdagende en al te openlijk vertoonde goedgevigheid inzake juwelen en andere kostbaarheden. Vandaar dat hij zijn gebroken hart mee naar Europa genomen had, terwijl zijn vrouw afzondering zocht! Later misschien, wanneer hij en Francesca elkaar beter hadden leren kennen en begrijpen, konden ze delen in de humor van de situatie. Hij had op een of andere manier het gevoel, dat met of zonder de machinaties van die lieve, onscrupuleuze, kleine Toni, mevrouw Morgan niet veel prijs zou stellen op een al te lang verblijf in haar laatste huis.

Deel zes

De lange terugweg

47

Het was op aandringen van don Francisco, dat Ginny zo zwaar beschermd op reis ging. Ze had ook bijna vergeten wat een autocraat de oude heer kon zijn.

'Enfin! Als je dan al naar een barbaars stuk van Texas wilt reizen om daar een verwaarloosde plantage te inspecteren, die zelfs Esteban niet belangrijk genoeg vond om eraan te denken, dan zul je althans respectabel reizen, zoals een getrouwde dame in jouw positie betaamt.'

Boven zijn hoge neusbrug hadden zijn blauwe ogen haar fel aangekeken, alsof hij haar tartte om zijn uiteindelijke, weerspannig gegeven besluit tegen te spreken.

'Renaldo gaat met je mee,' verklaarde hij en bracht haar half uitgesproken protesten tot zwijgen. 'En señora Armijo, die vroeger bewezen heeft zo'n waardeloze dueña te zijn. Ja, ik geloof dat de arme vrouw verlangd heeft haar waarde te kunnen bewijzen, sedert het plotselinge voorval van jouw ongelukkige huwelijk met Esteban, dat overhaaste voorval, dat aanleiding heeft gegeven tot zoveel ongeluk en tegenslag aan zovelen – wanneer je een oude man wilt vergeven, dat hij dat zegt!'

'Ik zal u vergeven, don Francisco, maar ik ben heel goed in staat om alleen te reizen en meneer Bishop is zo vriendelijk geweest mij een escorte te beloven.'

'Aha – ja – die geheimzinnige meneer Bishop, die soms een gewone veekoper is en andere keren een heer van stand, die veel te veel reizen maakt aan onze kant van de grens! Ik word gedwongen me af te vragen wat onze president denkt van zijn komen en gaan – of denk je dat hij zich bewust is van de reislust van deze heer? Nee, lieve Virginia, ik sta erop, zoals je eigen vader ook zou doen, dat, als je dan al moet reizen, je het veilig en respectabel zult doen!' Met minder dwingende stem ging hij voort: 'Rosa en die Franse vrouw, die je meegebracht hebt, blijven natuurlijk hier om voor de kinderen te zorgen. Je had er toch niet aan gedacht om die mee te nemen?'

Dit alles bracht haar ertoe zich wrang af te vragen hoeveel don Francisco eigenlijk wist van haar gesprek met meneer Bishop en de angstaanjagende onthullingen, die hij gedaan had.

Uiteindelijk vond ze het toch wel plezierig, dat ze het gezelschap van Renaldo had. Zelfs het voortdurende gekwetter van Tia Alfonsa hielp mee om haar geest af te houden van dat, wat zij tenslotte in Baroque zou aantreffen. Die goede Renaldo – nog steeds de kalme geleerde en haar vriend. De eerste echte vriend, die ze in Mexico ontmoet had in de tijd, slechts een paar jaar geleden, die nu zo vaag en ver weg leek. Een achterneef van Steve en tevens zijn vriend. Ze vond het een opluchting om tijdens de reis haar hart uit te storten bij Renaldo en terug te denken aan de vreemde en verpletterende conversatie met Jim Bishop, op die middag toen haar hele wereld op de kop gezet werd, en zijn korte maar nog vreemder voorstel.

'Maar waarom bent u helemaal hierheen gekomen om me dat te vertellen?' had ze tenslotte uitgeroepen. 'Waarom doet u er niets aan? Die kolonel Belmont die u hebt aangewezen om hier de legerplaats te commanderen, waarom geeft niemand hem de machtiging om op te treden en een eind te maken aan . . . aan dat kruitvat, waar u over praat?'

Bishop had met zijn dunne lippen geglimlacht, maar die was niet echt.

'Maar ik dacht dat ik me al duidelijk genoeg had uitgedrukt? Iets doen, zegt u, mevrouw? Op grond waarvan, op wat voor bewijzen? Indien Belmont iemand moet arresteren, dan zou dat die onverantwoordelijke echtgenoot van u zijn. En daar het duidelijk geworden is, dat hij zich niets van het verleden herinnert of van zijn ware identiteit, dan zijn we precies even ver als we waren, is het niet?' Hij had onderzoekend naar het hoogrode gezicht van Ginny gekeken en naar haar koortsachtig fonkelende ogen. Zijn eigen gezichtsuitdrukking verried niets. 'Ik heb respect voor u, mevrouw Morgan. Voor uw intelligentie, uw geestkracht, en natuurlijk uw vastberadenheid. En in dit speciale geval, omdat we hier te maken hebben met een aartsschurk, die toevallig een vrouw is. . . . u begrijpt mijn bedoeling?'

Het was bepaald ironisch, dacht Ginny, nu haar reis onherroepelijk begonnen was, dat ze nu voor meneer Bishop zou werken. Natuurlijk was de man infernaal listig, hij had zelfs de moeite genomen haar te waarschuwen, nadat hij haar met wenken en nauwelijks verholen dreigementen zo ver had weten te krijgen, dat zij misschien enig licht risico zou lopen.

'Hij zei, dat die rechter Benoit een slimme en uitgeslapen man is dat ik hem vooral niet moest onderschatten,' zei Ginny nu tot Renaldo. 'Maar Toni Lassiter is de sleutel tot de hele zaak. Ze heeft een moraal als een zwerfkat en nog veel minder scrupules dan een woestijnkat. Ze kennen haar zoals ze is en meneer Bishop gelooft, dat er niet weinig mensen zijn, die haar haten en dan nog de mensen, die bang voor haar zijn. Maar wanneer het gaat om buitenstaanders, die zich willen indringen, dan is ze een van hen. Een Lassiter, al is het alleen maar door huwelijk en een dame van het Zuiden. Natuurlijk bestond een deel van zijn waarschuwing over wat me te wachten staat wanneer we daar aankomen, in het feit dat . . . dat Steve kennelijk haar minnaar is.'

Ginny probeerde haar stem hard en gevoelloos te maken terwille van Renaldo, maar de lichte aarzeling in haar verhaal verried haar. En Renaldo, die Steve als een broer kende, wist niet hoe te antwoorden, afgezien van het ophalen van zijn schouders. Zou er dan nooit een eind komen aan de complicaties, die deze twee altijd gescheiden hielden? Hij herinnerde zich, tegen zijn zin, het afscheidswoord van zijn oom toen ze de hacienda verlieten.

'Jij zorgt dat Steve zijn verstand terugkrijgt, al moet je hem ook neerschieten om dat te bereiken! Ik ben een oude man en nu hij vader geworden is, wordt het de hoogste tijd dat mijn kleinzoon zijn onverantwoordelijke levenswijze opgeeft en zich vestigt! En als hij dat niet kan, dan moet Virginia de kans krijgen om een nieuw en veiliger leven op te bouwen voor haar en de kinderen.'

Nadat ze San Antonio verlaten hadden werd het laatste deel van hun reis vrijwel in stilzwijgen afgelegd, want zowel Renaldo als Ginny waren in gedachten verzonken en de gewoonlijk praatzieke señora Armijo had haar ogen gesloten om een dreigende hoofdpijn te voorkomen, die veroorzaakt werd door de monotone zonnestraling.

Renaldo vroeg zich ongerust af welke soort moeilijkheden in het vooruitzicht lagen, wanneer ze eenmaal in Baroque zouden zijn aangekomen om hun diverse rollen te spelen en Ginny merkte, dat haar gedachten teruggingen naar de ontmoeting die meneer Bishop gearrangeerd had tussen haar en Renate Madden in een anonieme hotelkamer.

San Antonio was voor haar toch al vol herinneringen. De eerste keer dat ze Steve gezien had – de eerste keer dat ze in zijn armen genomen was en bruut werd gekust, wild zelfs, dat een bezegeling was, maar dat wist ze niet, dat zij voortaan zijn bezit was. En dan had je Renate – met een hol gezicht, kalme ogen. In die dagen had ze ook dikwijls gelachen. En zij herinnerde Ginny aan zich zelf op een ander tijdstip, toen ze de hoer van Tom Beal geweest was.

Het gezicht van Renate Madden had dezelfde doffe, gevangen blik, die Ginny eens gehad had. Ze was vroeger een knappe vrouw geweest, haar blonde haar was altijd schoon en glanzend, haar blauwe ogen rustig. In die dagen had ze ook dikwijls gelachen. En nu was het alsof haar uiterlijk haar niet veel meer kon schelen – als een schimmige geest kromp ze ineen wanneer iemand haar aansprak.

'Zij weigert om haar echtgenoot te zien of hem zelfs maar te schrijven,' had Bishop aan Ginny verteld, met een ongewoon niet-begrijpende uitdrukking, die een kort ogenblik in zijn kille grijze ogen verscheen. 'Ze heeft in feite gedreigd om zelfmoord te plegen dan hem schande aan te doen of om zijn blik te ontmoeten. Dat zijn haar woorden. Eerlijk, mevrouw Morgan, ik weet niet wat ik met haar aan moet. Misschien had ik haar bij het gezin van kapitein Altamonte moeten laten, maar ik dacht, dat ze enige nuttige informatie voor u zou kunnen hebben – om u in staat te stellen iets van de achtergrond te begrijpen van de mensen, die u gaat ontmoeten.'

'Hebt u dan helemaal geen medelijden en totaal geen geweten, meneer Bishop?' De stem van Ginny klonk kwaad. 'Die arme vrouw – na alles wat ze meegemaakt heeft, is het enige waaraan u kunt denken, of ze misschien nuttig zal kunnen zijn!'

Alleen nadat Ginny botweg aan Renate verteld had, welke ondervindingen zij allemaal had opgedaan, was de andere vrouw met haar begonnen te praten.

Nicholas Benoit – hij was het waar de mannen van Toni Lassiter haar gebracht hadden op dezelfde avond, dat Dave naar de gevangenis geleid werd.

Doodsbang had ze elke meter van de weg hen bevochten, tot een van hen haar een slag gegeven had, maar ze had boos het glimlachende aanbod van rechter Benoit voor bescherming geweigerd.

'Maar geloof me, meisje, je bent hier veiliger. Je weet nog niet waartoe die schoonzuster van mij in staat is, is het wel? Ik zal je geen kwaad doen - ik heb je altijd bewonderd. Een mooie vrouw zoals jij, moet opbloeien in de geschikte omgeving, als een juweel . . .'

Ondanks haar tranen, haar protesten, hield hij haar in zijn huis en omgaf haar met een weelde, die ze nooit eerder gekend had, nog zonder haar aan te raken, maar behandelde haar als een verwend huisdier. Ze had zijden ochtendjassen, mooie zijden kousen, geparfumeerde baden en satijnen jurken, die hij haar dwong te dragen, omdat hij haar niets had laten houden van haar eigen bezittingen.

En elke avond zat ze aan een grandioos diner, rechter Nicholas zelf onberispelijk gekleed, zoals een heer dat 's avonds doet.

Dit bleef een hele week duren; in die tijd stelde hij geen eisen, kuste alleen maar haar hand, wanneer het tijd voor haar werd - een charmante gewoonte van het continent. Hij deed inderdaad zó, zoals Renate met trillende stem aan Ginny vertelde, alsof zijn enige belang in haar alleen maar vaderlijk was. Hij had haar zelfs ooit eens gezegd, dat hij altijd al een knappe blonde dochter had willen hebben, zoals zij.

En toen kwam de avond, dat hij iets in haar wijn gedaan moest hebben, want haar hoofd begon te duizelen en ze herinnerde zich niets tot ze 's morgens naast hem wakker werd. Van dat ogenblik af was hij niet langer charmant en vriendelijk maar bruut.

Hij gebruikte haar op manieren, die ze nooit had kunnen dromen. Hij maakte een jongen van haar - en ze was ook een stuk speelgoed voor zijn vrienden, zoals die dikke kolonel Vance. En eindelijk, toen hij genoeg van haar had, stuurde hij haar weg met een donkergetinte man, die 's avonds heel laat aan huis kwam; de man bleek een souteneur te zijn, die haar sloeg en haar meer schrik aanjoeg dan rechter Benoit al gedaan had. De man sleepte haar mee van grensplaats naar grensplaats en verkocht haar uiteindelijk aan een madame in Matamoros, die zich specialiseerde in blonde gringa's. En daarheen had Steve, zoals Ginny van Bishop hoorde, Altamonte heen gestuurd met een buitengewoon groot bedrag aan geld om voor Renate de vrijheid te kopen.

'Heeft Steve dat gedaan?'

'Natuurlijk tegen mijn orders,' zei Bishop grimmig. Hij vertelde haar niet, dat zelfs de voortijdige ontsnapping van Dave Madden eveneens tegen zijn orders was geweest.

Ginny zou verbaasd geweest zijn, indien ze wist dat mevrouw Antoinnette Lassiter even geïnteresseerd was in mevrouw Steven Morgan als omgekeerd, maar op een half-minachtende wijze.

'Vermoedelijk is dat zo'n schepsel met een paardegezicht en is ze een preuts stuk verveling, als haar eigen echtgenoot het al niet kan uitstaan om haar in de buurt te hebben,' snauwde ze naar Manolo, die alleen maar een sarcastische wenkbrauw optrok, terwijl hij voortging met eten.

Messalina was vanavond in een slechte bui en hij wist waarom, ofschoon het feit hem koud liet. Rechter Benoit had die middag een bezoekje gebracht om met een kwaadaardige klank van triomf in zijn stem aan te kondigen, dat mevrouw Morgan en haar gezelschap eindelijk aangekomen waren en naar haar nieuwe huis geëscorteerd werd door kolonel Belmont en zijn vrouw.

'Ik ben uitgenodigd voor een diner bij Belmont voor morgenavond en dan zal zij er ook zijn met een Spaanse heer, die haar begeleid heeft. Een verre neef, geloof ik. Dan kan ik beter zeggen hoe ze eruit ziet. Maar, lieve Toni, je moet wel op betere voet zien te komen met de vrouw van de kolonel! En het is jammer dat die geliefde Indiaan van jou zo'n ongesnutterde, heftige bastaard is. Je weet dat onze huidige militaire commandant geen rokkenjager is, zoals die gek van een Vance - hij heeft me zo goed als een wenk gegeven, dat hij jouw nieuwe uitvoerder verdenkt van die bevrijding van die gevangenen om nog niet te spreken van de veediefstallen, die we in de laatste tijd gehad hebben! Heb ik je niet gewaarschuwd om hem aan de lijn te houden? Wanneer je niet uitkijkt, zul je een dezer dagen ontdekken dat hij de teugels in handen heeft.... ofschoon ik moet zeggen, dat ik me jou niet kan voorstellen als een tamme teef, Toni, mijn schat!'

Dus was Toni die avond slecht gehumeurd, maar omdat ze een heel klein beetje bang was voor de Comanche, voor de manier waarop hij plotseling heftig kon losbarsten wanneer ze hem te ver dreef, stelde ze zich tevreden met haar ongenoegen uit te spreken over haar nieuwe buurvrouw.

'Nou? Waarom moet jij je verdomme aanstellen alsof je doofstom bent? Het minste wat je kunt doen, wanneer een dame je te dineren vraagt, is een conversatie gaande houden! Wat vind jij dat we met dat kreng uit het Oosten moeten doen? Ik heb Nicky gezegd, dat ik haar zou afschrikken, en dat zullen we toch, is het niet?'

'Wij? Ik dacht dat de rechter jou gezegd heeft, dat hij niet meer moeilijkheden wil hebben, zodat de federale politie weer binnen zou kunnen trekken. En dat betekent, dat hij wil, dat ik me koest houd.' Hij grijnsde spottend naar Toni, waardoor ze nog bozer werd. 'Wat wil je dat ik met haar doe, Messalina? Op een donkere avond haar keel afsnijden? Zorgen dat ze een "ongeluk" in het moeras krijgt, als ze al het soort vrouw is, dat graag gaat paardrijden? Misschien kunnen we haar ontvoeren en haar vasthouden voor een losgeld - zelfs als ze lelijk is zou haar vader of haar man misschien toch genegen zijn voor haar vrijlating te betalen en als ze passabel is, hebben we altijd nog het vooruitzicht om haar te verkrachten. Dat zou jouw misvormde kleine geest amuseren!'

'O, God - Comanche, schat! Hoe komt het dat je zo verdomd slim bent? Ja - ja, natuurlijk! We zullen haar natuurlijk een beetje tijd gunnen en wanneer het er dan naar uitziet, dat ze nog niet vertrekt... En Nicky mag het niet weten! Hij mag niets vermoeden - jij kunt een kudde naar het Noorden brengen of net doen alsof. En daarmee heb je een alibi. En dan zullen we deze keer niet het geld met Nicky moeten delen - weet je dat die verdraaide, verachtelijke kerel mij praktisch gedwongen heeft om hem tienduizend dollar te geven van het geld, dat we voor de laatste kudde kregen? En nadat we al die moeite gehad hadden om de brandmerken te veranderen; om nog niet te praten van alle risico's! Soms geloof ik, dat ik Nicky haat, alleen komt hij ons nu van pas. Maar later . . .'

Hij wist wel beter dan te proberen om Toni te stoppen, wanneer ze over een of ander plan in extase raakte. En hij betreurde de woorden, die hij er terloops uitgegooid had, die hij alleen maar als satirisch bedoeld had.

Hij haalde zijn schouders op, luisterde naar haar, keek hoe het licht van de lamp op haar zilverblonde haar scheen, zag de hebzuchtige gloed in haar amandelvormige amberkleurige ogen, de zachtroze lippen, die er altijd uitzagen alsof ze zo juist bevochtigd waren. Toen ze zich over de tafel boog, sprongen haar borsten uit het zijden en kanten negligé met de hoge taille – volmaakte bollen, wit als albast, met kleine blauwe adertjes, die des te duidelijker uitkwamen naarmate ze meer opgewonden was. En dat was bijna altijd . . . Toni was een van die vrouwen, die altijd honger had, die nooit verzadigd was. Ze zou een perfecte hoer geweest zijn en dat had hij haar eens gezegd en hoorde als antwoord haar gorgelend, opgewonden gegniffel.

'Maar schat, ik wil zelf kiezen! Ik wou, dat iemand een bordeel voor vrouwen oprichtte, waar ze zouden kunnen kiezen uit een hele reeks mooie hengsten. O, ik denk dat ik ze op één avond allemaal een beurt zou kunnen geven. Daarom ga ik ook zo graag naar Sadie – dat komt er nog het dichtste bij. Jij was die eerste avond echt naar tegen me, weet je nog? Spijt het je, nu je weet wat je toen gemist hebt?'

'Precies zoals jij daarnet zei – toevallig wil ik ook zelf mijn eigen keuze maken,' teemde hij. Reeds geprepareerd op haar graai naar zijn liezen, greep hij haar polsen en draaide die, totdat ze kreunde en jankte van de pijn.

Dat was nog iets, dat hij over Toni Lassiter ontdekt had. Niet alleen het toebrengen van pijn, maar zelfs het horen daarover, wond haar seksueel op, maar wanneer haar een zekere hoeveelheid pijn gedaan werd, had dat bij haar hetzelfde effect. Hij wist, zonder dat hij moeite behoefde te doen om het zich te herinneren, dat hij nog nooit een vrouw als Toni Lassiter ontmoet had. Een vrouw, die hem tegen zijn wil opwond door haar volslagen gebrek aan moraal, zelfs terwijl haar slangachtige aard hem afstootte.

Vanavond, terwijl Toni maar doorsprak en haar lichaam tegelijkertijd met hem flirtte, gingen de gedachten van Manolo ongewild van Toni naar Missie Carter. Verdomme – hij moest op zich zelf gaan letten. Want indien Toni de ene kant van een spectrum van vrouwen voorstelde, dan was Missie het andere uiterste. Het vreemde was, dat hij Missie niet begeerde, niet op de manier waarop hij andere vrouwen begeerde. En toch, ondanks haar opvliegende karakter en een tong, die op hol sloeg, vond hij het prettig om bij haar te zijn.

Eens had hij tot zijn grote verbazing geconstateerd dat, als hij lang genoeg zou leven, hij een dochter als Missie zou willen hebben. Hij was namelijk geleidelijk tot de ontstellende ontdekking gekomen, dat Missie hem niet langer als een vader zag, evenmin als een surrogaat voor een grote broer. Wanneer Matt Carter niet begon te spetteren, wanneer hij hen samen zag en wanneer Toni niet begonnen was met stekelige opmerkingen, zou hij in elk geval toch wel geraden hebben, dat Missie verliefd op hem begon te worden.

Ze besteedde meer zorg aan haar uiterlijk, kamde haar haren tot de knopen en slierten eruit waren en waste die elke dag. En dan had je de manier, waarop ze een kleur kreeg wanneer hij haar aankeek - af en toe stokte haar adem, wanneer hij haar aanraakte of hun schouders elkaar raakten. Wat ging hij voor de duivel met Missie doen?

'Comanche! Heb je naar me geluisterd? Wat vind jij van mijn plannen?' zei Toni.

Om zijn boosheid over zich zelf te camoufleren zei hij ruw: 'Het enige plan waaraan ik op dit moment kan denken, is, wat we beiden van plan waren toen je me voor het souper vroeg. Doe dat verdomde ding uit.'

48

Toevallig was rechter Benoit de eerste burger van Baroque, die voorgesteld werd aan de nieuwe eigenares van de plantage van Desmoulins. 'De inboorlingen,' noemden de soldaten van de Noordelijken de ingezetenen van de provincie, maar de rechter, die in het Oosten opgevoed was, nam een bijzondere plaats in en zelfs de immigranten waren gedwongen hem, zowel als de beslissingen die hij in de rechtszaal nam, te accepteren.

Er was niets ongewoons in het feit, dat Nicholas Benoit te dineren gevraagd werd bij de Belmonts. Hij was dikwijls hun gastheer geweest tegelijk met de andere hoofdofficieren en hun vrouwen in zijn magnifiek gemeubileerde huis. Maar zoals hij kwaadaardig aan Toni had uitgelegd, was dit een speciale gelegenheid; en de Belmonts, door hem uit te kiezen, maakten hem daarmee openlijk een compliment. Benoit besloot dat, wanneer zich een gelegenheid zou voordoen, hij de gastvrijheid van de kolonel zou belonen met het laten vallen van enkele wenken - heel discreet, dat zeker; maar misschien zou kolonel Belmont, een geharde, door de wol geverfde officier van West Point, hem de kosten besparen van het huren van het bureau Pinkerton.

'Aha, bent u daar, rechter! Blij u te zien!' De begroeting door kolonel Belmont was uitbundig en vriendelijk. 'U kent iedereen hier neem ik aan? Behalve dan señor Ortega - een neef van mevrouw Morgan.'

Een lange man met een blanke huid, met een scheiding in het midden van zijn blonde haar, bracht zijn hakken bij elkaar en boog ernstig toen hij de kennismaking bevestigde in foutloos Engels. 'Er gaan geruchten, dat señor Ortega de volgende Mexicaanse ambassadeur in Washington zal zijn, is het niet?' Kolonel Belmont kwam in zoverre uit de plooi, dat hij Nicholas Benoit een discrete oogknip gaf, terwijl Renaldo Ortega een afwerende beweging met zijn lange, goedverzorgde hand maakte.

'U bent buitengewoon complimenteus, kolonel. Maar werkelijk - ik ben alleen maar hier om iets van uw cultuur en gebruiken in me op te nemen en als escorte voor mevrouw Morgan dienst te doen.'

'Ik weet zeker, dat u benieuwd zult zijn om onze eregast te ontmoeten, rechter. Ik heb al gememoreerd, dat u een grote hulp zoudt kunnen zijn -

indien u althans de tijd ervoor zoudt hebben. Uw advies is voor mij altijd zeer waardevol, evenals het dat was voor mijn voorganger. Ze komt zo meteen beneden. Ze is even met mijn vrouw en de andere dames naar boven om zich op te frissen na de rit hierheen.'

Naderhand kon Nicholas Benoit zich niet meer indenken welk beeld hij zich eigenlijk van Virginia Morgan gevormd had. Hij herinnerde zich zijn vage mededeling aan Toni, dat hij meende dat ze rood haar zou hebben en kon zich om de oren geslagen hebben wegens zijn eigen gebrek aan opmerkingsvermogen, want hij was een man die er prat op ging bijzonderheden op te merken, die andere mensen ontgingen - afgezien nog van het feit, dat hij een vrouwenkenner was. Misschien had Toni zelf hem van zijn stuk gebracht met haar snijdende commentaren, dat een vrouw die door haar man genegeerd werd, lelijk en slonzig moest zijn.

Rood haar, inderdaad! Hoe had hij zich zó kunnen vergissen? Haar haren hadden de kleur van bleek-glanzend, nieuw aangemunt koper en waren modieus opgemaakt - het kapsel liet de oren vrij, waarin smaragden fonkelden - om in dikke, glanzende krullen neer te vallen op haar schouders en haar rug. Hij vermoedde, dat wanneer dat haar geborsteld werd, het dik en zwaar tot op haar middel zou hangen. Gewend aan mooie vrouwen kon Nicholas niettemin niet beletten, dat hij zijn adem inhield, toen hij haar naar beneden zag komen, één gehandschoende hand op de leuning, haar gezicht licht afgewend toen ze lachte om iets wat mevrouw Belmont gezegd had.

Later merkte hij haar ogen op, toen zij aan elkaar werden voorgesteld. Licht omhooggetrokken aan de hoeken, kwamen ze precies overeen met de kleur van haar smaragden en waren even fonkelend. Had hij het opnieuw mis of droeg haar stem werkelijk een spoortje van een accent?

Mijn God, wat was ze mooi! En die hartstochtelijke sensuele mond - hij vroeg zich af of Ortega haar minnaar was. Toen hij over de hand boog die zij hem toestak, voelde Nicholas Benoit voor de eerste keer iets meer dan een gewone nieuwsgierigheid omtrent de echtgenoot van deze vrouw, wiens naam in verband gebracht werd met die van prinses di Paoli. Waarom verkoos zij haar schoonheid en elegance te verbergen in dit afgelegen deel van Texas?

›Zijn zorgvuldig verhulde vragen leverden een korte zucht op en haar groene ogen werden donkerder.

'Maar hebt u dan nooit het verlangen gehad naar afzondering? Om alleen te zijn, om te kunnen denken en om besluiten te nemen? Ik heb genoeg gehad van grote steden en een beleefd gezelschapsleven, meneer Benoit.' Ze schonk hem een weemoedige glimlach. 'En ik geloof, dat u het begrijpt of ik zou niet zo openlijk tot u spreken!'

Ginny was opzettelijk van plan geweest om Nick Benoit te verblinden ofschoon ze een nog groter hekel aan de man had dan vóór ze hem ontmoette. Het was een krachttoer, maar ze glimlachte en vleide hem zonder dat het merkbaar was. Hij was ook zo ijdel!

Meneer Bishop had haar gewaarschuwd om rechter Benoit in geen geval te onderschatten en daarom paste ze zorgvuldig op, dat ze niet met hem flirtte, maar beurtelings weemoedig en bezadigd deed, terwijl ze hem tegelijkertijd toonde dat ze geen hersenloze pop was.

Door bemiddeling van de alomtegenwoordige meneer Bishop hadden ze tevoren afgesproken, dat Ginny en de vrouw van kolonel Belmont, Persis, verondersteld werden elkaar al eerder gekend te hebben uit de tijd, dat de kolonel gestationeerd was aan de Presidio te San Francisco. En Nick Benoit geloofde dat, vooral toen hij zag hoe vriendelijk de beide vrouwen tegen elkaar waren.

Later, na het diner, toen de laatste gasten vertrokken waren, vroeg Persis Belmont lachend: 'En . . . wat vind je van hem?'

'De plaatselijke Machiavelli? Hij ziet er wel naar uit!' antwoordde Ginny, die zich van de spiegel afwendde. Ze zag de spottend opgetrokken wenkbrauw van mevrouw Belmont en moest ondanks zich zelf lachen. 'Jij mag hem ook niet erg graag, is het wel?'

'Maar jíj hebt hem betoverd! Maar wees voorzichtig, alsjeblieft! Rodney zal nooit tot generaal bevorderd worden, wanneer er met jou iets zou gebeuren!'

'O, maar dat gebeurt ook niet. Ik zal doorgaan charmant te zijn tot, ik erbij neerval. Ik ben ook al gewaarschuwd door meneer Bishop, zie je.'

Het was voor de beide vrouwen gelukkig erg gemakkelijk om elkaar te mogen. Persis Belmont was de dochter van een professor en ze was op latere leeftijd getrouwd, na de dood van haar vader. Ze was geestig, had een droog gevoel voor humor, dat ze terwille van haar man trachtte te onderdrukken; en omdat ze bovendien een intelligente vrouw was, kon de kolonel haar absoluut vertrouwen en op haar discretie rekenen. Persis hield niet van Toni Lassiter en ook hier troffen Ginny en zij elkaar op gemeenschappelijk terrein.

'Zij is het soort vrouw, die andere vrouwen niet kunnen uitstaan!' zei mevrouw Belmont heftig. 'En ze heeft voor vrouwen ook geen tijd - ze concentreert haar charmes op mannen. Ze is natuurlijk heel mooi - maar ze slaat er geld uit. En zelfs wanneer ze glimlacht, blijven haar ogen kil. Rodney zegt, dat ik meer werk van haar zou moeten maken, maar ik . . . ik kan het gewoon niet! Misschien komt het, omdat ik haar op dezelfde manier naar hem heb zien kijken als ze naar kolonel Vance keek, en die had ze om haar pink gewonden!'

Persis Belmont was uitgehongerd naar conversatie met een vrouw van haar eigen achtergrond en opvoeding en bovendien: men had haar niet alles verteld. Vandaar dat Ginny heel terloops kon zeggen: 'Maar is die mevrouw Lassiter de enige presentabele vrouw van de plaatselijke bevolking? Er zijn toch . . .'

'Natuurlijk zijn er nog meer vrouwen. Maar de meesten zijn heel rustig, onelegant en ze zijn bang. Vriendelijk zijn ze ook niet. Ik vrees, dat ze ons beschouwen als bezetters. Ofschoon: je hebt dat meisje van Carter. Haar moeder was een Lassiter, maar de oude heer onterfde haar toen ze wegliep. Het grootste lopende schandaal is, dat de uitvoerder van Toni Lassiter belangstelling voor Missie Carter toont, ofschoon ze net zeventien is en in veel opzichten nog een kind. Hij had Toni zelfs overgehaald om rechter Benoit zover te krijgen, dat hij de Carters toestemming gaf zich weer op hun vroegere boerderij te vestigen. Op een of andere manier betaalden zij de achterstallige belasting en er waren mensen, die daarmee niet al te gelukkig waren. Maar wij zijn alleen maar hier om de orde te handhaven. Rodney zegt, dat we ons niet met de zaken van die mensen moeten bemoeien, behalve de orde bewaren. Ofschoon ik moet zeggen,' Persis Belmont beet even op haar onderlip, 'deze uitvoerder, een man, die ze Manolo noemen, is een hele lastpost. Hij is gemeen - ook veel te vlug met een revolver. En ik heb horen vertellen, dat hij een halve Comanche is. Hij ziet eruit - angstaanjagend! Rodney zegt, dat hij achter de tralies thuishoort als een wild dier. Juist het soort man dat aantrekkelijk is voor Toni Lassiter, denk ik. Maar het verbaast me, dat Joseph Carter hem in de buurt van zijn dochter toelaat.'

De volgende dag gingen ze rijden, Persis Belmont en haar nieuwe vriendin. Geëscorteerd door tien soldaten, dacht zelfs kolonel Belmont dat ze veilig genoeg waren. Het was de licht ontvlambare Joe Junior, die te paard toezicht hield op de paar stuks vee, die ze uit de eilanden in het moeras gehaald hadden, die hen het eerst zag; en toen zijn eerste wrevel bij de aanblik van de blauwjassen, die op hun gemak door hun land reden, voorbij was, stond hij met stomheid geslagen door de schoonheid van de jonge vrouw, die naast mevrouw Belmont reed.

'Het spijt me - zijn we op verboden terrein?' riep zij uit nog vóór hij woorden had kunnen vinden. 'We zochten alleen maar naar een kortere weg naar de rivier - het spijt me, dat die niet op mijn land loopt.' Toen glimlachte ze tegen hem zodat de zweetdruppels uit elke porie van zijn gezicht kwamen en voegde er verontschuldigend aan toe: 'Ik ben Virginia Morgan. Ik kom een poosje wonen op het land, dat eerst van meneer Pierce was. En daarvoor was het de plantage van Desmoulins. Ik vermoed, dat wij buren zijn - denkt u, dat u ons kun excuseren en dit als een formeel bezoek beschouwen?'

Zo, dat was zij dus! De geheimzinnige vrouw van de miljonair, waarvoor ze door Manolo gewaarschuwd waren. Joe trok zijn hoed van zijn hoofd, zijn gezicht was nog steeds rood. Met de mond vol tanden zocht hij naar woorden en had slechts verwarde gedachten: 'Maar ze is zo jong! En zo mooi, dat het onmogelijk lijkt, dat ze getrouwd zou zijn - en het is een dame, helemaal niet wat zij dachten, dat ze zou zijn.'

Eindelijk kreeg Joe zich weer genoeg in de hand om hen uit te nodigen mee naar huis te gaan. Hij wist niet wat hij anders moest doen, zoals hij later aan Pa en Matt uitlegde. Niet dat Pa veel te vertellen had: en zelfs Matt, ofschoon hij binnensmonds wat sputterde, kon het feit niet verbergen, dat hij onder de indruk was. Missie was nog het meest opgewonden, de sproeten tekenden zich duidelijk in haar gezicht af ondanks alle komkommer en karnemelk, die ze de laatste tijd gebruikte. En het was Missie, die niet de toestemming van Pa afwachtte, maar aanbood om de dames naar de rivier te begeleiden, - zodat mevrouw Morgan kon zien hoe die eruit zag.

Missie wist voldoende om ze ook niet verder te brengen - en in elk geval was Missie toch al helemaal opgewonden en haar groene ogen leken meer en meer op die van een kat, sedert Manolo haar die gekke ring gegeven had, die hij aan zijn vinger droeg. Die hing nu aan een lint om haar hals en ze speelde

er zenuwachtig mee, terwijl ze met de dames sprak.
'Och, wat is het hier mooi en vredig!' zei mevrouw Morgan toen ze de rivier voor het eerst zag.
'Vind jij dat werkelijk vredig en mooi?' vroeg Persis Belmont met een lichte huivering. 'Ik moet bekennen dat ik de woeste bergrivieren van Colorado en Californië prefereer. Deze knoestige, grotesk uitziende bomen, ze jagen me bijna schrik aan. En daarginds zijn gevaarlijke moerassen.'
Zonder aan haar manieren te denken, zei Missie snel: 'Maar de moerassen zijn helemaal niet zo verschrikkelijk, niet als je weet waar je moet lopen!' Toen bloosde ze opnieuw en haar vingers trokken nerveus aan het lint rond haar hals en de ring, die híj haar gegeven had, juist alsof ze zijn geliefde was.
En het was niet allemaal verbeelding, hield ze zich trots voor. Sedert die avond, dat hij Dave Madden en die andere arme kerels bevrijd had en ze zich tegen hem aan geworpen had en zijn stoppelige gezicht gekust had, omdat ze zo blij was hem veilig terug te zien en omdat ze de goede woorden niet kon vinden om te zeggen hoe gelukkig ze was – had hij haar anders aangekeken! Dat had hij! De lichte verandering in zijn manier van doen had Missie in het begin raadselachtig en verwarrend toegeschenen, tot ze op een goede dag, terwijl ze aan het praten waren, het als een vreugdevolle ontploffing tot haar doordrong, dat Manolo opgehouden was haar als een vervelend, achterlijk kind te behandelen.
Hij bracht boeken voor haar mee, waarvan sommige, afkomstig uit de oude Lassiter nederzetting, aan haar moeder hadden toebehoord.
'Toni zal ze nooit missen,' zei hij en haalde zijn schouders op; en toen, met blauwe ogen die onbegrijpelijk en hard werden: 'Ze maakt zich niet moe met lezen.'
Missie las de boeken gretig – in het begin alleen omdat ze die van Manolo gekregen had en later omdat ze lezen prettig vond. En hij – Manolo – hielp haar met de moeilijke woorden en zinnen, die ze niet begreep. Hij was zelfs begonnen haar Frans te leren – echt Frans – dat totaal verschilde van het dialect uit Louisiana dat Pa en haar broers gebruikten. Hij leunde dan met zijn rug tegen zijn geliefde boom, zijn ogen vertoonden kraaiepootjes, wanneer ze een woord verkeerd uitsprak.
Op dit soort ogenblikken lachte hij tegen haar – waarbij de lach tot zijn ogen reikte in plaats van een smadelijk optrekken van zijn lippen – zodat Missie alles vergat wat ze over hem zeiden, dat hij een vogelvrijverklaarde was en een moordenaar zonder geweten en zelfs het feit, dat hij de minnaar van Toni was. Ze merkte dat zij verliefd op hem werd, hoewel ze hem eigenlijk niet kende; en de gedachte joeg haar angst aan, ondanks dat het haar een ademloos, zweverig gevoel gaf.
Hij had de ring aan zijn vinger gehad, toen Teresita en zij hem vonden. De Indiaanse vrouw had haar later verteld, dat het een symbool van de Comanchen was – het Slangenvolk. Het was vervaardigd van een vreemd roodachtig goud, dat er bijna uitzag als koper, gemaakt in de vorm van een slang, met twee kleine groene stenen als ogen, waarvan Manolo haar later verteld had, dat het smaragden waren. Ze was door de ring gefascineerd en

op die bepaalde dag, toen hij bij de rivier gekomen was met twee nieuwe boeken, had ze de verleiding niet kunnen weerstaan om de ring aan te raken - zich tegelijkertijd afvragend waarom de aanraking van haar vingers met die van Manolo, plotseling een rilling over haar rug deed lopen. Om haar verwarring te verbergen, zei ze snel: 'Het ziet er uit als een echte slang, is het niet? Zelfs de kleine, gesneden schubben.'

Plagend zei hij, dat het hem meer herinnerde aan een roodharige, groenogige vrouw.

Missie staarde hem met grote ogen aan.

'Bedoelt u iemand als ik? U hebt me groenoog genoemd, weet u. De eerste keer dat u mij ooit hebt gezien. Maar ik weet niet of ik het leuk vind om vergeleken te worden met die oude slang of niet!'

Hij grinnikte tegen haar. 'O, dat weet ik niet! Jij hebt hetzelfde puntige, driehoekige gezicht natuurlijk - maar ik moet toegeven, dat jij mooier bent!'

En toen, vóór ze nog een antwoord had kunnen verzinnen, had hij haar overbluft door de ring van zijn vinger te trekken en die achteloos in haar schoot te gooien alsof die niets voor hem betekende. De ring was nog warm van zijn vinger.

'Hier, kleine meermin van het moeras, houd jij die maar. Ik heb gemerkt dat ik er last van heb en dat hij in mijn overhemden blijft haken.'

Missie had zich de gewoonte aangewend om aan het groene lint rond haar hals te trekken, wanneer ze zenuwachtig was - en af en toe de ring aan te raken om er zeker van te zijn, dat die er nog was. Nu deed ze het weer en werd er zich verwarrend van bewust, dat zij weer verzonken raakte in een van haar dagdromen over Manolo en dat midden in een zin, die mevrouw Belmont zei. Wat zouden ze van haar denken?

Haar gezicht werd vuurrood. Missie keek van de een naar de ander, maar zag alleen twee lachende gezichten.

'Het . . . het spijt me, maar ik denk, dat ik niet goed geluisterd heb,' en bij elk woord dat zij stotterde, besefte ze, dat ze het alleen nog maar erger maakte. O, als de grond zich maar wilde openen en haar opslokken, nu, op dit ogenblik!

'Het is helemaal niet erg, wanneer je af en toe in dagdromen verzeild raakt, weet je,' zei mevrouw Morgan zacht. 'Ik herinner me, dat ik precies hetzelfde deed. In de achtertuin van het huis van mijn oom was mijn geliefkoosde appelboom, waar ik me verborg en alles droomde wat ik maar wilde, tot iedereen wist waar ze me moesten zoeken!'

Missie keek de glimlachende jonge vrouw dankbaar aan, zij kon maar een paar jaar ouder zijn dan Missie, al was ze dan ook getrouwd.

'In mijn geheime plek staat ook een grote oude boom. Maar mijn broers komen me altijd opzoeken . . .' Missie snakte even naar adem toen de knoop die ze in het lint gelegd had, los ging. Ze lette niet op wat de dames zouden denken en greep met een zucht van verlichting de ring.

'Hier,' zei mevrouw Morgan en strekte haar kleine, gehandschoende hand uit om haar te helpen, waarbij ze zich voorover uit het zadel boog. 'Het is alleen de knoop maar - laat mij die maar weer even vastmaken.'

De ogen van Persis Belmont bleven nieuwsgierig op de ring rusten, die Missie zo zorgvuldig vasthield.

'Wat een prachtig vakmanschap!' zei ze plotseling. 'Hij is antiek, is het niet?'

Missie wist niet waarom ze zich gedwongen voelde een verklaring te stamelen, waarbij haar gezicht weer rood aanliep.

'Ik . . . het is . . . een vriend heeft me die gegeven. Het is het mooiste cadeau dat ik ooit gehad heb . . . ik zou het niet kunnen verdragen, wanneer ik hem verloren zou hebben!'

'Ginny, ik geloof dat ze in het geheim verloofd is!' lachte mevrouw Belmont plagend maar toch vriendelijk; haar ogen twinkelden. 'Maak je maar geen zorgen, ik beloof je, dat we het aan geen mens zullen zeggen. Ik vind, dat elk meisje minstens een keer in haar leven in het geheim verloofd moet zijn.'

'O! O ja, hij ís mooi en heel ongewoon van ontwerp.' Maar Missie was veel te opgelucht, terwijl ze de ring terug in haar blouse liet glijden om op te merken hoe zwijgzaam Virginia Morgan plotseling was geworden en hoe merkwaardig schril haar stem geklonken had.

Als Persis Belmont zich al afvroeg, waarom Ginny plotseling zo stil geworden was en zo graag hun rit wilde bekorten, stelde ze tactvol geen vragen. Maar sedert Ginny die ring gezien had . . .

Smaragdjes gezet in het rode goud van de Zwarte Heuvels. Een ongewone ring, bedoeld voor een man om aan zijn pink te dragen. En het was je reinste ondeugende impuls geweest, dat ze die voor Steve gekocht had, hoewel ze wist dat hij een hekel aan ringen had. Wanneer was hij begonnen die te dragen? En welke impuls had hem ertoe gedreven om die aan Missie Carter te geven?

'Het is nog een kind!' dacht Ginny boos. 'Zelfs hij zou toch nog een beetje fatsoen moeten hebben,' en toen herinnerde zij zich, dat hij helemaal geen fatsoen getoond had waar het haar betrof; en toen hij haar voor de eerste keer genomen had, was ze maar twee jaar ouder geweest dan Missie nu was. Ze herinnerde zich ook wat Persis haar gisteravond verteld had. Dat was een van de redenen geweest, waarom zij Missie Carter zelf had willen zien. Missie – die zij zelf had kunnen zijn toen ze zeventien was, nog steeds naïef en kinderlijk, haar hoofdje gevuld met romantische dromen. Tot ze door de tijd, en door Steve, veranderd was in de vrouw die ze nu was.

Voor de eerste keer keek Ginny de gedachte recht in het oog, dat Steve haar misschien niet eens zou herkennen, wanneer hij haar zag. En als hij zich haar herinnerde – zou hij haar nog willen hebben?

49

Het was señora Armijo, die, met afkeurend op elkaar geperste lippen, onwetend de oplossing gaf voor de vraag, die Ginny achtervolgd had sedert zij de ring gezien had, die Missie Carter aan een groen zijden lint om haar hals had hangen.

Ze zaten in wat de señora maar steeds de sala bleef noemen en Ginny zat verstrooid met haar vingers op de leuning van een stoel te trommelen, terwijl haar ogen, lichtelijk gezwollen door gebrek aan slaap, nietsziende uit het venster staarden.

'Werkelijk! Neem me niet kwalijk, Genia, maar ik kan niet zeggen, dat ik de gewoonten in deze barbaarse plaats begrijp! In Mexico, zoals je weet, zijn de mensen veel vriendelijker. Er zou voor een nieuw-aangekomene een fiesta gehouden worden - ik herinner me, dat toen mijn overleden echtgenoot en ik ons nieuwe huis betrokken, iedereen een bezoek bracht om ons het beste te wensen. Het was de eerste keer, dat ik ontving natuurlijk en ik herinner me nog hoe zenuwachtig of ik was!'

Met moeite richtte Ginny haar aandacht weer op de oudere vrouw. 'Mevrouw Belmont is al zo vriendelijk geweest om voor ons een diner te geven. En ik weet niet of ik wel geneigd ben . . .'

'Ginny!' Het was helemaal niets voor Ricardo om te onderbreken en ze sperde haar ogen wijd open bij de plotselinge aandrang in zijn stem. 'Zie je het niet? Dat zou de volmaakte oplossing zijn. Wat kan er tenslotte natuurlijker zijn dan dat je met je buren kennis wilt maken? Je kunt uitnodigingen verzenden voor een avondfeest. Met de aankondiging dat er na het souper gelegenheid tot dansen is, ik geloof . . .' Hij wierp haar een peinzende bijna strenge blik toe en zijn stem werd doortastend. 'Ik geloof dat het hoog tijd wordt, dat we de zaken op de spits drijven. Het heeft geen zin, dat jij hier maar zit te kniezen en je zorgen maakt om misselijk van te worden over de verschillende mogelijkheden, die misschien niet eens bestaan.' En toen, wat kalmer: 'Jij bent toch ook nooit een confrontatie uit de weg gegaan, is het wel? Ik geloof dat dat een van jouw kwaliteiten is, die ik het meest bewonder . . . Waarom zou je het onvermijdelijke uitstellen?'

Onbewust stak ze haar kin uitdagend vooruit.

'Ja - je hebt gelijk natuurlijk, zoals gewoonlijk. Waarom niet? Ik móet Steve zien - dit is allemaal zo belachelijk!'

Het was natuurlijk Renaldo, even zorgvuldig als altijd, die toezag op de gang van zaken, die lange uren doorbracht met de ploegbaas en naar zijn klachten luisterde - onderwijl trachtte hij ook enige orde te scheppen in de schetsmatig bijgehouden boekhouding.

'Deze plaats heeft zijn mogelijkheden en nu het vee zo'n goede prijs maakt, zou je winst moeten maken. Maar,' Renaldo trok hulpeloos zijn schouders op, 'ik heb nog nooit zo'n onbekwaamheid gezien! De grensafscheidingen zijn weg - alle gebouwen moeten nodig gerepareerd worden. Zelfs dit huis - dit moet ooit een erg mooi gebouw geweest zijn toen er nog mensen in woonden. Maar nu moet er, zoals je wel gezien zult hebben, van alles aan gedaan worden. Ik ben bang, Ginny, dat je naar de bank zult moeten om geld op te nemen. En je moet werkmensen huren en meer cowboys.' Hij schonk haar een halflachende blik. 'Je kunt het je werkelijk niet veroorloven, dat er nog meer vee van je gestolen wordt!'

Op dat ogenblik wist ze niet of ze lachen of huilen moest. 'O, Renaldo! Denk je echt dat het Steve geweest is, die die hele kudde geritseld heeft?

Kolonel Belmont denkt dat.'

'Ik twijfel er niet aan, dat hij het was,' zei Renaldo een beetje grimmig. 'Hij is erg goed in dat soort dingen, zoals je je wel zult herinneren. Ginny ...'

Maar haar gezicht was alweer veranderd en haar uitdrukking kreeg die in de laatste tijd maar al te bekende strakheid.

Ze ging naar de bank, een kleine, in Baroque. Ze besprak de lijst van gasten met Persis Belmont, die zich met enthousiasme op het plan wierp. En dan had je nog rechter Benoit - Ginny herinnerde zich het advies van meneer Bishop wel laat en tegen haar zin - maar ze maakte er toch een punt van om haar plannen met hem te bespreken, bekende lieftallig dat ze advies nodig had, omdat ze alles precies goed wilde doen.

'Ik wil, dat iedereen komt. Iedereen. Niet alleen de belangrijke mensen en de officieren van de legerplaats, maar ook de cowboys en de boeren en ook de gewone soldaten. Zoveel als er maar vrijgemaakt kunnen worden. Vindt u dat ik dwaas en grillig ben? Ik wil, dat iedereen mij kent en ik wil hen kennen. Ik wist wel, dat u het zoudt begrijpen!'

Nicholas Benoit bracht een tweede bezoek aan zijn schoonzuster en trof haar in een bijzonder slechte stemming aan.

'Zo, dus ze is passabel om te zien. En geen volslagen idioot. Moet ik achter haar aan kruipen, zoals ieder ander schijnt doen? Ik wil het niet, Nicky! Waarom moet ik me met neerbuigende minzaamheid laten behandelen? En ik dacht, dat jij even gretig zat te wachten, dat we haar kwijt zouden raken, als ik!'

'Eén ding, dat je nooit geleerd hebt, Toni, dat is geduld! Ze is echt niet het soort vrouw, dat tevreden zal zijn hier haar hele leven te wonen, afgesloten van alles waaraan ze gewend is. Ik geef haar ... o, een maand of wat voor ze zich begint dood te vervelen. En in de tussentijd, terwijl die neef van haar de zaken regelt, hoop ik, dat jij die Indiaan van jou aan de lijn houdt. We kunnen ons geen moeilijkheden veroorloven zolang zij hier is.'

'Zij! En wie, verdomme, is zij - dat toonbeeld van alle deugden? Een teef, ongetwijfeld. Misschien is ze om een of andere reden hier gekomen om zich te verbergen - ik wil er alles om verwedden, dat het zoiets is! De man over wie jij het had: dat is haar minnaar. Ze willen hun overspel in het geheim voortzetten, denk ik. En dan neemt ze al die airs aan - geeft notabene een avondfeest! Wie denkt ze dat ze is, een weldoende fee? In elk geval: ik ga niet. Hoor je dat, Nicky? Ga maar terug en zeg haar, dat ik niet kom.'

Nick Benoit glimlachte en stofte kieskeurig zijn hoed af, terwijl hij opstond.

'Denk je dat mevrouw Morgan jou zal missen? Jij zult waarschijnlijk een heel interessante bijeenkomst missen, liefje; maar omdat je bang bent om tegenover een vrouw te komen staan, die jou in charme evenaart - dan valt er niets meer te zeggen, is het wel?'

Het humeur van Toni Lassiter werd er niet beter op, toen ze ontdekte dat zelfs haar zwijgzame uitvoerder van plan was om de partij bij te wonen, die mevrouw Morgan bestempeld had als 'een soort fiesta'. En toen ze hoorde dat hij Missie Carter zou begeleiden, vloog ze op hem af - met nagels, die naar zijn ogen gericht waren. Met harde blauwe ogen, de voeten uit elkaar, leek hij alleen maar een arm op te heffen, maar Toni ontdekte dat ze ruggelings tegen de traptreden lag.

'Dat soort spelletjes kon je misschien met Billy-Boy Dozier uithalen. Maar probeer ze eens bij mij en ik zal je afranselen vóór ik hier voorgoed vandaan rijd.'

Ze hijgde van verbluffing en woede, maar de blik in zijn ogen, gepaard aan zijn opeengeperste lippen, terwijl hij op haar neerkeek, maakte dat Toni de vloed van scheldwoorden, die naar haar lippen sprong, maar inslikte.

Ze lag waar ze gevallen was, de lange rok van haar japon opgetrokken tot halverwege haar dijen en begon te jengelen.

'Waarom ben je toch altijd zo wreed tegen me, Comanche? Begrijp je dan niet, dat het allemaal een val is? Kolonel Belmont zal daar zijn met het merendeel van zijn soldaten, daar wil ik om wedden. En jij weet, dat hij jou niet mag. Wat ben je - stom? En dan te gaan met dat jong uit het moeras . . .!'

'Haar Pa en haar broers zullen er ook zijn. En afgezien daarvan: het staat niet wanneer jij je in het publiek vertoont met je gehuurde hulp, zou het wel? Wanneer je nog een beetje verstand hebt, dan ga je alleen of met je zwager. Wie weet wat noor nuttige inlichtingen je nog kunt oppikken.'

'Jij bastaard! En om welke reden ga jij?'

Hij grinnikte vreugdeloos tegen haar.

'Inlichtingen. Iets ontdekken van de tegenpartij. En kolonel Belmont van gezicht tot gezicht ontmoeten. Onofficieel heeft hij van mij een oefenschietschijf voor zijn soldaten gemaakt. Misschien wil hij zijn prooi wel eens van dichtbij zien.'

'Jij bent gek! Ik vertrouw die vrouw niet - en die harkerige kolonel Belmont helemaal niet. Ik denk dat het een soort val is!'

'In dat geval, waarom probeer je dat niet te ontdekken?'

Omdat ze hem nodig had, veranderde ze plotseling van stemming, ze bewoog wulps haar lichaam, zodat haar rok nog hoger kwam.

'Je behoeft bij mij niet om hulp aan te komen, wanneer er iets mis gaat. Ik zal zeggen, dat ik van niets wist - dat ik je gehuurd heb omdat ik iemand nodig had in de plaats van Billy-Boy. Maar hij was geen echte man - zijn revolver was het enige wapen, dat hij redelijk goed gebruikte, Comanche . . .' Haar ogen begonnen te glanzen evenals de roze lippen, die zij voortdurend bevochtigde met haar uitflitsende spitse tong. Zacht linnen scheurde onder haar eigen vingers en toen was ze helemaal roze en wit en zilver. Haar heupen welfden zich en op haar plotseling naakte lichaam leek elk zilverblond haartje de gloed te weerkaatsen van de olielamp - die al eerder door haar discrete bedienden was aangestoken.

Ze was een wulpse hoer, die smeekte om bereden te worden. En omdat ze er toch was en zich aanbood, nam hij haar en vroeg zich met een ongeïnteresseerd, eigenlijk misselijk makend gedeelte van zijn brein af waarom hij maar steeds visioenen had van groene katteogen en haren, die zacht en zijdeachtig onder zijn handen aanvoelden, zelfs wanneer het helemaal in de war zat.

Er moest een vrouw geweest zijn - ergens, ooit, die belangrijk voor hem geweest was, om zo frustrerend in zijn geheugen te blijven hangen. Er waren tijden, wanneer hij ontspannen was en niet bewust aan welk ding dan ook dacht, dat kleinigheden, zoals de zon op Missies haar, die de rode kleur veranderde in goud, hem van zijn stuk brachten. En zelfs Missie, hoe naïef ze ook was, begon op dergelijke momenten te blozen, wanneer zijn ogen zich vernauwden en donkerder werden, terwijl hij haar aankeek.

Was het mogelijk, dat er ooit een andere vrouw geweest was, van wie hij zich niet had kunnen losmaken? Het was deze eigenschap in de man, die zij Comanche noemde, die Toni Lassiter het meest verfoeide, zelfs ofschoon ze hem daardoor meer begeerde. Nee, dacht Toni, terwijl ze zich als een kat uitrekte, ze was met hem nog niet klaar! En Nicky, met zijn akelige waarschuwingen en zijn zure gezicht, kon naar de hel lopen! Ze zou wel een manier vinden om die Comanche kwijt te raken, wanneer ze genoeg van hem zou hebben - of iemand anders gevonden zou hebben, die haar meer aantrok.

Rechter Benoit gromde sardonisch toen hij de volgende ochtend het briefje van zijn schoonzuster kreeg. Ze had dus de uitnodiging van mevrouw Morgan toch aangenomen, precies zoals hij vermoed had, dat ze uiteindelijk toch zou doen. Je kon altijd rekenen op de nieuwsgierigheid van die kleine Toni en haar sluwe brein! Alleen toen hij van Matt Carter hoorde, dat zijn nicht begeleid zou worden door de minnaar van Toni begon hij fronsend te kijken. Wat dacht die oude gek van een Joe wel? Een onschuldig kind als Missie, zonder enige kans om behoorlijke jonge mannen te ontmoeten, die wat meer van haar leeftijd waren - Joe had hem Missie naar die kostschool voor jongedames moeten laten sturen, zoals hij gewild had. Dat was wat Missie nodig had, de kans om te leren een dame te worden. Hij zou nog eens moeten uitrijden en met Joe gaan praten.

Maar tenslotte was het Ginny Morgan, die zijn plannen voorkwam. Ze zei dat ze in Baroque de postkoets had opgewacht toen ze in zijn bureau verscheen, door de zon gebruind, glimlachend en een beetje buiten adem omdat, zoals ze zei, ze helemaal naar de Carters was gereden en terug.

'Missie heeft me verteld, met wie ze zou gaan - en omdat ik vermoedde, dat u zich daarover waarschijnlijk zorgen zou maken, dacht ik dat ik beter even aan kon komen en een paar minuutjes met u praten. Wanneer u althans tijd hebt?'

'Ik ben zeer vereerd, dat u de moeite neemt mij te bezoeken!' De manieren van Nick Benoit waren overdreven beleefd, terwijl hij probeerde om zijn nieuwsgierigheid te verbergen. Mevrouw Morgan intrigeerde hem op meer dan één manier. Hij voelde een verborgen hartstocht in haar, die bevestigd werd door haar mond en de manier waarop ze zich bewoog; en toch, ze werd altijd begeleid door haar Spaanse dueña of door die zogenaamde neef van haar of door de soldaten, geleverd door kolonel Belmont. Wat had een vrouw van haar klasse, gewend om zich te bewegen in een kosmopolitisch milieu, naar Baroque gedreven?

Ginny kon zijn gedachten bijna lezen, maar ze hield haar gezichtsuitdrukking half-vragend en half-preuts, toen ze de stoel accepteerde, die hij haar galant aanbood.

'Ik weet niet hoe ik dit zal zeggen – u bent tenslotte de oom van Missie. Maar ziet u, ik herinner me hoe ik me voelde toen ik zo jong was als zij en ik heb het gevoel, dat het erg slecht zou zijn om haar te verbieden met deze ... deze woeste en geheimzinnige man mee te gaan, die, naar ik hoor, haar zal begeleiden. En ik had haar gezegd, dat ze mee kon brengen wie ze wilde! Begrijpt u?' Snel ging ze door alsof ze bang was voor zijn reacties: 'En ik meende het echt, toen ik zei, dat ik iedereen hier zou willen ontmoeten. Zowel Renaldo als ik zijn ... nu, om de waarheid te zeggen, benieuwd naar de man, van wie kolonel Belmont denkt, dat hij verantwoordelijk is voor de diefstal van mijn vee en nog voor heel veel andere dingen! Ik heb Missie gevraagd om vroeg te komen – ik mag haar graag, weet u, want ze herinnert me aan me zelf toen ik die leeftijd had. En ik zal een jurk opzoeken, die ze kan dragen. Misschien, wanneer ze die man ziet tegen een geciviliseerde achtergrond, dat ze zal beseffen, hoe verkeerd ze doet met haar loyaliteit.'

Zelfs rechter Benoit, die prat ging op zijn subtiele geest, kon zien welk een slim plan dat was. Virginia Morgan, zo besloot hij, was een uitzonderlijk slimme en begrijpende vrouw, afgezien nog van het feit, dat ze zelf buitengewoon mooi was. Haar Franse achtergrond en opvoeding, ongetwijfeld. Hij bevond, dat hij zelf al gretig uitkeek naar het feest dat ze zou geven en niet alleen omdat hij wist, dat hij plezier zou beleven aan het gezicht van Toni, wanneer die voor het eerst de vrouw zag, die ze bestempeld had als een paardegezicht en puriteins.

'Bah! Wat een slijmerige en schijnheilige vent is dat!' zei Ginny later tot Renaldo. 'Hij doet alsof hij een heer is en een dandy en toch had ik het gevoel dat hij mij, zolang ik met hem zat te praten, met zijn ogen aan het uitkleden was. Nieuwsgierig is hij ook – hij probeerde zijn vragen zo terloops en toevallig mogelijk in te richten, maar ik wist dat hij zich van alles over mij zat af te vragen. Ik kan het nauwelijks klaarspelen om aardig tegen hem te doen.'

'En deze señorita Melissa – dat jonge onschuldige kind? Ik hoop, Genia, dat je ook aan haar zult denken. Wat zal er met haar gebeuren wanneer deze hele maskerade voorbij is? Hoe zal haar toekomst zijn? Ik ben het met rechter Benoit eens, die ik evenmin mag, op dit éne punt: ze verdient meer dan dit! En ik ben ook bang, dat Steve, als hij zich het verleden helemaal herinnert ...'

'Je bent bang, dat hij haar misschien al verleid heeft?'

Toen Ginny naar boven naar haar kamer gegaan was, onder het voorwendsel van vermoeidheid, merkte Renaldo dat hij rusteloos was, dat zijn zenuwen gespannen waren.

Waarom moesten ze zo behoedzaam doen en zo langzaam? In zo'n belachelijke, ongelooflijke situatie – en het was meneer Bishop, wiens orders ze nu opvolgden, die dit in de eerste plaats veroorzaakt had.

Renaldo constateerde dat hij bezorgd was – niet alleen voor Ginny en voor Esteban, die hij gekend en verdedigd had van hun jeugd af, maar ook voor deze kleine Missie Carter. Hoe konden ze een liefelijke naam als Melissa veranderd hebben in zo'n belachelijke afkorting? Melissa – het klonk bijna Spaans en het paste bij haar.

Renaldo, die een leven lang de voorkeur gegeven had aan boeken boven jengelende vrouwen, had altijd een ouderwetse, ofschoon ietwat cynische houding tegenover het schone geslacht aangenomen. Zijn eerste ontmoeting met Ginny, had zijn denkwijze een beetje veranderd, toen hij ontdekte dat een vrouw intelligent kon zijn, in sommige opzichten wereldwijs en toch een dame blijven. Melissa Carter was gebleken geheel buiten zijn gezichtskring te liggen en nu ontdekte hij, dat hij zich nog zorgen maakte ook.

50

Missie was zó opgewonden tegen de tijd, dat de morgen aanbrak van wat ze de dag van 'het grote bal' noemde, dat ze er bijna misselijk van was – gedeeltelijk van verwachtingen en gedeeltelijk omdat ze bang was. Maar die aardige meneer Ortega en die Spaanse dame met het pruimegezicht, waren komen aanrijden in een van die mooie rijtuigjes van mevrouw Morgan om haar op te halen; en tegen de tijd, dat ze bij het huis van Desmoulins waren, dat nu bijna onherkenbaar was nu de werklieden klaar waren met verven en restaureren, zag ze nog een beetje betrokken maar voelde zich minder bang.

Meneer Ortega – ze moest onthouden om hem señor te noemen – behandelde haar precies alsof ze een grote dame was, en zelfs de Spaanse dame glimlachte, toen ze haar naar boven bracht en mompelde, dat Genia zo'n uitstekende smaak had en dat de japon, die ze voor Missie had uitgekozen eenvoudig prachtig was en volkomen geschikt voor een jonge vrouw.

Missie, die zich voor de eerste keer een vrouw hoorde noemen, kon alleen haar ogen opensperren en blozen. Mevrouw Morgan was zo aardig geweest! En hier te zijn was net een droom. Het gevoel dat Missie had, dat ze een rol in een verhaal speelde dat zij zich verbeeldde, werd nog sterker, toen ze zich voor het eerst zag in de japon die ze zou dragen.

'Vind je het erg, dat het er een van mij is? Ik heb hem nog niet gedragen en ik vond het ontwerp en het materiaal zó mooi, maar toen ik hem aantrok leek hij een beetje te jong voor me. Geloof jij in het noodlot? Misschien bewaarde ik die jurk, omdat die in zekere zin bestemd was om door jou gedragen te worden.' Zonder Missie de kans te geven om iets meer te doen dan te hijgen van verbazing, draaide Ginny haar snel om, verwijderde de ring, die ze aan het lint droeg en maakte een snoer glanzende parels rond haar hals vast.

'Je ring is wel veilig, maak je geen zorgen. Mijn tante Celine wilde mij op mijn eerste bal niet anders dan parels laten dragen. En ofschoon ik liever smaragden had willen hebben, ontdekte ik dat ze toch gelijk had. Mijn neef Pierre escorteerde me, herinner ik me nog en ik had de prachtigste tijd van mijn hele leven.'

Meer dan ooit voelde Missie, toen ze zich in de spiegel bekeek, dat prinses van een sprookje, een mooi feeëriek wezen, dat ze niet eens kon herkennen. Ze had minstens een half uur in een warm, geparfumeerd bad gelegen en daarna was er de grote, pluizige handdoek om zich mee af te drogen.

Zelfs haar onderrokken waren van zijde en voelden vreemd-zacht en glad tegen haar huid. Haar jurk was gemaakt van wit brokaat doorweven met zilveren draden, zodat het glinsterde bij elke beweging als het licht erop viel. Van voren was die lager uitgesneden dan enige jurk die Missie ooit tevoren bezeten had - maar niet zo laag als de japon van vurige opaal van Ginny Morgan, die Tia Alfonsa een zucht van herinnering deed slaken.

'Aha - ik herinner me zo'n japon! Esteban bracht die voor jou mee uit Mexico City en je bent erin getrouwd. Wat heb je ons die avond een tijd bezorgd! Hoe zou ik dat ooit kunnen vergeten? Die arme doña Maria was dagen daarna nog van streek.'

'Maar Missie is vast niet geïnteresseerd in mijn saai verleden,' zei Ginny luchtig en Tia Alfonsa had haar lippen zó stijf opeengeperst - net alsof ze te veel gezegd had. Missie merkte het niet echt op, want ze had het veel te druk met naar haar eigen spiegelbeeld te staren.

'Wil jij me helpen ontvangen? Ik moet op het nippertje nog een paar dingen nakijken en afgezien daarvan, zegt men dat de werkelijk mondaine gastvrouw altijd te laat komt op haar eigen soirees!' De lach van Ginny verried Missie, dat ze om zich zelf lachte - en toen zag ze de manier waarop de ogen van meneer Ortega groter werden en vreemd opklaarden toen hij haar langzaam en verlegen de trap zag afdalen . . . Ze had het gevoel, dat ze hierna alles onder het oog zou kunnen zien! Voor de eerste keer in haar leven had Missie de openlijke bewondering in de ogen van een man gezien - die zei, dat ze mooi was, die haar liet merken dat ze een vrouw was. Hoe zou Manolo haar zien, wanneer hij met haar broers meekwam? Wat zou zíjn blik te zeggen hebben?

Met behulp van wat steun van Renaldo Ortega en zijn warme, vertrouwen wekkende aanwezigheid naast haar, was het ontvangen van de goedgeklede gasten echt niet zo moeilijk.

'Ik zal jou voorstellen als de logée van Ginny. Al wat je dan hebt te doen is je hand uitsteken en te glimlachen, wanneer jij hun zegt hoe blij je bent om hen te ontmoeten.' Hij gaf haar hand, koud ondanks de witte zijden handschoenen, een bemoedigend kneepje en voegde er op lage, bijna aarzelende toon aan toe: 'Ik weet zeker, dat al onze gasten, net als ik, met stomheid geslagen zullen staan over uw schoonheid, señorita Melissa.'

'O! Maar dat komt van deze prachtige japon, die me zoveel verandert natuurlijk! Ik kon me zelf niet in de spiegel herkennen, weet u! Mevrouw Morgan is zó aardig geweest - ik hoop alleen maar dat ik haar vanavond niet zal teleurstellen!'

'Ik geloof, dat je daarvoor niet bang behoeft te zijn!' zei Renaldo met veel meer nadruk dan hij eigenlijk bedoeld had. Bij zichzelf overwoog hij, toen de eerste gasten begonnen te komen, dat hij hoopte dat Melissa door dit alles niet zou veranderen - dat ze niet zou veranderen in een flirt, maar haar natuurlijke naïviteit en charme zou weten te bewaren. 'Ze is net een kleine bosnimf!' Zelf was hij verbaasd over deze gedachte. 'Ik moet hierover met Genia praten - Melissa moet niet bedorven of gekwetst worden op welke manier dan ook, door deze elegante maskerade. En wanneer ik de kans krijg om met Esteban te spreken . . .'

Maar zou die kans ooit komen? Waar was hij? Onbewust herhaalde Ginny de gedachten van Renaldo, zowel als van Missie, toen ze de brede trap afdaalde, vijftien minuten te laat.

Nu het ogenblik aangebroken was voelde zij zich zenuwachtig - bang bijna - niettegenstaande haar broze uiterlijk van opgewektheid. Wanneer de aanblik van haar, Steve niet wakker schudde in zijn geheugen - of, indien hij om een of andere reden verkoos dat niet te doen - wat dan? Ze had de japon, die ze vanavond droeg, expres besteld, het was een nauwkeurig duplicaat van de japon die Steve haar cadeau gegeven had op de avond van hun overhaaste, geheime huwelijk. En ze droeg vurige opalen, die als veelkleurige vlammen in haar oren fonkelden, rond haar slanke hals en haar polsen.

Ze moest zich kalm houden - voorbereid zijn op het ergste - op alles. Haar gedachten gingen koortsachtig, terwijl ze maar glimlachte en glimlachte en beleefde banaliteiten mompelde.

Wanneer zou hij komen opdagen? Zou hij wel komen? Ze beet zich vast aan de gedachte, dat de vader en broers van Missie ook nog niet gekomen waren.

Toni Lassiter maakte een dramatische late entree aan de arm van rechter Benoit. Haar lichtblonde haar glansde als zilver onder de fonkelende kandelabers, haar japon was van dof goudbrokaat en liet de kleur van haar amber-gouden ogen uitkomen. Haar blote schouders en armen glansden met een parelachtige gloed en haar roze lippen, die altijd vochtig glansden, bogen zich naar boven in een glimlach, die zowel spottend als uitdagend bedoeld was.

'Ik heb zoveel over u gehoord van onze beste Nicky! En mijn hemel, wat hebt u een uitstekend karwei laten verrichten aan dit oude, vervallen huis. Het was natuurlijk niet zo stevig ontworpen en gebouwd als het huis van wijlen mijn echtgenoot. Zijn vader heeft het laten bouwen, weet u, en wanneer de rivier overstroomt, komt die nooit tot aan het huis. Ik hoop voor u, dat we niet zo'n rampzalige overstroming krijgen als twee jaar geleden. Maar . . . dan bent u waarschijnlijk niet meer hier, is het wel?'

'Zij . . . zij is een ongeciviliseerde, opgeblazen kat!' dacht Ginny woedend. 'Hoe kón Steve? Zelfs wanneer hij zich niets van het verleden herinnert!' Ze zou graag een handvol zilverblond haar bij Toni hebben uitgerukt en haar japon, van haar veel te laag decolleté tot haar middel uit elkaar gerukt hebben, maar in plaats daarvan glimlachte ze zoetjes en sloeg geen acht op de provocerende toespraak van dat Lassiter-mens.

'En ik ben zo blij, dat ik u eindelijk ontmoet. U bent precies zoals ik me had voorgesteld. Rechter Benoit, goed om u weer te zien.'

Hoe kon ze? Na wat die gemene Toni gezegd had, hoe kon ze dan zo lief tegen haar doen? Missie stond verwonderd en ze was opgelucht, dat ze vlak naast Renaldo Ortega stond. Ze kon de onaangename glinstering in de ogen van Toni zien en het optrekken van haar volle lippen, maar ze rechtte haar rug en boog lichtjes haar hoofd zoals ze Ginny had zien doen.

'Hé, Missie! Ik zweer - ik zou je nooit herkend hebben zonder die smerige vodden, die je zo graag schijnt te dragen! Speel je vanavond voor Assepoester, liefje?'

Tot haar verbazing redde Nick Benoit Missie van het venijn van Toni.

'Je ziet er mooi uit, Melissa. Precies jouw moeder, op jouw leeftijd. Je zult de hoofden van alle jongemannen hier vanavond wel op hol brengen. Maar denk erom een dans voor je oom te reserveren!' en hij leidde Toni verder, zijn vingers verstevigden zich rond haar elleboog, vóór ze de kans kreeg een volgende kattige opmerking te maken. 'Kom, ik zal een glas punch voor je halen, Toni, mijn liefje. En probeer die gemene uitdrukking op je gezicht weg te nemen; die past niet helemaal bij de rol, die je van plan was vanavond te spelen!'

Gelukkig was het een zachte en balsemieke avond en reeds waren de drie binnenplaatsen vol met wat Toni verachtelijk de 'hoi polloi' noemde. Ze had haar cowboys verboden om te komen, maar bijna elke andere farm in de buurt had zijn vertegenwoordigers; om nog niet te spreken van de rustige Mexicaanse ingezetenen, die zich gewoonlijk alleen met zich zelf bemoeiden en Toni Lassiter hun patrona noemden.

Dat was nog een reden voor de ternauwernood in toom gehouden woede van Toni. 'Zie je, wat ik je al die tijd heb proberen te zeggen? Ze is veel te nieuwsgierig en veel te veel bemoeial, dat gekunstelde kreng! Zij, en die zogenaamde neef van haar, hebben een bezoek gebracht aan elk lemen hutje waarin die koeienjongens willen wonen. Kennelijk spreken ze dezelfde taal – kun je je dat voorstellen? En hoe komt de dochter van een senator – haar vader komt uit Virginia en haar moeder is Française – aan een Mexicaanse neef? Ik zeg je, Nicky, dat je maar eens moet zien te ontdekken, wat er achter die dure kleren zit!' Toni liet een schrille kreet horen. 'Misschien was ze wel hoer, toen die echtgenoot van haar haar oppikte! Het zou me niets verwonderen. En wanneer jij verblind wordt door haar omgangsvormen: ik niet! Ik wil haar niet veel langer hier in de buurt hebben, ik waarschuw je!'

Wonderlijk genoeg was Toni niet de enige die zich zorgen maakte over de landarbeiders en de Mexicanen. Persis Belmont bleef even staan om haar gastvrouw toe te fluisteren, dat haar man op spelden zat – bang was, dat er een gevecht zou uitbreken.

'Er bestaat niet veel sympathie tussen onze mensen en de ingezetenen, weet je. Sommige van die cowboys uit Texas hebben de oorlog nog niet vergeten. Ze mogen ons niet en ze mogen die armzalige Mexicanen niet. Ginny, weet je zeker . . .?'

'Mijn mensen zijn gewaarschuwd. En de Mexicanen zullen vast niet beginnen. Ik denk dat iedereen té behoedzaam is om moeilijkheden te beginnen – althans vanavond niet! Maak je alsjeblieft geen zorgen, Persis. Er gebeurt niets!'

'Nou, ik hoop zeker van niet . . . maar ik vertrouw die grijns niet op het gezicht van dat mens Lassiter, als je de waarheid wilt weten!' Persis Belmont aarzelde en legde toen haar hand op de arm van Ginny en liet haar stem een beetje dalen zodat Missie, die vlakbij stond met señor Ortega haar niet zou kunnen horen. 'En ik hoop dat – dat die blauwogige Indiaan besluit om vanavond weg te blijven! Ik weet wel, dat het kind dan teleurgesteld zal zijn, maar ze is veel te lief en onschuldig om zich met een dergelijk soort man af te geven. Ik vind het vervelend, Ginny, dat ik je telkens voor zoveel dingen moet waarschuwen, maar je moet onderhand genoeg gehoord hebben om te weten, dat hij een onruststoker is! Alles was hier betrekkelijk rustig totdat hij kwam opdagen, uit het niets - precies alsof hij de duivel zelf was, hierheen gestuurd om de boel op stelten te zetten! Ik hoop zó . . . o!'

Ginny had naar de sombere waarschuwingen van haar vriendin geluisterd met een vastgeroeste beleefde glimlach op haar gezicht, maar nu, toen ze de richting van Persis' ogen volgde, kon ze het plotselinge wegebben van de kleur in haar gezicht niet verhinderen.

Hij was er! En helemaal opeens bonsde haar hart zó heftig, dat Persis het vast en zeker moest horen en ze voelde zich teruggezogen naar de tijd, waarin ze alle avonden op Steve gewacht had om bij haar te komen - niet wetende hoe hij zou reageren of wat hij haar zou aandoen . . .

'Maar ik kan toch niet met een mes op hem afgaan en dat op zijn keel zetten, zodat hij me wel moet opmerken,' dacht ze dwaas en ze was boos en bang en onzeker van zich zelf, en dat allemaal tegelijk - helemaal niet zeker of ze wel voorbereid was op het moment, wanneer hij voor het eerst naar haar zou kijken, of niet.

Het leek alsof plotseling een onmerkbare stilte gevallen was toen de vijf mannen de enorme receptiezaal binnenwandelden, waarvan de deuren nog steeds gastvrij openstonden: Joe Carter, die er niet op zijn gemak uitzag en zich een beetje opzichtig voelde in zijn nieuwe confectiepak, gevolgd door zijn drie zonen en de lange man met het harde gezicht, bekend als Manolo, die het zwarte en zilveren Mexicaanse charro pak met een bijna beledigende zelfverzekerdheid droeg. Het korte jasje en de zwarte broek met zilveren tressen langs de randen en naden, paste hem precies; zijn witte overhemd had aan de voorkant kanten lubben.

Letterlijk vastgenageld op de plaats waar zij stond, hoorde Ginny de plotseling zenuwachtige gesprekken losbarsten, die té snel opvolgden op de voorafgaande stilte. En daarboven de verheugde uitroep van Missie.

'O, u bent gekomen! Hier bent u dan eindelijk!' riep Missie, haar puntige gezichtje omhoog geheven en plotseling helemaal stralend - het kon haar niet schelen, dat zij daarmede haar gevoelens verried aan de gehele verzamelde menigte.

Een paar minuten geleden was Missie nog benaderd door een groep bewonderende officieren, die elk om de eer van een dans smeekten. Maar nu, terwijl ze zich door de kamer spoedde nam ze van geen van hen notitie - noch van de gechoqueerde, afkeurende blikken, die in haar richting geworpen werden.

Ze kon alleen maar zien hoe prachtig Manolo eruit zag, als een Spaanse Don, en dat allemaal voor haar, omdat hij niet wilde dat zij zich zou behoeven te schamen ten aanschouwe van al die mensen. De blauwe ogen werden donkerder en vernauwden zich langzaam, terwijl één wenkbrauw omhoog ging.

'Missie . . . je ziet er vanavond als een prinses uit. Veel te mooi voor ons, gewone mensen.'

'Vindt u dat echt? Houdt u van de manier waarop ik er uitzie? Pa – vindt u me mooi? Net als Mama?'

'Je bent schattig, p'tite!' De stem van Joe Carter was schor van emotie en haar broers stonden haar aan te gapen; toen Matt kwaad begon te doen, wist Missie dat hij vond dat ze zich niet tot zulke verplichtingen tegenover een vreemde vrouw, een buitenstaander, had moeten binden. Maar vanavond wilde zij zich nergens zorgen over maken en vooral niet, nu Manolo haar aankeek met een blik alsof ze nu eindelijk een vrouw was, een van zijn mondhoeken vertrok tot een glimlach, die alleen voor haar bedoeld was.

'Jouw Pa heeft gelijk, prinses. Jij bent de mooiste jongedame in de zaal. Heb je al je dansen al weggegeven of heb je eraan gedacht om er een of twee voor mij te bewaren?'

'Maar ik heb er nog geen enkele toegezegd! Dat is te zeggen, behalve aan señor Ortega ... en dat was omdat ik hem hielp bij de ontvangst, toen mevrouw Morgan – ze heeft me gevraagd om haar Ginny te noemen! – zich nog aan het kleden was. Hij heeft mij gevraagd om het bal met hem te openen en o, hij is zó vriendelijk geweest; hij is haar neef, weet u! Kom mee om haar te begroeten. Ze is lief; echt, dat is ze en ze is geen ...'

'Het lijkt erop alsof onze kleine zus al die fantasiekleren en al die praatjes, die ze gehoord heeft, naar haar hoofd heeft laten stijgen,' gromde Matt, maar hij hield tenslotte zijn mond toen zijn vader hem een afkeurende blik toewierp.

'Zij is hartelijk tegen Missie geweest en vanavond zijn we haar gasten. Wil je daaraan denken, mijn zoon?'

'Ze is mooi en ze is ook een echte dame – ze lacht niet met haar mond en vermoordt je niet met haar ogen zoals Toni dat doet!'

Matt keek woedend, maar Manolo lachte, het smalle litteken op zijn wang verdween in de diepe groef, die altijd te voorschijn kwam, wanneer hij lachte.

'Je ziet eruit als een kleine spetterende kat, wanneer jij woest wordt en dat past niet bij die japon en die parels.' En nu, toen hij haar ontstelde blik zag, glimlachte hij een beetje verkrampt: 'Kom. Wil je me niet aan je nieuwe vriendin voorstellen?'

51

'Ziezo – het ziet er dus naar uit, dat jouw Indiaan kans gezien heeft om zich voor vanavond om te toveren tot een Spaanse heer,' zei Nick Benoit zachtjes, ofschoon er een vragende ondertoon in zijn sarcastische woorden lag. 'Misschien moet ik echt meer moeite doen om te ontdekken wie hij is en hoe hij hier gekomen is!'

'Ik dacht dat je dat al gedaan had,' zei Toni Lassiter, haar amberkleurige ogen zo hard als steen. 'Ik heb je gezegd, dat hij een opgevoed mens was – je wilde alleen maar niet luisteren, is het wel?'

'Ik vermoed, dat hij zich opgetuigd heeft terwille van mijn nicht,' mompelde Benoit kwaadaardig. 'Je moet toegeven, poesje, dat ze voor vanavond volslagen getransformeerd is! Ik vraag me af waarom ik niet eerder beseft heb, dat Missie bezig was een schoonheid te worden. En het lijkt er zeker op, dat zij het heeft klaargespeeld om het beest te temmen, is het niet?'

Joe Carter, met ongewoon rechte schouders en zijn zoons, die even stijf en niet op hun gemak leken, volgden Missie en Manolo door de kamer naar de ontvangsthoek. Alleen Missie, die trots aan de arm van haar lange begeleider hing, en de man zelf, schenen niets te merken van de plotselinge spanning, die zich van iedereen meester gemaakt scheen te hebben.

Kolonel Belmont boog stijfjes zijn hoofd toen hij de sardonische blik van Manolo opving. 'Kolonel . . .?' De lichte hoofdknik was op zich zelf al een belediging en de kolonel bedwong met moeite zijn woede. Mijn God, dit was bijna te veel om te verdragen! Rechter Benoit had gelijk en Persis had gelijk. De man was onbeschoft en veel te zelfverzekerd, gezien zijn tweeslachtige positie hier. Daar moest iets aan gedaan worden . . .

De warrelende gedachten van Ginny botsten tegen elkaar, terwijl haar rug zich rechtte. Ze was zich maar vaag bewust, dat Renaldo ergens vandaan gekomen was om naast haar te staan en zijn aanwezigheid sterkte haar. Steve had haar nog steeds niet rechtstreeks aangekeken!

En eindelijk ging het ogenblik, dat zij zowel gehoopt als gevreesd had, zó snel voorbij en zó terloops, dat ze seconden later nog niet kon geloven dat het al gebeurd was.

Alleen Missie merkte de plotselinge spanning van Manolo's arm onder haar hand op. Mevrouw Morgan bespaarde haar de moeite om over de introducties te stamelen. Missie dacht, dat ze de ogen van haar nieuwe vriendin nog nooit zó helder had zien stralen, noch haar gezicht zó blozend, toen ze luchtig zei: 'En dit moet jouw gast zijn, Missie. Schande, meneer! Waarom moest u zo laat komen?'

Hun handen raakten elkaar. Hun ogen ontmoetten elkaar. En . . . niets! De ogen van Steve werden iets smaller en een bijna onmerkbare verstrakking van zijn gelaatsspieren, toen de ademloze jonge stem van Missie, de formele introductiewoorden sprak en de kleine stilte, die als een kiezelsteen tussen hen viel, overbrugde.

Was dat echt haar stem geweest, die zo zorgeloos had geklonken? Waarom gaf hij haar het gevoel, alsof ze voor de eerste keer een vreemdeling ontmoette? Er was zoveel tussen hen, zoveel herinneringen aan hartstocht en geweld en liefde. En nu was hij weer terug in het stadium dat hij haar 'mevrouw' noemde op die temerige half-sarcastische toon, die ze altijd al verwenst had!

'Het is een genoegen u te ontmoeten, mevrouw. En mijn dank voor uw vriendelijke uitnodiging.'

Hoe durfde hij?

Ze antwoordde hem in het Spaans en daagde hem daarmee opzettelijk uit.

'Het genoegen is geheel aan mijn kant, señor, want ik had al zoveel over u gehoord. Mijn huis is het uwe - voor vanavond.'

'Ik vraag me af, wat u gehoord kunt hebben, señora? Ik sta verbaasd dat een onbetekenende man als ik, onder uw aandacht gevallen ben.'

Het was Renaldo, die een soort uitbarsting van Ginny vreesde, en daarom snel tussenbeide kwam: 'Mijn nicht en ik waren er erg op gesteld om al onze buren te ontmoeten. Ha, meneer Carter, goed om u weer te zien en uw zoons...'

Toen liepen ze verder, Missie hing nog steeds kinderlijk aan de arm van Steve. Knarsetandend zag Ginny hoe Steve even bleef staan om iets tegen Toni Lassiter te zeggen, die met haar krengerige, onoprechte glimlach inderdaad de moed had om haar hand tegen zijn pas geschoren gezicht te leggen.

'Nou – en wat is jouw indruk van onze plaatselijke slechte man?'

Gelukkig onderbrak de stem van Persis Belmont op dat moment de gedachten van Ginny. Ze had op het punt gestaan om Steve te volgen, uit op wraak.

Ginny deed moeite om haar gezicht weer in bedwang te krijgen en haar inwendige beroering te bedaren, terwijl ze luisterde naar wat Persis haar te zeggen had. Het kostte haar elk beetje wilskracht, dat ze nog bezat om daar aandachtig te staan, wanneer, aan de overkant van de kamer Renaldo Missie opeiste voor een dans en Toni Lassiter schaamteloos en brutaal haar eigen begeleider in de steek liet om naar Steve toe te lopen en een hand op zijn schouder te leggen. Hij trok zijn schouders op en zette zijn glas neer. Op hetzelfde ogenblik werd Ginny voor een dans gevraagd door Nicholas Benoit, zijn manier van doen even glad als altijd. Achteraf kon Ginny zich niet meer herinneren hoe ze het klaarspeelde te glimlachen en de complimentjes van Nicholas Benoit te beantwoorden en zijn halfbedekte vragen. Eén deel van haar geest was tegen haar zin bezig met Steve – die veel te aaneengesloten met Toni Lassiter danste, met diezelfde halfspottende uitdrukking rond zijn lippen, die zij zich maar al te goed herinnerde. En het was duidelijk, dat Nick Benoit de stand van zaken evenmin prettig vond.

'Ik heb het gevoel, dat ik mijn excuses moet maken. Soms vindt mijn schoonzuster het heerlijk om de mensen te choqueren.'

'O, maar ik weet zeker, dat hij dat ook vindt.'

Ginny ving de plotseling scherpe blik van haar partner op en liet een zacht afkeurend lachje horen.

'O, zo maar vrouwelijke intuitie, denk ik. Ik had dat niet moeten zeggen.'

'Maar ik ben blij, dat u het deed. Ik hoop, dat u altijd de vrijheid zult willen nemen om tegen mij te zeggen wat u denkt.'

Haar geduld en haar zelfbeheersing werden tijdens de dans op zware proef gesteld, terwijl ze haar echtgenoot met Toni zag dansen – gedwongen om voor te geven dat hij een vreemdeling voor haar was. En ze vroeg zich af wat Steve eigenlijk dacht...

Stormachtige groene ogen, vreemd omhoog getrokken aan de hoeken, bleek koperen haar, hoog opgemaakt op haar hoofd om in krullen op haar rug te vallen. De kleur was hetzelfde als die van Missie en toch, terwijl de gelijkenis daar ophield, bleef er een knagend, frustrerend gevoel bij Steve over van een zekere bekendheid. Hij wist, zonder te weten hoe, hoe haar haren zouden aanvoelen, zwaar als zijde onder zijn vinger wegglijdend. En zonder haar gekust te hebben of het zelfs maar te willen, wist hij hoe zacht haar lippen konden zijn als ze onder de zijne zich openden om de zoetheid van haar mond te proeven. Virginia Morgan - Ginny. Zijn spieren spanden zich toen hij haar naam in de geest herhaalde en herinnerde zich de uitdagende vooruitstekende kin.

Alsof Toni voelde, dat zijn geest zich ergens anders mee bezighield, dreef zij haar nagels in zijn schouder.

'Wat heeft ze tegen je gezegd? Dat neerbuigende kreng - ik haat haar! En het kan me niet schelen hoeveel mensen ze inpalmt, die arme Nicky inbegrepen. Ik vertrouw haar niet, Comanche! Luister je naar me? Ze is iets van plan - dat voel ik. Waarom zou ze anders zo hard proberen om zich hier bij iedereen bemind te maken? Al die moeite, die ze aan Missie besteed heeft - waarom zou zij zich interesseren voor dat kleine jong uit het moeras? Ik denk dat ze iets wil - en dat ze daarom hier is. Kijk eens naar de manier waarop ze de boel in beweging heeft gebracht - ze inviteert paardeknechten op een fiesta, juist als of ze . . . alsof ze mensen waren, die meetelden.'

Plotseling kreeg hij de behoefte om dat pruilende, sensuele gezicht van Toni te slaan, die mond met roze lippen, die alles afwisten wat er viel te weten over het opwinden van een man. Hij liet een afkeurende uitroep horen en keek met één opgetrokken wenkbrauw op haar neer.

'Messalina, je bent gewoon jaloers, geeft het maar toe!'

'Jaloers? Op haar! Dat pafferige, mooipratende schepsel? Alleen omdat ze geld genoeg heeft om zich wat kleren en juwelen te kopen, ziet ze kans om al die stomme dwazen te verblinden - maar jij wordt toch niet door haar ingepalmd, Comanche? Als ik even rijk was als zij, dan zou ik de koningin van de hele staat kunnen zijn! En dat zal ik nog doen ook, en jij zult me daarbij helpen, is het niet, Comanche? Jij bent de enige man die ik ken, die hard en onscrupuleus genoeg is en je ziet nu toch wel in, is het niet, dat we haar moeten zien kwijt te raken?'

'Jij bent gek,' zei hij vlak, maar zijn ogen stonden even behoedzaam als haar smalle amberkleurige, glanzend van opwinding.

'O nee, dat ben ik niet! Die vrouw is iets van plan - wist jij, dat haar vader een invloedrijke senator in Washington is? Wat dat betreft kun je Nicky wel vertrouwen! Misschien heeft die vader haar hierheen gestuurd om een of andere reden - je weet hoeveel mensen van de regering we al hier gehad hebben? Misschien is ze daarvoor gekomen - om zoveel mogelijk te ontdekken - om alles te vernielen wat ik opgebouwd heb sedert die stomme oorlog voorbij is. Waarom zou ze zo vriendelijk doen tegen al die Mexicaanse boeren? Ze spreekt zelfs hun taal - het duurt niet lang of ze brengt ideeën in hun hoofd over het land waarop ik hen laat wonen en vertelt ze hun iets over hun rechten. En kijk haar nu eens - ze staat te fluisteren met kolonel Belmont. Waar denk jij dat ze het over hebben? Je weet dat de kolonel je niet mag, Comanche. Hij zou je laten arresteren als hij kon. Misschien maken ze daar nu net plannen voor!'

Manolo fronste zwartkijkend zijn wenkbrauwen. Toni hield van overdrijving, maar in dit geval maakte iets van haar schimpende tirade toch wel indruk. Hij hoorde Toni zacht giechelen. 'Zie je? Je ziet het toch ook, is het niet? Omdat jij net zo bent als ik, minnaar; je bent even slecht als ik en even onscrupuleus en dat is, waarom we bij elkaar zijn.' Sluw voegde zij eraan toe: 'Maak je je geen zorgen over dat kleine kind Missie? Wist je hoeveel ze tegenwoordig omgaat met die neef, die señor Ortega? Waarom zou dat kreng Morgan die Missie als een pop aankleden? Ze wil óf inlichtingen van haar óf Renaldo Ortega wil haar verleiden voor jij het doet, Comanche!'

'Een dezer dagen, Messalina, zal ik met groot plezier die blanke hals van jou tussen mijn handen breken.' Hij zei het als een soort belofte, maar ze lachte slechts om de nauwelijks verholen woede in zijn ogen.

'En een dezer dagen zal ik jou misschien het eerst te pakken hebben. Maar vóór het zover is, kunnen we elkaar goed gebruiken, is het niet, mijn schat van een wilde?'

Zonder haar antwoord te geven leidde hij haar naar de plek waar Missie stond, een beetje verloren en droefgeestig, terwijl ze voorgaf alsof ze luisterde naar iets wat een jonge luitenant haar vertelde. Vóór Manolo nog de suggestie kon doen om van partner te ruilen had Toni dat al gedaan en wierp hem een kwaadaardige blik toe. Luitenant Armitage kon zijn geluk bijna niet geloven. Wacht maar tot zijn broeder officieren hem zagen, dansend met mevrouw Lassiter zelf!

'Ik heb je gemist, prinses. Ben je al moe van het dansen?'

Haar stem was ademloos. 'Nooit! Ik zal nooit moe worden van dansen – ik geloof, dat ik de hele nacht zou kunnen door dansen!'

Dansen met Missie stond gelijk met het inademen van frisse lucht. Hij zette Toni van zich af met een geestelijk schouderophalen van afschuw. En de koperharige vrouw, die hem zo vreemd en zo tegen zijn zin bewogen had. Ze herinnerde hem aan iemand, die hij ooit gekend moest hebben. Een niet al te prettige herinnering misschien, dat zou kunnen verklaren waarom hij dat ondefinieerbare gevoel van antagonie gevoeld had, toen hij aan haar werd voorgesteld. Nick Benoit had aan Toni gezegd, dat zij een intelligente vrouw was, nu, er was nog tijd genoeg om later nog meer omtrent haar te ontdekken. Vanavond was de beurt aan Missie en dat moest door niets bedorven worden.

Plagend zei hij: 'Hoeveel danseurs heb je nog in een rijtje staan wachten vanavond? Misschien had ik je niet moeten wegkapen van die knappe jonge luitenant.'

'Maar hij was nogal dwaas, weet u. En zo jong! Afgezien daarvan: – toen hij Toni zag vergat hij mij totaal en daar ben ik blij om – ik stond op u te wachten.'

'Je zult moeten leren om je gevoelens beter te verbergen, meiske.'

Zij vroeg zich af waarom zijn stem plotseling zo rauw klonk.

'Maar waarom zou ik? En ik ben geen klein meisje! Ik ben zeventien en mijn mama was op mijn leeftijd al een getrouwde vrouw. Wanneer zult u ooit ophouden mij te behandelen als een . . . een kind? Ik ben een vrouw!'

Zij zag zijn opgetrokken wenkbrauwen en halfspottende glimlach en uit pure gefrustreerde woede, liet ze plotseling haar lichaam tegen dat van Steve aanvleien, zoals ze Toni had zien doen. Ze zou wel maken, dat hij haar opmerkte! Ze was geen kind en geen van de andere heren had haar behandeld alsof ze dat wél was!

'Verdomme, Missie! Flirt jij met me?' De stem van Manolo was grimmig, maar hij deed geen poging om haar van zich weg te houden en Missie voelde een golf van opwinding door haar heen gaan.

'Ja, dat doe ik wél!' zei ze uitdagend. 'Is dat het niet wat van een jonge vrouw verwacht wordt? Hoe reageert u, wanneer een vrouw met u flirt?'

'Dat hangt van de vrouw af en van wat ze heeft aan te bieden.' Zijn stem was in het begin hard, maar werd plotseling luchtig. 'Maar een lief klein ding zoals jij, prinses' – hij boog zijn hoofd en fluisterde in haar oor – 'die houd ik steviger vast, zoals nu, en na een poosje vraag ik haar of ze misschien buiten een luchtje wil scheppen.'

'En dan – wanneer ze dat doet?' Ze klonk alsof ze buiten adem was, haar ogen tintelden als sterren.

'Nette jonge vrouwen blozen dan en kijken in verwarring een andere kant op. En dan fluisteren ze dat het misschien beter is van niet – de mensen mochten er soms iets van denken.'

'Maar – maar als ík het nu was en ú vroeg me om mee naar buiten te gaan, dan zou het me niet kunnen schelen, wat iedereen dacht! Ik geloof niet, dat ik van flirten houd, als dat alleen maar bestaat uit "doen alsof" en het zeggen van een hoop dingen, die je niet meent. Ik wil, dat u me kust – dat u de eerste bent!'

'Mijn God, prinses!' Hij was nu boos genoeg om haar te willen schudden. Wat voor ideeën had dat mens van Morgan in haar hoofd gestampt? En dan die neef van haar, die aan Missie de eerste dans gevraagd had. Eén gedeelte van zijn brein dacht wrang, dat hij nu begon te begrijpen wat een vader voelt en het andere deel – om zijn langzaam opkomende blinde woede te camoufleren – zei sarcastisch: 'Heb je al iemand besproken voor de volgende dans? En voor daarna? Sommige mannen denken, dat een kus méér belooft – en daarom worden in Spanje en Mexico kleine nieuwsgierige meisjes zoals jij in het oog gehouden door een strenge oude dueña.'

'O!' Tranen van woede en teleurstelling vulden Missies ogen. Hoe durfde hij, om haar als een baby te blijven behandelen? Net doen alsof hij haar vader was. Ze begon zich van hem los te maken en vergat daarbij alle andere dansparen, die nieuwsgierig naar hen keken. 'Maar ik ben geen klein meisje – hoort u me? En als u blijft doen alsof ik er wél een ben, dan – dan zal ik u eens wat laten zien! En als señor Ortega mij wil kussen, dan laat ik hem dat doen, ziezo! Hij is veel aardiger dan u en bovendien flirt hij niet met elke vrouw binnen zijn gezichtskring en hij – hij behandelt mij als een volwassen dame, hij doet niet alsof en hij plaagt me niet zoals u!'

'Missie!' siste hij knarsetandend en de rauwheid van zijn stem had een waarschuwing voor haar moeten zijn. Maar ze was veel te opgewonden om zich er iets van aan te trekken.

'Laat me los! Ik geloof, dat ik niet verder met u wil dansen!' Ze was bang, dat haar tranen zouden overlopen en haar te schande maken. Maar plotseling klemde de arm van Manolo zich vast om haar middel en hij drukte zó heftig met zijn vingers, dat ze een kreetje van pijn liet horen.

'Heeft iemand jou ooit gezegd, dat je bezig bent een verwend wicht te worden? Je vecht nu wel als een wilde kat en probeert te doen alsof je een dame bent, maar dat laat je nu, anders breng ik je terug naar señor Ortega.'

'Ik geloof, dat ik u haat!'

Hij beantwoordde haar uitbarsting met een hatelijk en sarcastisch optrekken van zijn lippen.

'Het wil me voorkomen, dat ik dat al heel veel keren eerder gehoord heb, jij roodharige vuurspuwende kat!'

Missie, die zonder pardon neergezet werd voor een niet-begrijpende señor Ortega, voelde zich misselijk toen Manolo zich omkeerde en wegbeende. Hij ging nu ongetwijfeld naar Toni, die bij lange na geen onervaren meisje was – hoe had hij haar genoemd? Een verwend wicht . . . O, en nu had ze hem voorgoed verloren, omdat zij ook een opvliegend karakter had en helemaal niet bedreven was in te doen alsof.

Ze had een brok in haar keel, zó groot dat ze dacht dat ze zou stikken, wanneer ze die zou doorslikken en nu, het enige wat ze wilde was om Pa te vinden en hem zeggen, dat ze terug naar huis wilde.

In plaats daarvan merkte ze, dat ze naar boven gebracht werd, dat señora Armijo bezorgd over haar deed en Ginny, haar nieuwe vriendin, zei haar nadrukkelijk, dat een facet van het opgroeien tot vrouw, nu eenmaal een zekere mate meebracht van 'doen alsof' – een klein beetje en alleen als het nodig was.

'Mannen zijn vreemde wezens, dat zul je op een goede dag ook wel ontdekken. Ze praten over eerlijkheid, maar wanneer een vrouw haar gevoelens al te openlijk te kennen geeft, maakt hen dat verlegen. Ze zeggen, dat ze het land hebben aan "doen alsof", maar ze verwachten wél van een vrouw dat ze heet en koud wordt. Het draagt bij tot de opwinding van de jacht, vermoed ik!'

Ondanks haar eigen ellende vroeg Missie zich af waarom de stem van Ginny plotseling zo bitter klonk. Voor de eerste keer merkte zij dat ze dacht dat haar mondaine vriendin, die alles scheen te hebben wat ze maar kon wensen, toch echt niet gelukkig was. Misschien miste ze haar man . . .

Missie ging weer naar beneden met een licht kleurtje op haar wangen en haar lippen – haar hoofd kaarsrecht. Aan partners had ze geen gebrek. Zelfs kolonel Belmont vroeg om de eer van een dans, wat haar zich erg belangrijk deed voelen. Maar het meest van alles, wanneer ze althans niet bezig was om te kijken waar Manolo uithing, genoot ze van de dans met Renaldo Ortega, die niet neerbuigend sprak en evenmin dwaze complimentjes in haar oor fluisterde. Hij schaamde zich niet om toe te geven, dat hij van poëzie hield en zelf enige verzen geschreven had. Hij had de hele wereld bereisd en moest alle mogelijke vrouwen ontmoet hebben, maar toch leek hij haar te mogen.

Na een poosje had ze het gevoel of ze hem al heel lang gekend had en ze ontspande zich genoeg om met hem te lachen en te keuvelen, terwijl ze

dansten, in plaats van te denken hoe ze haar voeten moest neerzetten.
'Maar waarom bent u niet getrouwd?' was ze brutaal genoeg om hem te vragen in het gevoel, dat het eerste glas champagne dat ze ooit in haar leven gedronken had, haar dapper maakte.
Zonder stijf en zwaarwichtig te worden, glimlachte hij peinzend en ze stond verbaasd te ontdekken, dat zo'n glimlach zijn gezicht veel jonger en zorgelozer maakte. Hij was eigenlijk een erg knappe man, ontdekte Missie en haar ogen sperden zich na die ontdekking open. Lang was hij ook. Bijna zo lang als Manolo.
'Ik vermoed, dat ik niet zo'n persoonlijke vraag had mogen stellen,' zei ze snel en bedeesd nog vóór hij haar kon antwoorden, maar hij schudde zijn hoofd en bleef lichtjes glimlachen.
'U kunt me alles vragen wat u wilt, miss Melissa. Ik vroeg me alleen af waarom ik niet getrouwd ben - ondanks alle pogingen van mijn moeder om mij te koppelen! Ik denk dat het komt omdat ik ouderwets ben en romantisch genoeg om op de juiste vrouw te wachten - eentje, die eerlijk is, intelligent en geestig en die een vriendin en een kameraad wil zijn, evengoed als een echtgenote. Vindt u, dat ik te veel verwacht?'
Missie schudde heftig haar hoofd.
'O, nee! Ik vind het prachtig dat u sterk genoeg bent en geduld genoeg hebt om op de juiste persoon te wachten. Ik heb altijd gedacht....' ze aarzelde, keek naar hem op, zag dat zijn gezicht ernstig stond en dat hij aandachtig luisterde, alsof hij werkelijk gaf om wat ze wilde gaan zeggen, en gooide eruit: 'Ik vermoed, dat mijn broers en - en Manolo mij blijven vertellen, dat ik een kind ben. Maar ik dacht altijd dat wanneer de juiste man zou opdagen, het zo iets zou zijn als een blikseminslag, voor ons beiden. Zoals de piraat over wie Renate mij vertelde. Ik zou het weten en hij zou het weten en - maar in werkelijkheid gaat het zo niet, is het wel?' Haar stem klonk verlaten en trilde licht en gedurende een ogenblik had Renaldo Steve bijna willen vermoorden. Maar hij schoof die gedachte terzijde en hij keek Missie vast in de ogen en zei haar de waarheid.
'Nee... ik geloof niet dat het zó gaat. Althans niet voor de meeste mensen. Ik heb aan de liefde altijd gedacht als een sterke, grote boom, die langzaam groeit. Het begint met elkaar te mogen, dan vriendschap en ontdekken dat je veel gemeen hebt. Een blikseminslag is woest en wild en de daarop volgende donder maakt een hard angstaanjagend geluid. Maar het gaat even gauw voorbij als het komt. Zoals een plotselinge overstroming, die alleen maar verwoesting als een spoor achterlaat.' Hij haalde misprijzend zijn schouders op. 'Ik vrees, dat het de verborgen dichter in mij is, die altijd in beelden denkt! Maar ik denk dat u begrijpt wat ik bedoel.'
Missie knikte, te vol gevoelens om iets te kunnen zeggen. Hoe kwam het, dat hij alles zo goed begreep? Ze dacht aan Manolo, een lichte rilling overviel haar. Die was als een wilde blikseminslag, die een door de storm verduisterde hemel doorsneed.

52

De luide, opgewekte muziek van Mexico pleegde een aanslag op haar zintuigen toen ze in de deuropening van de balzaal stond en de koele nachtlucht inademde. De toortsen die zij tegen de muren had laten plaatsen wierpen hun vrolijke oranje licht en leverden genoeg warmte om de kilte te verhinderen, evenals de hoeveelheden tequila, agave-brandewijn en rode wijn, voor hen die een meer gedistingeerde smaak zouden hebben. Hier was geen gespannen decorum meer. Er klonk gelach en lawaai en de openlijke vreugde van een fiesta. Vanavond lachten zelfs de strengste vaders toegeeflijk, wanneer hun dochters met de Tejanos dansten, die gewoon op de muziek afgekomen waren. Zo lang als de jonge mensen binnen de lichtkring bleven, die geworpen werd door de flakkerende toortsen, wat deed het ertoe? Een fiesta was een plezierige, feestelijke bijeenkomst en drank en voedsel waren in overvloed aanwezig – geen mens, die zijn bord niet voor de tweede keer vulde, en stomend-hete tortilla's opstapelde naast chili, dat een gat in je gehemelte kon branden, precies zoals het moest zijn, grote hompen vlees, goed en vers, die smaak verleenden aan de bonen.

In het midden van de binnenplaats was een vuur ontstoken. En om de middeleeuwse sfeer nog meer te benaderen werd een heel kalf langzaam aan het spit rondgedraaid, en de heerlijke geur vermengde zich met de nachtlucht.

'Hier buiten is het veel prettiger,' zei Matt Carter. 'Het lijkt ook wat natuurlijker. Ik kreeg binnen steeds het gevoel, dat ik zou stikken, met al die verwaande mensen en de vrouwen, die ons aanstaarden alsof we een soort wangedrochten waren, die alleen maar buiten hoorden.' Met een sluwe zijdelingse blik voegde hij eraan toe: 'Waarom ben jij niet binnen bij de rest? Vindt Missie die señor Ortega meer naar haar smaak, sinds ze begonnen is zich met die rijke lui af te geven?'

Het was alsof Manolo voor die stekeligheden niet ontvankelijk was, ofschoon hij in een afschuwelijk humeur naar buiten gekomen was; en zelfs Matt twijfelde eraan of hij hem wel zou aanspreken.

Manolo had een glas halverwege zijn lippen en dronk het leeg, voor hij kwaadaardig teemde: 'Over rijkelui gesproken, daar is er een – bovendien een heel mooi stuk. Waarom vraag je onze gastvrouw niet voor een dans, Matt? Het lijkt me, dat dat alleen maar beleefd is, vooral gezien de belangstelling die zij en haar neef voor jouw kleine zusje hebben.'

Matt Carter spande zijn ogen in om aan de andere kant van het vuur te kunnen kijken en zag Ginny staan, haar haren nu bronskleurig door de flakkerende vlammen, haar japon glinsterde, als elke draad het licht opving en die veranderde in een juweel dat haar omlijstte.

'Denk jij, dat ze een fandango kan dansen? Of de Jarabe?'

'Misschien is ze hier gekomen om dat te leren. Misschien wil ze dat ook graag onderwezen krijgen. Of schrikken vrouwen van dat soort jou af?'

Wanneer Manolo hem met opzet uit zijn tent probeerde te lokken, zou Matt hem later wel krijgen. Maar hij keek naar de vrouw en hij bleef denken aan wat Toni gezegd had en de manier waarop Toni de laatste tijd handelde en hij dacht: 'Waarom verdomme niet?' Afgezien daarvan, de manier waarop Manolo hem bleef prikkelen leek een soort uitdaging.

Ginny daalde de twee lage treden af naar de binnenplaats. Haar gevoelens, hoe goed ze die ook had kunnen verbergen, bleven een stormachtig mengsel van verschillende emoties, met een steeds toenemende frustratie, die al het andere begon te overheersen.

Waar was hij? En was ze werkelijk geprepareerd om hem onder het oog te zien? Wat zou ze zeggen? Ze voelde zich verward en onzeker - alsof zij zich voorbereidde op een confrontatie met een vijandige vreemdeling. En toen, vóór ze tijd kreeg om verder te denken, stond een lange jongeman met brede schouders voor haar. Matt, de broer van Missie.

'Hebt u zin deze dans met mij te doen, mevrouw? De passen zijn niet zo erg moeilijk.'

De muzikanten speelden de traditionele Jarabe Tapatio en reeds trappelden Ginny's voeten, ondanks zich zelf, in het ritme. O ja, Renaldo had gelijk gehad. Ze had nooit hier moeten komen, want de muziek deed haar alles vergeten en voerde haar veel te ver terug in de tijd.

Zonder enige aarzeling stak ze haar armen omhoog en voelde hoe de spieren van Matt Carter verstijfden onder de lichte aanraking van haar vingers.

'Ik heb in Mexico gewoond. Ik geloof, dat ik hun dansen niet vergeten heb.'

En plotseling danste ze met mooie japon en alles, met Matt en ze voegden zich in de kring van de dansers. In het begin merkte zij hun verbaasde blikken op, maar weldra vergat ze alles behalve de dans zelf.

De muzikanten speelden nu El Chinaco - het gezang van de Juarista guerilleros, en daarna La Malaguena. Matt Carter, met een stomverbaasde gezicht, kon haar niet bijhouden en ze bewoog van de ene partner naar de andere in een groter wordende kring van dansers, die in hun handen klapten en 'ole' riepen, tot ze plotseling met een slanke Mexicaan danste, wiens zwarte ogen in het licht van het vuur fonkelden en wiens lichaam even soepel was als het hare.

Hij had vergeten wie zij was en zij had het ook vergeten, terwijl ze de muziek over zich heen liet spoelen. Het ritme veranderde van snel in langzaam en weer terug, en zij dansten met de gezichten naar elkaar, beurtelings uitnodigend en afwijzend.

'Jezus Christus! Ze danst als een van hen! En ík zou haar de passen nog wel leren!' Matt Carter klonk alsof hij nog steeds buiten adem was. 'Zie je dat? Heb je nog meer van die heldere ideeën?' vroeg hij aan Manolo.

'Ja. Ik ga zelf met haar dansen.'

De muzikanten waren onvermoeibaar, alsof ze geïnspireerd waren en eigenlijk zonder enige verbazing constateerde Ginny dat ze met Steve danste. Dus hij was al die tijd hier geweest! En wat nu, nu ze hem gevonden had?

De zwartharige, zwartogige Mexicaanse jongeman danste nu met een meisje, dat even jong was als hij zelf, maar toch een vrouw. Ginny was zich bewust van het hete vuur in zijn ogen, die op haar rustten. Ze was zich dat bewust zonder te kijken; want het was het gezicht van Steve, verborgen in de schaduw, dat ze voortdurend gadesloeg. En bijna zonder het te willen, deed ze hetzelfde als ze op haar huwelijksdag gedaan had, toen ze voor de eerste keer op dit wilde ritme gedanst had. Zonder te glimlachen, haar ogen niet van hem aflatend, begon ze de spelden uit haar kapsel te trekken en liet die zorgeloos op de grond vallen, terwijl ze voortging met dansen.

In het licht van het vuur werden zijn blauwe ogen zo donker, tot ze bijna zwart leken en hij was zich plotseling en hevig bewust van haar, dat wisten ze allebei. De laatste haarspeld viel en ze schudde haar haren los, die in krullen over haar schouders rolden en langs haar rug, als stromen koper. En de knagende bekendheid vrat zich door zijn slapen en maakten, dat hij haar met gefronste wenkbrauwen kwaad aankeek.

Ze danste met de hartstochtelijke overgave van een Mexicaanse zigeunerin. Met de halflachende, uitdagende bewegingen van iemand, die wilde plagen. En hij vroeg zich af of hij haar zou willen wurgen, zelfs terwijl hij haar begeerde.

Plotseling zei hij en koos opzettelijk het Mexicaanse dialect in plaats van het meer formele Spaans! 'Waar hebt u op deze manier leren dansen? U moet me niet kwalijk nemen, wanneer ik dat nogal ongewoon vind voor een vrouw van uw soort.'

Zijn ogen begonnen boos te fonkelen toen zij haar hoofd achterover wierp en het haar uit haar hals wegstreek in een eeuwenoud gebaar van koketterie.

'En welk soort vrouw ben ik? Hoe kunt u dat weten? Ik heb in Mexico leren dansen - en waar hebt u uw manieren geleerd, señor?'

'Ik geloof, dat ik die nooit geleerd heb. En dat maakt mijn volgende vraag gemakkelijker. Welk soort spelletjes speelt u?'

'U stelt me teleur. Waarom stelt u zo'n zinloze vraag? Ik zou gedacht hebben dat een man van uw type, dat voor zich zelf wel zou willen ontdekken.'

'Een man van mijn soort denkt, dat zo'n antwoord een soort invitatie is. Is het dat, wat je bedoelde, Ginny?'

Haar naam gleed veel te gemakkelijk van zijn tong en toen haar gezicht verbleekte, hetzij uit kwaadheid of door shock, dat wist hij niet zeker, sloten zijn vingers rond haar pols en beten zich wreed vast en ze zou eigenlijk geprotesteerd moeten hebben.

Matt Carter, die wenkbrauw fronsend toekeek met een mengsel van kwaadaardigheid en afgunst, zag hoe Manolo de vrouw naar de verste muur van de patio manoeuvreerde, waar nauwelijks nog enig licht viel, en haar japon verkreukelde terwijl hij haar kuste alsof ze een van die Mexicaanse meisjes was - of een goedkope hoer. En hij zag niet, dat zij vocht tegen wat er gebeurde.

Zo, dus dát was de soort vrouw, die ze was - een loopse teef, precies zoals Toni gezegd had. Matt grijnsde onaangenaam. Misschien zou dit de manier van doen van Missie veranderen, wanneer ze zou ontdekken dat haar nieuwe vriendin niet zo rein en preuts was als ze wel voorgaf. Ze was naar hier gekomen, onder het gewone volk, op de uitkijk naar iets, was het niet? Hij had alleen maar spijt, dat hij het niet geweest was . . .

Het kostte Ginny enige tijd om te beseffen, dat Steve niet haar kuste - althans niet bewust. Hij kuste haar zonder te weten wie zij was en pas toen dát tot haar doordrong, tegelijk met de achteloze, bijna beledigende manier waarop zijn hand haar borst omvatte, begon ze wild tegen te stribbelen.

'O . . . nee! Houd op!'

Zijn lippen bewogen zich langzaam langs de zijkant van haar hals en bleven even rusten in de kleine holte tussen hals en schouders. O, God! Hij was Steve - en toch niet Steve - en toch, misschien door puur instinct herinnerde hij zich al de duivels listige maniertjes om haar op te winden tot ze volkomen gedachteloos werd. Hierna zou hij haar borsten kussen - waarbij hij het dure materiaal van haar japon zou losscheuren indien het hem in de weg zat en daarna . . . geen wonder dat meneer Bishop, en zelfs Renaldo, haar zo twijfelend hadden aangekeken. Omdat haar grootste gevaar van Steve zelf kwam en het zelfverraad waartoe hij haar misschien kon dwingen.

Wanneer haar stem ook al verraderlijk trilde, hoopte zij, dat hij niet zou denken dat het van kwaadheid was.

'Wilt u nu onmiddellijk ophouden? Een gestolen kus is tot daaraan toe, meneer, maar ik heb altijd gevonden dat toegetakeld worden in donkere hoekjes gewoon afstotelijk is. Ik hoop niet, dat dit de manier is, waarop u elke vrouw behandelt, met wie u danst!'

Toen hij zijn hand opstak, dacht ze dat hij haar zou slaan en instinctmatig kromp ze ineen, terwijl ze hem hoorde lachen, zacht en wrang. Zijn vinger liep de opwaartse contouren van haar ogen na; luchtig en bijna verachtend.

'Nee, ik trek niet elke vrouw met wie ik dans in een donker hoekje om haar toe te takelen. Alleen diegenen, die er om schijnen te vragen. Vrouwen met scheefstaande groene ogen, die haar kapsel losmaken onder het dansen en met hun lichaam van alles beloven. Maar ik veronderstel, dat bij u, mevrouw, het alleen maar blijft bij beloften en plagen. Waarom bent u hier gekomen? Werd het binnen voor u te tam?'

Ginny dwong zich om op te kijken naar zijn donkere, onleesbare gezicht en vroeg zich af of haar hart ooit zou ophouden met bonzen.

'Dat was het misschien,' zei ze luchtig. 'En misschien ook omdat ik af en toe heimwee krijg naar de muziek en de dansen van Mexico. U niet?'

Ze voelde in hem een vreemde starheid.

'Misschien is het dat. Het komt me voor, dat ik me te veel dingen herinner, die ik me níet herinner.' Voorzichtigheid, die hem met de paplepel was ingegeven, waarschuwde hem voor gevaar. Nu ze zó dicht bij hem was - nu ze zo'n integrerend deel van het landschap vormde. Een dame uit het maatschappelijke leven, onlangs nog in Parijs en New York en San Francisco, die de boerse Jarabe van Mexico kon dansen en over dat land spreken alsof het haar vaderland was? Een vrouw, die haar belangrijke gasten in de steek liet om zich te mengen onder boerenknechten en doodgewone veedrijvers - die in het publiek haar kapsel losmaakte, even onbezorgd alsof ze in de beslotenheid van haar eigen slaapkamer was? Zelfs Toni zou de conventies niet in die mate hebben durven tarten.

Ook Ginny dacht: 'Wees voorzichtig - wees voorzichtig!' Het zou veel te gemakkelijk zijn om nu tegen hem aan te leunen, haar armen op te heffen en zijn hoofd naar het hare te trekken, zijn haar aan te raken, waar het in zijn nek krulde. Misschien kon zij hem forceren om zich haar te herinneren, althans met zijn lichaam, als er niets anders overbleef...

Maar hij redde hen beiden door zich te verwijderen en zijn schouders op te halen. 'U kunt misschien maar beter terug naar het huis gaan. Uw neef zal zich wel afvragen, waarheen u verdwenen bent.'

En dat was nu precies waardoor Steve haar altijd zo woedend had gemaakt, nu erger dan ooit tevoren. Zijn vermogen om zich los te maken, op zijn hakken om te draaien en haar achterlaten alsof ze voor hem niet meer bestond.

Matt Carter begon wat sluwe, grinnikende commentaren ten beste te geven, maar hij zag de donkere, gevaarlijke blik in Manolo's ogen en besloot om maar niets te zeggen.

'Het lijkt of die "hombre" elf duivels achter zich heeft en hij de twaalfde is,' gromde een van Matts vrienden zuur. 'Ik begrijp het niet. Waarom een keurige dame zoals zij, zich door hem op die manier laat behandelen.'

'Als je het mij vraagt, denk ik, dat er ook een beetje fantasie van haar kant bijkomt...'

Ettelijke paren ogen, sommige sluw, andere waarderend, nog andere zorgvuldig nietszeggend, keken naar Ginny Morgan, zonder één blik in haar richting te werpen; die rustig de tijd nam om haar kapsel weer op te steken, vóór ze naar het huis terugliep. En meer dan iets anders, vond Matt Carter dit air van hautain gedrag meer dan afschuwelijk, alsof haar rijkdom en haar positie haar het recht gaven om zich boven de conventies te plaatsen alsof de mening van wie dan ook haar geen donder kon schelen. En waarom was zij zoveel beter? Een getrouwde vrouw - een ontrouwe vrouw... De lippen van Matt trokken zich terug van zijn tanden in een onaangename glimlach toen hij zich begon af te vragen, met enig genoegen, wat Toni Lassiter zou zeggen, wanneer hij listig wenken begon te geven, dat haar Indiaan misschien zeldzamer wild besloop.

53

Een dergelijke festiviteit was in de balzaal niet meer vertoond, sedert Jean Desmoulins zijn prachtige nieuwe huis opengesteld had voor de nieuwsgierige en afgunstige blikken van zijn vrienden en buren. De glinsterende kandelabers draaiden als miljoenen kleine sterren.

Missie dronk champagne. Haar wangen bloosden van opwinding, ze trok haar neus op toen de myriaden kleine belletjes haar bijna deden niezen.

Bij de aanblik daarvan moest Renaldo lachen. 'U hebt het prettig, is het niet, miss Melissa?'

'Hoe kan het ook anders?' Haar ogen fonkelden kinderlijk zonder enige poging tot pretentie of uitdaging en Renaldo vond, zij het ook met een schok, dat zijn pols ongewoon sneller begon te kloppen. Maar . . . dat kind was gewoon uitgesproken mooi! Hoe had iemand dat nooit kunnen zien? Hij herinnerde zich zelf eraan, dat het tenslotte een kind was. Ze was veel te jong, had geen notie van het leven en de intriges die haar nu al omgaven. Hij moest er nodig met Ginny over praten - waar was die? Missie mocht niet misbruikt worden, ze hadden het recht niet gehad om haar hier te brengen, haar te veranderen in een schitterende kleine vlinder, waaraan de jonge mannen geen weerstand konden bieden. Want ze had geen enkele verdediging tegen corruptie, behalve dan haar kennelijke onschuld en hoe lang kon dat duren in dit soort atmosfeer?

'Dit is de meest betoverende avond van mijn leven,' fluisterde Missie. 'Hoe kan ik u ooit bedanken en - en Ginny?'

Wanneer señor Ortega lachte, merkte ze op, kwamen er leuke plooitjes rond zijn ogen. 'U kunt me bedanken door deze keer met mij te dansen!' Hij nam haar champagneglas en leidde haar naar de dansvloer.

Het dansen van een wals was zo gemakkelijk - de muziek steeg je net zo zeer naar het hoofd als de champagne die ze juist gedronken had. Nu wist Missie wat het betekende, wanneer je voeten ternauwernood de vloer raakten!

Ze was zó gelukkig! En plotseling, toen ze zich nog afvroeg waarom señor Ortega opgehouden was met dansen, stond híj daar, voor ieders blik als een Mexicaanse bandiet met die lange bakkebaarden, die hij had laten staan toen hij zijn baard afschoor; zijn blauwe ogen hard en uitdagend terwijl hij naar Renaldo staarde, die plotseling stram geworden was.

'U vindt het toch niet erg, wanneer ik deze dans vraag aan deze mooie jonge dame, señor? Ik geloof dat ik haar veel te lang verwaarloosd heb.'

Die verduivelde neef! Hij had het meisje nu genoeg van haar stukken gebracht. Welk duivels plan was hij nu weer van zins? Hij zag dat Steve op een ruzie uit was en hij realiseerde zich met een schok, dat Esteban hem niet herkend had! Hij had Steve nog nooit naar hem zien kijken alsof hij een vreemdeling was, die hij graag uit de weg zou ruimen, en die indruk was verre van aangenaam.

'Ik geloof dat hij me echt met plezier zou vermoorden,' dacht hij objectief, zelfs toen hij zich zelf hoorde zeggen, kalm en effen: 'Ik vind dat de dame dat moet beslissen, vindt u niet, señor? Miss Melissa?'

Waarom moest zijn stem zo rauw klinken, zelfs wanneer hij haar ten dans vroeg? En waarom moest hij op die eigenaardige manier naar señor Ortega kijken? Soms begreep ze niets van Manolo en mocht ze hem ook niet zo bijzonder. Maar hij liet haar niet veel keus en toen hij haar in zijn armen nam, zonder op haar antwoord te wachten, had Missie het gevoel, dat ze echt door een zeerover ontvoerd werd.

Ze dansten één keer door de gehele lengte van de grote balzaal en Missie had het vreemde gevoel dat Manolo dat expres deed alsof hij iedereen wilde tonen dat zij - ja, net alsof zij een oorlogsbuit was, die hij onder ieders neus had gestolen. Deze keer hield hij haar ook anders vast. Niet langer op een eerbiedige afstand, maar veel te strak, wat haar een ademloos en raar gevoel gaf. Zelfs de manier waarop hij naar haar glimlachte maakte haar lichtelijk bang, alsof hij een vreemdeling was geworden. En toch was dit waarop ze de hele avond en lang daarvoor gewacht had, was het niet? Dat Manolo haar anders zou bekijken, alsof ze een vrouw was...

'Wat is er aan de hand, prinses?' Ze was gestruikeld, doordat ze een verkeerde pas maakte, maar de sterkte van zijn armen hield haar overeind, terwijl zij zich weer op de muziek trachtte te concentreren en ze maakte zich wijs, dat zijn stem plagerig klonk en niet die vreemde ondertoon had, die ze vroeger nooit opgemerkt had. 'Heeft al dat dansen je echt vermoeid?'

'N... nee' maar haar stem klonk onzeker en ze liet een kort lachje horen en boog plotseling haar hoofd zodat zijn lippen bijna haar oorlelletje raakten terwijl hij plagend fluisterde:

'Ik dacht dat je wilde leren flirten – of wil je niet langer experimenteren? Heeft een van je bewonderaars je afgeschrikt, kleintje?'

'Ik heb u dat al eens gezegd! Ik bén geen klein meisje. En ik héb geflirt, de hele avond, als u het dan al wilt weten!'

'Ben je al buiten gaan wandelen?'

Uitdagend zei ze: 'Vraagt u me dat?' en hoorde hem opnieuw lachen.

'Ik vind, dat het mooiste meisje uit de zaal moet gaan kijken hoe de sterren eruit zien.'

'Word ik nog steeds verondersteld "nee" te zeggen wegens wat de mensen van me zouden kunnen denken?'

'Er zijn mannen, die je naar een donker hoekje zouden brengen of je nu "nee" zei of niet, Missie. Vooral wanneer je tevoren al met hen geflirt zou hebben.'

Zijn stem werd plotseling ernstig en de manier waarop zijn ogen – even donker als de nachtelijke hemel – in de hare keken, deden Missie zich heel slap en trillerig van binnen voelen. Ze begreep het niet – een minuut geleden nog was ze heel gelukkig aan het dansen met señor Ortega en nu, nu hoopte ze, dat Manolo haar zou kussen! Hoe zou dat aanvoelen: door een man gekust te worden? En wat werd ze dan geacht te doen? In de boeken die ze gelezen had, werd altijd aangenomen dat het een romantische, overweldigende ervaring was – een, die een meisje voor altijd in een vrouw veranderde. En nu, over een paar ogenblikken, zou ze dat zelf ontdekken...

'Maar ik heb niet écht met u geflirt. Flirten is "net doen alsof" en u weet, dat ik niet "net deed alsof" toen ik zei, dat ik...'

'O, Christus, Missie!' zei hij met een onderdrukte woedende stem en al dansend verdween hij met haar door een klein deurtje tot ze eindelijk aan een binnenplaatsje kwamen, waar een fonteintje spoot.

'Hoe wist u van het bestaan hiervan af? Wie heeft u hier vroeger heen gebracht?'

Ze meende, dat er een lach in zijn stem trilde. 'Ik heb wat rondgekeken. Ik wil altijd graag de weg in een huis kennen en weten, hoe ik er zo snel mogelijk weer uit kan komen.'

'Maar dat is...'

Ze had geen tijd om de zin af te maken, want plotseling was zijn arm om haar middel, dat hij ongeduldig naar zich toe trok, terwijl hij met één hand haar kin oplichtte en ze haar knieën kon voelen beven, toen hij neerkeek in haar ogen, maar niet lang genoeg voor haar om een enkel woord van protest te kunnen laten horen.

'Missie . . .'

Ze sloot haar ogen, heel stijf, en voelde zijn lippen over haar half-geopende mond strijken, terwijl ze confuus dacht, dat ze moest dromen. Hij kuste haar eerst heel licht, zijn hand nog om haar kin, en toen, plotseling, angstaanjagend, veranderde zijn manier van kussen en in plaats van zacht, verpletterde zijn mond de hare en ontlokte haar een onderdrukte kreet.

Missie stak haar beide handen uit en probeerde hem weg te duwen maar ze voelde zich een tegenstribbelende gevangene. Iets van haar paniek scheen zich aan hem mee te delen, want plotseling liet hij haar los en ze deinsde achteruit. Ze zou bijna gevallen zijn, indien hij haar niet had opgevangen.

'Nee! Laat me los! Ik wil niet . . . ik wist niet . . .' Zij kwam weer op adem en eindigde in een lange, beschuldigende snik. 'Is dat hoe mannen echt willen kussen?'

'Niet alle mannen, baby. Alleen kerels zoals ik.' Zijn stem was gespannen en rauw van kwaadheid, maar die was meer tegen zich zelf gericht dan tegen haar, ofschoon Missie dat niet kon weten.

Zijn vingers, die plotseling weer teder werden, streken langs haar wangen.

'Missie - zie je wat er gebeuren kan, wanneer je met een man de schaduw intrekt?'

'Maar het was met ú! En ik dacht . . .'

'Dacht wat? Dat ik plotseling in een heer veranderd zou zijn, die zich tevreden zou stellen met één kus en een paar gefluisterde leugens in het maanlicht? Je zou misschien ontdekt hebben, dat een paar van die jonge officieren alle regels over het spelen van romantische spelletjes kennen, kleintje, maar ik heb geen tijd voor romantiek of voor spelletjes. Kussen vormen alleen maar een voorspel voor wat daarna komt en voor wat mij betreft: tijdverspilling.'

'O,' zuchtte ze zwakjes en begreep het eigenlijk niet, maar plotseling werd ze bang voor de rauwheid in zijn stem. Ze was ook bang dat hij haar opnieuw zou kussen - en wat had hij bedoeld met dat kussen, dat alleen maar een voorspel zou zijn? En tijdverspilling?

'Houd op met huilen, in godsnaam!' zei hij ruw en, toen hij zijn stem opzettelijk liet dalen: 'Ik zal je geen kwaad doen, Missie. Zo meteen neem ik je mee naar binnen, nadat ik al die tranen van je gezicht geveegd heb. Je wilt toch niet, dat iedereen weet wat er gebeurd is? Wil je me in een gevecht gewikkeld zien met je grote broer?'

Ze schudde triest haar hoofd en plotseling was hij weer hartelijk, haalde een zakdoek te voorschijn, waarmee hij haar tranen droogde. Voor de eerste maal had ze een van zijn donkere kanten gezien en wist niet dat zelfs dit kleine gebaar van tederheid hem eigenlijk vreemd was.

'U . . . u denkt dat ik dwaas ben, is het niet? U denkt nog steeds dat ik een kind ben!'

'Mijn God, Missie! Je moet een pak voor je broek hebben of opnieuw gekust worden – ik weet niet zeker wat het beste is! Maar, als jij verleid wilt worden alleen om te bewijzen dat je een vrouw bent, dan moet je iemand anders uitzoeken. En daarna, misschien, zal ik hem voor jou vermoorden.'

'Ik zou hem kunnen vermoorden! Nee – kijk me maar niet zo aan, Renaldo. Ik ben er vroeger al dicht aan toe geweest en deze keer, ik zweer het je, zou ik geen aarzeling kennen. En doe geen moeite om me te herinneren aan het feit, dat hij duidelijk zijn geheugen verloren heeft – dat doet er niets toe! Minder dan vijftien minuten geleden kuste hij mij en nu, gebruik makend van de onschuld van Missie – mijn hemel, dat kind aanbidt hem! En het is nog zo'n kind!'

Ginny was rood aangelopen en ofschoon ze op gedempte toon sprak, weliswaar knarsetandend, was Renaldo genegen om zijn eigen onbehaaglijke gevoel te vergeten teneinde haar weer tot kalmte zien te krijgen.

'Er wordt niet van jou verwacht, dat je hem kent. En het behoorde niet tot ons plan, dat jij naar buiten zou gaan. Indien jouw komst hier ooit iets tot oplossing moet brengen, dan moet je proberen om kalm te blijven – en een ongeïnteresseerde houding aan te nemen. Steve zal Missie geen kwaad doen.' Hij sprak streng, maar de hele tijd werd zijn geest in beslag genomen door dezelfde angst, die hij Ginny uit haar hoofd probeerde te praten. Hij had zelfs spijt, dat hij dit feest verzonnen had. Wat spookte die onbesuisde gewetenloze neef van hem daarbuiten met Missie uit? Hij was al niet gebrand op de boze gevaarlijke aanblik van hem, toen hij haar van hem had weggepikt en het had hem heel wat moeite gekost om hen niet te volgen.

'Soms heb ik het gevoel, dat ik hem helemaal niet ken,' zei Ginny met een kille veel te beheerste stem. 'En wanneer hij zich niet bewust was van mijn aanwezigheid, waarom zou hij dat dan met Missie wél zijn?' Plotseling begon ze te lachen, een rauw, gebroken geluid, dat de zenuwen van Renaldo geweld aandeed. 'Ik weet zelfs niet zeker of Steve ooit van me gehouden heeft. Ik moet gek geweest zijn, toen ik ermee instemde om mee te doen aan de ingewikkelde plannen van meneer Bishop . . . Renaldo, wat doe ik hier eigenlijk?'

Hij kon slechts met ontzetting op haar neerkijken en wist niet wat hij moest zeggen, zonder zich een huichelaar te voelen. Wat kon hij zeggen? Hij moest bekennen dat hij in het geheim gehoopt had, dat Steve zijn eigen vrouw zou herkennen – een vrouw, die hij kennelijk bemind had. Maar was Steve in staat om werkelijk van een vrouw te houden? Of was hij zo aan hen gewend geraakt, dat hij hen alleen gebruikte om aan zijn eigen behoeften te voldoen? En bovenal, wat kon hij tegen Ginny zeggen, dat eerlijk en betrouwbaar zou zijn, zonder haar meer te kwetsen dan ze in het verleden al gekwetst was?

Dat probleem werd hem bespaard, toen Missie plotseling de kamer binnenglipte, haar ogen met verdacht rode randen. En het was niet terwille van zijn neef, dat hij een opgelucht gemompel van geruststelling liet horen en zich haastte haar tegemoet te gaan.

'Ik geloof, dat hij verliefd wordt op Missie – en hij weet het zelf niet!' dacht Ginny en ze vroeg zich af waarom zij zich plotseling zo leeg van alle emoties voelde. Missie was veilig – en Renaldo, op zijn manier even open en eerlijk als Missie, had zijn opluchting niet kunnen verbergen. Geheel objectief dacht ze, dat het voor die twee erg goed zou zijn, als Missie althans heen kon komen over haar zwakheid voor Steve. Haar man. Maar vanavond leken die woorden geen betekenis te hebben. Haar echtgenoot. Een vreemdeling. Was hij altijd al een vreemdeling voor haar geweest, zonder dat zij in staat was omdat toe te geven?

En waarheen was hij nu weer verdwenen? Ze rechtte haar rug; ze zou Steve vinden en hem de feiten onder zijn neus duwen. Dat had ze al veel eerder moeten doen!

'Mevrouw Morgan - ik heb naar u uitgekeken, weet u dat? U hebt me een dans beloofd of matig ik me te veel aan? Nick Benoit liet een kort verontschuldigend lachje horen, zijn vingers streelden zijn snor. 'U zag er zó in gedachten verdiept uit, dat ik u niet durfde storen. U hebt toch nergens zorgen over? Zo'n succesvolle avond - en natuurlijk kan ik u niet genoeg bedanken voor de veranderingen die u bij mijn nichtje veroorzaakt hebt. U hebt haar op één avond omgetoverd in een dame.'

Stijfjes lachend accepteerde Ginny mechanisch zijn uitgestoken hand. Wat kon ze anders doen? En daardoor stelde ze althans de onontkoombare confrontatie met Steve uit, met alle heftige en vermoedelijk onaangename gevolgen van dien. Eigenlijk was ze laf. Nick Benoit kon haar niet kwetsen, maar Steve wél - en bovendien maar al te gemakkelijk.

Maar plotseling herinnerde zij zich de waarschuwing van Bishop...

'Nicholas Benoit... Rechter Benoit. Hij is een opgeblazen, gewichtigdoend mannetje, die zich zelf een hele hartenveroveraar vindt. Onderschat hem niet.' En ergens, achter in haar geest leefden herinneringen aan Renate Madden, haar gebroken doodse stem, toen ze vertelde wat haar allemaal in handen van Benoit overkomen was. Maar tot dusver: al wat ze gezien had, was de dandy - en de vleier, zelfs zijn complimentjes gingen versluierd onder respect. Vanavond, nu haar brein te veel in beslag genomen werd door vele andere dingen, merkte Ginny nauwelijks de lichte verandering op, die over hem gekomen was in zijn manier van optreden.;

Zijn complimentjes werden brutaler, maar die kon ze uit kracht der gewoonte gemakkelijk genoeg afweren. En indien hij haar al een beetje inniger vasthield dan de conventie voorschreef terwijl zij walsten, kon ze dat ook nog toeschrijven aan het late uur en de stromen drank waarvan ze allemaal genoten hadden. Haar schuld - maar wat had ze eigenlijk verwacht als resultaat? Dat Steve haar onmiddellijk zou herkennen en alles op zijn plaats zou komen? Ze was even naïef als Missie, die nu met Renaldo danste, haar kleine gezichtje brak af en toe uit in een glimlach, bij iets wat hij zei.

Bijna automatisch hadden de ogen van Ginny de menigte afgezocht voor een glimp van Steve, maar het enige dat ze zag, was Matt Carter, de broer van Missie, die rondwandelde met een glas wijn in zijn hand; nu stond hij tegen de muur geleund en staarde haar op buitengewoon eigenaardige manier aan.

'Morgen vertrek ik helaas naar Dallas. Maar ik verheug me op een weerzien met u, wanneer ik terugkom. Ik hoop, dat u besloten hebt om nog een poosje bij ons te blijven?'

Waar had de man het over? Bijna alsof hij haar gedachten gelezen had, voegde Nick Benoit er zacht aan toe: 'Ik ben een afficionado van de opera, als dat althans de juiste uitdrukking is. En een dame, die ik al lang bewonderd heb, zal Dallas de volgende week met haar bezoek vereren. Francesca di Paoli - Prinses di Paoli. Zij is . . . onvergelijkelijk!'

Zonder het te willen voelde Ginny zich verstijven. Die vrouw! De operazangeres, wier naam alle kranten gekoppeld hadden aan die van Steve. Wat moest die in Texas doen? Waarom kwam ze hier? En hoeveel kletspraatjes had Nick Benoit gehoord? O God, kwam er dan geen eind aan haar vernederingen?

En Nick Benoit, die enige ogenblikken eerder haar hand gedrukt had, leek nu in extase te zijn, wanneer hij over zijn idool sprak.

'Zo'n prachtige stem - zo helder, zo volmaakt, zelfs in de hoogste registers. En omdat u zelf zo'n mooie vrouw bent, weet ik zeker, dat u me niet verkeerd zult begrijpen, wanneer ik over haar schoonheid praat. Maar, misschien hebt u haar ook wel op het toneel gezien?'

'Ik heb veel gehoord over deze laatste operazangeres, natuurlijk. Maar ik vrees, dat ik nog niet het voorrecht gehad heb om een van haar voorstellingen bij te wonen.'

Ginny wist dat het maar stijfjes klonk en tamelijk arrogant, maar haar partner leek het niet op te merken.

'Dan zoudt u mee moeten gaan naar Dallas. Gelooft u me, het is de reis wel waard.'

'De kleine vuile vent!' dacht zij. Hij had natuurlijk geruchten gehoord en probeerde nu haar reacties uit. Plotseling op haar hoede forceerde Ginny een briljante glimlach.

'Misschien zal ik het geluk hebben de signorina di Paoli te zien, wanneer ik terug ben in New York. Of in Europa - want ik heb nog niet besloten of ik nu de oude wereld prefereer boven de nieuwe.' Maar abrupt voegde ze eraan toe en het kon haar niet schelen wat hij zou kunnen denken: 'Maar waarom praten we over zo iets saais als de opera? Ik moet bekennen, dat ik de voorkeur geef aan ballet - en de walsen van Strauss. U zult me nu wel een volslagen filister vinden!'

Hij maakte een beleefd afwerend gebaar en begon haar weer te vleien. Maar waarom maakte hij er een punt van om enkele seconden later te zeggen, dat hij hoopte, dat zij Toni zou willen vergeven, dat die zo vroeg weggegaan was en zonder formeel te bedanken?

'Ze is natuurlijk wel veilig. Haar uitvoerder brengt haar thuis. Een soort man, waarvan ik hoop, dat u niet ons allen naar hem zult beoordelen! Maar sedert John gestorven is, vrees ik dat Toni zich een paar rare manieren aangewend heeft. Ze is natuurlijk eenzaam geweest en van dat feit heeft hij geprofiteerd. Ik weet zeker, dat ik u niet méér hoef te vertellen. Zoals u weet heb ik me nogal wat zorgen over mijn nicht gemaakt - de manier waarop haar vader haar maar in het wilde weg laat rondlopen - maar ik geloof echt, dat u gelijk had. Missie heeft zich bijzonder goed aangepast aan wat haar ware omgeving zou moeten zijn, vindt u niet?'

De man bleef maar praten, ogenschijnlijk buitengewoon onsamenhangend en sprong van het ene onderwerp op het ander. En toch: door al die monologen heen begon Ginny het onbehaaglijke gevoel te krijgen dat hij haar in het geheim bestudeerde en haar reacties in zijn geheugen vastlegde om ze in de toekomst te kunnen gebruiken. Belachelijk of niet, ze was blij toen de dans uit was en ze in staat was zich te excuseren.

Het gespannen gevoel waarmee ze de avond begonnen was, was nu geheel verdwenen en na het vertrek van de gasten liep ze door haar kamer te ijsberen en verwijtende blikken op Renaldo te werpen.

'Hij behandelt vrouwen alsof ze – alsof ze alleen maar dingen zijn om te gebruiken, wanneer hij in de stemming is! Die operazangeres en de wijze waarop hij daarmee te koop liep, alsof hij mij moedwillig in het publiek wilde vernederen! De kranten gingen zelfs zo ver, dat ze zinspeelden op het feit, dat hij een scheiding overwoog om haar te kunnen trouwen! En rechter Benoit weet het – die heeft herhaaldelijk haar naam genoemd, terwijl hij me de hele tijd sluw gadesloeg. En dan dat schepsel van Lassiter, die me herinnert aan Concepción, omdat ze even gulzig en graaierig is! Misschien is dat het soort vrouw, waartoe hij zijn aandacht moet beperken, mannen van zijn type althans. Maar hij heeft Missie Carter een ring gegeven en het arme kind is tot over haar oren verliefd op hem! Je hebt gezien hoe ongelukkig hij haar vanavond gemaakt heeft. Zou hij nu helemaal geen scrupules hebben? Ik vermoed, dat wanneer hij het in zijn hoofd krijgt, hij haar zal verleiden, precies zoals hij mij gedaan heeft – Renaldo, waarom blijf je daar maar zitten kijken hoe ik loop te tieren? Waarom zeg je me niet, wat een gek ik ben? Vanavond heb ik opzettelijk met hem geflirt en ik heb me door hem in de schaduw laten kussen, alsof ik een of andere goedkope slet was, die hij in een . . . in een kroeg had opgepikt! En zo heeft hij mij behandeld – ik moet gek geweest zijn om meneer Bishop toe te staan mij hiertoe over te halen! Ik had nooit hier moeten komen, want nu is alles nog erger dan het al was.'

Ginny hield op met haar heen en weer geloop om Renaldo beschuldigend aan te kijken. Ze waren alleen, Missie, die zou blijven logeren was al naar haar kamer en señora Armijo had haar gevolgd, geeuwend, Ginny herinnerend dat ook zij moest denken aan de nodige nachtrust en dat ze hoopte, dat Ginny spoedig zou volgen. Maar Ginny was veel te overspannen om die raad op te volgen.

'Waarom zeg je niets?' vroeg ze nu, haar groene ogen stonden gevaarlijk helder. Ze wilde uitbarsten in een stortvloed van tranen – maar of dat uit pure woede of uit een ongelukkig gevoel kwam, dat wist ze zelf niet zeker.

Renaldo rekte zich in zijn stoel uit en zuchtte. Ook hij had een vermoeiende avond achter de rug en zijn geest was té vol van gedachten, die hij moest taxeren en sorteren.

'Zullen we terug naar huis gaan?' zei hij rustig en keek naar Ginny's gezicht. 'Ik begin het met je eens te worden, dat jouw komst hierheen een fout was. En bovendien heb je aan de kinderen te denken. Zeg maar aan die meneer Bishop, wat je hier te weten bent gekomen, en laat hem verder zijn zaken zelf maar behartigen.' Hij vertrok zijn mond in een wrange grimas. 'Je weet zelf wel, dat Steve altijd kans gezien heeft voor zich zelf te zorgen. Vroeg of laat...'

'Bedoel je dat ik weg moet lopen? En de hele wereld, en Steve, laten zien wat een lafaard ik ben? Hij heeft vanavond dat mens Lassiter naar huis gebracht - en zijn operazangeres komt naar Texas. Moet ik in het openbaar toegeven, dat ik niet in staat ben om mijn eigen echtgenoot te binden? O, nee!' Ginny stak haar kin op de uitdagende manier naar voren, die Renaldo maar al te goed kende en haar stem werd hees. 'Vóór ik hier wegga, ga ik de zaken op mijn eigen manier regelen - en ik heb meer dan een paar rekeningen met Steve te vereffenen! Ik kan precies even hard en even gewetenloos zijn als hij, als het nodig is!'

Het zou geen nut hebben om te proberen met haar te redeneren. Vanavond niet in elk geval, niet wanneer ze in zo'n koppige en weerspannige bui was. Maar morgen zou ze misschien meer geneigd zijn om naar rede te luisteren. Het was toch maar het beste om te vertrekken - en zelfs toen hij in een hulpeloos gebaar zijn schouders optrok, dacht Renaldo, dat hij nu ook zelf redenen had om... om weg te lopen, zoals Ginny het minachtend genoemd had.

Lang geleden had Steve hem eens gevraagd of hij vrede had met het leven dat voor hem lag. Toen had Renaldo, hij herinnerde het zich nog alleen maar gelachen en zijn hoofd geschud. Nee - hij had geen zin, helemaal geen zin, om een leven te leiden zoals zijn neef leek te begeren. Hij had zijn hele leven rust gezocht en hoewel hij de vrouwen niet direct minachtte, was hij toch de wanhoop van zijn moeder geweest omdat hij geen vrouw wilde nemen. Zijn moeder, die vindingrijk genoeg was ondanks haar domme uiterlijk, had hem botweg gezegd dat hij gek geweest was om wat zij noemde 'dat rampzalige huwelijk' tussen Steve en Ginny aan te moedigen, omdat het opviel zoals de neus in haar gezicht, zoals ze zei, dat hij zelf meer dan verliefd was op de jonge vrouw.

Hij was nog steeds meer dan gewoon dol op haar, dacht Renaldo, en keek hoe ze op haar onderlip beet en heftig met een voet op de vloer stampte, alsof ze niet stil kon zitten. Ze was mooi en beschaafd, en verdiende beter dan de ellende, die zijn neef haar had laten ondergaan. Maar hij had haar nu goed genoeg leren kennen om te beseffen dat zij, ondanks haar uitbarstingen, nog steeds een hartstocht voor Steve had - ofschoon natuurlijk de benarde toestand waarin ze nu allemaal verkeerden, volkomen onhoudbaar was.

Ginny had gelijk - laat de politiek maar naar de hel lopen. Terwille van hen allen, zelfs terwille van Missie - en Renaldo's lippen knepen zich samen bij die gedachte - moest iemand met Steve praten.

54

Steve was niet in een stemming om te praten. Hij werd wakker toen het zonlicht door het dikke gebladerte drong dat boven hem hing en een soort groen hol vormde. Ergens sijpelde water en dat herinnerde hem aan het feit, dat hij dorst had en hij reikte naar zijn veldfles en vertrok zijn gezicht pijnlijk, terwijl hij zich uitrekte. Zijn hoofd deed pijn en hij had een vage herinnering, dat hij weer gedroomd had van een groenogige vrouw - dezelfde, steeds terugkerende droom, die tergend aan de rand van zijn geheugen bleef hangen.

Toch zodra hij zijn ogen opende was hij klaarwakker, precies als het soort roofdier, waarmee hij meer dan eens vergeleken was. Hij wist waar hij was en herinnerde zich hoe hij daar gekomen was. Een plek, die hij vroeger al eens gezien had en onthouden had als een mogelijke schuilplaats. Toen hij het lauwe water in zijn mond liet druppelen, prefereerde hij om niet terug te denken aan zijn droom of de reden daartoe en dacht in plaats daarvan aan Toni - vuile scheldwoorden hadden van haar bleekroze lippen gestroomd tot hij een hand over haar mond legde, haar met de andere hand de kleren van het lijf scheurde en eindelijk het soort onderwerping gedaan kreeg, waarnaar ze zo scheen te smachten. En toen had hij haar opzij gegooid, had haar verlaten, terwijl ze hem nog steeds scheldwoorden achterna riep.

'Comanche! Naar de hel met jou! Eén dezer dagen, jij rotte bastaard, zul je mij te ver drijven en dan ga ik je hart uitsnijden, terwijl je nog leeft. Hoor je me? God verdoeme je! Kom terug hier - ik betaal nog steeds jouw loon en ik ben nog niet klaar met te zeggen wat ik van jou denk. Je hebt me vanavond voor gek gezet, door met die roodharige teef aan te pappen!'

Ginny. Hij fronste zijn wenkbrauwen en vroeg zich af waarom die naam zo snel en zo gemakkelijk in zijn geest opkwam. Goed, Toni had in één ding gelijk - deze vrouw Ginny betekende moeilijkheden.

'Waarom is ze nog steeds hier? Waarom heeft ze zo'n belangstelling voor ons? Ze wil met iedereen vrienden worden - dat heeft ze aan Nicky gezegd, dat huichelachtige liegbeest! En als hij al gek genoeg is om haar te geloven, ik niet! Ze hoort hier niet en ik wil niet dat zij zich ergens mee bemoeit! Ze is niet van plan om te vertekken, dat zie je nou toch zeker wel, is het niet? We moeten haar kwijt zien te raken!'

'Ben je een toontje lager gaan zingen om mij daarvoor op te zoeken? Om me dat te zeggen?'

Zonder belangstelling merkte hij op, hoe goed de snit was van het fluwelen rijkostuum van Toni dat haar wellustige vormen deed uitkomen. En ze had opzettelijk haar jasje opengelaten, zodat de stijve harde tepels duidelijk zichtbaar waren onder haar dunne zijden blouse. Ze wilde van haar paard getrokken en verkracht worden; de langzaam groter wordende pupillen van haar amberkleurige ogen zeiden hem dat, terwijl ze op hem neer bleef zien, uitdagend, ze tikte met haar rijzweepje tegen de bovenrand van een van haar gepoetste laarzen. Maar vanmorgen was hij niet in de stemming en hij werd langzamerhand verdomd moe van Toni en haar trucjes en buien. Eén

ogenblik kwam hij zelfs in de verleiding om haar dat te zeggen.
Hij schonk haar een vreugdeloze glimlach, waarbij zijn lippen alleen maar wat dunner werden en omhoog gingen, een glimlach, die zijn ogen niet bereikte.
'Ik heb nog geen ontbijt gehad. Ik heb nooit zin gehad om over zaken te praten vóór ik 's morgens eerst een kop koffie gehad heb. Doe je mee of blijf je daar op je paard zitten pruilen?'
'Ik weet waarachtig niet, waarom ik het met jou uithoud, weet je dat, Comanche? Feitelijk mag ik je niet eens!' Ze had besloten te pruilen in plaats van woedend weg te rijden en hij trok zijn schouders op en bemoeide zich weer met het vuurtje dat hij aangelegd had.
'Dat gevoel is wederkerig,' zei hij gelijkmoedig. 'Wil je koffie of niet?' Zijn blik maande haar tot stilte en ze sloot haar lippen over haar bijna gemompelde antwoord, klom knorrig van haar paard, terwijl hij geen moeite deed haar te helpen.
Maar verdomme, verdomme, hij zou haar tenslotte helpen! Hij had te veel te verliezen en ook veel te winnen en uiteindelijk zou zij hem dat duidelijk maken.
'Nicky vertrekt vanmiddag naar Dallas, op jacht achter die stomme koe van een Italiaanse operazangeres, op wie hij altijd al zo gek geweest is. Maar hij heeft wel gezegd dat hij zou proberen om alles te ontdekken over die mevrouw Morgan, wanneer hij daar is. Ik geloof dat Nicky haar graag voor zich zelf zou hebben en hij heeft niet half zoveel ontzag voor haar als eerst, vooral niet na wat Matt hem gezegd heeft. Vond je het leuk om haar te kussen, Comanche? Is ze even goed als ik?'
'Ik heb haar niet lang genoeg gekust om dat te ontdekken. Maar ik zal het je laten weten, wanneer ik het ontdekt heb.'
De buien van Toni konden variëren van het ene uiterste tot het andere, zonder enige waarschuwing, en nu giechelde ze opgetogen.
'Doe je dat echt? Ik geloof dat ik dat graag zou zien – denk je dat je haar zult moeten verkrachten? O God, dat zou opwindend zijn. Zij eerst, dan ik – hoe lijkt je dat ter vergelijking? En dan geven we haar aan Nicky – dat zou beter zijn dan om haar direct te vermoorden, vind je niet? En wanneer we daarna besluiten om haar te laten gaan, zal ze waarschijnlijk niet veel vertellen over wat er gebeurd is. Ik denk dat ze dat nare schandaal zal willen ontvluchten, denk jij ook niet?' Haar obscene opgewonden lach schuurde langs zijn zenuwen.
'Jij hebt een geslepen, smerige geest, Messalina,' teemde hij en goot de rest van de koffie op het vuurtje, toen hij ging staan. 'Maar nu we afgesproken hebben wat we met Ginny Morgan gaan doen, kun je misschien maar beter beginnen te denken, hoe we het gaan doen en ik mag doodvallen als ik de enige ben, die de kastanjes uit het vuur moet halen, dus begin meteen maar te denken.'
Haar triomfantelijke lach waarschuwde hem, dat ze al gedacht had.
'Maar ik heb al aan alles gedacht, schat. Om te beginnen gaan wij ook naar Dallas – alleen Nicky mag het niet weten. Zie je . . .' haar amberkleurige ogen

trokken zich samen, terwijl haar volle lippen bleven glimlachen, 'ik weet niet zeker of ik hem wel kan vertrouwen en we hebben enkele gezamenlijke beleggingen, weet je. Maar die lieve Nicky zou zich gemakkelijk kunnen laten meeslepen, wanneer het om die Italiaanse vrouw gaat en te veel geld aan haar verspillen!'

'En? Waarom moet ik mee?'

'Maar Comanche, je weet, dat ik me altijd zoveel veiliger voel, wanneer jij me begeleidt! En ik heb vijanden. Bovendien heb jij hetzelfde soort geest als ik en dat zou misschien erg nuttig kunnen zijn wanneer we eenmaal in Dallas zijn - zie je, Nick wordt verondersteld ook wat zaken af te handelen, die we voor gemeenschappelijke rekening doen en ik ben bang, dat hij al te erg afgeleid zal worden ...'

Hij begon zijn paard te zadelen en vroeg zich ongeduldig af, waarom hij toch voortdurend hoofdpijn had.

'Nick moet morgen in Dallas aankomen. En ik heb al aan iedereen gezegd, dat ik een paar nichten in Shreveport ga opzoeken. We kunnen hier afzonderlijk vertrekken en afspreken om elkaar ergens te ontmoeten.' Haar stem schoot omhoog en werd plotseling schril. 'Waar denk jij heen te gaan? We hebben nog zoveel te bespreken en ik wil niet alleen naar de boerderij terugrijden!'

Met één hand al aan de zadelknop, draaide hij zijn hoofd om en keek haar aan en hoe woedend ze ook was: Toni schrok terug van de koude blik in die harde blauwe ogen.

'Ik heb nog een en ander te doen, maar ik zie je wel in het huis vóór zonsopgang - bazin, mevrouw!'

Hij tikte aan zijn hoed en paard en ruiter verdwenen bijna onmiddellijk in het dichte bos.

'Ik hoop dat je in het moeras verdrinkt, verdomme!' schreeuwde Toni hem woedend achterna, ofschoon ze wist dat hij vermoedelijk al buiten gehoorsafstand was.

Ze kwam pas in de middag thuis, omdat ze verdwaald was, een angst aanjagende ervaring, zelfs voor haar. En toen ze hoorde dat ze een bezoek van haar nieuwe buren gemist had, die voorbijkwamen op weg naar de Carters, werd haar humeur er niet beter op.

'Dat nieuwsgierige kreng van een bemoeial! Ik vraag me af, wat ze in werkelijkheid wilde? Ik had gelijk om haar niet te vertrouwen en Nicky zal dat ook moeten inzien....!'

Toni stampte naar boven, in een rot humeur, dat nog erger geweest zou zijn als ze geweten had, dat haar uitvoerder ook op weg was voor een bezoek aan de Carters.

Eigenlijk wilde Steve Missie zien. Gisteravond - wat had hem in 's hemelsnaam bezield. Na de hele episode met Ginny had zij zijn frustratie op Missie afgereageerd, die hem vertrouwd had. Missie was veel te naïef en Joe moest haar niet zo maar laten rondlopen. Gisteravond had ze er echt uitgezien als een vrouw - plagend had hij haar Assepoester genoemd - maar hij was niet het soort prins waar Missie op zat te wachten. Hij moest met haar praten en uitleggen, dat ze niet zo gemakkelijk haar vertrouwen moest schenken. En – zijn fronsende voorhoofd werd erger en zijn gezicht was nu hard en gevaarlijk – hij wilde Matt Carter ook spreken. Matt had een verdomde grote bek af en toe, wanneer hij te veel op had!

Uit gewoonte hield Manolo halt om zijn kijker te pakken, toen hij bij de geliefde boom van Missie kwam. Het had geen zin om tegen een van die soldaten van Belmont op te lopen, die geneigd konden zijn om eerst te schieten en naderhand vragen te stellen.

Waar voor de duivel was iedereen? Het was veel te rustig voor een gewone middag. Daarna, toen hij zijn gezichtsveld verplaatste, zag hij het mooie rijtuigje met de bijpassende paarden voor het huis staan en wist dus, dat de Carters bezoek hadden. Hij vloekte binnensmonds en was bereid om te wachten, terwijl hij zich zelf wijsmaakte, dat het doodgewone nieuwgierigheid van hem was.

Binnenshuis vroeg Ginny zich af, met één gedeelte van haar geest waarom ze toch besloten had om te blijven. Koppigheid, had Renaldo het in zijn wanhoop genoemd, toen zij die morgen aan het ontbijt daarover een twistgesprek hadden. Of was het een gevoel, dat zij iets onopgelost en onafgemaakt liet liggen? Elke keer dat zij de sluwe, maar tevens onbeschaamde blik van Matt Carter opving, werd ze herinnerd aan gisteravond en aan Steve... Waarheen was hij verdwenen? Noch hij, noch Toni waren in het huis van de Lassiters geweest en ze had daar expres halt gehouden, ondanks de protesten van Renaldo, en dat zeker te weten maar wat eigenlijk? Een oude vergrijsde neger, de bediende van Toni Lassiter had haar verteld, dat madame was gaan rijden. Natuurlijk had hij niets gezegd over de uitvoerder van madame, die ook bij tijd en wijle het bed van madame deelde. Het was Missie, die met grote ogen nieuwsgierig rondkeek in de indrukwekkende hal van het huis, waar eens haar moeder gewoond had, en kinderlijk en openhartig vroeg: 'Waar is Manolo? Is hij nog niet hier geweest?'

Het zwarte gezicht van Henri werd afkeurend strakker. 'Nee, juffrouw. Ik kan niet zeggen, dat ik hem vanmorgen gezien heb.'

En Missie had opgelucht gekeken, terwijl Ginny zich afvroeg of haar eigen gezicht ooit zó doorzichtig was, of zij ooit zó eerlijk en vol vertrouwen was geweest.

'Misschien is hij bij ons thuis,' barstte Missie uit, toen Renaldo haar weer in het rijtuigje hielp. 'O, ik zou zo graag willen dat u hem zoudt ontmoeten, wanneer hij niet zo dreigend kijkt of zo woest en boos. Hij is onze vriend geweest en u wilt hem toch niet beoordelen naar wat andere mensen zeggen, is het wel?'

Toen ze haar naar huis gebracht hadden, vroeg Joe Carter hun om binnen te komen en mee te proeven van zijn eigengemaakte perziken-brandewijn, en weer was het Missie, die zijn naam te berde bracht.

'Hebt u Manolo gezien? Is hij soms langs geweest, Pa?'

Het was Matt die antwoord gaf, met een zijdelingse blik naar Ginny.

'Ik heb sedert gisteravond geen blik meer op hem geslagen, zus, nadat hij miss Lassiter naar huis bracht. Misschien is hij terug naar het moeras en zit te pow-wowen met die Indiaanse vrienden van hem.'

Joe Carter kwam haastig tussenbeide. 'O, hij komt nog wel, denk ik. Je weet hoe hij is. Missie, waarom laat je meneer Ortega niet een paar van de tekeningen zien, die jij gemaakt hebt?'

Missie was altijd verlegen, wanneer ze iemand haar schetsen moest laten zien, maar señor Ortega was anders, evenals zijn naam, Renaldo. Al klonk het dan vreemd, ze hield van de klanken. En een diep inwendig gevoel, waarvan ze niet eens wist dat ze het bezat, had haar gezegd, dat hij haar echt aardig vond – hij was niet zo maar aardig, omdat hij zoveel aandacht aan haar besteedde. Ze hoorde hem graag praten op de wijze, waardoor alle plaatsen en landen, die hij bezocht had, voor haar begonnen te leven. Hij lachte ongeveer op de manier, waarop Manolo lachte – en met een kleine schok van herkenning bedacht ze dit – terwijl ze op ander gebied zo totaal verschillend waren! De helft van de tijd kwam de glimlach van Manolo nooit tot aan zijn ogen, die hard en spottend bleven. Maar wanneer Renaldo Ortega haar toelachte, kregen zijn ooghoeken kraaiepootjes en ze kon voelen, dat hij lachte, omdat hij haar aardig vond.

'Maar miss Melissa, die tekeningen zijn erg goed! U hebt de geest van de moerassen goed getroffen! Ik zie die bomen bijna leven, als lelijke oude mannen!'

Missie lachte opgetogen. 'Ziet u dat ook? Ik heb altijd gedacht dat sommige van die bomen op mensen leken. Een hele troep oude dwergen, die de koppen bij elkaar steken!'

'Nou, dat gevoel hebt u er zéker in gelegd!'

Missie leunde over zijn schouder, terwijl Renaldo haar schetsboek doorbladerde en probeerde om niet afgeleid te worden. De moeilijkheid was dat ze té open, té natuurlijk was. En vergeleken met Missie was hij een cynische, oude man. Waarom voelde hij zich dan niet zo, wanneer hij bij haar was? Missie, en zijn ongewone, toenemende gevoelens jegens haar waren een gedeelte van de redenen, waarom hij Ginny had trachten over te halen om Baroque te verlaten. Hij ging weer op de vlucht voor het leven; zoals gewoonlijk had hij zich diezelfde ochtend nog knorrig voorgehouden. Maar waar zou dit alles ophouden en hoe? Ginny wilde altijd recht op elke situatie afstevenen; ze was op haar manier even roekeloos als Steve zelf. Die arme Genia – hoeveel meer zou die nog te doorstaan krijgen?

Toen ze eindelijk het huis van de Carters verlieten, moest Ginny toegeven dat ze halfdronken was van die perziken-brandewijn.

'Maar het kan me niet schelen – want op die manier hoef ik niet te denken, al krijg ik er later ook hoofdpijn van. O, Renaldo – waarom blijf ik zó aanhouden? Waarom geef ik het niet op?'

'Omdat jij jezelf bent,' zei hij streng. 'Ginny . . .'

'Heb je de manier gezien waarop Matt Carter naar me keek? Precies alsof hij alles wist wat er over mij te weten valt. Ik vermoed dat hij gezien heeft wat er gisteravond gebeurd is, met Steve. En op dat moment, weet je, kon het me ook niet schelen! Ik wilde zo graag dat Steve me zou kennen, me zou herkennen – en nu denkt die Matt dat ik een slet ben. Ik vermoed dat ik dat ook ben, op een bepaalde manier. Kijk eens naar alle dingen die ik gedaan heb! Ik geloof niet dat Steve me ooit vergeven heeft – Renaldo, vind jij me een slet? Hoe denkt don Francisco in werkelijkheid over me?'

'Leun met je hoofd tegen mijn schouder, als het moet, maar houd op me af te leiden, terwijl ik de paarden in bedwang tracht te houden.' Renaldo forceerde zich tot een hardheid, die hij eigenlijk niet voelde. 'Die zijn nog veel te dartel na hun lange rust. En trek je niets aan van Matt Carter. Wat hij denkt, is niet belangrijk. Wanneer we terug zijn, zullen we moeten beslissen wat we gaan doen – of je blijft hier en ziet alles tegemoet wat je nog boven het hoofd kan hangen of je kiest de verstandigste weg en vertrekt.'

'Maar ik wil niet verstandig zijn! En ik wil ook niet denken – nog niet, Renaldo. Ik zou graag eerst gaan slapen.' De hele terugweg sliep ze met haar hoofd tegen zijn schouder. Haar dueña, Tia Alfonsa was haar zacht aan het uitschelden, terwijl ze haar hielp bij het uitkleden en liet Ginny's armen in een losse nachtjapon glijden.

'Drank! En zó vroeg op de middag ook nog! Het is maar goed dat don Francisco niet weet wat er hier allemaal aan de hand is, of hij zou zelf wel hier komen om de zaken te regelen! Ik weet niet waar dat met de jongere generatie heen moet!'

Ginny liet zich opgelucht met een harde klap op haar zachte bed vallen. Tijd genoeg om later nog te denken. Maar nu voelde zij zich zo slaperig, zo slap...

55

'Die neef van haar – of wat hij dan ook is – schijnt een oogje op Missie te hebben. Morgen komt hij haar halen om te rijden, heeft hij gezegd. En je weet hoe Pa is – veel te gemakzuchtig. Maar zíj, het kwam me voor, dat ze te veel belangstelling had in waar jij zou kunnen zijn. Ik zag hoe ze gisteravond danste en het kwam bij me op...'

Manolo was tot de kraal gereden om Matt te ontmoeten, die alleen maar scheen te willen praten over hun bezoekers en daarbij zijn sluwe insinuaties ten beste gaf.

'Ga je mee naar het huis?' stelde Matt voor. 'Pa heeft een kruik aangebroken van die oude brandewijn, die hij jarenlang bewaard heeft als een vrek en Missie, die erg kwaad werd om de manier waarop hij er maar van bleef drinken, is pruilend naar haar kamer gegaan. Zij vertelde ons, dat ze eerst naar het oude huis van Ma gegaan waren – het huis van miss Lassiter – om naar haar te informeren en dat er iemand thuis was.

'Soms, Matt, praat jij verdomd te veel,' zei Manolo tussen zijn tanden en wachtte tot Matt razend zou worden, omdat, broer van Missie of niet, dat de soort stemming was waarin Manolo nu verkeerde.

Maar Matt grinnikte slechts, hetgeen voor zijn doen verwonderlijk was.

'Ik dacht alleen maar, dat je geïnteresseerd zou zijn in het feit dat ze zoveel belangstelling voor je hebben – vooral als de geïnteresseerde persoon een verdomd-goed-uitziend vrouwmens is. Ik zou die best zelf wel eens willen proberen, op de juiste tijd en de juiste plaats.'

Hij bleef grinniken, toen Manolo zijn paard keerde en verdween. Hij had nooit veel opgehad met het idee, dat een dergelijke man achter zijn zuster aanzat, en, ondanks de lessen van Pa, Mex of Indiaan, wat was het verschil? Zus was te goed voor hem en wanneer Toni genoeg van hem kreeg, zou ze misschien uitkijken naar een man van haar eigen soort om haar te helpen bij de leiding van het bedrijf. Een man, die er altijd al geweest was . . .

Op haar ranch had Toni Lassiter het diner besteld en wachtte – ze dwong zich om in haar grote bed te blijven liggen, waarvan het schone linnen keurig door haar kamermeisje was opengeslagen.

In het huis van Desmoulins zat Renaldo in de bibliotheek met een sigaar en keek, zonder iets te zien, naar een boek dat hij zo maar had uitgepikt, terwijl Ginny sliep, haar deur gesloten en haar venster open. Ze werd zelfs niet achtervolgd door dromen, terwijl de middag overging in de avond. Ze sliep zwaar, wilde ook helemaal niet wakker worden, zelfs toen iemand haar ruw bij haar schouder schudde.

Nog steeds versuft en met zware oogleden had ze haar mond geopend om te protesteren, toen hij er een prop induwde door heel handig een opgevouwen zakdoek tussen haar kaken te wringen vóór hij de sjaal gebruikte, die hij rond zijn hals gedragen had om het karwei te voltooien; hij knoopte die achter in haar nek vast ondanks haar plotselinge wanhopige worsteling.

'Het spijt me, dat het geen zijde is,' opperde hij bijtend als antwoord op haar gekronkel, terwijl haar ogen vuur spetterden. 'Maar ik had geen tijd om aan kleine details te verspillen.'

Geheel instinctief klauwde ze naar hem en gilde achter de prop, toen hij haar polsen greep, die boven haar hoofd dwong, terwijl het gewicht van zijn lichaam haar vastpinde.

Waar was hij vandaan gekomen? Hoe? Het waarom van zijn onverwachte aanwezigheid was maar al te duidelijk, want hij bond nu haar polsen stevig en pijnlijk aan de bedstijlen.

'Ik heb er nooit van gehouden om een zaak onafgemaakt achter te laten. En ik heb gehoord, dat u zich over mij iets afgevraagd had – en dus dacht ik, dat ik maar even aan moest komen om een bezoek te brengen, zodat u zich niets meer zou behoeven af te vragen.'

Hij was precies even hatelijk als hij altijd geweest was. En hij maakte aanstalten, in koelen bloede, om haar te verkrachten, zonder enige herkenning van wie zij was of wat ze voor elkaar geweest waren. Waarom moest hij haar muilkorven?

Haar ogen schreeuwden haar haat en haar frustratie uit en hij grinnikte, ondanks zijn eigen vreemde spanning en vroeg zich ook niet meer af om welke reden hij hier was. Zij wist het. Hij kon dat aflezen uit de manier waarop haar ogen donkerder van kleur leken te worden, toen ze de zijne ontmoetten en haar plotselinge onbeweeglijkheid, toen hij de lakens van het bed trok en de brede ceintuur losrukte, die haar dunne nachtjapon bij elkaar hield. Hij had het gekke gevoel, dat dit allemaal al eens eerder gebeurd was, keek neer op haar naakte lichaam en de kleine, volmaakt gevormde borsten, die op en neer gingen met haar versnelde ademhaling.

Even tevoren had ze nog tegen hem gevochten. Waarom was ze nu zo stil? Hij was van plan geweest om haar snel en bruut te nemen, voor hij haar zou achterlaten zoals ze was. Maar nu, zonder het te willen, boog hij zich voorover en plaatste zijn mond in de kleine, kloppende holte onder aan haar hals en voelde het gesmoorde geluid, dat ze maakte.

Ze had een huid zo zacht als zijde en elk deel daarvan had dezelfde zoete parfum, die hij al had opgemerkt toen hij, ondanks zich zelf, zijn gezicht begroef in de overvloedige massa van haar haren.

En vandaar, dat hij, in plaats van haar te verkrachten, nu bezig was haar te verleiden. Helemaal opnieuw, dacht Ginny verdoofd, ze vergat hoe hij haar behandeld had en wat hij gedaan had onder de wilde bekende aanraking van zijn handen en lippen op haar lichaam.

Zo lang ze leefde, zou hij altijd die macht over haar blijven bezitten – o, verdomme, verdomme! En toen raakten haar gedachten verward en onsamenhangend, toen hij eindelijk zijn lichaam over het hare liet zakken en de woeste, maar al te bekende behoefte bevredigde, die hij in haar had opgewekt ondanks dat ze eerst niet wilde.

Het speet hem, dat hij haar moest achterlaten. Er was iets in dat zachte, meegevende, zoet-hartstochtelijke lichaam van haar, dat hem de hele nacht had kunnen bezighouden, als hij maar tijd genoeg had gehad. Wat eigenlijk zijn wraak had moeten zijn, evenals een waarschuwing, liep volkomen anders uit en later verbaasde hij zich over zijn eigen zwakheid. Maar dan – Toni was er ook nog. Een wit gezicht, een teef uit amberkleurige ogen met haar al-te-zachte-lichaam en haar begerige tuitende mond.

Toni, die wachtte en wilde – en de ziel van een man opeiste, evenzeer als zijn geslachtsorganen, als ze kans zag. En hij had haar niets te geven, vooral vanavond niet, behalve dan enkele minuten van zijn stuurse aanwezigheid.

'Wat bedoel je, dat je niet kunt blijven? Jij bastaard, ik heb je gezegd . . .

'Je hoeft me alleen maar te zeggen, Messalina, waar ik je kan ontmoeten, en ik zal er zijn. Maar misschien krijg je eerst nog wel bezoek van de jongens van kolonel Belmont, als althans Ginny Morgan gek genoeg is om te praten over het bezoek, dat ik haar juist gebracht heb.'

'Jij hebt wat?' De stem van Toni schoot omhoog, sloeg over en toen ze zijn harde, beslist niet-lachende blik zag, begon ze hysterisch te giechelen. 'Heb je dat echt gedaan? O, God, je bent een wonder! Hoe was het? Stribbelde ze erg tegen? Heb je haar moeten slaan? Ik hoop dat je overal op haar lichaam littekens hebt achtergelaten, de teef! O, maar hierna zal ze niet meer zo hoog en machtig doen, zou ze? Denk je, dat je haar daardoor weggejaagd hebt, Comanche?'

Plotseling was hij erg moe en Toni vervulde hem met afkeer. Het speet hem, dat hij haar iets gezegd had. Hij was haar geen verklaringen schuldig – niet het minste goddommese ding!

'Ik zal je de details wel vertellen wanneer we in Dallas zijn – dan heb je iets om naar te kijken. Maar nu - nu kan ik beter teruggaan, het moeras in, alleen voor het geval dat...'

'Maar ik wil alles nu horen! Ik kan je wel voor de soldaten verbergen, als ze mochten komen - in de kelders! Vertrouw je me niet, Comanche?'

Hij wist van het bestaan van haar kelders af - vooral die onder het ijshuis, die de oude Lassiter had laten maken, precies als een ondergrondse kerker in een Engels kasteel, om zijn weerbarstige slaven in toom te houden. En hij vertrouwde Toni niet, geen centimeter.

'Hel! Nee! Ik vertrouw jou niet!' vertelde hij haar rauw en onmeedogend. Toen reed hij weg, negeerde haar glinsterende ogen en haar nog veel glanzender lippen, die ze altijd met het puntje van haar tong bevochtigde, wanneer ze opgewonden was - en liet haar achter, half en half met de belofte, dat hij haar zou treffen vóór ze naar Shreveport ging en haar de rest van de tocht zou begeleiden.

En nu reed hij dus in de richting Dallas, notabene! Half en half tegen zijn wil, want hij bleef maar terugdenken aan die vrouw met dat koperkleurige haar en vroeg zich af, wat er gebeurd zou zijn als hij naar haar zou zijn teruggegaan. Hij bleef maar de zachte geluidjes horen die ze maakte, achter de prop in haar mond - hij voelde de plotselinge, verrassende overgave van haar lichaam aan het zijne, de groene ogen half gesloten, haar dijen gingen langzaam uiteen, gretig, tot ze haar benen rond zijn lichaam geslagen had, toen dat naar het hare toeschoof, nog steeds haar genietend, nog steeds haar begerend, en het antwoord, dat ze hem gegeven had. Het was geen verkrachting geweest - toen niet meer. En tegen alle waarschuwingen van zijn brein in, had hij de strikken losgemaakt die hij gebruikt had om haar polsen vast te binden aan de bedstijlen, zodat ze dus zonder veel moeite vrij kon komen. Hoe zou ze gereageerd hebben, indien hij teruggegaan was? Hij moest gek zijn, alleen maar door eraan te denken. Momenteel zou ze waarschijnlijk hysterisch zijn en proberen de gedachte uit haar geest te wissen, niet alleen dat ze toegegeven had, maar zijn invasie in haar lichaam zelfs beantwoord had. Vrouwen van haar soort, waren alleen maar goed in plagen en beloven, wat ze nooit van plan waren te geven. Maar wist hij eigenlijk wel wat voor soort vrouw zij was?

Het was verstandig om weg te gaan, al betekende dat dan ook weer een ontmoeting met Toni en alle intriges, waarop ze zo verzot was. Hij herinnerde zich Dallas niet, althans niet precies en duidelijk als iemand met een normaal geheugen zich zou kunnen herinneren, maar hij had het gevoel, dat hij er al eerder geweest was. In plaats van maar tevreden te zijn met te bestaan en te handelen naar gelang de omstandigheden, werd Manolo nieuwsgierig omtrent zich zelf - omtrent de man, die hij geweest moest zijn vóór hij zijn ogen opende in het bezorgde gezicht van Teresita, met een brein waaruit het verleden was weggevaagd als het krijt op de lei van een schooljongen. Hij geloofde niet langer dat hij de zwager was van Teresita. Maar een vriend van haar echtgenoot? Misschien? Een Comanchero? Dat zou kunnen, want hij kende de taal der Comanchen. Een Comanchero die ook nog Frans en Spaans kende? Veel te dikwijls kreeg hij, terwijl hij zich de dingen bewust trachtte te herinneren, hoofdpijnen, als een soort waarschuwing die hem de ene kant opdreven, terwijl zijn vreemde, half-onthouden dromen hem de andere kant opduwden.

Dallas, zo ontdekte hij toornig, was volgeplakt met biljetten over een optreden van een Italiaande operazangeres in de plaatselijke opera, maar ook met aanplakbiljetten die de ongehoorde som van dertigduizend dollar beloning in het vooruitzicht stelden voor zijn eigen gevangenneming en voorgeleiding in Baroque - levend, stond er nog bij - om ondervraagd te worden. Voor veediefstallen 'en andere misdrijven'. Een veel te gedetailleerd signalement volgde . . . Hij had haar moeten blinddoeken!.

Hij had het kreng verkeerd beoordeeld dacht hij woedend. Ze was kennelijk slimmer dan hij haar had toegedacht. Er was natuurlijk geen sprake van verkrachting, maar wie zou aan haar woord twijfelen, wanneer zij onder ede verklaarde, dat er vee van haar gestolen was? Of wanneer ze zou zeggen, dat ze de man herkende, die het gedaan had? Slim - of was het die 'neef' geweest, die dit bedacht had? Het betekende wel, dat hij zich schuil moest houden en vervloekt voorzichtig zijn zolang hij in Dallas verbleef. En wat hij eigenlijk moest doen, was teruggaan en Ginny Morgan een lesje leren - iets harder deze keer.

Hij ging naar een armzalig hotel en met zijn stoppelbaard en zo smerig mogelijke kleren kon hij toch nog bewondering opbrengen voor haar wijze van handelen. Gelukkig was Dallas groot genoeg en dicht genoeg bij Fort Worth, zodat hij onherkenbaar was tussen de cowboys, veedrijvers en boeven, die deze en dergelijke steden bezoeken. De veehandel bloeiden en dus Dallas ook, ofschoon het momenteel maar een rustplaats was voor het vee dat naar de grote stations in Kansas gedreven werd.

Steve was erg voorzichtig. Die biljetten met die beloning hingen natuurlijk overal in elke stad van enige betekenis en zonder enige twijfel zouden alle premiejagers van de omgeving naar hem op zoek zijn, om nog maar niet te spreken van Nick Benoit, die hem in elk geval dolgraag zou willen hebben. En Toni - die lieve, hebzuchtige Antoinette Lassiter, bij wie de zucht naar geld en macht zelfs zwaarder woog dan haar seksuele begeerten. Hij fronste zijn wenkbrauwen, terwijl hij aan die complicatie dacht. En, helemaal afgezien van het geld, Toni en Benoit zouden zich beginnen af te vragen hoeveel van hun plannen hij zou kunnen verraden, wanneer hij gevangen genomen werd - vooral omdat de biljetten er de nadruk op legden, dat hij levend gepakt moest worden.

De frons werd een grimas, toen hij zijn door de reis besmeurde kleren begon uit te trekken en zich afvroeg hoeveel tijd hij nog over had. Kennelijk was Ginny Morgan op bloed belust en wilde ze niet het persoonlijke plezier mislopen van hem te zien ophangen. Vrouwen waren vreemd, dikwijls veel boosaardiger dan mannen, vooral wanneer zij zich vernederd of in het nadeel voelden.

Wat, voor de duivel, deed hij dan eigenlijk hier in Dallas, terwijl hij al lang in het Indianenterritorium had moeten zitten, waar hij zich kon verschuilen? Beneden had hij zich laten inschrijven als Sam Whittaker bij een verveeld uitziende bediende, die ternauwernood van zijn krant opkeek. De naam kwam zo maar bij hem op zonder enige reden – tenzij hij die al eens eerder gebruikt had? Maar hij wilde nu niet weer in zijn geheugen gaan graven, waardoor hij weer hoofdpijn zou krijgen. Hij was verdomd moe en had slaap nodig, zodat hij helder kon denken, wanneer hij wakker werd en tot een plan van actie kon komen.

De kamer was maar klein – eigenlijk niet meer dan een grote kast boven aan de trap. Maar er was een venster dat toegang gaf tot het dak, voor het geval hij snel zou moeten vluchten en hij had de enige stoel al als een wig onder de deurknop gezet. Een voorzorg die aantoonde, dat hij dit soort leven gewend was – vluchten en verbergen.

Met afschuw keek hij naar het bed. Het enige katoenen laken was gescheurd, bevlekt met tabakssap en kleine bloedplekjes, die aantoonden, dat de vorige gebruiker succes had gehad met het doden van het ongedierte, waarvan het ongetwijfeld wemelde. De deken was zó dun, dat hij op verscheidene plaatsen helemaal doorgesleten was, vooral aan de onderzijde, waar gespoorde laarzen gerust hadden. Hij had beter bij zijn paard in de stal kunnen blijven en hij snakte naar een bad, maar hij had geen zin om het vuile, lauwe water te gebruiken, dat een of andere koeienjongen al gebruikt had. En hij was blut, met uitzondering van een paar dollar en de smaragden oorbellen, die hij van de tafel van Ginny Norgan had meegenomen – meer om te pesten dan iets anders; toentertijd dacht hij dat Toni het misschien leuk zou vinden om ze te zien. Maar het kleine, slimme kreng had ook melding gemaakt van de oorbellen, zodat er geen sprake van was dat hij ze kon verkopen. Later, wanneer hij terugging, dan zou hij haar laten betalen – en hij was plotseling boosaardig en wraakzuchtig vastbesloten, dat hij terug zou gaan, al was het alleen maar dat ze deze keer echt iets zou hebben om moord en brand over te schreeuwen.

Hij sliep op de smerige vloer, gewikkeld in zijn zadeldekens, omdat hij de voorkeur gaf aan de lucht van zijn paard dan aan de zurige zweetlucht van het bed – hij sliep onrustig, bij vlagen, elk geluid in de gang maakte hem wakker. Hoeveel tijd had hij? Hij moest Benoit vinden en ontdekken, wie hij bezocht . . .

Nicholas Benoit had een kamer genomen in het beste hotel van de stad en door een gelukkig toeval lag die op dezelfde verdieping als de kamers, die gebruikt werden door de heren, met wie hij verondersteld werd zaken te doen: McGregor, een Schot, en lord Lindhaven, een Engelsman die verlegen was met zijn titel. Ze waren financiële vertegenwoorders uit Groot-Brittannië en hadden de opdracht gelden te beleggen in de veehandel in de Verenigde Staten. De dagen van de individuele veekoningen waren snel aan het verdwijnen om vervangen te worden door enorme maatschappijen, zoals de Matador en de XIT-veehouderijen. De Prairie Cattle Company Ltd. had juist de fabelachtige som van 350 000 dollar betaald voor de betrekkelijk kleine ranch van een zekere Thomas Bugbee – geld was geen beletsel als er land gekocht kon worden. En Nick Benoit had uitgesproken belangstelling – niet zozeer in hun eerste proefaanbod, maar in hun terloops verstrekte stukjes inlichting over Ginny Norgan.

Lord Lindhaven, een lange, slungelachtige man met blond haar en dichte bakkebaarden, bekende dat hij tot haar bewonderaars behoord had, toen ze haar spoor door Europa trok.

'Ik had gehoord dat zij zich min of meer teruggetrokken had in uw deel van Texas, meneer Benoit. Begrijp het niet. Misschien heeft het iets te maken met die afwezige echtgenoot van haar. Heb heel wat over zijn scherpe manier van zakendoen gehoord, toen ik in New York was. Raar, dat hij niet bij haar is, wat? Prachtige vrouw! Tsaar Alexander van Rusland was erg met haar ingenomen - nam haar in het openbaar overal mee naar toe en gaf haar prachtige juwelen. Iedereen stomverbaasd, dat ze besloot naar Frankrijk terug te gaan.' Lindhaven trok afkeurend aan zijn bakkebaarden. 'Moet toegeven, dat ik zelf ook helemaal van de kaart was. Heb haar een paar keer ontmoet, weet u. Heb haar op mijn buitengoed in Surrey uitgenodigd. Maar ze had altijd zoveel andere kerels achter haar aan lopen - vroeger is ze in de hofhouding van die arme Maximiliaan in Mexico geweest. Dat heb ik later pas gehoord, maar ik denk dat ze toen nog niet getrouwd was.' Onder de invloed van een goede sigaar en uitstekende port had Lindhaven zowaar sluw geknipoogd. 'Heb gehoord, dat ze openlijk leefde als de maîtresse van de comte D'Arlingen, vóór ze hem liet schieten voor een Mexicaanse kolonel. Dezelfde die de arme aartshertog voor de wolven gooide. Daarna was ze getrouwd met een Russische prins - ben zijn naam nu vergeten - maar dat duurde niet lang. Toen trouwde ze met die vent Morgan, die uit het niets verscheen, met een massa geld. Hij moet ook een goede vriend van di Paoli geweest zijn - ik hoorde dat ze getrouwd zouden zijn als hij al niet een vrouw gehad had, die hij heel handig naar Europa gestuurd had! Maar ik begrijp niet, beste kerel, waarom hij zo'n verdomd stom iets zou uithalen! Die mooie Virginia - hét onderwerp van gesprek in Europa! Kon kiezen uit zoveel bewonderaars als ze maar wilde. Jammer, dat ze zo onverwacht moeder werd. Vraag me af wat ze met de kinderen gedaan heeft?'

Nick Benoit was zó geïnteresserd geraakt in de onthullingen van zijn nieuwe vriend, dat hij zijn sigaar had laten uitgaan, maar nu kwam McGregor ferm tussenbeide: 'Ik weet niet hoe het met jou staat, Algernon, maar ik ben hier voor zaken. Ik ben zelf getrouwd - en gelukkig, als ik dat mag zeggen. Mijn vrouw heeft geen behoefte om door Europa te zwalken en - dat zeg ik er nog even bij - ze was niet al te zeer ingenomen met mijn reis daarheen. Nu, meneer, wat zei u ook weer over dat weiland?

'Ja, ik heb het uitgesproken gevoel dat mevrouw Morgan haar land zal willen verkopen,' zei Benoit gladjes. 'Zoals Lord Lindhaven aangeduid heeft, is zij nu niet het type dame, die zich voor altijd hier zou willen begraven. En wat de rest betreft: sommige Mexicanen zijn ingezetenen, maar die zullen veel te blij zijn om hun belangen te verkopen en terug te gaan, de grens over. Het is jammerlijk, maar in Texas zijn Mexicanen nu niet direct nodig. Mijn schoonzuster heeft mij gemachtigd om namens haar te spreken, ik heb haar volmachten natuurlijk ...'

56

Voor Francesca di Paoli was het niet ongewoon, dat zij in een slecht humeur verkeerde - ze had het soort temperament dat van het ene uiterste naar het andere zwaaide, ofschoon alleen diegenen die haar het naast stonden, de scherpte van haar boosaardige humeur ondergingen. Maar vanavond was het erger dan gewoonlijk, waarvan het gebroken kristal op het tapijt van haar slaapkamer kon getuigen.

Bert Fields had al haastig de aftocht geblazen en haar doodsbange impresario was hem weldra gevolgd en probeerde de terneergeslagen tenor te kalmeren, die haar tegenpartij zou zingen tijdens die avondvoorstelling.

Het was de geduldige Costanza, die overbleef om haar wispelturige bambina te kalmeren, die van het ene eind van de kamer naar het andere stormde met twee wapperende haarvlechten.

'Denkt die pafferige hals soms dat hij Alfredo kan spelen? Pah! Violetta zou één blik op zijn gezicht geworpen hebben en zich in plaats daarvan tot de baron gewend hebben. Moet ik gedwongen worden om net te doen alsof ik op hem verliefd ben? Hij is veel te dik, en zijn stem zweeft rond de hoge noten. Ik word ziek van die vent! En hij is niet de enige - die andere, die kleine rechter, die zo'n bewonderaar van me is - daar word ik even misselijk van. Ik hou niet van snorren met pommade en kleine mannetjes, die me met schaapsogen aanstaren - ik wil zelfs de bloemen niet die hij maar blijft sturen, ze geuren te zoetig, net als zijn toespraken! Kun jij me zeggen, wat ik hier eigenlijk zit te doen, na de hoogst onaangename reis die we gehad hebben, om hier te komen? Deze smerige stoffige kleine plaats, met houten gebouwen en een hotel dat nog niet geschikt is om een . . . een geit te herbergen? Ik vraag je . . .'

'En je weet het antwoord heel goed,' antwoordde Costanza zuur. 'Jij wilde hierheen komen. En jij liet me die brief voor die rechter op de post doen, jouw trouwe bewonderaar. En waarom? Omdat je dwaas bent, carissima! Jij hoopt om die blauwogige banditti weer terug te zien en ik kan je zeggen, dat je hem wel kunt vergeten! Hij deugde niet voor je en dat heb ik je ook gezegd, van het begin af, is het niet? Je hebt gezien hoe hij jou behandeld heeft.'

'Ik wil hetzelfde gekrakeel niet nog eens horen! Hij zei dat hij zijn zaken moest behartigen, is het niet? Dus wat gebeurde er? Zijn vrouw is hier, hier in deze plaats, die ze Texas noemen - maar ze is alleen, sí? En zelfs haar vader, de senator, weet niet zeker waar hij is. Ik heb met senator Brandon in San Francisco gesproken en toen zei hij niet veel omdat zijn vrouw bij hem was - dat vale, blonde schepsel! Maar ik lette op haar gezicht, toen hij over zijn dochter sprak en over zijn woorden struikelde, daar zit alles niet zo erg goed. Denk jij dat ik dat niet kan aanvoelen? En die neef - senator Brandon heeft niets over een neef gezegd, Costanza!'

'Jij bent me veel te opgewonden, liefje. Heb je vergeten dat je vanavond moet zingen? En vanavond zal die belangrijke Engelsman lord Lindhaven, die je bloemen gestuurd heeft, naar je komen kijken. Het is helemaal niets voor jou om zó naar een man te blijven hunkeren!'

'Ik hunker niet naar hem! Ik zeg je, dat ik hem haat! Maar het is aan míj om een man weg te sturen, begrijp je dat? En dat is waarom ik hem terug wil zien, om hem te zeggen wat ik over hem denk!'

De stem van Costanza werd sussend. 'Ja, dat zul je ook. Maar nu is het tijd om je aan te kleden. Welke japon wil je dragen? En je zult een uitstekende Violetta uitbeelden als je haar zó op je rug hangt, zoals nu! Ga nu maar zitten en probeer je kalm te houden. Zal ik bloemen in je haar doen. We hebben er genoeg, dank zij jouw vriend, de rechter!'

'Noem zijn naam niet! Heb ik echt beloofd om vanavond met hem te gaan dineren? O!' Francesca vloekte in het Italiaans van de straat, waardoor haar kamenier afkeurend haar wenkbrauwen optrok.

'Wat mankeert jou? Wanneer er iemand zou luisteren, zouden ze het ergste van jouw afkomst denken en jij bent een prinses!'

Francesca gooide zich op de kruk voor de toilettafel, met tuitende lippen, ofschoon haar donkere ogen een soort glans gekregen hadden, waarom Costanza, ongelukkig genoeg, maar al te bekend was.

'Prinses - pah! Wat heeft die stomme titel me opgeleverd vóór ze ontdekten dat ik een stem had? En nu doet het er niets toe, wat ik doe - of ik vloek of een van mijn driftbuien heb, ik ben een primadonna of had je dat vergeten? Mijn arme Bertie Fields noemt me zo. En ik oefen elke dag voor mijn nieuwe opera - die ik wil uitproberen op die arme, niets vermoedende burgers van Dallas. Het zal wel het soort zijn waarvan ze houden, denk jij niet?' Francesca boog zich voorover en glimlachte plotseling toen ze haar spiegelbeeld in het glas zag. '*Carmen* - ik denk, dat die rol me heel goed zal liggen. Ik begrijp hoe een dergelijk soort vrouw zich voelt en hoe ze denkt. Die arme Bizet - na de afgang van zijn opera na de eerste opvoering in de *Opéra Comique* kan ik die nu misschien beroemd voor hem maken, eh?'

'Ik mag dat niet,' zei Costanza weerbarstig, maar Francesca, wier stemming plotseling weer veranderd was, lachte alleen maar.

'En het kan me niet schelen wat jij of wie dan ook ervan denkt! Ik doe waar ik zin in heb en ik zal me zelf zijn. Dat althans, heeft Stefano wél van mij begrepen, omdat hij precies zó gebouwd was. En ik zal hem terugzien - ik heb een voorgevoel.'

Francesca met diamanten flonkerend in haar kapsel, rond haar hals en polsen en haar oren, negeerde de menigte leeglopers en reed in een gesloten rijtuig naar het gebouw van de opera. Ze draaide haar hoofd om en wierp de menigte een stralende glimlach toe, wuifde even met haar hand vóór ze de toneelingang binnenging en een stel al te opgewonden cowboys begonnen te gillen, terwijl zij hun revolvers in de lucht afschoten.

'Achteruit daar! En iedereen die een revolver afvuurt, staat onder arrest!' De deputy-sheriffs probeerden de menigte duister aan te kijken, maar ontmoetten niets anders dan gelach.

De zware houten deur sloot zich en mompelend trokken de mannen af, om hun meer bekende pleziertjes elders te beleven.

Manolo, nu bekend als Sam Whittaker, bewoog zich tussen de menigte. Hij had de operazangeres van Benoit gezien, zij zag er beeldschoon uit. Indien hij zich de prijs van een kaartje had kunnen veroorloven, zou hij in de verleiding gestaan hebben om naar binnen te gaan en naar haar te luisteren, zoals Benoit en die twee vreemdelingen, die in een zelfde hotel verbleven. Twee heren, die zich Britten noemden en belangstelling hadden voor de veehandel, het was niet moeilijk geweest om dat uit te vissen. Evenmin als om te raden waarom Benoit zoveel tijd in hun gezelschap verkeerde, wanneer hij althans niet achter Francesca di Paoli aanzat. Maar was raden genoeg? Ze zaten nu allemaal in de opera. Misschien kon hij in hun kamers iets vinden, dat hem meer zou vertellen. Maar eerst moest hij een borrel hebben. De dichtstbijzijnde saloon was de Rode Hond, de meisjes droegen glinsterende jurken en de prijzen waren hoger. Het leek wel alsof iedereen hier binnengestroomd was. Na een poosje kwam een van de deputies, die aangewezen was om de zangeres te bewaken naar binnen, met een rood gezicht, een pruilende uitdrukking en kennelijk uit op een gevecht. Hij werd begroet door een serie goedbedoelde grappen.

'Hé, kijk eens wie we daar hebben? Verdomd als dat niet onze nieuwe deputy is.'

'Red, wat is er gebeurd met die vrouw uit het sprookje, die jij verondersteld werd te begeleiden! Besloot ze om iemand anders de voorkeur te geven om haar naar huis te brengen?'

'Houd je kop! Wil je dat ik jullie, whiskysmoelen, arresteer wegens verstoring van de orde?'

Red Moriarty was even Iers als zijn naam – een gewezen ploegbaas van de spoorwegen, die beter dan het gemiddelde was met een revolver. Bovendien was de marshal een zwager van hem, een feit, dat hij besloten had te ignoreren. En vanavond was hij helemaal dol, omdat Lew hem behandeld had alsof hij een jachtopziener was, die rond die vreemde vrouw met die juwelen draafde, en die hem niet eens zag staan. Red was nu op de uitkijk naar zijn geliefde meisje en daarna naar een kop, die hij in elkaar kon beuken. Maar het was de verkeerde tijd, toen hij al te woedend was om nog voorzichtig te kunnen zijn, zoals de marshal hem nog op het hart gedrukt had.

Het meisje dat veel te dicht aangeleund stond tegen een lange, smerig uitziende vreemdeling, die zijn borrel aan het andere eind van de bar dronk, keek met een verveelde kreet op, toen Red haar bij de arm pakte.

'Wat mankeert jou? Ik probeerde juist, dat hij mij een borrel zou aanbieden, dat is alles.'

'Jammer, dat je nu net zo'n paardevent moest uitpikken die eruit ziet alsof hij niet eens een borrel kan betalen, Lola-Mae. Heb jij betaald voor die ene, die je nu hebt, meneertje?'

Moriarty ontmoette een paar blauwe ogen, die onbevreesd en zelfs verachtelijk keken en te laat schoot de waarschuwing door zijn hoofd.

'Hoort dat tot jouw taak, kerel van de wet? Controleren of klanten hun borrel betaald hebben? Of had jij soms een ander probleem?'

'Deze gelegenheid serveert niet aan staljongens – vooral niet het soort, dat niet eens een borrel voor een meisje kan betalen. Jouw soort brengt meestal de rest van de nacht in de gevangenis door om uit te slapen. Ik zou maar aan de andere kant van de stad blijven, meneertje.'

Moriarty bulderde nu - van de harde donkerblauwe ogen, ging zijn blik naar de laaghangende revolver. Maar de meeste revolverhelden van wie hij gehoord had, kleedden zich erg kieskeurig. Deze man kon niet anders zijn dan hij eruit zag - een zwerver, die zich voordeed als een revolverheld.

'Luister, marshal,' de uitgestoten adem kon een vertoning van ongeduld of van angst zijn - 'ik ben niet op zoek naar moeilijkheden. Ik zat hier en bemoei me met mijn eigen zaken. Zullen we het zo laten? Wanneer u op een gevecht uit bent, zoek het dan maar ergens anders - ik ben van plan hier weg te gaan, zodra ik mijn glas leeg heb.'

Moriarty meende dat hij de man zag terugkrabbelen en de gedachte, dat hij enkele ogenblikken geleden bang geweest was, maakte dat hij nu nog bozer werd.

'Jij bent een brutale hond, is het niet? Je hebt geen eerbied voor de wet, maar ik wed dat ik je dat wel bij kan brengen, wanneer ik je oppak. Dronken en rumoerig - en wanneer ik je opgesloten heb, zal ik al die biljetten eens nakijken voor Gezochte Personen.'

Toen maakte Red Moriarty de fout om naar zijn revolver te grijpen en het was de laatste beweging die hij maakte. Hij was alleen maar van plan geweest om iedereen te laten zien, hoe snel hij kon trekken, en het laatste wat hij zag was een vage indruk, toen de revolver van de vreemdeling de holster verliet.

Het meisje Lola-Mae schreeuwde en verbrak de stilte, die volgde na de explosie van het revolverschot, dat deputy Moriarty achteruit deed tollen om met een veel zachtere bons neer te komen op het zaagsel van de vloer.

Lola-Mae bleef hysterisch gillen, toen iedereen zich heel erg stil hield en naar de revolver keek, waarvan de rook nog uit de monding kringelde, en die hen allen onder schot hield, terwijl de eigenaar achterwaarts naar de achteruitgang liep.

Hij was half en half geneigd om het gillende vrouwmens ook maar neer te schieten, hoewel hij natuurlijk nooit die deputy had moeten doden, zoals hij uit puur instinct had gedaan. Plotseling voelde hij de loop van een jachtgeweer in zijn rug, waardoor hij bleef staan.

'Blijf op je plaats, meneertje!' En toen zei de marshal op ruzieachtige toon: 'Wat is hier verdomme aan de gang? Ik hoorde het gegil, dat nog harder was dan in de opera.' En toen begon iedereen tegelijk te praten.

Hij bevond zich uiteindelijk in wat oorspronkelijk een kelder geweest moest zijn, maar nu veranderd was in een cel voor veroordeelden - een donker hol, met drie trapjes naar beneden, onder de gevangenis.

Maar hij leefde nog en hij had dood kunnen zijn, omdat hij de zwager van de marshal vermoord had, indien hij niet opzettelijk de man uitgedaagd met het feit, dat er een beloning voor zijn gevangenneming was, maar dan wel levend. Hoe lang zou het duren vóór Nick Benoit of iemand anders hem kwam ophalen?

Het was koud hier en hij had gezelschap - een Mexicaan, die gelaten zat te wachten tot ze hem zouden ophangen voor moord en roof.

'En waarom ben jij hier? Een moord, net als ik? Ik geloof niet, dat ze ons hier lang genoeg zullen laten om een proces te krijgen. De burgerwacht zal wel komen, met doeken over hun gezichten en ... pfft, Comprende?'

Er was zelfs geen krib en geen deken. Alleen een emmer in een hoek en de koude vloer. De Mexicaan, die Ruiz heette, werd heel vriendschappelijk, toen hij ontdekte dat zijn celgenoot tevens een compadre was.

'Ze behandelen ons hier als beesten - nog erger dan ze hun honden behandelen. En hier, in deze gevangenis, is het niet beter dan ergens anders. Als je nu een gringo geweest was, dan zouden ze je misschien een paar dekens hebben toegesmeten.' Hij lachte, maar zijn lach had een angstige, holle klank. 'Wat doet het ertoe - we gaan in elk geval toch eraan. Ik heb gehoord hoe ze dat doen - de gringo's, die zich burgerwacht noemen, en hun gezichten bedekken zodat niemand hen zal herkennen. Ik ben hier nu anderhalve dag geweest en ik had hen al eerder verwacht. Maar misschien wachtten ze tot ik gezelschap had. Het is niet goed voor een man om alleen te sterven.'

Ruiz begon te kuchen, plotseling, en de boeien om zijn polsen maakten een metaalachtig geluid in de uiterste duisternis.

'Amigo - jij zegt ook niet veel. Ben je bang?'

Koud ijzer, dat in zijn polsen sneed, waar reeds littekens waren. De gevangenis waarin hij vroeger gezeten had, was erger geweest dan deze, hoe was hij toen ontsnapt?

'Ik ben precies even bang als jij. Is dat genoeg om je stil te laten zijn? Wanneer we opgehangen worden, waarom ga je dan niet eerst wat rusten?'

'Je moet wel gek zijn op dat idee van rust - denk je dat je hier werkelijk kunt slapen? Er zijn ratten - je zult ontdekken dat je naar elk geluid luistert en dat je je afvraagt: 'Komen ze me nu halen? Zal het deze keer zijn? Die gringo's, ze geven iemand niet eens de laatste hulp van een priester.'

Hij sloot vastberaden zijn ogen en ging op zijn rug liggen op de naakte vloer, sloot de stem van Ruiz buiten, die noodgedwongen scheen te praten. Ophangen - hoe zou dat voelen, wanneer de adem uit je lichaam geperst werd? Zou de marshal nog controleren of hem in elk geval aan de burgerwacht overleveren?

Hij kwam tot de conclusie dat het er eigenlijk niets toe deed en wonderlijk genoeg, had hij geslapen, als een dier, dat een beetje uitrurt, vóór de jagers in de buurt waren. Geslapen - om even snel en even gemakkelijk weer klaar wakker te worden.

'Ah! Dios!' mompelde Ruiz, zijn stem kraakte door de duisternis, toen de grendels op het luik boven hen opengetrokken werden. 'Ik ben nog niet klaar om te sterven, heb ik dat niet gezegd? Ik moet gelogen hebben. Waarom komen ze zo vroeg? Ik heb een vrouw - twee kleine kinderen. Wie zal er nu voor hen zorgen?'

Oranje licht van lantaarns stroomde door de opening, die toegang gaf tot de cel en de gestalten van hun bezoekers aftekenden. Toen hij er eindelijk één herkende, niettegenstaande de cape met capuchon, die ze droeg, zuchtte de metgezel van Ruiz.

'Waarom houd jij je kop niet? Wanneer ze jou ophangen, zal het waarschijnlijk zijn omdat je te veel praat. Afgezien daarvan, ik denk, dat dit gezelschap voor mij gekomen is – houd je kalm en misschien merken ze je niet eens op.'

'Het spijt me, Comanche.' De stem van Toni was bedoeld om spijt uit te drukken, maar hij herkende de ademloze opgewonden toon, die eronder lag en staalde zich voor moeilijkheden. 'Maar je had niet de zwager van de marshal moeten vermoorden – en je had niet hierheen moeten komen maar mij onderweg ergens ontmoeten? Ik dacht – o, ik dacht echt, dat je veranderd was.'

Haar gezicht was smekend opgeheven naar de marshal, die de lantaarn hoog hield en de grimmige gezichten belichtte van de mensen, die na hem de treden waren afgedaald – rechter Benoit voorop. En terwijl Toni haar voorstelling opvoerde, ving Manolo de kwaadaardig triomferende blik in de schuin geplaatste bruine ogen van Benoit op, vóór hij zijn gezicht weer strak had kunnen trekken.

'Ik vrees dat dit dé man is, marshal. Mijn schoonzuster heeft hem – tegen mijn wens – in dienst genomen – zij vertrouwde zijn woord, dat hij een nieuwe bladzijde omgeslagen had. Maar u kunt zien, hoe ver dat ging! Hij schijnt er een praktijk van te maken om te loeren op hulpeloze vrouwen en ze dan te beroven – vrouwen, zonder echtgenoot, die hen kan beschermen. U hebt de tenlasteleggingen gezien op die biljetten in uw bureau?'

'Zoveel geld!' zei Toni ademloos, zachtjes, haar glanzende ogen vingen de zijne. 'Ze moet je wel erg hard nodig hebben.'

'Toni!' beet Benoit, waardoor hij haar waarschuwde. En toen: 'U ziet dus, marshal, we hadden zoiets als dit verwacht. Dat hij hier zou komen, achter mevrouw Lassiter, om moeilijkheden met haar te maken, omdat ze hem ontslagen had. En in Baroque zal hij nog meer beschuldigingen moeten proberen te weerleggen – de koelbloedige moord op de vroegere ploegbaas van mevrouw Lassiter, bijvoorbeeld.'

'Is dit een lynchpartij of een proces?' De stem van Manolo was opzettelijk onbeschoft, waardoor Toni haar witte tanden in haar volle onderlip beet. Hij keek naar de marshal en de mannen achter hem; grimmig uitziende mannen, die moordlust in hun ogen hadden. 'Dat aanplakbiljet zei uitdrukkelijk dertigduizend dollar, maar dan wel levend, marshal. Gaat u hen dat laten incasseren of doet u dat zelf?'

De marshal, die plotseling aan het geld dacht, begon te stamelen.

'Luister eens, wie heeft er hier over ophangen gepraat? Jij krijgt een eerlijk proces, geheel volgens de wet...'

'De wet! Naar de hel ermee!' zei een van de grimmig uitziende mannen.

'Je weet verdomd goed, waarom we hier kwamen, Tolbert! Deze schoft vermoordde jouw zwager in koelen bloede – en Red was een deputy! En dat is niet eens alles waaraan hij schuldig is, van wat ik zo net gehoord heb. Jongens, laten we tuig als dit lang genoeg leven om een proces te krijgen en te proberen om deze mooie dame te bevuilen met zijn smerige beschuldigingen?'

'Luister nou eens,' begon de marshal, maar iemand nam hem zijn revolver af en schoof hem achteloos terzijde. En Manolo giste, van de uitdrukkingen op hun gezichten en de manier waarop ze naar Benoit keken, als een verzoek om goedkeuring, dat dit zíjn mannen waren, gehuurde moordenaars, om een massabeweging te imiteren.

Iemand hield de lantaarn hoog en iemand anders lachte.

'Jij schoft - je zult hangen!'

En Toni, haar stem plotseling erg schril: 'Laat hem bekennen over die juwelen, die hij gestolen heeft - laat hem dat eerst vertellen!'

Benoit produceerde een vertrokken glimlach en knikte. En omdat Benoit het dichtstbij was en er niet veel was, dat Steve kon doen met boeien rond zijn polsen, sloeg hij Benoit en dreef zijn vuisten in de weke buik van de man en genoot van de snakkende, kotsende geluiden, die hij maakte, toen hij zich voorover boog - en zag nog kans om nog twee mannen te raken vóór het dak als het ware inzakte en hij ten onder ging aan hun vuisten en laarzen.

Hij had nog de tijd om zich af te vragen of ze hem dood zouden slaan in plaats van hem op te hangen en toen verdween alles in een mist van pijn, met de enige gedachte in zijn geest aan het instinctieve wriegelen van zijn lichaam, terwijl hij trachtte de laarzen te ontwijken, die zijn ribben troffen en zijn hoofd - en ergens ver weg hoorde hij het geluid van Toni's hoge, opgewonden gegiechel...

Hij lag op de vloer met een touw rond zijn hals en het drong tot hem door, met een ongewild gevoel van schaamte, dat de kreunende, hijgende geluiden, die hij hoorde, afkomstig waren uit zijn eigen keel.

'Hij begint weer bij te komen, lijkt het, meneer Benoit. Zullen we hem nu afmaken?'

'Zo vlug al?' De volle lippen van Toni zouden wel vochtig zijn en tuiten, terwijl ze dat zei. 'Nicky, hij heeft nog niets gezegd over die juwelen die hij gestolen heeft! En je hebt me beloofd...'

'Jij komt nog aan de beurt, Toni-mijn-liefste - ja, ik heb je dat beloofd. Omdat ik tijd gehad heb om te denken, terwijl de jongens hier hun pleziertjes hadden en ik ben op een tamelijk...' de lach van Benoit was zacht en afschuwelijk en beloofde niet veel goeds - 'slim plan gekomen, waar we alle twee het onmogelijke kunnen krijgen, om zo te zeggen.' En daarna, met hardere stem: 'Maar het is eerst mijn beurt om deze halfbloed een lesje te leren. En die andere kruipende moordenaar, die zich in die hoek verbergt. Ik wil dat ze allebei vast een voorproefje krijgen van wat ophangen betekent.'

In de muur waren haken, hoog aangebracht, die gebruikt moesten zijn om vlees aan op te hangen of lange slingers van gedroogde peper en uien. Ze waren stevig genoeg om het gewicht te dragen van het kronkelende, spartelende lichaam van een man.

Ruiz gilde één keer en de schreeuw werd plotseling afgesneden, toen er gorgelende geluiden uit zijn keel kwamen.

'Dat is er één. Nu hém optrekken - niet te vlug, want ik wil niet dat zijn nek breekt, nog niet. Ik wil hem laten stikken, heel langzaam.' Ophangen betekende, dat een touw zich rond je keel verstrakte en je adem afsneed, terwijl je aan het touw klauwde als een dier dat voor zijn leven vecht en je afvroeg waarom je vingers geen gevoel in zich hadden. Ophangen was hijgen en naar adem snakken en het gekronkel van je benen voelen, terwijl je voeten in de lucht spartelden, op zoek naar een steuntje.

En dan, op het allerlaatste moment kwam de vloer naar boven en raakte hem in het gezicht, terwijl de vreselijke druk rond zijn keel iets verminderde; hij was misselijk en gaf lichtelijk over zonder enige controle over het verraad van zijn lichaam en Toni giechelde nog steeds.

Maar het was nog niet voorbij – Nick Benoit zei iets en ze trokken zijn weerspannige lichaam overeind, zodat Benoit, die zich zelf een uitstekende amateurbokser vond, op zijn gezicht te werk kon gaan. Het was alsof het bij iemand anders gebeurde – of misschien had zijn lichaam reeds alle pijn en shock gehad, dat het kon opnemen.

Benoit was voorzichtig genoeg om handschoenen te dragen en de halfbewusteloze man, die zijn mannen voor hem overeind hielden, voelde zijn hoofd heen en weer slingeren met elke goed berekende gemene slag. Hij voelde zijn neus breken en hij proefde bloed in zijn mond en hij kon niets zien, toen de wonden en kneuzingen begonnen te zwellen. Hij verloor het bewustzijn voor Benoit klaar was; stemmen brachten hem tegen zijn zin weer tot de met pijn doortrokken realiteit.

'Hoor je me, jij zwijn? Vóór ik je overlaat aan de tedere zorgen van deze dame hier, wil ik, dat je weet, wat je nog te wachten staat.'

Een andere stem, schril: 'Laat hem de zweep voelen – daarvan wordt hij wel wakker! Hij sloeg me altijd, Nicky – neem alleen maar de manier waarop hij Billy-Boy doodde, vlak onder mijn neus, toen was ik bang. Maar ik wil wél, dat hij weet wat we nog voor hem in petto hebben!'

Weer dat obscene opgewonden gegiechel en hij voelde de bekende striem van de zweep op zijn rug en wist, dat hij terug in de gevangenis was. Nu voelde hij geen pijn meer, kon ook bijna niet meer denken, maar hij herinnerde zich vaag, dat, wanneer hij niet kreunde, de cipiers bezig zouden blijven de zweep op hem te laten neerkomen . . .

'Daar! Ik zei je toch, dat dat zou werken! Hij is bij bewustzijn – zeg het hem, Nicky!'

'Eigenlijk is het allemaal erg eenvoudig.' Aan wie, voor de duivel, behoorde die geaffecteerde, temerige stem toe? De jonge dokter? Maar de dokter had glimmende laarzen aangehad en . . . Het gebons in zijn hoofd werd luider en verpletterde bijna het geluid van de stem, die maar steeds doorging en erg ingenomen was met iets.

'We willen die beloning incasseren door je levend in Baroque af te leveren. Maar dan ook maar nauwelijks levend, begrijp je? Want jij gaat daarheen lopen aan het eind van een touw, zoals het beest dat jij bent. En als je al gevoed wordt dan zal het met het afval zijn, dat je aan honden zou geven – of zwijnen! En wanneer je je niet goed gedraagt, dan zul je geslagen worden.'

'O, maar ik vind dat hij in elk geval geslagen moet worden – met een zweep, zoals mijn vader zijn slaven altijd sloeg.' Toni giechelde weer. 'Ik heb altijd al een slaaf alleen voor me zelf willen hebben, die alles zou doen, alles, dat ik hem beveel te doen – natuurlijk een man. Zul je dat leuk vinden,

Comanche?'

'Toni, houd op. Jíj daar, jij kruipende schoft, jij zult leren kruipen en ineenkrimpen wanneer ik het zeg, hoor je dat? En tegen de tijd dat jij in Baroque bent, zul je een dier zijn. Zonder geest. Begrijp je het nu? Toni en ik zullen heel veilig zijn, want je zult niet kunnen praten en je nog minder kunnen herinneren . . .'

Pijn - die stak uit alle richtingen door zijn hoofd. Wat deed hij daar liggende op die koude vloer met geboeide handen en niet in staat tot bewegen, in een plas van zijn eigen bloed en braaksel, met een gevoel alsof elk bot van zijn lichaam gebroken was? En die stemmen, die maar door en door gingen - waarom hielden ze niet op en lieten ze hem met rust?

Hij deed inderdaad een poging om iets te zeggen, maar het leek alsof zijn keel, evenals de rest van hem, verlamd was door de martelingen die hij ondergaan had. Slechts een onherkenbaar geluid - een verstikt gekreun in plaats van de woorden, die hij had willen zeggen - kwam eruit; en hij hoorde dezelfde schrille lach, die nu al een eeuwigheid zijn zenuwen raspte.

'Zie, Nicky! Ik geloof dat hij het begrijpt.'

'Goed, dat hoop ik ook! En denk eraan: vermoord hem niet! Bedwing die lusten, die ik in jouw gele katteogen zie glanzen, mijn schat, en denk aan die dertigduizend dollar!'

De stemmen zeiden dingen, die onbegrijpelijk waren en die door de afzonderlijke steken van pijn doordrongen, die door het hoofd van Steve schoten.

Nicholas Benoit veegde kieskeurig zijn handschoenen af - hij zou een ander paar moeten nemen vóór hij naar de schouwburg terugging; deze zaten onder het bloed - en keek zijn schoonzuster waarschuwend aan.

'Ik ga nu terug - ik heb een belangrijke afspraak voor een diner, zoals je je misschien herinnert. En ik hoop dat dit - dit onaangename incident onopgemerkt zal verlopen. Ik zou de prinses niet de indruk willen geven, dat ik niet genoten heb van haar voorstelling - zij is zo'n liefelijke, madonna-achtige Violetta!'

'Oh, van jou word ik af en toe ziek, Nicky - weet je dat? Zelfs als je zoveel slimmer bent dat ik altijd gedacht heb. Wat gaan we nu met hem doen?'

'De marshal is weg,' zei een van de grijnzende mannen, die een lange straal tabakssap spoog in de richting van hun gevangene. 'Waarschijnlijk koopt hij een borrel - en doet net alsof er niets gebeurd is. En we hebben er nog maar één om zorg over te hebben - we werden te opgewonden en hebben die Mex te lang laten hangen; hij is opgehouden met trappen.'

'Nou, zorg in elk geval dat deze in leven blijft of er komt geen beloning, waaruit jullie loon betaald kan worden. Verder laat ik het aan jou over, Toni.'

Benoit ging weg, snel, en zijn geest was reeds bezig met Francesca.

Toni bleef humeurig achter en beet op haar onderlip. Die verdomde Nicky! Net iets voor hem om het vuile werk aan haar over te laten. Eigenlijk was het jammer, dat Comanche geprobeerd had om hen dwars te zitten - hij was zo'n opwindende minnaar geweest, de enige man die in staat geweest was om haar te domineren en haar laten kruipen. Maar nu zou het zijn beurt zijn en de gedachte aan de dingen, die ze hem zou laten doen, vóór ze met hem klaar waren, deden haar ogen weer opnieuw glanzen.

'Het stinkt hier! Sleur hem de trap op en zorg, dat je genoeg water over hem heen giet, wanneer we buiten zijn, om hem wakker te maken. Ik wil dat hij geniet van elke minuut, van wat er allemaal met hem gebeurt.'

57

Francesca di Paoli gaf een 'encore' en maakte de laatste buiging voor die avond. Op de voet gevolgd door haar altijd trouwe Costanza en haar opgewonden sprekende impresario, haastte zij zich door de slecht verlichte gang die naar haar kleedkamer leidde, ze huiverde een beetje tot Costanza, die boos mopperde, een witte zijden sjaal om haar blote schouders wierp.

'Die barbaarse stad! Ze willen dat mijn bambina kouvat, denk ik. En je had deze japon niet moeten dragen, die te veel laat zien van wat een dame gewoonlijk verborgen houdt...'

'En jij zou onderhand moeten weten, dat ik geen dame ben!' beet Francesca over haar schouder. 'Maar in één ding heb je gelijk, mijn oude draak, dit is een barbaarse stad. Luister eens naar die schoten en die afschuwelijke kreten – waarom moeten ze feestvieren door op elkaar te schieten? Het is nog een wonder, dat ze die grote pistolen niet afschieten als ik aan het zingen ben, ofschoon het een opluchting geweest zou zijn, als ze die slechte imitatie van een Alfredo doodgeschoten hadden! Hij kwaakte weer als een kikker vanavond en zijn adem stonk naar knoflook – Luigi!'

Haar arme manager, die al weer excuses voor de tenor mompelde, voelde zich stijf worden van bezorgdheid. Wat nu weer? Zou ze weer zo'n woedeaanval krijgen?

'Luigi – ga eens kijken waarvoor al dat lawaai is. Ik kan het niet uitstaan – en je weet hoezeer mijn zenuwen gespannen zijn nadat ik gezongen heb! En houd iedereen bij me uit de buurt. Ja, iedereen! Ik wil hun bloemen en hun goedkope, smerige champagne niet, begrijp je? Zeg aan signor Fields, dat hij hen allemaal vanavond maar bezighoudt. Ik moet wat tijd voor mezelf hebben, ik wil alleen zijn.'

'Maar – maar Francesca, je hebt beloofd dat je zou dineren met...'

'Dineren? Denk jij, dat ik kan eten of drinken met die kleine man, die over de tafel mij aanstaart alsof hij mij zou willen oppeuzelen in plaats van de kaviaar? Houd hem uit mijn buurt – laat hem maar wachten, als hij dat wil, het kan me niet schelen, Costanza...'

'Ga weg en doe wat ze zegt. Je weet hoe ze is, wanneer ze in zo'n bui is. Ga weg – ik zal haar wel kalmeren...'

Luigi Rizzo strompelde weg en trok in wanhoop aan zijn haar. Waarom, waarom had hij ooit gewild om als impresario op te treden voor een primadonna? Altijd het vuile werk – de vazen en de kristallen parfumflessen, die hem naar het hoofd gegooid werden... Dio!

'Die domme, domme man! Waarom verdraag ik hem? Waarom doorsta ik dit alles? Reizen, altijd reizen, om mijn muziek te schenken aan . . . aan een kudde zwijnen! O, ik zeg het je, Costanza, ik ben er gewoon misselijk van en zó moe! Costanza - dat korset snijdt mijn adem af. Waarom moest je dat nou zo strak dichtrijgen? Maak het los, vlug, vóór ik doodga. En geef me een glas wijn - en mijn peignoir - ah, het is hier zo warm, ik stik bijna . . .'

En zo ging het nu altijd, na elke voorstelling. Francesca werd een bedorven veeleisend kind, die haar oude kinderjuffrouw nodig had om haar te liefkozen en te vertroetelen en haar te verzekeren, dat alles voortreffelijk gegaan was.

En toen . . . en toen . . . barstte plotseling de deur open, die Costanza zorgeloos niet op slot gedaan had en strompelde de man naar binnen. Francesca dacht, dat ze nu echt gek ging worden. Ze was té verschrikt om zich te bewegen, zelfs om te gillen, ofschoon haar mond zich opende in een geluidloze stokkende ademhaling.

O - lieve God! Hij zat onder het bloed en vuil - de flarden van wat eens een overhemd geweest was hingen van zijn schouders. En zijn gezicht was zó gekneusd en gebeukt, dat het bijna niet meer als menselijk te herkennen viel.

'. . .'Cesca . . .' De stem was een hees gefluister en ze moest zich inspannen om iets te verstaan. En ze zag, terwijl ze dacht dat ze een afschuwelijke nachtmerrie had - de diepe, paarse littekens rond zijn hals, waaruit nog steeds bloed vloeide.

De Gehangene - symbool van een ouderwets stel tarotkaarten. Het schoot haar door haar hoofd, zelfs toen haar geest nog vocht met het idee om alles in één patroon te krijgen, hoe hij in 's hemelsnaam haar naam wist en waarom de intonatie van zijn stem - zoal niet de stem zelf - zo pijnlijk vertrouwelijk klonk. En toen, juist toen hij met gekreun op het vloerkleed ineenzakte, ving ze een glimp uit zijn ogen op - of wat er nog over was in dat afschuwelijk toegetakelde gezicht.

'Dio! Deze stad van beesten - gewoon beesten! Wat hebben ze met je gedaan?'

Als een wervelwind stond ze op, stormde een bevroren onbeweeglijke Costanza voorbij en smeet de deur dicht en draaide met bevende vingers het slot om. Daarna ging ze naar hem toe, liet zich op haar knieën vallen en vloekte en huilde tegelijkertijd in een mengsel van Italiaans en Engels.

'Kijk me dat eens! Lieve God, wat is er gebeurd? Net goed voor je, omdat je me in de steek gelaten hebt! Ik heb het je niet vergeven - als je niet in zo'n afschuwelijke toestand verkeerde, zou ik een fles wijn op je hoofd kapot slaan! Costanza, wil je ophouden met daar te blijven staan met open mond? Haal een dokter, vlug?'

'Nee, geen dokter . . .' Zijn stem was nog steeds hetzelfde afschuwelijke gespannen gefluister. En ze moest haar hoofd dichter naar hem toebuigen om uit te maken, wat hij mompelde.

'Maar jij - jij bent - je ziet eruit alsof je gaat sterven! Stefano . . .'

'Geen . . . dokter . . . In . . . een paar . . . moeilijkheden . . . opgehangen . . ?

'Wees stil! Probeer niet te praten! Costanza! Waarom blijf je daar staan? Help me . . . doe iets . . .'

'Veel beter om hem maar te laten oppakken,' gromde Costanza later. 'Die man! Heb ik je van het begin af niet gezegd, dat hij een banditti was? Een schurk? Je hebt ze horen zeggen, hoe hij een man vermoord heeft - niet één, maar veel meer! Dat was natuurlijk de manier waarop hij aan al dat geld kwam, dat hij zo losjes in het rond strooide! En wanneer jij gaat liegen om hem te beschermen, dat zit jij zo in de moeilijkheden!'

'Wees stil! Kakelende oude vrouw! Begrijp je dan niets? En je houdt je mond dicht, snap je dat?'

Costanza haalde mopperend haar schouders op, ze begreep het niet echt, maar ze durfde niet verder te argumenteren. Maar ze had althans recht op haar eigen ideeën. Waarom had die man, die zo slecht voor haar bambina geweest was, zich nu weer in hun leven gemengd? En net, nu Francesca hem begon te vergeten. Ze kon niet anders dan narigheden voorzien, zo lang hij hier bleef.

Bert Fields en Luigi Rizzo wisten ervan - maar niemand anders. En Francesca had een prachtig staaltje toneelspel weggeven, toen de mannen aan de deur van haar kleedkamer klopten, aangevoerd door een zich verontschuldigde rechter Benoit.

'Wat betekent dit? Kan ik me niet eens in alle rust verkleden? Of had u misschien gehoopt mij ongekleed aan te treffen - is dat de kern van de zaak, signore? Ik zeg u, dat ik niet gewend ben aan zulke barbaarse, onbeschaafde manieren.'

'Prinses, mijn nederigste verontschuldigingen! Maar het was enkel zorg voor uw veiligheid, dat ik aan uw deur durfde kloppen. Ziet u, een vuile misdadiger is ontsnapt - een moordenaar. Hij werd gezien, toen hij de schouwburg binnenging, hier, en natuurlijk was mijn eerste gedachte . . .'

'Hier, zegt u? In mijn kleedkamer, door een gesloten deur? Moet ik aan dit soort vernederingen blootgesteld worden? Zijn al uw vuile misdadigers dan operaliefhebbers? Of wilt u mij voor leugenaarster uitmaken, signore?'

De klank van een steeds toenemende hysterie was duidelijk in haar stem merkbaar en Nicholas Benoit deinsde terug.

Dat hij haar beledigd zou hebben - en vooral nu, toen hij het gevoel kreeg, dat ze wat toeschietelijker werd . . . Nee, het was niet mogelijk dat de man die zij zochten, brutaal genoeg geweest zou zijn om de schouwburg binnen te lopen, die nog vol mensen was. Iemand had hem helpen ontsnappen - dezelfde geheimzinnige man, die een dronken indruk gemaakt had, waardoor hun gevangene in staat was om onder de neuzen van Toni en acht van zijn eigen mensen te ontsnappen.

'Neemt u mij niet kwalijk, prinses,' zei hij opnieuw, haastig. 'Maar alleen voor het geval, dat hij zich hier nog steeds ergens verborgen houdt, zal ik meneer Fields naar u toe zenden - zodat u verzekerd bent van bescherming, wanneer u naar uw hotel teruggaat!'

'Jullie Amerikanen! Waarom heb ik ooit Europa verlaten? Woestelingen - barbaren . . .' Ze was gelukkig overgegaan in het Italiaans, want de mannen die hem begeleidden luisterden geboeid naar haar tirade.

Nicholas Benoit was woedend, ofschoon hij kans zag dat voor zijn afgod te verbergen. Woedend op zichzelf, woedend op Toni, die zo iets had kunnen laten gebeuren. Hoe kon een man, die al halfdood was en halfopgehangen, ontsnappen? En waarheen was hij verdwenen?

'Hij kan niet ver weg zijn,' herhaalde Toni. 'Misschien is hij net als een dier in een of ander hol gekropen om te sterven! En zelfs als hij kans zag om weg te komen, wat kan hij doen? We hebben nog andere uitwegen, Nicky, schat. Jij bent zo slim - je ziet toch zeker wel, wat ik bedoel?'

Hij wilde het niet zien - niet op dat moment. Maar zijn zoekpartij werd een fiasco en Francesca di Paoli scheen zich opzettelijk af te zonderen - binnen een paar weken stortte alles in, wat hij zo zorgvuldig had opgebouwd.

Zijn buitenlandse contacten - lord Lindhaven, die zo vriendelijk had geleken en de zure Schot McGregor, hadden zich plotseling teruggetrokken en waren nu nietszeggend. Telegrammen van hun 'chefs' in New York en Londen hadden hen plotseling tot voorzichtigheid aangemaand. Het was nu 'afwachten' in plaats van 'doorgaan met onderhandelen' en dat kon toch zeker niet zijn omdat hij de kwestie van een ontsnapte misdadiger verklungeld had, waarvan deze heren het bestaan niet eens wisten?

Voor de eerste keer kwam in deze zakelijke besprekingen en in afgeluisterde gesprekken de naam van Steve Morgan Nicholas Benoit ter ore. De geheimzinnige geldmagnaat. Echtgenoot van de vrouw, die zich opsloot in Baroque - en om welke reden? Wegens haar echtgenoot?

Tegen de tijd dat Toni vertrok naar Baroque - heel onopvallend en kalm, voelde Nick zich vertwijfeld - wat was er misgegaan? Hij had alles tevoren berekend; te beginnen met zijn geleidelijke verleiding van Francesca di Paoli, die hem nu behandelde alsof hij niet bestond; ze had meerdere keren, voor zover hij wist, met lord Lindhaven gedineerd.

Noch Toni, noch Benoit wist iets af van de onverwachte gast van Francesca di Paoli.

'Maar hoe heb je mij gevonden? Vooral omdat je je niets herinnerde?'

Dat deel was nog steeds wazig in zijn geest. Hij herinnerde zich de kelder - bij vlagen - en met de herinnering ook de pijn - en een verwarring in zijn brein. Daarna, terwijl hij de trappen opkroop, leek iedereen meer dan een kilometer hoog te zijn. En een stem - die van Toni Lassiter - op de achtergrond.

'Vooruit - naar boven - kruip! Alle treden, Comanche. Je raakt aan kruipen beter gewend, want van nu af zul je heel wat moeten kruipen.'

Na de treden, was er meer pijn gevolgd en meer duisternis, tot ze water over hem gegooid hadden uit een paardedrinktrog, hij werd door en door nat - en werd zó koud, dat hij begon te rillen. En toen, met het touw nog steeds om zijn nek, hadden ze zijn geboeide handen vastgemaakt aan de zadelknop van Toni's paard en hij herinnerde zich, dat ze op hem neerkeek en haar vochtige, triomfantelijke lach vertoonde.

'Je moet zorgen dat je genoeg leven in je houdt, Comanche, om hard te lopen. Want we gaan erg snel reizen.'

Na een tijd voortgesleept te zijn, had zijn verdoofde geest ternauwernood de eerste schoten opgemerkt. En toen klonk een dronken, slissende stem: 'Hé, wat is dit? Een lynching? Ik heb lynchen altijd leuk gevonden, mag ik meedoen?'

'Port,' had zijn geest geregistreerd, hoe, dat wist hij niet; en toen waren er meer schoten gevallen en hij viel en was vrij; krabbelde op zijn knieën en hoorde de dringende stem van Port in zijn oor: 'Luister, ik ben maar alleen en ik kan ze niet allemaal tegenhouden. Smeer hem, verdomme! De schouwburg - dat kun je wel halen.'

Na een dag of twee, of waren het er drie? zei Francesca: 'Hier is een man om je te spreken.'

'Je heb het dus gehaald? Dat had ik wel gedacht. Wat heb jij in 's hemelsnaam uitgehaald? Bishop is nog gekker dan ik hem ooit gezien heb en het was puur geluk, dat ik hier was om een oogje op Benoit te houden. Om Christus' wil, Steve - leer je het dan nooit?'

'Moeilijk, denk ik,' zei hij voorzichtig, zijn stem nog steeds een hees gefluister, terwijl hij de verontwaardigde blik van Port opving.

'O, stik! Ik blijf maar vergeten, dat het voor jou allemaal een spel is, nu je rijk geworden bent. Maar, voor de duivel, er is een tijd geweest dat ik zelf achter je aan wilde gaan, tot ik hoorde, dat je Dave bevrijd had. Maar wat voor spelletje speel jij eigenlijk? Ik word verondersteld bij Bishop een rapport uit te brengen, voor het geval je dat vergeten mocht hebben.'

'Denk jij, dat hij zal geloven dat ik nu pas mijn geheugen begin terug te krijgen?'

Port wierp hem een cynische, ongelovige blik toe. En het was dezelfde soort blik, die hij van iedereen zou krijgen die de waarheid niet wist. En dat begon Steve Morgan met toenemende woede te constateren. Hij was zó zeker van zich zelf geweest - en hij had overal zo'n troep van gemaakt. Hij kon zelfs inzien, waarom Bishop méér dan lichtelijk verstoord zou zijn. En wat voor de duivel zat Ginny midden in deze warwinkel te doen?

Het viel Francesca ten deel, die alle laatste kletspraatjes van lord Lindhaven had opgepikt, (die nog steeds in Dallas bleef hangen), en aan Port, die niet besefte wat hij zei, om hem in te lichten.

Zijn gedwongen rust in het grote zachte bed van Francesca, gaf zijn eigen geest de kans de hiaten te vullen, terwijl zijn lichaam bezig was te genezen. Bert Field had ergens vandaan een dokter te voorschijn getoverd, die bescheiden genoeg was om geen vragen te stellen en die vergat om praatjes rond te strooien - voor het hoge honorarium dat hij ontving. En dan had je Francesca zelf, afwisselend veeleisend en teder, vol vragen. Hij was eerlijk met haar, want Francesca di Paoli was - van alle vrouwen die hij ontmoet en begeerd en genomen had - het dichtst bij hem gekomen als vriendin en als minnares - en ondanks al haar vertoningen van temperament, was ze een zeer intelligente vrouw. Ze begrepen elkaar, hij en Francesca, en niet alleen in bed, maar fundamenteler, omdat het beiden avonturiers waren, die geslaagd waren - allebei waren ze cynisch en hadden geleerd om niet al te veel van zich zelf te geven.

Het was alleen die verdomde Ginny, die een brandend vraagteken op de achtergrond bleef en daar hardnekkig verborgen bleef, zelfs wanneer hij niet aan haar wenste te denken. Hel en duivel, wat viel er ook te denken? Van een volslagen buitenstaander moest hij horen, dat ze moeder geworden was, zodat hij althans de wettige vader van twee - niet één maar *twéé*; laat het maar aan Ginny over, die deed nooit iets half! - kinderen geworden was van een onbekende leeftijd en geslacht, en waarvan het bestaan hem niet was meegedeeld. Dus haar verblijf in Europa had toch vruchten afgeworpen! Wat hem werkelijk verbaasde, was, dat ze teruggekomen was, brutaalweg haar kinderen had meegebracht, ijskoud - en daarna had ze hen verlaten zonder enige wroeging om hem te gaan zoeken. En waarvoor? Om te ontdekken tot hoever ze kon gaan? Om zich er van te vergewissen dat hij zijn geheugen niet zou terugkrijgen? Of slechts om te onderzoeken tot hoever zijn vervloekte zwakheid ging, waar het haar betrof?

58

Ginny had niets anders gedaan dan zich vragen stellen sedert de middag dat Steve zelf de dingen naar een climax gedreven had. Hij had haar vastgebonden, bezit van haar genomen zonder iets te zeggen en toen, na haar van haar trots beroofd te hebben, had hij ook nog haar smaragden oorbellen gestolen. Waarom? Wat was de bedoeling van een nutteloos verspild gebaar geweest tenzij - en haar kaken klemden zich in brandende woede op elkaar toen de gedachte haar trof - hij iemand anders wilde bewijzen, dat hij in haar slaapkamer was geweest. En die woede was de oorzaak van de uitgeloofde beloning voor zijn gevangenneming - levend.

'Daar laat ik hem niet zo makkelijk van af komen! En het kan me niet schelen wat jij, of meneer Bishop, of ieder ander ook mocht zeggen - ik heb genoeg van al die geheimzinnigheid en al dat afwachten . . . wachten . . . en waarvoor? Voor een terloopse verkrachting door mijn eigen echtgenoot? Indien hij althans zich kan losscheuren van dat mens Lassiter. O nee - nee, Renaldo! Het wordt tijd dat de zaken tot een climax komen en ik wil dat Steve leert, dat ik niet wens genomen te worden met zo'n - zo'n oppervlakkige verachting!'

Ja, dacht Ginny woedend, ze zou hem leren, dat haar geest even slinks en even koelbloedig berekenend was als de zijne!

Maar de weken gingen voorbij en ze hoorde niets! Toni Lassiter was naar Shreveport op bezoek naar kennissen - met Steve, vroeg Ginny zich af? De gedachte draaide als een mes in haar hart, wanneer dat niet vervuld was van een vurige, onberedeneerde woede tegen hem. En Missie, gekwetst en ontdaan dat haar nieuwe vriendin zo wraakgierig kon zijn, schonk haar niet langer haar vertrouwen meer, ofschoon haar verlegen vriendschap met Renaldo bleef groeien.

Ginny bleef meer en meer alleen, omdat Renaldo bijna elke dag naar de ranch van de Carters reed - altijd beleefd genoeg om te vragen of ze zin had om mee te gaan. En altijd schudde ze een beetje nukkig haar hoofd.

'Nee, ga je gang maar. Mijn aanwezigheid zou iedereen maar van zijn stuk brengen – je weet, dat het zo is. Ze vertrouwen me niet meer.'

Zelfs Renaldo kon niets zeggen om dat te betwisten, maar zijn bruine ogen begonnen een bezorgde uitdrukking aan te nemen, wanneer hij haar bestudeerde en langs zijn neus weg begon hij wenken te geven, dat ze misschien maar beter plannen konden maken om terug te gaan naar Mexico of misschien een bezoek te brengen aan haar vader en Sonya in Californië.

'Je zou de kinderen mee kunnen nemen – zelfs mijn oom zou begrijpen dat het hoog tijd werd, dat zij kennis zouden maken met hun andere grootouders.'

'O!' Ginny liet een hoge, bijna hysterische lach horen. 'Denk jij dat Sonya het me ooit zou vergeven, indien ik al haar vriendinnen op de hoogte bracht van het feit, dat ze een stiefgrootmoeder is? Wat klinkt dat grappig!'

Renaldo fronste zijn wenkbrauwen en keek haar somber aan, terwijl hij zei: 'Hoe lang ben je nog van plan om het feit te verbergen, dat je moeder bent? In godsnaam, Ginny, die kinderen zijn van jou en Steve. Je hebt het recht niet om hen te verbergen alsof – alsof je je voor hen schaamt. En het spijt me dat ik zo bot ben, maar jij hebt een schuld aan die twee arme schapen – al was het alleen maar moederliefde.'

Ze staarde hem aan, met stomheid geslagen, haar ogen sperden zich open.

'Dus jij denkt dat ik zelfzuchtig ben? Maar ik mis hen echt, Renaldo, heus! Er zijn soms tijden, dat ik alleen maar kan denken om hen terug te zien, om weg te lopen van deze hele smerige bende! Ik weet niet meer wat ik moet doen! Maar ik moet Steve vinden – hij moet het weten, ongeacht wat hij mocht besluiten om daarna te doen. Begrijp je dat niet? Ik kan niet zo doorgaan, altijd blijven leven met besluiteloosheid, met angst!

Toen ze een week later hoorde dat Toni Lassiter terug was in Baroque, knarste Ginny op haar tanden. Renaldo was nu haar enige verbindingslijn met wat zij in gedachten de 'andere kant' begon te noemen.

Renaldo hoorde het van Missie, die het van haar broer Matt gehoord had, dat Toni alleen was teruggekomen – en niet in een bepaald goede bui en Missie was ontdaan geweest omdat Matt een nacht in het huis 'van die vrouw' had doorgebracht.

'Het staat me niet aan,' zei Renaldo peinzend en vroeg zich af waarom zijn zintuigen hem plotseling waarschuwden voor naderende moeilijkheden. Zelfs Missie zag er bleek en terneergeslagen uit – en hoeveel van haar neerslachtigheid kwam op rekening van Steve, die zij nog steeds Manolo noemde?

Renaldo had zijn eigen problemen om zich mee bezig te houden – niet het minste daarvan was, dat hij nu voor zich zelf moest bekennen, dat hij, tegenstribbelend, op Missie verliefd werd.

Het kwam als een schok toen Toni Lassiter op een hete namiddag een bezoek kwam brengen aan Ginny, slechts twee dagen na haar terugkeer naar Baroque.

Toni – die haar evenzeer verafschuwde als zij, Ginny, haar wederkerig haatte. Maar waarom dan? Ze wenste, dat Renaldo bij haar was, want plotseling kreeg ze het onaangename gevoel, dat Toni haar iets vervelends kwam vertellen.

Om te beginnen was Toni de minzaamheid zelve.

'Hoe mooi is alles nu! U hebt wonderen verricht met dit oude vervallen huis, ofschoon ik zelf me niet graag zo zou opsluiten, speciaal indien ik kon reizen waarheen en wanneer ik maar wilde!'

Gele ogen, die een merkwaardige glans in hun diepten hadden, ontmoetten die van Ginny en toen liet Toni een kort lachje horen en bevochtigde haar roze lippen met haar tong.

'Maar u mag het hier echt, is het niet? Ik hoop dat alles zo rustig en vredig blijft als het nu schijnt te zijn – en dat is de reden dat ik u kwam opzoeken, ofschoon ik u toch al een bezoek verschuldigd was, is het niet? Henri vertelde me dat u langs geweest was, juist vóór ik naar Shreveport vertrok! Wat een saaie plaats!' Ze zuchtte, rekte zich uit als een kat, maar Ginny kon nog steeds de glans van die ogen zien achter de opzettelijk neergeslagen zilveren wimpers.

'O, ja?' Ginny liet haar beleefde antwoord opzettelijk zeer onbezorgd klinken en plotseling boog Toni zich een beetje voorover, precies een wolvin, klaar voor de sprong, ofschoon haar volle lippen bleven lachen.

'Ik kon het niet verdragen – en daarom besloot ik naar Dallas te gaan om zelf naar die operazangeres te gaan kijken, waar mijn broer zo weg van is. En wat een teleurstelling! Ik neem aan, dat ze een behoorlijke stem heeft en ze is knap genoeg – maar zo uitgebloeid! Het soort vrouw, dat gauw dik zal worden. Ik begrijp niet wat een man in haar kan zien, tenzij het in de mode is om een operazangeres als maîtresse te hebben!' De eerste prik met het mes – en toen Ginny slechts haar schouders ophaalde, ging Toni lieftallig door: 'Maar mannen zijn zo dwaas! Ik vermoed, dat ze dat soort vrouw goedkoop vinden en een gemakkelijke prijs. Prinses of niet, ik geloof, dat elke vrouw die in het publiek optreedt alleen het feit adverteert, dat ze te koop is, vindt u ook niet?'

Deze keer ging het mes een beetje dieper – hoeveel wist Toni Lassiter eigenlijk en waarom was ze in werkelijkheid hier gekomen?

'Ik zie geen reden waarom een vrouw, die talenten heeft, die openlijk erkend mogen worden, ze zou verspillen,' zei Ginny en haar groene ogen ontmoetten en botsten met die van Toni: en de sluier van geforceerde, overdreven beleefdheid viel tussen hen weg.

Toni haalde een blanke schouder op. 'Ik denk dat we dan verschillend over die dingen denken. Voor mij is het allemaal een kwestie van smaak – goede smaak. Een operazangeres of een flamencodanseres, wat is het verschil? Voor een man, bedoel ik.'

'Maar u schijnt ook zoveel van mannen af te weten!' Ginny sperde haar ogen onschuldig open en was wild verheugd, toen ze een uitdrukking over het gezicht van Toni zag flitsen. Ze zette het voordeel, dat ze tijdelijk behaald had, verder door en ging op de meest achteloze wijze die ze maar kon verzinnen, verder: 'Van mannen gesproken, ik vermoed dat ik me moet verontschuldigen, dat ik een beëdigd opsporingsbevel heb laten uitgaan voor de arrestatie van uw uitvoerder. Ik zou u eerst wel geraadpleegd hebben, als het mogelijk was geweest, want tenslotte zijn we toch buren, maar zowel mijn neef als kolonel Belmont, adviseerde me, dat elk teken van zwakheid verkeerd opgevat zou kunnen worden als een excuus voor verdere plunderingen.'

'Wel, dat is gedeeltelijk de reden, waarom ik u een bezoek kwam brengen. Om mijn excuses aan te bieden. Wat een verschrikkelijke ervaring moet dat voor u geweest zijn! Natuurlijk was ik wel in staat om hem op zijn plaats te houden - en daarom heb ik het gevoel, dat u gewaarschuwd moet worden. Nicky, mijn zwager, zou me nooit vergeven wanneer ik dat niet zou doen en hij acht u zo hoog, weet u!'

'Gewaarschuwd?' Het kostte Ginny de grootste moeite om het lachende gezicht van de andere vrouw geen klap te geven. Had Steve haar echt verteld, wat hij gedaan had? En wat was ze nu van plan?

'Ja - gewaarschuwd. Want ik ben bang dat ik ontdekt heb, wat voor een gevaarlijke en gewelddadige man hij is! Hij had de brutaliteit om mij naar Dallas te volgen, ziet u - ik weet niet wat hij daarmee hoopte te bereiken, tenzij het was om mij wat geld af te zetten. Maar hij was roekeloos genoeg om een deputy-sheriff te vermoorden in een of andere kroegrel over een vrouw en toen...'

Met de grootste moeite kon Ginny haar gezicht in de plooi houden en een nietszeggende uitdrukking aannemen. Steve zou deze vrouw naar Dallas gevolgd hebben? Steve - gearresteerd, daarna ontsnapt... 'Ik werd opgeroepen om hem te identificeren. Dat was zo'n onprettige ervaring! Al die vuile bedreigingen die hij uitsloeg - en vooral tegen ú! Om een of andere reden had hij niet verwacht, dat u een aanklacht tegen hem zou indienen. Maar u moet nu erg voorzichtig zijn, zult u? Ik heb al een boodschap naar kolonel Belmont gestuurd, maar ik zou het mezelf verwijten, wanneer er iets met u zou gebeuren en Nick ook. Ik zou maar niet meer alleen uit rijden gaan, als ik u was!'

Maar Steve zou haar niet kwetsen - kon haar niet kwetsen, niet meer dan hij al gedaan had.

'En ik mag verdoemd worden als ik dat wijf laat denken, dat haar waarschuwingen me bang gemaakt hebben,' zei Ginny kwaad tegen Renaldo. 'O, we waren echt een paar viswijven - jij zou haar toespelingen en haar sluwe insinuaties gehoord moeten hebben! Maar ik haat haar - zij is het soort vrouw, dat ik graag met een mes te lijf zou willen gaan! Je zou maar eens met zo'n mens moeten cohabiteren - met een dergelijk schepsel? Renaldo, hoe kon hij, waar denk jij, dat hij nu is?'

Daarop kon Renaldo natuurlijk ook geen antwoord geven. Hij herinnerde haar dus weer aan het feit, dat ze kon vertrekken - dat ze vrij was. Dat zelfs meneer Bishop haar bestaan vergeten had...

Dat had Steve Morgan niet, ondanks zich zelf. En verbluffend genoeg was het Francesca, die erop insisteerde hem eraan te herinneren dat hij een vrouw had.

Hij had geluk gehad. Zijn lichaam herstelde vlug, ondanks de gebroken ribben. Het zou langer duren vóór zijn gezicht er weer wat normaler zou uitzien, maar wat kon dat verdomme nou schelen, nu hij nog steeds leefde? En Francesca scheen het niet erg te vinden.

Ze lagen samen in bed, na een laat ontbijt en de namiddagzon wierp smalle strepen op het dekbed. Steve zou eigenlijk liever zijn gaan slapen, maar Francesca, die een speelse bui had, bleef hem met haar haren kietelen en liet dan haar vingers over zijn afgewende gezicht dwalen.

'Weet je – ik denk echt, dat ik je zo veel beter vind. Nee – ik ben in ernst, Stefano, ook al wil jij het niet zijn. Tevoren was je knap – en dat wist je, is het niet? En je bent nog steeds een man, met een goed uiterlijk. Maar – hoe zal ik het zeggen? Nu zie je er meer ruig en stoer uit. Zelfs die gebroken neus, die staat je.'

''Cesca, in godsnaam! Misschien moet ik me elke maand een keer laten aftuigen, om jou te bevallen.'

'Zou je dat echt voor me doen? Stefano – hoeveel zou je voor me over hebben?'

Hij deed één oog half open en keek haar achterdochtig aan.

'En wat, verdomme, betekent dat nou weer?'

'Doe nou maar niet net alsof je slaapt – ik laat je niet slapen. Ik bedoel: hoe lang zul je deze keer bij me blijven? Hoe lang voordat een andere dwaze, gevaarlijke zaak je weer van me wegneemt?'

Nu opende hij beide ogen, keek haar gedachtevol aan, terwijl hij een donkere krul rond zijn vingers begon te winden.

'Jij hebt prachtig haar, 'Cesca. Het voelt aan als zijde.'

'En jij verandert van onderwerp! Waarom wil je niet ernstig met me praten?'

'Waarover? Je maakt het wel moeilijk voor een man om zijn gedachten bij ernstige dingen te houden, wanneer je doet, zoals je nu doet.' Haar lichaam hield op met de wriegelende zinnelijke bewegingen tegen het zijne.

'Nou – jij weet, dat ik jou nodig heb. Maar jij – wat wil jij, Stefano? Wat ga je doen betreffende jouw vrouw? Ga je naar haar terug?'

Zonder antwoord te geven, begon hij zijn vingers plagend langs haar wervelkolom te laten spelen en dan weer terug en ze zuchtte en voelde haar lichaam sidderen.

'Stefano, jij bent een duivel! Het soort schoft, die zijn vrouw zou slaan – en doorlopend ontrouw zou zijn. Dio mio – wat zouden wij elkaar een ellendig leven bezorgen – wanneer we verliefd op elkaar zouden worden! Wat drijft jou tot de krankzinnige risico's, die je neemt? Jij bent rijk genoeg om te doen wat je wilt – je hoeft niet het leven van een bandiet te leiden!'

'Rijk worden was maar al te gemakkelijk, denk ik achteraf.' Zijn stem werd somber. 'En de behoefte aan opwinding moet in mijn bloed zitten, zelfs indien ik zou weten, dat ik een dezer dagen niet overeind zou komen en heelhuids verdwijnen.'

'Wat een idee voor een vrouw om daarmee te moeten leven! Heb je dan helemaal geen hart?'

'Geen! Maar ik heb een zwak voor donkerharige primadonna's. Jij bent op zich al een soort opwinding, 'Cesca. En ik geloof, dat we elkaar zo goed begrijpen, omdat we allebei "nemers" zijn en geen "gevers" – en daarom kunnen we zo onscrupuleus zijn om dat wat we willen.'

'Maar wat wil jij eigenlijk? Mij niet, niet voor altijd, dat weet ik en het kan me niet schelen; omdat, zoals jij zegt, we te veel op elkaar lijken. Maar jij, jij zelf? Voor mij is er nog altijd mijn muziek, en ik weet dat ik groots zal worden – de beste operazangeres van de hele wereld, en met de hele wereld aan mijn voeten. Ik weet, dat ik dat haal, maar jij – waar reis jij heen?'

Zijn vingers stopten hun strelende beweging en hij klonk bijna verbaasd.

'Verdomd als ik het weet! Ik had er nog niet over gedacht. Verdomme jij, 'Cesca – nou heb je genoeg gevist.'

Ze wierp hem nog toe, om opzettelijk zijn reactie te horen: 'Ik ga Dallas binnen een paar dagen verlaten. Eerst naar San Antonio en daarna naar New Orleans en dan terug naar New York. En daarna denk ik dat ik naar Europa terugga, vóór ze me daar vergeten zijn! Je zou met me mee kunnen komen, wanneer je niets anders te doen hebt.'

'En me scharen onder jouw aanbiddende entourage? Nee, baby. Zelfs niet al geef ik toe, dat ik je volslagen fascinerend vind. Maar net als jij ben ik niet gewend aan banden.'

En terwijl hij het zei, herinnerde hij zich, veel te levendig, dat hij tegen Ginny hetzelfde gezegd had. Wat was die een goede leerlinge van zijn filosofie gebleken! Op Francesca kon hij niet jaloers worden, want die was op haar eigen manier – evenals Concepción – even amoreel als hij. Maar Ginny was de enige vrouw geweest, die hem jaloers kon maken.

Geheel onredelijk – en hij wist dat hij onredelijk was – gaf Steve Morgan er de voorkeur aan zijn eigen indiscreties te vergeten. Als hij zo gek geweest was om getrouwd te raken, waarom had hij dan geen vrouw uitgezocht, die bereid was een slippertje van haar man te begrijpen en te aanvaarden, in plaats van te doen, wat voor de een goed was, dat voor de ander eveneens was? Om het nog erger te maken, had ze het lef gehad om het geld, dat hij haar gestuurd had te gebruiken om een beloning voor zijn gevangenneming uit te loven en zelfs het feit, dat ze uitdrukkelijk gezegd had, dat ze hem levend wilde hebben, veranderde aan het feit niets.

Nog een feit, dat hij niet wenste te erkennen, tot Francesca hem eraan herinnerde, was, dat hij Ginny niet uit zijn gedachten kon bannen. Was ze nog steeds in Baroque? Waar wachtte ze op – zijn hoofd op een schaal? Wat hij moest doen: van haar scheiden en haar eens en voor al uit zijn hoofd zetten. Maar kon hij dat echt? Zelfs nu?

'Ik geloof dat je echt verliefd op je vrouw bent en je schaamt om het toe te geven,' zei Francesca met een magnifieke minachting voor bescheidenheid of tact. 'Als je dat niet was, zou ik jou al lang van haar hebben weggenomen. En als je dan toch niet met mij mee wil gaan – waarom ga je dan niet terug en vecht je het uit?'

Het was eveneens Francesca, die hem herinnerde aan Nicholas Benoit, die naar Baroque teruggegaan was en een gekwetst ego koesterde. En dan had je Toni, met haar glinsterende amberkleurige ogen en haar vochtige, gulzige mond. Plotseling herinnerde Steve zich de belachelijke suggestie, die hij op een avond met Toni besproken had, evenals de reputatie van Nick Benoit met vrouwen.

'We zullen haar aan Nicky geven, Comanche. Denk je niet dat hij dat prettig zal vinden? Zou je niet een aandeel willen hebben in al wat ze te geven heeft?'
En Toni kennende vooral nu, nu hij als Steve Morgan gezorgd had, dat de grandioze plannen van Nick schipbreuk geleden hadden . . .
Toen Francesca naar San Antinio vertrok namen ze afscheid – met enige spijt aan weerskanten. Alleen Costanza, die had geen spijt – en Bert Fields slaakte een zucht van verlichting. God zij dank was deze affaire voorbij! Hij hoopte althans vurig, dat die voorbij was.
Steve Morgan, die geen enkele gelijkenis meer had met de kale, paardeknecht waarvan nog steeds gedacht werd, dat hij door de burgerwacht was opgehangen, verliet Dallas een dag na prinses di Paoli, na lange en geheimzinnige luidende telegrammen verzonden te hebben naar verschillende delen van het land, ondertekend met Steve Morgan.
En van Dallas ging hij naar Shreveport, waar hij aankondigde dat hij onderweg was naar New Orleans, voor zaken, maar in plaats daarvan ging hij langzaam naar Baroque. Na een poosje vonden de roddelaars iets anders om over te praten dan hun speculaties waarom die interessante, gevaarlijk uitziende meneer Morgan er de voorkeur aan zou geven zijn tijd door te brengen met de inspectie van suikerplantages in Louisiana, wanneer zijn vrouw minder dan driehonderd mijl in Texas zat en zijn maîtresse juist San Antinio stormenderhand veroverd had door haar vurige presentatie van *Carmen* .

59

Het was onvermijdelijk, dat sommige van die geruchten ook Ginny zouden bereiken. Het was al erg genoeg dat ze gedwongen geweest was om Toni Lassiter te ontvangen, met haar 'waarschuwingen' en sluwe insinuaties. Rechter Benoit leek, na zijn terugkomst uit Dallas, ook veranderd op een niet te omschrijven manier; zijn optreden tegen haar werd eerst insinuerend familiair en daarna veel te brutaal. Hij bedekte dat, in het begin althans, later onder het mom van een gekwetst verwijt.
'Ik wist niet dat uw echtgenoot idee had om dit bezit hier vast te houden. Of dat hij uit Europa terug was – of was het Zuid-Amerika? Hebt u niet gezegd, dat hij bevriend was met Jay Gould?'
Dat had ze niet gezegd – en ze kon slechts met de grootste moeite haar fatsoen bewaren, terwijl haar hart in haar keel sprong bij het horen van Steve's naam.
'Ik zie geen reden om het feit te verbergen, meneer Benoit, dat mijn echtgenoot en ik onze gescheiden wegen gaan. Hij houdt van reizen en ik verlang naar rust en afzondering.'
Maar wat had hij bedoeld? Wat was hij van plan?
'Dat begrijp ik natuurlijk,' zei Nick Benoit verzoenend, ofschoon ze zijn kraaloogjes kon voelen kijken naar haar innerlijke verwarring, die ze

probeerde te verbergen. Hij was slim – had meneer Bishop haar niet voor dat feit gewaarschuwd?

'Ik vond de prinses di Paoli zeer "distrait", toen ik het voorrecht had haar in Dallas te ontmoeten. En uw echtgenoot, mevrouw Morgan, – ik bedoel natuurlijk niets onbeleefds – schijnt een zaak, waarmee ik bezig was, tegengehouden te hebben. Ik weet het niet zeker, maar ik heb zijn naam verscheidene keren horen noemen. En omdat ik natuurlijk weet, dat hij in spoorwegen doet, vroeg ik me af, of meneer Gould soms van plan is om een van zijn lijnen naar het diepe zuiden door te trekken. Neemt u me niet kwalijk, dat ik het aanroer, ik vermoed dat het een geheim is!'

'Als dat het al is, dan weet ik er niets van!' zei Ginny scherp.

Nadat Nick Benoit verdwenen was, kwam Persis Belmont op bezoek met een stel praatjes die ze niet wilde vertellen – in het begin althans.

'Ik weet niet of ik het je moet vertellen of niet, want ik wil je niet ongerust maken!'

'Dat gaat natuurlijk weer over een vrouw van Steve, maar geloof me, dat is geen schok voor me!' zei Ginny met op elkaar geklemde lippen. 'Ik denk dat ik er nu wel aan gewend ben.'

Tenslotte kwam het er allemaal uit. Het plotselinge verlangen van Francesca di Paoli naar afzondering – de verschijning van Steve bij haar laatste opvoering in de opera. En de onvermijdelijke geruchten, dat ze samen naar San Antonio waren afgereisd. En opnieuw was ze 'Die arme Ginny' – de verongelijkte vrouw. O God! Ze dacht, dat ze niet méér kon verdragen! Wanneer had hij zijn geheugen teruggekregen? En wat had Toni bedoeld met haar wenken en waarschuwingen?

De laatste strohalm kwam, toen Renaldo uit de stad kwam teruggereden, er bezorgd en gejaagd uitzag en die een kort telegram van Steve bij zich had – verzonden uit Shreveport, Louisiana, en geadresseerd aan Renaldo in plaats van aan haar.

'Jouw onmiddellijke terugkeer naar Mexico dringend gewenst. Neem Ginny mee terug. Mijn vertegenwoordiger zal spoedig in Baroque komen voor overname.'

'Zijn vertegenwoordiger, wel ja! Wat bedoelt hij? Welk wreed spel is hij nu weer aan het spelen? Misschien wil hij die vrouw wel hierheen brengen en mij uit de buurt hebben! Nou, hij kan mij geen bevel geven! Ik ben nog steeds zijn vrouw. Ik wil niet zomaar terzijde geschoven worden!'

'Ik ga niet!' schreeuwde ze nu tegen een hoofdschuddende Renaldo. 'Hoor je me? Jij kunt teruggaan als je wilt – maar ik ga niet. Steve zal mij tegenover zich vinden – ik zal hem leren!'

Matt kon zijn geluk nauwelijks geloven. Hij was de minnaar van Toni! En ze begeerde hem – ze had hem altijd begeerd, vertrouwde ze hem fluisterend toe. Alleen: Hij was zo langzaam geweest! En zo verlegen . . .

Maar nu begreep hij het. Hij begreep dat Toni nu van hem was – zijn vrouw, de enige vrouw, van wie hij altijd gedroomd had. Hij hield van haar – hij zou alles voor haar doen en eindelijk begreep ze dat. Waarom zou anders een vrouw als Toni, die elke man kon krijgen die ze maar hebben wilde, zich zo bereidwillig aan hem schenken? Op een dag zouden ze trouwen en tegen die tijd, zou zelfs Pa wel begrijpen hoe het tussen hen stond.

Onder de hardheid, die ze tegenover ieder ander toonde, was Toni werkelijk erg zacht en hulpeloos. Ze had een echte man nodig om voor haar te zorgen. En ondanks al haar zachtheid en meegaandheid was ze ook nog slim – ze wilde een toekomst voor hen beiden en voor de kinderen, die ze op een goede dag zouden krijgen.

Na een keer ruzie met Missie gemaakt te hebben, verbleef hij voorgoed in het huis van Toni Lassiter, die hem zacht influisterde dat het hem rechtens toekwam, door zijn moeder, daar hij de oudste zoon was van een geboren Lassiter. En ze hoopte, dat hij haar niet zou haten, omdat ze Tom getrouwd had. Maar ze was toen nog zo jong geweest, recht uit kostschool, en haar familie had haar ertoe gedwongen . . .

Ze fascineerde hem – en hij hongerde naar haar, elke minuut van de dag, naar haar blanke, mooie lichaam dat onder het zijne golfde, en haar gefluisterde woorden, die hem bijna gek maakten, wanneer hij haar in bezit nam. Toni – Toni . . .! Hij zou zijn leven voor haar geven, indien ze dat zou willen. Alles – zo lang ze hem maar nodig bleef hebben.

Toen Toni dus begon te praten over Ginny Morgan en het soort vrouw, dat ze was volgens Nick Benoit, toen hij in Dallas was, luisterde Matt, fronste zijn wenkbrauwen en was het ermee eens. Ze was een zwerfster, ondanks al het geld van haar man en haar mooie kleren. Dat had hij toch zelf gezien? Die avond van het feest, toen ze voor al die Mexicanen gedanst had en voor Manolo, die geweten had hoe hij haar moest behandelen? En daarna, nadat zij zich had laten kussen en met hem geslapen had, zei Toni, had ze die beloning uitgeloofd en de beschuldiging van veediefstal verzonnen . . .

'Matt – ze is slecht! Ze geeft niets om ons, ofschoon ze net doet alsof . . . je hebt gezien hoe ze eerst met Missie aanpapte en haar toen weer liet vallen.'

'Wat probeer je me te zeggen, schat?'

'Ik probeer je te zeggen, dat we haar soort hier in Baroque niet moeten. Dat zie je toch zeker wel? En die zogenaamde neef van haar, die rond jouw zusje hangt, die vertrouw ik evenmin. Nick zegt, dat haar man probeert om al het land hier op te kopen, voor de spoorwegen – en je weet zeker wel wat dat betekent? Mensen – buitenstaanders – noorderlingen – die hier de baas komen spelen. Wij zouden tenslotte gedwongen zijn om allemaal onze boel te verkopen. O, Matt. Dat wil je toch niet laten gebeuren!'

Wanneer ze op die manier een beroep op hem deed, met brekende stem, zou hij op eigen houtje een heel leger te lijf gegaan zijn.

'Toni – baby! Luister – ik zal dat niet laten gebeuren. Ik zal voor je zorgen. Van nu af hoef je niet meer alleen te zijn. Je moet me vertellen, wat ik te doen heb en ik zal . . .'

Ze zei het hem – haar ogen nat en glanzend en Matt was verbluft.

'Haar ontvoeren? Haar in het moeras verbergen? Maar liefste, Jezus, God, ze zouden het hele leger laten uitrukken!'

'En jij zei, dat je alles voor me zou doen! Maar als je niet genoeg van me houdt, Matt Carter . . .'

'Toni – je weet dat ik van je houd! Goddomme, heb ik dat niet bewezen? Heb ik niet lang genoeg op je gewacht? Alleen maar omdat . . .'

'Jij bent bang!' beschuldigde ze hem en hij klemde haar in zijn armen zodat ze gilde.

'Verdomme, ik ben niet bang! Niet zoals jij denkt. Maar dat zou iedereen klaar wakker maken, zie je dat dan niet? En . . .'

'Niet als ze zouden denken, dat Manolo het gedaan had – uit wraak! Zie je het niet? Ze zouden hém de schuld geven en ze zouden hém gaan zoeken – en wij zouden een eis voor losgeld moeten sturen, ondertekend met zijn naam, om alles nog zekerder te maken. En dan genoeg geld vragen om ons allemaal rijk te maken, Matt! En een waarschuwing aan haar echtgenoot om uit Baroque weg te blijven. En zelfs als zij hem ijskoud laat, dan zal hij toch moeten – al was het alleen maar om wat de mensen zouden zeggen! O, Matt, Matt schat, het is de enige manier om ons allemaal te redden! Wanneer jij echt van me houdt . . .'

'Toni – verdomme – ik houd van je. Meer dan van iemand of iets in mijn hele leven, zelfs mijn eigen familie. Heb ik die niet voor jou in de steek gelaten?'

'Maar zelfs die zullen het begrijpen – later. Zie je niet, hoe alle slechte dingen begonnen zijn, nadat zíj hier gekomen is? Ze is slecht, Matt! Ze liegt en ze is gevaarlijk – en doet altijd maar alsof. Misschien heeft haar man haar wel hierheen gestuurd, om poolshoogte te nemen. Matt . . .'

'Ik zal erover denken,' zei hij haastig om haar te kalmeren.

Maar tegen de tijd dat Toni hem wijn schonk en liefde – haar eigen speciale soort – boven, in haar slaapkamer, was hij al opgehouden met denken. Hij zou haar nu nooit meer laten ontsnappen – hij zou alles doen wat zij hem vroeg, om haar maar te behouden.

Onbewust van de plannen van Toni en ondanks de stijfhoofdigheid van Ginny ging Renaldo door met zijn plannen voor hun aanstaand vertrek – waarvan nog het moeilijkste gedeelte was om het aan Missie proberen uit te leggen, die daardoor ontroostbaar leek.

'O, maar ik dacht dat u zou blijven. In elk geval voor een poosje. Gaat u terug naar Mexico?'

Hij dacht er niet bij na, maar hij vloekte verstrooid in het Spaans en toen hij de tranen in Missies ogen zag opwellen, vergat hij nog meer en nam haar in zijn armen, veel te dicht.

'Dios! Wat ben ik een stomme idioot! Melissa – Missie – het is niet dat ik weg wíl, begrijp je? Maar – perdición. Ik ben te oud voor je – en veel te saai! Ik . . .'

'Ik geloof dat u vloekt,' zei Missie met een bedeesd stemmetje. 'U bent niet oud en helemaal niet saai en ik zal erg ongelukkig zijn wanneer u weggaat . . . ik wil niet dat u weggaat!' Ze begon te snikken en Renaldo Ortega, wiens moeder hem altijd een vrouwenhater genoemd had, trok haar naar zich toe, lichtte haar kin onhandig op en kuste haar. Hij kuste haar teder, zachtjes, en hij kuste haar uit liefde.

60

‘Ik kan het niet geloven,’ bleef Nicholas Benoit maar half verdoofd zeggen. ‘Ik kan het niet geloven, dat hij zou durven . . .’

‘We hebben haar paard gevonden,’ zei kolonel Belmont kortaf, meer ontdaan dan hij wilde tonen. ‘En haar hoed. Afgezien daarvan – alleen deze onbeschofte brief van Manolo! Mijn God, man . . .’ zei hij plotseling. ‘Denk je dat het mij niets kan schelen? Dit kan mij mijn carrière kosten; indien je plekken weet, waar zij verborgen zou kunnen zijn of waar hij haar misschien heengebracht heeft . . .’

‘Ik begrijp het,’ zei Benoit snel en zijn gezicht drukte niets dan afschuw uit. ‘Goed. Wat gaat u doen?’

‘De sheriff verzamelt een hulptroep om zich bij de soldaten te voegen, die ik de moerassen al heb laten doorzoeken. Ik heb telegrammen verzonden en ik heb boodschappers naar alle naburige steden gestuurd.’

‘Goed,’ zei Benoit. ‘We zullen natuurlijk allemaal helpen. Ik weet een paar mannen, die geboren en getogen zijn in de moerassen en die daar beter de weg weten dan elke buitenstaander. We zullen haar vinden.’

‘Wat ben jij een goede acteur, Nicky, schat,’ zei Toni zacht, toen ze terugreden. ‘We zullen haar vinden,’ imiteerde zij zijn stem, voor ze smadelijk lachte. ‘Wat moedig! Ik weet zeker dat de kolonel onder de indruk was. Ik ook, trouwens. Maar zou je haar echt willen vinden? Wat zou je met haar doen, wanneer je haar zou vinden?’

‘Mijn God, Toni! Zelfs jij zult toch niet zo gek zijn om . . .’

‘Natuurlijk niet! Ik ben toch de hele middag bij jou geweest? Maar Matt heeft het gedaan – voor mij – en nu, Nicky, hebben wij de troeven in handen, is het niet? Ben je niet trots op me, om het lef te hebben om te doen wat jij niet durfde?’

‘Je bent gek,’ zei Nicholas Benoit, half gefluisterd. En Toni giechelde; het geluid liep langs zijn wervelkolom als een ongewilde rilling van begrip, waaraan hij niets kon doen.

‘Ben je dat? Zou je willen ontdekken hoever ik gaan kan, Nicky? Wil je haar hebben? Het kreng – denk jij dat ze beter zal zijn dan een ander, nu je haar kent? Je kunt haar krijgen, Nicky – en niemand zal het weten, behalve wij tweeën. Je kunt met haar doen wat je wilt – windt die gedachte je niet op? En – wanneer ze moeilijk doet – dan wil ik haar ook hebben. Het zou leuk zijn om haar voor jou klaar te maken.’ Weer dat hoge gegiechel. ‘Als we althans Matt een tijdje kwijt kunnen raken. Hij is zo ouderwets en zo saai! Maar ik moet hem nog een tijdje aanhouden – tot hij ophoudt nuttig voor me te zijn.’

‘Toni, je bent een maniak!’

‘Natuurlijk, schat! En jij zou er ook graag een zijn, is het niet? Nu, vanavond krijg je je kans. We zullen haar vandaag alleen laten en jij kunt je bij de reddingsploeg voegen. Ze zou dan honger moeten hebben en dorst – en tegen die tijd positief hysterisch van angst,’ zei Toni zelfgenoegzaam. ‘Ik zal Matt uitsturen om een oogje op de soldaten te houden en dan is ze dus helemaal alleen voor jou. Windt dat je niet op, of ben je nog steeds te bang om een man te zijn?'

'Houd op, verdomme, houd op!'

Maar hij was opgewonden, ondanks zich zelf en ondanks alle oude, voorzichtige instincten, die hem tot behoedzaamheid aanmaanden.

Alsof ze zijn gedachten had kunnen raden, fluisterde Toni: 'Je zou haar naakt willen zien rondkruipen, is het niet? Ik heb haar kleren laten aanhouden - dan kun je ze afrukken, Nicky. Was dat niet goed overlegd van me?'

En de slimme Toni - in plaats van haar in het moeras te verbergen, met al die soldaten, die naar haar aan het zoeken waren en waar ze dus gevonden kon worden. Toni was slim genoeg geweest om haar gevangene te verbergen in haar 'kerker' - de kelder onder de kelder, die niemand wist of bijna niemand.

'Daar beneden staat een bed - en ik heb haar met één enkel vastgeketend,' zei Toni en haar ogen werden weer glanzend. 'Dat is de manier, waarop de oude heer zijn slavinnen altijd ketende - degenen die hij wilde inrijden. Ik wed, dat jij dat niet eens weet. Ik vraag me af hoe ze zich voelt, om zelf als een slavin geketend te zijn!'

Over de krib lag een dunne deken, maar Ginny Morgan verwaardigde zich niet die te gebruiken. En bang leek ze evenmin te zijn. Ze zat kalm op de rand van het bed.

Nicholas Benoit merkte dit alles op, terwijl Toni de lantaarn die ze droeg aan een haak in de muur hing.

'Jij bent toch niet verlegen, is het wel? Of misschien ben je gewend om aan de klanten te tonen wat je hebt.'

'Is híj een klant? Heb jij hem de normale prijs berekend?'

Het gezicht van Nick Benoit liep roodgloeiend aan, ondanks al zijn voornemens en hij hoorde Toni sissen van woede.

'Jij hoer, jij!'

'Ik vermoed, omdat je er zelf een bent, dat het voor jou gemakkelijk is om iemand van jouw soort te herkennen. En maakt ú er een gewoonte van, rechter Benoit, om hoeren te bezoeken?'

'Misschien zul je blij zijn voor mij die rol te mogen spelen, vóór ik met je klaar ben,' spotte hij. 'Jij was toch een van de hoeren van de aartshertog Maximiliaan, is het niet? En daarna ging je van hand tot hand. Een Fransman, die zich graaf noemde. Een Mexicaanse kolonel - dacht jij, dat ik door jouw voorstelling geïmponeerd was?'

'Ik vermoed dat u verkeerd bent voorgelicht, rechter Benoit.' Haar stem was koel. 'En wat is dit voor ingewikkeld komplot? Was deze ontvoering uw idee? Of alleen van haar?'

'Nicky - ze wordt brutaal. Geef haar een lesje! Of zal ik? Sla haar, Nicky,' zei Toni Lassiter ademloos. 'Dat heeft ze nodig. Ik zal een zweep voor je halen. We kunnen haar aan die ijzeren ringen in de muur vastbinden.'

'Vind jij dat echt nodig?' zei Ginny koeltjes. 'Of is Nicky niet in staat om een vrouw over te halen hem te begeren?'

'Ik geloof niet, dat ze je mag, Nicky! Kijk eens hoe koel ze doet. Misschien moeten we een andere minnaar voor haar vinden, om haar voor jou klaar te maken – wat vind je? Jammer, dat Matt niet hier is – hij is gek op me, maar ik geloof niet, dat hij het erg zou vinden om haar te proberen. Maar misschien moeten we haar echt vastbinden en haar eerst een poosje slaan. Schiet op, Nicky! Daar zit ze en ik heb nog niet gezien, dat ze tegen je vecht. Tenslotte ...'

'Tenslotte – wat?'

Het was Ginny, die het eerst hijgde met opengesperde ogen. Toni Lassiter draaide zich om en Nick Benoit stond zo stil alsof hij door de bliksem getroffen was.

'Comanche!' Toni ademde de naam.

'Laat me je niet tegenhouden. Het zag er naar uit, dat er althans twee mensen plezier zouden hebben.'

'Comanche,' zei Toni opnieuw en toen; 'Schat, ik had het gevoel dat je zou komen opdagen. En precies op tijd ook. Ik heb een échte man nodig, alleen voor de verandering. Nicky denkt dat hij er een is, maar hij is zo langzaam! En was dit nu jouw plan van het begin af? Schat, je hebt toch geen wraakgevoelens? Tenslotte – daar was al dat uitgeloofde geld en jij zou toch hetzelfde gedaan hebben, is het niet?'

'Misschien.'

'Zie je, Nicky? Comanche heeft geen wrok tegen ons. En ik vind dat hij een ronde met haar verdiend heeft.'

'Verdomme,' zei hij toen, verachtelijk en terloops. 'Ik heb mijn beurt al gehad. Waarom ga je niet gewoon door met wat je bezig was te doen, Benoit?'

'Jij verrotte, laag-bij-de-grondse-schoft!'

Dat was voor hem bedoeld, dat Ginny Steve vervloekte, die hem daar maar zag staan kijken, zijn hard-blauwe ogen dwaalden over haar, terwijl hij rustig Nicholas Benoit inviteerde om haar te betasten.

Toni lachte schril, en Benoit graaide naar Ginny en drukte haar achterover op de krib. Hij had gedacht, omdat Toni hem verteld had dat ze met haar enkel geboeid was, dat ze hulpeloos zou zijn. En ze had niet geprobeerd om hem vechtende van zich af te houden. Maar nu, met een plotselinge woede die hem verraste, duwde ze haar knie in zijn lies en sloeg gemeen met de zijkant van haar hand tegen zijn adamsappel.

Nick Benoit liet een gorgelend geluid van heftige pijn horen en knikte ineen. Het schrille gegiechel van Toni klonk hem nog in de oren.

'Arme Nicky! Zij kent al de trucs van een hoer, is het niet? Is het nu jouw beurt of de mijne, Comanche?'

'Neem haar, als je kunt. Maar haal eerst die verdomde ketting van haar enkel weg. Dat heb jij niet nodig, Messalina.'

Toni, haar stem veranderd in een snauw, beet haar toe: 'Ga op je rug liggen op dat bed, teef, als jij je enkel los wilt hebben. En probeer maar niet om dezelfde truc uit te halen als met Nick of ik zal je gezicht in elkaar rammen.'

Ginny beet op haar lippen en dwong zich om achterover te gaan liggen. Haar enkel, die pijn deed en klopte, was al opgezwollen. Toni haalde een sleutel uit de zak van haar rijkleed en boog zich voorover. De sleutel klikte in het onhandige hangslot en toen was Ginny vrij – en Toni scheen tegelijkertijd voorover te vallen.

Steve kon zich – als hij wilde – even snel en even stil bewegen als een poema in de aanval en zelfs Ginny, die hem geslagen had had nauwelijks de beweging gezien, toen zijn hand neerkwam op de achterkant van Toni's nek.

Van de plaats waar hij naar haar stond te kijken, de benen achteloos uit elkaar, de vingers van zijn ene hand nog steeds achter zijn riem, leek het alsof hij niet bewogen had, zijn ogen hard en koud blauw als altijd.

Ze opende haar mond om iets te zeggen – wat dan ook – om de stilte tussen hen te overbruggen en hij zei vlakweg met een soort bijtende spot in zijn stem: 'Jij blijft daar maar op je rug liggen en ik vermoed, dat je verlangde naar wat zij van plan waren met je te doen. Het spijt me dat ik de tijd niet heb om je te verplichten.'

Ginny schoot overeind, alsof ze geraakt was door een kogel, en de kleur vlamde in haar gezicht op.

'Jij . . . jij . . .'

'Wanneer je begint te vloeken, dan krijg jij wat zij gehad heeft – en met een klap over die vuile mond van je om het af te ronden. Ga van dat bed af, tenzij je daar op Matt Carter wilt blijven wachten. En leg die ketting om haar enkel. Vooruit, schiet op.'

Ze keek op om iets kwaads en beschuldigends te zeggen en zag, dat hij op Nicholas toegelopen was, die nog steeds misselijk zat te hijgen en zijn hand in zijn lies drukte.

'Nee!' fluisterde Benoit nu en forceerde het woord uit zijn stijve koude lippen. 'In godsnaam, Manolo – zoals Toni zei, het was dat geld! Maar nu . . . nu zullen we je laten delen als je dat wilt, we . . .'

'Ik heb mijn deel al genomen. En ik heb nooit graag de schuld gekregen voor iets, dat ik niet gedaan heb.'

Zijn ogen flitsten een keer in de richting van Ginny en zij beet kwaad op haar lippen. Waar ter wereld had hij het nu weer over?

'Niet doen! Nee, alsjeblieft niet doen!' hoorde ze Benoit plotseling met krakende stem uitbrengen en hij trachtte achteruit te deinzen voor de blik, die plotseling opvlamde in die harde, blauwe, genadeloze ogen.

'Ik dacht dat ik degene was, die verondersteld werd te kruipen – rechter.'

'Dat was ik niet – dat was Toni. Dat zeg ik je toch! O, God!'

'Die avond klonk het wat anders. Het is waar, dat ik niet in een toestand was om me alles te herinneren, maar ik herinner me wel, dat jij de orders gaf.' De koude, rauwe stem sneed als een zweepslag en beet in de zenuwen, die toch al in flarden waren, van rechter Benoit, en die de laatste resten van zijn zelfbeheersing vernietigden. 'Om nou helemaal eerlijk te zijn, vind ik, dat jíj moet ontdekken, hoe het voelt om opgehangen te worden.'

Benoit gilde en toen werd de gil gesmoord, toen hij de greep van het touw rond zijn hals voelde. Hij hijgde en spartelde, zijn ogen rolden heen en weer, terwijl hij voelde dat hij met een minachtend gemak door de ruimte gedragen werd. Toen werd de lus wat losser en daar stond hij wankelend, en probeerde wanhopig om zijn voeten op de gebroken wankele stoel te houden, waar hij opgehesen op stond.

'Je kunt maar beter proberen om stil te staan, rechter. Die stoel ziet er niet al te stevig uit, maar het is de beste die in de kerker van Toni te vinden is.'

Met opengespalkte, met afschuw vervulde ogen, zag Ginny hoe Steve kalmpjes het andere eind van het touw aan een van de haken in de muur bevestigde en de knoop betastte vóór hij terug trad. Eindelijk hervond ze haar stem en vroeg zich verwonderd af waarom die als een schreeuw klonk.

'Dat kun je niet doen! Je kunt hem niet zo achterlaten om – om hem te laten stikken! Wat voor soort beest ben je eigenlijk geworden?'

Zijn stem klonk zacht, maar zijn glimlach was een camouflage voor een grijns – slechts een sarcastisch ophalen van zijn lippen.

'Dat, baby, is iets waarvoor je nog tijd genoeg zult krijgen om te ontdekken!'

'Wat – wat bedoel je?' En toen, terwijl Nicholas Benoit weer bijna stikte, en rochelend begon te snikken, overviel haar een rilling. 'O, God! Hoe kun je zo – zo harteloos zijn?'

'Ik kan hem doden – maar een mes in zijn vette buik is niet half zo langzaam en zo pijnlijk. En hij heeft een kans op geluk op deze manier. Matt Carter komt misschien terug.'

Ze herinnerde zich waar ze was en hoe ze daar gekomen was – en toen Steve haar pols greep en zijn ogen over haar liet flitsen, werd ze zich plotseling bewust van haar naaktheid onder het verscheurde rijkleed.

'Het lijkt erop, Ginny, of je er een gewoonte van maakt om de kleren van je lijf gescheurd te krijgen.' Zijn stem werd plotseling harder: 'Waarom voor de duivel blijf je nog wachten? Ik heb al genoeg tijd verspild om hier te komen en op jou te letten.'

Hij begon haar voort te slepen en lette niet op haar kreet van pijn, toen haar enkel haar volle gewicht moest dragen.

Hoe had hij geweten waar hij haar kon vinden? Hoe kwam het, dat hij zo goed de weg wist in het huis van Toni Lassiter? Het verbluffende was, dat niemand hen probeerde tegen te houden. De oude butler van Toni, de man die Henri heette, schuifelde weg en keek de andere kant op. En buiten stonden paarden in de kraal, maar verder viel er niemand te zien.

Hijgend, snakkend naar adem, haar haren in haar ogen, zodat ze half verblind was en haar enkel, die verschrikkelijk pijn begon te doen, vroeg Ginny zich af waar zijn paard was. Hij sleurde haar aan haar hand mee.

Drie takken sloegen haar in het gezicht en op haar naakte borsten en schramden pijnlijk haar dijen. Ginny schreeuwde een keer, toen een van haar voeten wegzonk in de slijmerige massa en haar schoen bleef steken – en nog steeds wilde hij niet stoppen.

'Stop – stop!' Ze sloeg in het wilde naar hem met haar ene vrije hand, verloor haar evenwicht en viel op haar knieën en snikte onbedaarlijk; de smak van haar val deed hem een ogenblik wachten. Ze wilde blijven liggen en sterven – het kon haar nu niet meer schelen. Waarom liet hij haar niet met rust? Toen kreeg ze het gevoel alsof haar arm uit de kom gerukt werd, terwijl hij haar ruw overeind trok en zonder enig medegevoel weer op haar voeten zette.

'Nog niet, Ginny. Die jongens van kolonel Belmont zijn overal, op jacht naar ons beiden en ik ben niet in de stemming om vragen te beantwoorden voor de loop van een geweer. Kom mee - blijf lopen - of ik zal je op je mooie gezichtje voortslepen, als het moet.'

'Bruut! Schoft!'

Hij gaf haar een paar klappen, die haar hoofd eventjes deden opklaren zodat ze in staat was om voort te strompelen in zijn spoor, ze proefde het bloed van haar gesprongen lip, tegelijk met de bittere smaak van woede en frustratie.

'Dat zou jíj zeker moeten weten, baby!'

Het leek erop alsof ze de complete kringloop voltooid hadden, zij en Steve; alsof ze helemaal opnieuw begonnen. Maar wat was hij nu van plan? Het masker van beschaving was van hem afgevallen alsof het nooit bestaan had en dat hij teruggekeerd was tot datgene wat hij in werkelijkheid was - een wilde - een beest, zoals ze hem vroeger al genoemd had en waardoor hij kwaad werd. Het was alleen nog maar verbazingwekkend, dat hij er nog niet toe gekomen was om haar aan haar haren voort te trekken als een primitieve holbewoner.

61

Eindelijk waren ze gestopt om te rusten - om háár te laten rusten, alsof ze een paard was, maar iets minder belangrijk dacht ze opstandig, en ze vroeg zich af of ze ooit weer op adem zou komen, zodat ze hem kon zeggen hoe ze over hem dacht.

'De achterdeur naar de moerassen,' had hij iets eerder gezegd met een stem, die even sarcastisch en temerig klonk als hij vroeger al tegen haar gebruikt had en die haar zenuwuiteinden raspten. 'Het oude Indiaanse voetpad . . .'

Ze zaten opgesloten in een donkergroene, ongezond uitwasemende kooi - zo leek het althans voor Ginny, toen ze haar hoofd oplichtte.

Toen hij haar eindelijk losliet, was ze dankbaar op de grond gevallen, die hoofdzakelijk uit mos en modder scheen te bestaan; ze was te uitgeput en te ademloos gedurende de volgende ogenblikken om aan iets anders te denken, dan om haar adem weer op gang te krijgen. Elk bot in haar lichaam deed pijn, elke spier ook - maar gedurende enkele ogenblikken, toen ze daar lag, trillend van snikken en reactie, was het enige dat ze voelde: opluchting. En toen kwamen de onaangename gedachten langzaam bij haar terug. Waarom had hij haar hier gebracht, in plaats van haar terug te brengen naar huis, naar veiligheid. Ze dacht aan Nick Benoit, die daar stond met een touw om zijn hals, terwijl hij snakte naar adem en riep om genade. Nick Benoit mocht dan al om genade roepen. Maar ze werd liever verdoemd vóór zij dat zou doen! Vervloekt met hem! Ze was zijn vróuw!

Steve Morgan zag de furie stijgen in de ogen van Ginny en de manier waarop haar modder besmeurde gezicht strak werd en opzette van boosheid. Ondanks haar besmeurde en meer dan halfnaakte voorkomen, ondanks alles, was ze nog steeds in staat om hem uit te dagen. En, eveneens ondanks alles, begeerde hij haar nog steeds. Ginny. Dat groenogige serpent. Gevaarlijke sirene. Zijn fatale, verdomde hartstocht, ondanks alles van wat ze was en alles wat ze gedaan had.

Ginny kon niets van zijn gedachten lezen achter de spottende, flitsende blauwe ogen, die haar van top tot teen bekeken.

'Naaktheid past even goed bij je als je ongewone stilzwijgen. Zonder kleren en met een afgesneden tong zou je bijna een volmaakte vrouw zijn.'

Je reinste woede verdreef elke vrees en ze kwam overeind op haar handen en knieën als een wild schepsel, en vloekte hem uit in Frans en het Mexicaanse dialect dat ze opgepikt had toen ze soldadera was, tot zijn klap haar achterover sloeg.

'Ik zie wel, dat je geen barst geleerd hebt in al die maanden, dat je in Europa ronddoolde - of misschien heb je niet de juiste man ontmoet, die wist hoe hij vrouwen van jouw soort moest aanpakken.'

'En denk jij, dat jij dat wél bent?'

Haar ogen spoten haat en uitdaging naar hem en hij grinnikte, hatelijk.

'Ik heb bij me zelf nog niet besloten, mevrouw, of u de moeite waard bent.'

'Mevrouw! Waarom . . .'

'Ik had je natuurlijk bij andere namen kunnen noemen, maar dat zou je misschien niet zo leuk vinden.'

Deze keer was ze iets voorzichtiger, toen ze met moeite weer op haar knieën kroop en hem net felle ogen aankeek.

'Ik zie wel, dat er niets overblijft om nog tegen elkaar te zeggen,' zei ze koel en deed een poging om waardig te klinken. 'En wanneer je klaar bent met mij te beledigen, wil je me misschien wel terugvoeren.'

Hij trok één wenkbrauw op en keek nog steeds op haar neer met die nieuwe, onpeilbare blik, die ze pas begonnen was te haten.

'Terug? Waarheen? Tenslotte ben je nog steeds mijn vrouw, of een van ons dat nou leuk vindt of niet en het komt me voor, dat je heel veel moeite gedaan hebt om mij te vinden. En weet u, mevrouw, ik vraag me verwonderd af: waarom?' Plotseling was er een gevaarlijke klank in zijn stem, die haar, heel ongewild, deed verbleken.

'Is het mogelijk, dat je nog steeds een soort restant van een geweten hebt? Of misschien wilde je alleen maar zeker weten, hoeveel of hoe weinig ik me nog herinnerde - voor jij je kleine plannetjes ten uitvoer bracht!'

'Plannetjes!' Ginny's stem schoot omhoog. 'Durf jij me te beschuldigen van plannetjes, terwijl jij . . .'

'Je zou er goed aan doen mij je gebruikelijke hysterische ontkenningen en herinneringen te besparen, Ginny. En nu we het toch over dit onderwerp hebben' - hij pauzeerde opzettelijk en toen, met een ijzig zachte stem, waarbij elk woord apart als een kogel op haar afkwam - 'hoe kwam het, dat jij ettelijke maanden geleden vergat om mij op de hoogte te stellen, dat jij moeder ging worden? Vond jij dat een feit, waarover de meeste vrouwen zeer verheugd zouden zijn, dat niet de moeite waard was om vermeld te worden? Ik heb gehoord, dat jij – of liever gezegd wij, omdat ze mijn naam dragen – in het bezit zijn van een tweeling. Hebben ze namen? En hoe komt het dat jij vergeten hebt om je moederlijke plichten waar te nemen en die te vermengen met politieke intriges, waarmee jij niets te maken hebt?'

Hij wist het dus – hij wist het! En hoe lang had hij het geweten? Waarom kwelde hij haar nu?

'Het is ongewoon, mevrouw, dat u niet weet wat te zeggen. Nou?'

Razende woede kwam Ginny te hulp, ofschoon ze wel zorgde dat ze op een afstand van hem bleef, omdat ze de gevaarlijke gloed in zijn ogen maar al te goed herkende.

'Waarom zou ik proberen me te verdedigen? Waarom zou ik? Je wilde toch altijd het slechtste van me denken? Ik heb mijn kinderen achtergelaten – in de steek gelaten, als je dat liever hebt – omdat ik gek genoeg was om me zorgen over jóu te maken, vooral nadat ik een bezoek van meneer Bishop ontvangen had! Maar jij was altijd even onredelijk en oneerlijk en een – een harteloze bruut op de koop toe! En – en – ' Ginny haalde diep adem vóór ze hem toespuwde: 'Ik wou dat ik een mes bij me had. Déze keer zou ik dat zwarte, samenzwerende hart van jou zeker niet missen!'

'Weet jij, wat altijd je grootste fout geweest is, en nog steeds is, afgezien van je talent voor gemakkelijke leugens? Jij hebt nooit geleerd wat de juiste plaats voor een vrouw is – evenmin, naar ik vrees, de plichten van een echtgenote en moeder. Het is jammer dat ik niet getrouwd ben met die aardige kleine Ana Dos Santos, als ik al gek genoeg was om überhaupt te trouwen.' Zijn stem dreef de spot met haar. 'Zij was althans fatsoenlijk opgevoed, ze kende haar plaats, terwijl u, mevrouw, rond schijnt te waren om verkrachtingen of verleidingen uit te lokken van elke man die u ontmoet.'

'Ohh!'

'Feitelijk ben ik tot de conclusie gekomen, dat jij het soort vrouw bent, dat geregeld een pak slaag moet hebben! Mijn fout was om jou een veel te grote vrijheid toe te staan.'

'Toestaan!' Ginny knarste haar tanden, wrok en woede deden haar bijna stikken. Dat hij durfde te praten alsof ze een stuk eigendom was, dat hij tegen zijn zin verworven had. Dat hij, na alle blaam op haar geworpen te hebben, hij haar hier naar toe gesleept had, ongeacht haar pijn en ongemak – haar geslagen en bedreigd had . . .

Hij ging in dezelfde spottende, sarcastische toon verder – net alsof ze niets gezegd had. 'En alleen omdat ik me zelf schuldig acht, tot zekere hoogte, heb ik besloten om je nog een kans te geven. Maar slechts één, ik waarschuw je, want veel geduld heb ik niet meer!'

'Ze ziet er uit als een doordrenkte kat uit een slop met die vuurspuwende groene ogen,' dacht Steve en vroeg zich af of hij haar ver genoeg gedreven had. En toen, alsof hij haar besluit voelde, deed hij een greep naar haar pols, toen ze zich wilde omdraaien om weg te lopen.

'Je doet me pijn!' fluisterde ze met een klein, gekwetst stemmetje en toen hij onwillekeurig zijn greep verslapte, werd ze weer een wilde kat – sproeide

ze weer haar woede toen haar nagels zijn ogen zochten.
'Jij schoft! Ik hoop dat ik je blind gemaakt heb!'
En dat had gekund, indien hij niet net op tijd zijn hoofd afgewend had.
'Zo lang hij mij moet vasthouden, kan hij me niet beletten om te schreeuwen, verdomme!' fluisterde haar verstand haar sluw in en ze bleef schreeuwen tot hij haar zó dicht tegen zich aantrok, dat ze zich ternauwernood kon bewegen – de kracht van zijn mond kwam op de hare even hard en pijnlijk als een slag.
Ginny bleef doorvechten, probeerde hem te schoppen, waarbij de plooien van haar gescheurde rijkleed in de weg zaten, tot ze voelde dat ze zwakker werd; haar hoofd zakte achterover, ze hoorde een gezoem in haar hersens, terwijl ze naar adem snakte en tevergeefs haar hoofd van de ene naar de andere kant bewoog.
Ze was half en half flauw gevallen, toen hij haar losliet met een boze duw waardoor ze bijna viel; ze probeerde zich te redden met haar armen, maar slaagde er niet in. Haar lippen waren gekneusd en bloedden, het kostte haar heel wat moeite toen ze probeerde om weer te ademen.
Toch hoorde ze ergens in de verte een schreeuw – en daarna een schot, ver weg maar duidelijk, de echo rolde als tromgeroffel over het water. 'Het lijkt alsof je het klaargespeeld hebt om hen te alarmeren,' hoorde ze hem knarsetandend zeggen en ze werd weer overeind getrokken, heen en weer geschud met vingers, die in haar schouders beten, tot haar hoofd hulpeloos heen en weer bungelde – haar verwarde haren, die om haar gezicht vlogen, verblindden haar.
'Wat dacht je voor de duivel hiermee te winnen? Wanneer ze beginnen te schieten, is het heel waarschijnlijk, dat jij ook een verdwaalde kogel opvangt of had je daaraan nog niet gedacht? Verdomme, jij, Ginny . . .'
'Laat me gaan – laat me gaan!' begon ze wild te hijgen. 'Waarom laat je me niet hier? Ik loop liever risico's met verdwaalde kogels dan met jou!'
Het leek niet te geloven, maar had er werkelijk een trilling van een lach in zijn stem geklonken? Of was het alleen maar woede?
'Mijn God! En dan te bedenken dat ik echt vergeten was, wat een feeks jij kon zijn!' En toen, zonder verder nog een woord te zeggen, begon hij haar weer voort te trekken; hij bleef alleen even staan wachten om de flarden van haar rijkleed van haar rug te trekken, toen ze zich maar steeds bleef verzetten en achteruit trekken.
'De kleren die jij altijd wilt dragen zitten alleen maar in de weg – en je zult sneller opschieten en misschien gewilliger zonder die, schat!'
Waarom had zij zich niet gerealiseerd hoe hulpeloos ze was tegen zijn kracht. Precies zoals ze altijd geweest was . . . En na een poosje, toen het al donker begon te worden en haar boze, opstandige bui gezakt was tot een doffe onverschilligheid, ontdekte Ginny, dat ze nergens anders meer aan dacht dan om de ene voet voor de andere te zetten terwijl ze verder en verder het moeras binnendrongen – dat nu versluierd was door lange slierten mos, die tegen haar gezicht en haar terugschrikkende lichaam streken; bomen die zich ongelooflijk knoestig en oud over hen heen bogen, die de hemel verborgen evenals

de oude loerende heksen van vroeger. Ze was zelfs vergeten om bang te zijn of om zich af te vragen waar hij haar naar toebracht. Wat deed het er toe? Hij nam haar mee . . .

Hij vond zijn weg bijna geheel door instinct, met Ginny, die zich moeizaam aan zijn riem vastklemde, met slepende voeten, hij nam haar mee naar het eiland in het moeras, waar Teresita hem ooit naar toe gebracht had.

Steve was zo onvoorspelbaar! Na de wrede en harteloze manier waarop hij haar behandeld had, had hij haar nu zijn overhemd gegeven, had haar geholpen haar verstijfde armen in de mouwen te steken, die veel te lang waren, gedurende een van hun korte rustpauzen. En nu – nu ze eindelijk een plek bereikt hadden, waar haar voeten niet tot haar enkels in de modder en de viezigheid wegzakten, waar een soort schuilhut was, droeg hij haar naar binnen en schudde de dekens uit vóór hij haar toedekte.

Versuft, dacht Ginny hoe rustig het hier was – de zwarte nacht rondom haar leek op haar te drukken, nadat hij haar verlaten had. En toen begon ze alle geluiden van het moeras te horen – het sjirpen van miljoenen krekels stak schril af tegen het gekwaak van de kikkers; het ruisende geluid van water, dat ergens zacht stroomde en het gekraak van de oude bomen, die overal waren. Nachtelijke geluiden van nachtdieren – wegvluchtende geluiden en zwak gepiep en geritsel; van dichtbij, zodat ze schrok, de roofzuchtige kreet van een uil, die een kleine prooi te pakken nam. De moerassen waren wakker en levend en toen haar ogen geleidelijk aan de duisternis begonnen te wennen, kon Ginny plotseling de oneindige kleine speldeprikjes van sterren zien afgetekend tegen een ebonieten fluwelen hemel. Zó hoog – zó ver weg en zo kil onpersoonlijk. Wat had ze ooit ook weer ergens gelezen? Dat elk van hen een zon was, opgeslorpt in een prachtig verwijderd isolement ·

Hij gaf haar iets te drinken en ze liet de brandende, vurige vloeistof gehoorzaam door keel lopen. Zelfs indien het een beker vergif was geweest, zou ze die even goed hebben aangenomen, zonder vragen en zonder belangstelling.

Ze had het koud gehad, maar nu was ze plotseling warm met de gloed van zijn naakte vlees tegen het hare, toen hij zijn armen om haar heen sloeg en haar vasthield en dat alles zonder woorden. De tijd viel weg en alle hindernissen opgeworpen door de maanden en door woorden – veel te veel woorden! Wat had hij ook weer gezegd op een nacht, die tot nu toe, veel, veel jaren geleden leek?

'Lichaamswarmte is het beste om gedurende een nacht als deze warm te blijven, baby . . .' En toen, net als nu, had er een enkele dunne deken over hen heen gelegen – een deken, die weggleed, heel veel later gedurende de nacht, toen hij haar bemind had; nog steeds als deel van een droom, waarin ze zich verloren had.

Deel zeven

De verterende vlam

62

'We krijgen de poppen aan het dansen, als u de naakte, onopgesmukte waarheid wilt weten, señor Ortega!'

Kolonel Belmont had niet de gewoonte om zó uitgesproken te zijn. Afkomstig van de Militaire Academie van West Point en een diplomaat, opgevoed in de harde leerschool van de legerpolitiek, had hij wel geleerd om zijn gedachten voor zich te houden en zo weinig mogelijk te zeggen. Maar in dit geval - had hij even geleden zijn vrouw, die gewoonlijk zo praktisch was, in een half-hysterische bui achtergelaten, vragend waarom hij niet iets gedáán had, iets om te voorkomen dat hij zelf en de mensen onder zijn commando de spot werden van de omgeving?

'Te bedenken dat één man ons allemaal zó belachelijk kon maken'- te bedenken, dat jij haar nog steeds niet gevonden hebt - niemand is hier nog veilig! Mijn arme Ginny . . . Rodney - doe iets!'

Maar wat werd hij in godsnaam verondersteld te doen? In sommige opzichten waren zijn handen nog gebonden ook, ofschoon hij dat niet goed aan Persis kon vertellen - dat zou ze nooit begrijpen!

Renaldo Ortega, van wie verwacht kon worden dat hij het meest bezorgd en verontrust zou zijn toen zijn nicht verdween, was daarentegen kalm en rationeel gebleven - zij het ook ietwat nadenkend. Kolonel Belmont hoopte, dat hij nu kalm zou blijven en misschien geneigd was om enig licht op de geheimzinnige serie gebeurtenissen te werpen, die begonnen was met een telegram van Jim Bishop uit Washington. Bishop, hoofd van een of andere geheimzinnige organisatie, die rechtstreeks verantwoording verschuldigd was aan de president van de Verenigde Staten, had hem verzocht om mevrouw Morgan en haar neef met alle beleefdheid en welwillendheid te ontvangen en dat hij moest zorgen, dat ze de gelegenheid kregen om alle mensen uit de buurt te ontmoeten. Eerst had Belmont gedacht dat de dame zelf lid was van de organisatie van Bishop, tot zijn vrouw, een gretige lezeres van de society-kolommen en het 'Social Register' hem had ingelicht, dat Virginia Morgan de vrouw van een miljonair uit Californië was - en de dochter van senator William Brandon. Waarom was ze hier gekomen? Waar hing haar man uit? In het begin had kolonel Belmont zich die vraag gesteld en hij werd hoe langer hoe verbaasder naarmate de tijd verder ging. Maar hij had dat alles voor zich gehouden. Zijn plicht hier was om orders op te volgen en de rust te handhaven. Maar sedert die . . . die verdomde Indiaan was komen opdagen . . .

En nu had hij de onaangename taak om señor Ortega in te lichten, dat mevrouw Morgan in erger gevaar verkeerde dan zij eerst gedacht hadden -

dat Manolo een moord begaan had en verkrachting, afgezien nog van al zijn vorige misdaden. Hoe moest hij hem dat zeggen? Maar in dit geval, onder de standvastige, vragende blik van Ortega, zat er niets anders op dan hem de waarheid te vertellen.

'Ik ben bang, dat ik niet echt weet hoe het gebeurd is. Mevrouw Lassiter was, geheel begrijpelijk, totaal hysterisch; en Matt Carter, die naar het hoofdkwartier gereden kwam om mij op de hoogte te brengen, was ontdaan. Mevrouw Lassiter was - is - nogal weekhartig, waar het een bepaald type man betreft. Grote, knappe, brute. Ze huurde deze Manolo zonder veel van hem af te weten, omdat ze zei, dat ze een uitvoerder nodig had - een sterke man, die haar belangen kon verzorgen. En dit, let wel, was vrij snel nadat die andere uitvoerder, die Billy-Boy Dozier, erg plotseling verdwenen was. Verdwaald in het moeras, dat zeiden ze, maar ik heb dat verhaal nooit geloofd. Matt Carter had al bijna met evenveel woorden eruit geflapt, dat Manolo hem vermoord had tijdens een ruzie . . . Maar dat is iets, dat we nog niet kunnen bewijzen.'

Renaldo luisterde ongelovig toe, toen kolonel Belmont doorging met het verhaal, dat Matt Carter, hijgend en bleek toen hij zich van zijn paard liet glijden, hem verteld had.

'In het begin kon ik het nauwelijks geloven! De man moet een soort maniak zijn, zijn geest getroubleerd door haat en bloeddorst. Hij liep brutaal het huis van mevrouw Lassiter binnen, trof haar met haar zwager aan in een oude kelder, die ze waren gaan inspecteren op vochtigheid. Voor zover ik het begrijp, beschuldigde hij haar van verraad - dat zij niet voor hem gekomen was. En hij was nog wraakgieriger tegen de rechter, die hem vastberaden bedreigde met ophanging.

U hebt rechter Benoit ontmoet - het was geen grote man, ook was hij niet gewend aan geweld. Hij werd eerst neergeslagen, terwijl deze - deze wilde zich vergreep aan mevrouw Lassiter en haar toen aan een bedstijl ketende, terwijl hij haar dwong om toe te zien, hoe haar zwager langzaam stikte.'

'Wat?'

Het gezicht van kolonel Belmont verhardde tot grimmige lijnen.

'Ik kon zelf een dergelijke barbaarsheid bijna niet geloven! Hij zette de rechter op een stoel, met een touw rond zijn hals waarin een beulsknoop was aangebracht, terwijl hij hem doorlopend bespotte. En toen hij genoeg van deze sport kreeg, schopte hij de stoel weg. En mevrouw Lassiter, met een prop in haar mond die bijna flauwviel door haar eigen precaire situatie, werd gedwongen om te kijken. U kunt u gerust gechoqueerd voelen! Ik was het zelf ook en ik heb tijdens mijn carrière nogal wat smerige dingen gezien. Een Apache had het niet erger kunnen doen.'

Renaldo probeerde zich te bedwingen. om rationeel te denken. Estenban? Nee - ondanks al zijn wildheid en zijn opvliegend karakter, was zijn neef niet in staat tot deze vorm van geweld! En vooral niet, als hij uiteindelijk zijn geheugen had teruggekregen.

Renaldo had zich zorgen gemaakt toen Ginny vermist werd - die zorg werd uitgesproken ongerustheid tot de brief met het geëiste losgeld kwam. En toen was hij begonnen te denken, dat het weer een van die macabere grappen van Steve was. Hij had zijn eigen vrouw ontvoerd - goed, de betrekkingen tussen Steve en Ginny waren altijd nogal wispelturig geweest, waar de een altijd probeerde de ander de loef af te steken. Hij had gedacht, dat ze misschien deze keer, na de onvermijdelijke twist, tot het besef gekomen waren dat ze van elkaar hielden. Maar dít? Wat had Steve nu in zijn hoofd gehaald? Wat dacht hij hiermee te winnen?

Kolonel Belmont had met Toni Lassiter gepraat, die gebroken in een donkergemaakte kamer lag en met een zachte, stokkende stem, bevestigd had, wat Matt Carter had gezegd.

'O, ik heb alles gecontroleerd. Ik heb de patrouilles verdubbeld, die ik de moerassen ingestuurd heb. En - ik weet niet hoe ik u dit moet vertellen - maar een van hun rapporten vermeldt, dat zij een vrouw hebben horen schreeuwen, meerdere malen, en dat daarna de schreeuwen leken te worden afgesneden. En natuurlijk: tegen de tijd, dat ze aankwamen op de plaats waarvan ze dachten, dat ze de schreeuwen gehoord hadden, was er niemand te zien. Niets, behalve . . .' Kolonel Belmont schraapte zijn keel en toen (bijna zoals een goochelaar een konijn uit zijn hoed tovert, dat Renaldo verbijsterde) werd zijn stem rauwer en hij smeet een slordig ingepakt pakje op de tafel tussen hen in. 'Eén van mijn mensen heeft dat opgepikt. Hrrm . . . herkent u dit, señior?'

'Dat is - of liever was - het rijkleed van Ginny. Dat wat ze droeg toen ze . . .' Ondanks zich zelf, merkte Renaldo dat zijn stem haperde. De gevolgtrekking was duidelijk natuurlijk. Maar goede God!

'Begrijpt u nu waarom ik me zulke zorgen maak? De vraag is - wat ga ik nu doen? De plaatselijke sheriff heeft een opsporingsploeg samengesteld en die zijn van plan de moerassen te doorzoeken. Maar de Indianen zullen hen niet helpen, want zij beschouwen die man als een van de hunnen. En ik ben ook bang, dat als mijn mensen te dichtbij komen, hij misschien . . . Ik heb een telegram gestuurd naar meneer Bishop. Maar het kan nog wel even duren vóór ik van hem hoor. En gedurende die tijd - wel, u ziet nu in welk dilemma ik verkeer!'

En nu zat Renaldo óók voor dat dilemma. Hoeveel kon hij kolonel Belmont vertellen, een eerlijke man, die alleen maar erop uit was zijn plicht zo goed mogelijk te doen. En zelfs, wanneer de kolonel slechts een deel van de waarheid te horen kreeg, zou hij dan niet heel begrijpelijk buitengewoon misnoegend zijn? En bovenal: wat kon iemand van hen doen? Met schuldgevoelens dacht hij aan Missie, die nog steeds de waarheid niet wist. En nu was haar eigen broer aanvoerder van een groep, die verondersteld werd Steve te vangen. Hij vertrouwde Matt niet, die totaal wég was van Toni Lassiter - en wat dat betreft: Toni evenmin. Maar hoe moest hij dat aan Missie vertellen of aan de kolonel?

Wat noch Renaldo noch de kolonel wisten, was dat Toni zelf zich bij de groep gevoegd had; ze had daar haar eigen redenen voor.

'We moeten hen vinden, Matt! En hun beletten te praten, Matt! Na wat hij gedaan heeft . . .'

'Luister nu eens, Toni, lieveling. Voor jou zou ik zelf zijn hart uit zijn lichaam snijden. Maar zij . . . waarom moeten we haar doden? Ze is een vrouw, en . . . en mijn zuster gaat trouwen met die neef van haar. Bestaat er geen manier . . .'

'Maar er is geen andere manier – Matt, zie je dat dan niet? Ze mag niets vertellen over ons – over jou! Ze weet dat jij het was, die haar heeft opgepakt – dat heeft Nick haar gezegd; hij was aan het opscheppen. En wanneer ze het vertelt – nou, dat begrijp je zeker wel? We moeten hen vinden voor iemand anders het doet. Je moet, moet me helpen, Matt, ik . . . ik vertrouw je! En je weet hoe erg ik je nodig heb.'

'Ik zal hen vinden,' bezwoer Matt vastberaden en sloot zijn geest voor alles, behalve voor Toni en haar gezegde, dat ze hem nodig had, dat ze op hem rekende. Hij kende zelf enkele Indiaanse voetpaden, omdat hij veel te lang in het moeras ondergedoken had gezeten. Pa... Missie... hij sloot hen moedwillig uit zijn gedachten. Zoals de bijbel het zei: wanneer een man een vrouw tot zich nam dan kwam zij op de eerste plaats vóór ieder ander. En Toni was zijn vrouw. Goed of slecht, hij moest haar hebben. Zelfs terwijl hij wist, in zijn achterhoofd, dat het wulpse blanke lichaam, dat zo gekmakend onder het zijne gekronkeld had, hetzelfde voor andere mannen gedaan had – zelfs dat kon hem niet verhinderen van haar te houden, haar te begeren. Hij zou alles doen om haar te kunnen houden.

Nu waren er al drie afzonderlijke opsporingsploegen, die diep in het moeras tastten als de graaiende uitgespreide vingers van een hand. Maar de moerassen en de kreken strekten zich uit tot aan de grens met Louisiana en nog verder. Zoals Matt zelf wel wist, er was geen betere plek om je te verbergen, wanneer je niet gevonden wilde worden. Maar hoe ver zou Manolo weghollen, en vooral met die vrouw op sleeptouw?

'Ben jij krankzinnig geworden? Hoe lang denk jij, dat het zal duren vóór ze je zullen vinden? En wanneer ze dat doen, dan hoop ik . . .'

'Dat jij geluk genoeg zult hebben om te ontdekken, dat je weduwe bent? Ik zou er niet op rekenen, schat.'

Ginny beet op haar lip en zag de dansende duivelse lichtjes in de ogen van Steve verschijnen. Waarom moest hij toch altijd van die gevaarlijke spelletjes spelen? Waarom speelde hij met haar?

Tijdens de nacht had hij haar warm gehouden; hij had zelfs liefde voorgewend. Maar alleen om haar een vals gevoel van veiligheid te bezorgen, dat bedacht Ginny nu, terwijl ze boos een sliert haar uit haar ogen wreef. Toen de morgen aanbrak was hij even op een afstand en even sarcastisch geweest als tevoren. Je kon hem niet begrijpen, evenmin als zijn motieven, behalve dat ene – hij wilde haar geest breken! De vernedering van zijn bijtende, snijdende woorden van gisteren bleven haar nog steeds bij evenals de wijze waarop hij haar behandeld had. Nee, ze zou hem deze keer niet vergeven. Ze haatte hem. Ze zei zo iets en hij lachte alleen maar

'Mijn God – dat klinkt bekend! Hoeveel keer heb ik je me dat gezegd, Ginny?' Zijn ogen werden kwaadaardig kleiner. 'Daag jij mij uit om het tegendeel te bewijzen?'

'Nee!' Ze zei het te scherp en verried zich daardoor en voegde er toen met een poging tot kilheid aan toe: 'Waarom zou ik jou uitdagen? Zo lang jij mijn echtgenoot bent, blijf ik nog steeds de baas over mijn eigen geest en je zult me nooit veranderen in een . . . een slavin of een marionet, die naar jouw pijpen danst! Aangezien ik kennelijk niet voldoe aan jouw verwachting, die je van een echtgenote hebt, waarom doe je dan niet verstandig en maak je geen eind aan deze hele dwaze vertoning? Wat probeer jij eigenlijk te bewijzen?'

Met een plotselinge beweging, die haar verraste, hurkte hij naast haar en pakte uit haar onwillige handen de kop koffie, die ze juist gezet had.

'Verdomd als ik het weet! Waarom ben jij eigenlijk zó ver gegaan, Ginny?'

'Wat bedoel je?'

'Vat het op, zoals je wilt. Waarom doe je de dingen, zoals je ze doet?'

Ze wierp hem een stuurse, achterdochtige blik toe. Welk soort bekentenis trachtte hij deze keer weer uit haar te krijgen? Stond hij dan nergens voor stil om haar onderworpenheid te krijgen?

De ochtend was een voortzetting geweest van de nachtmerrie van de avond tevoren, waardoor de nacht zelf werd uitgewist, met die vreemde sfeer alsof de tijd stil stond. Hij was bijtend geweest, beurtelings dreigend en hatelijk, had er plezier in om haar er telkens aan te herinneren, dat ze uitsluitend van zijn genade afhing – om als maîtresse gebruikt te worden, terwijl hij tot een besluit zou komen of hij haar als vrouw zou behouden. Ze had het helemaal niet nodig, dat hij haar eraan herinnerde dat hij sterker was dan zij – hij had het bewezen en haar lichaam deed nog steeds pijn. Er was geen plekje op haar huid, bedacht ze met wrok, dat niet bedekt was door schrammen en schaafwonden. Nu keerde hij terug tot zijn vroegere tactiek en probeerde haar te ontwapenen.

'Ze ziet er zo behoedzaam uit als een vos,' dacht Steve wrang en stelde zich dezelfde vraag als zij even eerder gedaan had. Wat probeerde hij eigenlijk te bewijzen? En wanneer waren ze het vermogen kwijt geraakt om contact met elkaar te hebben?

Verdomd nog aan toe! Waarom wilde ze niet toegeven? Waarom kon ze haar geest niet uitleveren op dezelfde gemakkelijke manier als haar lichaam? Dat was de moeilijkheid met Ginny. Ze kon geven zonder toe te geven. Zij was de enige vrouw, van wie hij nooit zeker kon zijn en het was juist om die reden, dat ze hem zijn zelfbeheersing deed verliezen. Was het niet altijd zo geweest?

Terwijl hij naar haar besmeurde en geschaafde gezicht keek met die katachtige smaragden ogen, die hem zo dikwijls in zijn dromen en nachtmerries achtervolgd hadden, drong het met een schok van verbazing tot hem door, dat hij nog steeds van haar hield. Ondanks alles – ondanks het feit, dat hij op elke denkbare manier gek was. Hij was tot dit uiterste gegaan, niet om wraak te nemen, maar omdat hij haar nog steeds begeerde. En hij was helemaal niet van plan haar op te geven.

Ginny – die voor die gapende gezichten in Vera Cruz danste en haar ogen opensperde toen ze hem herkende. Ginny – die de punt van een mes op zijn keel zette en met zachte, zeer zakelijke stem zei: 'Jij bent mijn echtgenoot,

Steve. En ik heb bepaalde rechten op je ...' Ginny – de allereerste keer, dat hij haar genomen had, toen ze nog maagd was en trillend in zijn armen lag en fluisterde: 'Ik weet niet, wat ik nu verondersteld word te voelen of te doen ...' Ze was in zijn bloed gaan zitten van het eerste moment af dat hij haar gekust had, die kleine heks! En indien hij haar al opzettelijk pijn gedaan had, had hij eigenlijk alleen zich zelf bevochten. Waarom moest hij toch altijd datzelfde feit opnieuw ontdekken?

Bijna onmerkbaar kwam er verandering in die manier waarop hij naar haar keek, de blauwe kleur van zijn ogen werd dieper. 'O God,' dacht Ginny wild, 'waarom moet hij mij dit aandoen?'

Ze knoeide met koffie en doofde het kleine vuurtje, dat ze zo zorgvuldig had opgebouwd onder zijn spottende toezicht.

'Ginny ...'

Er volgde een ogenblik, toen hij een beweging in haar richting maakte en zij afwachtte, terwijl ze beiden het gevoel hadden dat ze op de grens van een nieuwe ontdekking stonden.

Toen ging dat moment verloren – verstoord door de lage triller van een vogel, die ergens van links kwam. Zijn onafgemaakte beweging verstijfde, het lichaam van Steve spande zich.

'Wat is er?' Het hart van Ginny bonsde nog dik en zwaar en haar stem klonk alsof ze buiten adem was.

Hij stond al overeind – in één lenige beweging – als een luipaard, dacht ze onwillekeurig, en staarde hem nog steeds aan.

'Ik denk dat we gezelschap krijgen. Maar ze zijn nog niet zo dichtbij.' Bijna verstrooid keek hij op haar neer en ze had het gevoel, dat hij haar eigenlijk helemaal niet zag. 'Deze plek is in elk geval moeilijk te vinden. Er is maar één veilig voetpad en dat is heel smal en heel moeilijk te volgen. Stap ernaast en ...'

Hij hoefde de zin niet eens af te maken. Ginny rilde toen ze bedacht, dat hij haar over datzelfde smalle pad geleid had, in het donker, uitsluitend bij het zwakke licht van de sterren om hem te leiden. Ze herinnerde zich het gevoel van modderig slijm, dat aan haar enkels trok, wanneer haar voet bij enkele gelegenheden uitgegleden was en haar rilling werd een huivering. Wat kon er verschrikkelijker zijn dan op die manier te sterven, verdrinken in die slijm, voelen hoe je keel en je ogen en je neusgaten verzwolgen werden. Maar hij had haar veilig hier gebracht. Waarom?

Steve – de vreemdeling, de minnaar, in wiens armen ze zoveel nachten gelegen had. Kwaad, teder; kwetsend, lief. Wat wilde hij eigenlijk van haar?

Hun ogen ontmoetten elkaar en hielden elkaar vast en toen, alsof hij opzettelijk weerstand wilde bieden aan het opstijgen van de gevoelens tussen hen, zei hij ruw: 'Je bent slecht gekleed voor bezoek, liefste. Je kunt beter naar binnen gaan en daar wachten. En ik zal je een revolver geven. Je bent toch niet vergeten, hoe je die moet gebruiken, is het wel?'

Ze negeerde het sarcasme, dat in zijn vraag geklonken had.

'Waar ga jij heen?'

'Ik heb er nooit van gehouden om voor opgejaagde te spelen,' zei hij kortaf.

'Wanneer het er op aankomt, jaag ik liever zelf.'

'Nee!' Ze schrok zelf van het geweld van dat ene woord.

'Ginny . . .' er was een waarschuwende klank in zijn stem gekropen. 'Ik ga hier niet met jou staan argumenteren!'

'Verspil dan verder geen tijd. Ik ga met je mee.' Ze probeerde overeind te krabbelen en automatisch stak hij zijn hand uit om haar te helpen. Ze hing aan zijn vingers en hield hem vast, met alle hardnekkigheid die hij zich herinnerde.' Steve . . . o, zie je het dan niet? Ik ben doodziek van het achtergelaten worden, van het wachten. Je hebt geprobeerd om een Indiaanse squaw van me te maken – hebben de vrouwen van de Comanchen hun mannen niet altijd gevolgd en aan hun zijde gevochten als het moest?'

'Jij stapelgek, onverantwoordelijk, onvoorspelbaar vrouwmens!' Maar hij zei het zacht, bijna alsof hij het niet geloofde. 'Kun jij me zeggen waarom of ik jou, voor de duivel, zou vertrouwen, na al de trucs, die je al met me hebt uitgehaald?'

Ze schudde haar hoofd. 'Nee, dat kan ik niet. Tenzij – is er niet ergens een punt, waar we moeten beginnen om elkaar te vertrouwen? Of . . . of moeten we het maar opgeven?'

Daar had je het – de uiteindelijke uitdaging, de laatste vraag. En zij was het, en niet hij, die de vraag had laten vallen, haar kin uitdagend opgeheven op de wijze, die hij zich maar al te goed herinnerde.

Zonder een woord te zeggen, stak hij zijn hand uit en begon het overhemd dicht te knopen, dat zij nog steeds droeg, zijn vingers streken langs haar huid.

'Steve . . .!'

'Comanche squaws lopen zacht en praten niet tot ze aangesproken worden. En ze lopen niet halfnaakt rond. Probeer dat te onthouden, jij onmogelijke vrouw!'

63

In het begin was het moeilijk voor Missie om het te begrijpen. En nog moeilijker voor Renaldo, die het moest uitleggen.

'Manolo is jouw neef? En haar – en de man van Ginny? Maar waarom...'

'Dat is zo'n verschrikkelijk lang verhaal! Weet je wel zeker, dat je het wilt horen? Melissa . . .'

'Ik houd van de manier, waarop jij mijn naam zegt. Precies alsof het een Spaanse was! En hoe jouw naam klinkt, dat vind ik ook prettig, Renaldo. Waarom kijk je zo bezorgd? Als het allemaal zo zwaar geheim was, had je het mij eigenlijk niet moeten vertellen! Maar het klinkt als...' Ze bloosde lief en toen, wanneer hij haar hand pakte, liet ze een lachje horen en ging verder: 'Het klinkt als een romance! Het soort, dat ik al die jaren gelezen heb. Weet je zeker, dat je het mij wilt vertellen?'

'O, Dios!' Hij betrapte zich erop, dat hij haar hand drukte alsof hij om vergeving vroeg. 'Natuurlijk wil ik het je vertellen. Dat heb ik van het begin af al gewild, alleen wist ik niet hoe ik het moest doen.'

Ze zei, heel zakelijk: 'Ik dacht, dat ik verliefd op hem was. Maar dat kwam door de verhalen die Renate mij vroeger vertelde – en de boeken die ik las. Ze waren niet echt, geen van alle en dat weet ik nu pas.' Ze bloosde. 'Ik denk wel, dat hij me geholpen heeft om dat te ontdekken. Ben je nu woedend?'

'Hoe kan ik nu kwaad op jou zijn? Ik heb de hele weg hierheen alleen maar gedacht, dat jij misschien niets meer met me te maken zou willen hebben!'

'Jij lijkt helemaal niet op hem,' concludeerde Missie en lachte. 'En weet je wat? Ik ben blij. Hij is net een wervelwind – wanneer je die van een afstand bekijkt is die prachtig en wild, maar wanneer je er door getroffen wordt . . .'

Tenslote vertelde hij haar alles en zij luisterde, haar kleine puntige gezichtje voor het merendeel erg plechtig.

En toen, toen hij klaar was, zei ze praktisch: 'Maar ik zie niet, dat je nog iets anders kunt doen! En ik geloof niet, dat hij die arme oom Nick gedood heeft. Ik denk dat Toni dat gedaan heeft. En ze wil niet, dat iemand dat te weten komt, O... Matt is zó stom! Waarom moest hij het met haar aanleggen! En ziek is ze ook niet, ik zag haar met Matt wegrijden, de moerassen in, en ik vroeg me af wat ze gingen doen. Ze kan Matt om haar pink winden, weet je. Over hem, daarover maak ik me zorgen, alleen kon ik het niet aan Pa gaan zeggen of Hank of Joe – omdat ik verondersteld word niet meer met de oude verrekijker van Pa weg te sluipen. Ik word verondersteld nu een dame te zijn, zodat jij niet van gedachten zult veranderen.'

Renaldo, die tenslotte ook maar een mens was, verspeelde enkele minuten om Missie te overtuigen van het feit, dat hij niet van plan was om van gedachten te veranderen. Hoe zou hij ook kunnen? Hij hield zo waanzinnig veel van haar.

Het kostte hun enkele ogenblikken om weer tot de werkelijkheid terug te keren en tot de tegenwoordige tijd. En toen was het Renaldo, die zich herinnerde dat van Matt verondersteld werd, dat hij de opsporingsploeg van de sheriff zou aanvoeren.

'Die oude sheriff Arnett? Die zal in de moerassen niets vinden behalve alligators,' zei Missie minachtend. 'En de Indianen zullen hem ook niet helpen, hem en zijn hele ploeg niet. Het zijn vrienden van Manolo. Ik bedoel – jouw – o, het is allemaal zo verwarrend! Ik kan er maar niet aan wennen, dat zijn naam niet Manolo is! Maar ze zouden in elk geval niet helpen, ze bemoeien zich met hun eigen zaken en wanneer er moeilijkheden zijn, dan trekken ze alleen maar verder het moeras in. Matt kent nog maar de helft van de geheime paadjes, die ze gebruiken. In vroeger tijden, ging hij nog wel eens . . .'

Plotseling hield ze op en haar ogen werden enorm groot, toen ze de uitdrukking op het gezicht van Renaldo zag.

'Ik dacht, dat jouw broer de ploeg van de sheriff zou aanvoeren,' zei hij gespannen en zij schudde haar hoofd.

'Ik zei je toch – ik zag hem uitrijden met Toni, alleen. Zij droeg een revolver, net als een man. En Matt had zijn jachtgeweer...'

Het jachtgeweer van Matt leek wel aan zijn hand vastgevroren op dit moment, de lange loop wees naar beneden.

'Ik zou je niet graag willen doden, Matthew,' zei de koude, zachte stem, ergens achter hem. Matt, die de stem herkende, bevroor instinctief, zijn brein verdoofd door de schok.

Het was Toni, die een leren rijbroek droeg en een abrikooskleurig zijden overhemd, die zich omdraaide.

'Comanche! Comanche, we waren je aan het zoeken om je te waarschuwen.'

'Natuurlijk was je dat. En raak die revolver niet aan, Toni.' Zijn stem klonk vlak – toonloos. Met ontbloot bovenlijf en zijn kniehoge mocassins in de stijl van de Apachen, zag hij er meer dan ooit als een Indiaan uit, met uitzondering van de spottende, flitsende blauwe ogen in zijn, door de zon gebruinde, piratengezicht.

'Maar schat, waarom zou ik? Jij bent gisteren erg, erg naar geweest, maar dat heb ik je vergeven. Ik vermoed, dat je iets wilde vereffenen. En je hebt haar ontvoerd – als een soort verzekering, is het niet? Ik heb altijd wel gedacht, dat je erg slim was. En ik heb nog geprobeerd om het Nicky te zeggen, maar die wilde niet luisteren. Arme Nicky!'

Toni zuchtte, maar haar natte, roze lippen glimlachte uitdagend, ze tuitte lichtelijk haar mond. 'Het was werkelijk fout van je, Comanche, om hem te vermoorden. Zelfs ofschoon je er reden voor had. Sheriff Arnett zoekt je, met een hele ploeg, en de blauwjassen van kolonel Belmont ook. Matt en ik vonden, dat je gewaarschuwd moest worden – is het niet, Matt?'

'Matt, jij laat dat geweer vallen vóór je je omdraait – en doe het langzaam!'

'Als ik hem niet krijg, zal Toni het wel doen,' dacht Matt. Hij mocht de manier niet, waarop ze tot Manolo gesproken had – die strelende klank in haar stem toen ze hem 'Comanche' en 'schat' noemde. Ze speelde een spel – ze deed natuurlijk alsof. En het was nu aan hem om te laten zien, dat hij mans genoeg was om voor haar te zorgen; om te doen, waarvoor ze hier naar toe gekomen waren.

'Maar waarom doe je zo wantrouwend, schat?' zei ze poeslief, maar haar woorden werden plotseling afgesneden toen ze hijgde van schok en boosheid.

Steve keerde zijn hoofd niet om, maar hij wist dat Ginny naast hem was komen staan; en zonder twijfel tintelden haar vingers om de ogen van Toni Lassiter uit te krabben. Hij had haar gezegd om zich verborgen te houden – maar ja, Ginny was nooit zo goed geweest in het opvolgen van bevelen.

Het was juist op dit ogenblik, dat Matt Carter besloot zijn rol te spelen. Hij draaide zich op zijn hakken om, hief zijn geweer omhoog. Het versplinterde in zijn handen en verdoofden die. En terwijl hij nog ongelovig stond te kijken, hoorde hij de schrille kreet van Toni.

'Comanche! Nee – vermoord me niet! Het was Matt! Hij was altijd al jaloers op je, omdat hij mij wilde hebben. Maar jij weet, dat ik jou wilde hebben, omdat je zo slim bent en hij is net – net een grote stomme os! Dat begrijp je toch wel, Comanche? Wij lijken op elkaar, jij en ik. Jij zou hetzelfde gedaan hebben, wat ik gedaan heb! Waarom dood je hem niet? En háár ook!

Dan hebben we niemand meer over wie we ons ongerust moeten maken en dan is het alleen maar: wij, alleen jij en ik. We verzinnen wel een verhaal om aan de kolonel te vertellen en op het eind – op het eind bezitten we half Texas! Nick heeft de zaken met die twee Engelsen verknoeid, maar ik kan ze weer in het juiste spoor krijgen. Ik heb je nodig, schat! Ik heb altijd een sterke man nodig gehad, dat weet je toch!' Haar stem werd schril. 'Comanche! Waar wacht je op? Dood hen. Allebei! Het is de enige uitweg!'

Het leek of ze allemaal stonden te wachten, vastgevroren op hun plaatsen. Het gezicht van Matt Carter had onder zijn gebruinde huid de kleur van stopverf gekregen, terwijl hij Toni aanstaarde – zijn handen nog steeds naar voren gestoken, alsof hij nog steeds zijn gebroken, smeulende geweer vasthield.

'Ja – wat ga je doen, schat?' De stem van Ginny droop van sarcasme, toen ze, met de benen uit elkaar, naar Toni stond te staren met vuurspuwende ogen. 'Ik veronderstel, dat jullie tweeën een heleboel gemeen hebben, zoals ze je juist nog in herinnering heeft gebracht. Ga je mij ook doden? En die arme, verwarde Matt Carter ook? Ik vermoed dat het uiteindelijk wel gemakkelijk voor jou zou zijn. Heb je dit allemaal uitgedacht met je operazangeres? En weet deze teef, dat ze een rivale heeft?'

'Waar heeft ze het over? Laat haar zwijgen, Comanche, ze is stapelgek! Dood haar – dat zou ik graag zien.'

'Hoe zou je het vinden om dat pafferige bleke gezicht van je met een mes bewerkt te krijgen? Ramera – goedkope puta!' Ginny vloekte, haar groene ogen werden nauwer.

'Ginny, wees stil. Ik dacht, dat je de rol van een Comanche squaw zou spelen.'

'O!' Haar adem siste tussen haar tanden – en deels kwam haar woede voort uit het feit, dat Steve niet één ogenblik zijn ogen van Toni afgehouden had, zijn revolver nog steeds achteloos op heuphoogte.

'Comanche! Als je me wilt hebben!'

'Ik wil jou niet, Toni, ik heb je nooit gewild, ofschoon ik genomen heb, wat je me aanbood op een tijd, dat het jou goed uitkwam.' De amberkleurige ogen van Toni werden van ongeloof groter, ze zag zijn lippen omhoog krullen met die spottende onaangename grijns, terwijl hij op een achteloze gesprekstoon verder ging: 'Er bestaat maar één vrouw, die mij te pakken heeft gekregen, en daar ben ik mee getrouwd. Ofschoon ik me soms wel afvraag: waarom,' voegde hij er knarsetandend aan toe.

'Getrouwd? Waar praat je over? Niet met haar – háár man is...'

'Steve,' zei Ginny met koele heldere stem, 'Waarom verdoen we onze tijd met verklaringen?' Uitsluitend gekleed in zijn oude overhemd, een revolverriem hing laag over haar linkerheup, zag ze nog steeds kans om hooghartig te klinken, al zag ze er dan ook uit als een vagebond!

De ogen van Matt bewogen van de een naar de ander en bleven het langst rusten op de man, die hij als Manolo gekend had.

Het was Toni die, met een verkrampt gezicht, het eerst reageerde. 'Jij smerige, rottige – hoor je wat ze willen, Matt? Matt! Je hebt nog steeds een revolver - doe iets!'

Toen hij geen antwoord gaf, schoot haar stem omhoog in een half-krankzinnige schreeuw, haar lippen teruggetrokken om haar kleine, puntige tanden te laten zien. 'Ben jij vergeten, hoe je een man moet zijn, Matt? Ze hebben dit allemaal samen beraamd, zij - dood hen, verdomme, jij grote, stomme sukkel of ik doe het zelf!'

'Ik zou blij zijn om een excuus te hebben om deze revolver op jou te gebruiken,' beet Ginny, die naar de gekromde vingers van Toni Lassiter keek, waarvan de lange nagels haar herinnerden aan een roofdier en die nu dicht genaderd waren tot haar revolver.

Minachtend wendde Steve zijn blik voorbij Tony en Matt, die met een verdoofde, als door de bliksem getroffen uitdrukking op zijn gezicht stond te staren.

'Wil je met me vechten, Matt? Of gaan we elk een andere kant op?'

Hij knipperde met zijn ogen, alsof de zwakke bundel zonlicht, die juist het dichtgeweven bladerdak boven hun hoofden doorbroken had, hem had verblind.

'Je gaat niet op de loop! Ze moeten dóód, Matt...'

'Net zoals jij wilde, dat hij mij zou doden, nog geen minuut geleden?'

Toni had zich half omgedraaid om Matt smekend in zijn gezicht te kunnen zien en begon naar hem te reiken - of was dat alleen maar voor zijn revolver, die aan een riem op zijn heup hing? Later dacht Ginny, dat het allemaal zó vlug gebeurde, te plotseling. Ze maakte een onwillekeurige beweging naar haar eigen revolver en voelde, hoe de vingers van Steve zich om haar pols sloten. En bijna tegelijkertijd, als een man gedreven door een boze droom, sloeg Matt Carter heftig in haar gezicht - het gehele gewicht van zijn zware, behaarde arm achter de slag.

Het geluid dat Toni maakte, was niet zozeer een schreeuw maar een hoog jengelend gegier. Haar neus en haar roze, tuitende mond schenen ineen te krimpen onder een golf bloed toen ze achteruit wankelde - als een gebroken marionet, waarvan de draden plotseling afgeknapt waren, dacht Ginny misselijk en probeerde haar oren te sluiten voor de geluiden, de afschuwelijke dierlijke geluiden, die de vrouw maakte, toen ze weer probeerde te gillen en bijna stikte in haar eigen bloed. En toen viel ze, het geluid van haar langzame val nat en zwaar - haar kronkelende, zwaaiende lichaam verpletterde het bed van waterhyacinten en lang gras.

'Steve - O, God!'

Matt Carter draaide zijn hoofd om, heel langzaam en zijn ogen waren met bloed doorlopen en keken nog steeds verdwaasd.

'Je laat haar aan mij over, hoor je me? Ze is voor mij - slecht of niet, ze is mijn vrouw!'

'Maar dat is moeras! Dat is helemaal geen vaste grond en zij...'

Matt keek Ginny niet aan. Het leek alsof hij de aanblik van een andere vrouw niet kon verdragen. Maar hij keek evenmin naar Toni en ook leek hij de geluiden niet te horen, die uit dat gebroken, bloederige gezicht kwamen. Hij had het half-verdwaasde uiterlijk van een man, die gezien had hoe een visioen ineenstortte en het nog steeds niet kon laten varen.

'Jij laat wat van mij is aan mij over!' zei hij opnieuw met hese stem. 'En ik zal wel voor me zelf opkomen. Zij heeft Nick vermoord - dat wist je niet, is het wel? Ze schopte de stoel onder hem uit, terwijl hij nog steeds huilde en kreunde en ze stond daar te lachen, terwijl hij - o, Christus! Zien jullie niet hoe het was! Zij was van plan om jou ervoor te laten opdraaien. Ik had de soldaten al verteld, dat jij het gedaan had. Maar ze moest je eerst vinden,jou en die vrouw, om zeker te zijn . . . Ze is heel pienter, voor een vrouw! Hersens, en dan nog zó mooi! O, God, ze is zo mooi, zo . . .' Zijn stem brak en plotseling zei hij in een soort gegrom: 'Gaan jullie nou maar. Want ik ga haar redden, zie je? Ik zal voor haar zorgen - en niemand zal haar van me afnemen.'

'Matt!' kwam de afschuwelijke, raspende karikatuur van de stem van Toni Lassiter. 'Matt, help me! Matt . . .'

'Zie je wel? Ze heeft me nodig. Ik was het, de hele tijd. Dat heeft ze me gezegd. Ze bedoeld niets van die dingen, die ze zei, wanneer ze kwaad was; míj wil ze hebben. Jij neemt jouw vrouw mee en ga nu maar en laat mij naar de mijne kijken.'

Ginny had het gevoel alsof ze - letterlijk - in steen veranderd was niet in staat tot enig geluid of enige beweging. Maar toen Steve zich bewoog, dat alles zonder een woord tegen haar te zeggen of tegen Matt, die weer naar Toni teruggegaan was, alsof zij beiden voor hem niet meer bestonden, begon Ginny te worstelen, alleen om zich hulpeloos opgepakt te voelen in de armen van Steve.

'Nee, Steve - nee! Je kunt niet . . .'

'Wanneer zul jij nu eindelijk eens ophouden mij proberen te vertellen, wat ik wel en niet kan doen?' Hij liep met lange, boze stappen, leek niet te letten waar hij zijn voet neerzette en ondanks haar afschuw en haar ziekmakende afkeer, begon Ginny te beven.

'Verdomme, wanneer zul jij ooit ophouden je te bemoeien met de zaken van een ander en alleen op je zelf te letten? Als ik jou niet nodig had om te bewijzen dat ik Benoit niet vermoord heb, dan zou ik je in het moeras gooien, zodat de alligators je konden vinden!'

'Alligators!' Nu was ze echt misselijk tot op de bodem van haar maag. Ze werd zich het moeras bewust, zoals dat gisteravond niet gebeurd was, of zelfs die ochtend toen ze heel zorgvuldig en rustig haar voetstappen in de sporen van Steve zette.

Het was hier zo donker, ondanks het zonlicht daarboven, dat zwakjes gefilterd werd door dicht ineengeweven takken, gefestonneerd met grijskanten gordijnen van mos. Toen ze langs haar gezicht streken, voelden de meeste vochtig aan.

'Steve?' Haar stem kwam te voorschijn als een zacht, aarzelend gefluister. 'Denk je niet - hij zou haar toch niet . . .'

'Zoals hij zei, het is zijn vrouw. Wat er ook gebeurt, het blijft tussen hen beiden. Begrijp je dat?'

'Ik - ik weet het niet. Het was alleen zo - zo afschuwelijk!'

'Ginny - er zijn een paar andere dingen, waarvoor je zou moeten denken.'

Hoe kon hij zo ongeïnteresseerd klinken? Hoe . . .? En toen liet hij haar uit zijn armen glippen, liet haar tegen een boomstronk leunen om haar halfuitgesproken vraag weg te kussen, en zijn kussen op haar mond eerst en dan op haar hals en de ronding van haar borsten, waren helemaal niet zo ongeïnteresseerd.

Haar armen klemden zich stevig om hem heen, ze voelde het bekende spel van de spieren onder zijn huid en de warmte van zijn lichaam, dat tegen het hare leunde. Hij scheen vergeten te hebben, dat er soldaten waren, alsook een opsporingsploeg van de sheriff, die naar hen zochten.

Hoe ver waren ze eigenlijk gegaan? Waar waren ze? Het moeras leek even eindeloos als de manier waarop Steve haar kuste - even grenzeloos als de hartstocht. Alles was uit het brein van Ginny verdwenen behalve de manier, waarop hij haar aanraakte, de lichtste streek van zijn lippen of vingers tegen haar vlees kon ze nog voelen. Dromerig, met halfgesloten ogen, voelde ze hoe hij de knopen weer losmaakte, die hij pas een paar uur geleden zo ongeduldig had dichtgeknoopt.

'Steve, je bent niet eerlijk . . .'

'Hoezo, ben ik niet eerlijk, jij gekmakend, onweerstaanbaar schepsel?'

Ginny's ogen vlogen open en ze begon te fronsen en probeerde tevergeefs om onder zijn strelende handen uit te komen.

'Ik begrijp jou niet! Het ene ogenblik ben je een uitgesproken duivel en vraag ik me af of je eigenlijk wel tot enig gevoel in staat bent. En de volgende - jij - jij ohh!' Het was bijna een klacht. 'Wat doe je nu? Wanneer er plotseling iemand zou komen, een van die Indiaanse vrienden van je, die zo fluiten als vogels en die ik nooit gezien heb, of - of -'

'Verdomd nog aan toe, vrouw! Ik probeer lief tegen je te doen en al wat jij kunt doen is kletsen! Kan niets je dan veranderen in een volgzaam, onderworpen schepsel?'

Ze legde haar handen achter in zijn hals en klemde zich aan hem vast alsof ze zou verdrinken. En een man als Steve beminnen, dat was dan ook precies hetzelfde, dacht Ginny verbijsterd. Alsof je door een machtige, onbarmhartige stroom naar beneden getrokken en meegevoerd werd. Ze hield van hem - ze realiseerde zich dat ineens opnieuw - en ze wist, dat ze hulpeloos was om te vechten tegen die sterke aantrekkingskracht, die hen voor het eerst samen gebracht had en die nog steeds bestond, ondanks alles. Maar, o, God, - op hoeveel manieren zou hij haar nog kwetsen? Ze was van niet meer zeker, behalve van zich zelf en het feit, dat ze een man beminde, die zowel haar echtgenoot als een vreemdeling was, haar minnaar en haar tegenstander.

'Het geeft niet . . . het geeft niet!' fluisterde haar verstand en Steve voelde haar plotselinge overgave in de bijna losbandige manier waarop zij zich tegen hem aandrukte. Maar was ze werkelijk de zijne? Haar lichaam gaf toe, zoals altijd. Maar hoe stond het met haar geest? Wat was er met haar, de essentie van al wat Ginny was, zijn vrouw - zijn gekmakende, veerkrachtige, onvoorspelbare maîtresse? Het was al te gemakkelijk om al die vragen maar te vergeten, zolang ze in zijn armen lag, haar mond zich opende onder de zijne, en de gewelfde contouren van haar lichaam alles gaven, wat ze maar te geven had. Het ene ogenblik een wilde kat, belust op zijn bloed, en het volgende... Wat kon een man in 's hemelsnaam daarmee beginnen? Wat viel er te doen dan haar maar tot stilzwijgen te kussen en hen beiden in vergetelheid laten verzinken?

64

Waarom moest er altijd nog tijd achteraan komen? Een ogenblik van terugkeer van het hoge plateau van gedeelde passie en vervulling?

Steve had zich half op zijn zijde gekeerd en haar met zich meegenomen, zijn armen hielden nog steeds haar hoofd geklemd tegen zijn schouder.

Liggend in Steve's armen hoorde ze de versnelde ademhaling langzamer en regelmatiger worden. Ginny sloot haar ogen en probeerde het verraderlijke serpent in bedwang te houden, dat zich in haar brein ontrolde - vragend, afwegend, twijfelend, vrezend. Wat nu? Wat volgt? Hoe zal het deze keer aflopen?

Een verwijderd geluid - ze kon niet precies zeggen wat het geweest was - maakte, dat elke spier in Ginny's lichaam opsprong.

'Wat is er, rusteloos dier?' Hij had in het Spaans gesproken; een half gefluister - dus misschien had hij zich ook van alles herinnerd!

Maar nee - ze wilde niet weg uit de veilige, vaste ring van zijn armen; evenmin wilde ze zijn lichaam van het hare voelen wegtrekken.

'Ik dacht - ik dacht, dat ik - ik hoorde...'

'Een schot? Geschreeuw? Het doet er niet toe, querida, ze zijn nog heel ver weg.' Zijn stem bracht haar opwinding weer tot bedaren, zoals bij die eerste gelegenheid, toen ze ook op deze manier samen geweest waren - onder een huifkar, met het gevaar van een aanval door Apachen tegen de dageraad, die hun zintuigen en hun bewustzijn van elkaar gevoeliger maakte. Plotseling was hij weer, helemaal opnieuw, de door de zon gebruinde, blauwogige schurk, die haar ontvoerd had en haar in een nacht van maagd tot vrouw gemaakt had.

'Maar Steve...'

'Wanneer zul jij ooit leren om stil te zijn, vrouw?' Zijn armen sloten steviger om haar heen en waren in tegenspraak met de hardheid van zijn stem. 'Een poosje geleden, was jij aan het praten over vertrouwen. Waar ben je nu weer bang voor?'

Ergens haalde ze de moed vandaan om te antwoorden: 'Van jou! En om jou ook, omdat jij soms zo - zo roekeloos bent. En omdat...' Ze hief haar hoofd op om in zijn ogen te kunnen kijken, die nu hard waren, als het donkere meedogenloze blauw van de hemel in Mexico.

'Omdat wat, Ginny?'

Ze staarde terug en weigerde grond prijs te geven.

'Omdat ik van je houd, verdomme! Waarom anders? En omdat ik weet, dat dàt niet genoeg is; moet er meer zijn, Steve - begrijp je dat niet? We worden veel te gemakkelijk vreemdelingen – zelfs vijanden – voor elkaar en dat komt, omdat we echt geen tijd genoeg gehad hebben om elkaar te leren kennen en begrijpen; Ik heb jouw kinderen gebaard – en ze zijn van jou, Steve – maar weet je, bijna heb ik.... ik heb bijna – o God, je moet er niet aan denken. Omdat ik altijd bang was, wat jij zou denken en hoe jij me naderhand zou kwetsen, juist zoals ik nu ben . . .'

'Ginny!' Zijn lippen waren maar een paar centimeter afstand om de hare te verpletteren, maar hij hield zich in, gevangen in de val van haar wanhopig uitgebrachte woorden en zijn eigen schuld. Hij was te veel gewend aan de omgang met andere vrouwen, maar niet met Ginny. Het was veel te gemakkelijk geweest om haar te veroordelen teneinde zijn eigen zonden te verbergen en ja, verdomme, zijn eigen stommiteit om haar vast te houden toen hij het had moeten doen. Waarmee hij geen rekening gehouden had, was het simpele onontkoombare feit, dat hij van haar hield.

En hij was van haar blijven houden, zelfs gedurende die donkere dagen, toen hij aan haar getwijfeld had, er dicht aan toe geweest was om haar te haten; en zelfs toen bleef hij haar begeren. Het verleden had hem toch iets moeten leren. Hij was hier met haar omdat hij helemaal niet van plan was haar ooit weer los te laten.

Hij moest toegeven, toen hij haar blik uit haar ver opengesperde ogen zag, dat hij van plan geweest was haar eerst een beetje te straffen – voor alle moeilijkheden die ze hem bezorgd had. Hij had gewild, dat ze zou lijden, vóór hij haar op zijn voorwaarden terug zou nemen. Maar zoals gewoonlijk, had ze kans gezien de rollen om te draaien en hem te ontwapenen door haar volkomen gemis aan reserve en uitvluchten. En haar vasthoudendheid, zelf nu...

'Ik wil niet terug naar de manier van leven van vroeger, Steve.' Zijn fronsende, peinzende stilzwijgen dwong Ginny tot spreken, voor ze helemaal de moed verloor. 'Beleefde, beschaafde vreemdeling, die afzonderlijk kamers hebben in grote luxueuze huizen, omringd door andere vreemdelingen. Ik wil jóu en ik wil, dat jij míj wilt, niet jouw – jouw operazangeressen en zigeunerdanseressen en . . .'

Hij begon te lachen en rolde zijn lichaam over het hare om haar stil te krijgen.

'Jij gek, onverzadigbaar schepsel! Is er geen grens aan jouw eisen? Wat moet ik je nog meer geven om jou gelukkig te maken?'

'Niets.' Haar stem, met zijn lippen tegen haar hals gedrukt, klonk als gefluister. 'Niets, behalve dan, dat je me . . . dat je me misschien af en toe zou kunnen zeggen, dat je van me houdt. Maar alleen wanneer je het echt meent. Alleen als...'

'Jij kleine duivel! Wil je ophouden jouw voorwaarden te dicteren? Wat denk jij, dat ik hier aan het doen ben, met de opsporingsploeg van een sheriff en het halve leger van de Verenigde Staten op mijn hielen? Moet je dan een serie romantische woorden hebben om jou te overtuigen?'

'O! O, Steve – ik heb het vergeten!'

'Ik ben blij, dat ik in staat geweest ben om je iets te laten vergeten.' Zonder te letten op haar plotselinge, verschrikte bewegingen onder hem, liet hij zijn vingers lichtjes over haar vlees lopen. 'Het moederschap staat je. Jouw lichaam is even stevig en mooi als altijd. En wanneer je me de volgende keer tot vader maakt, zal ik vast en zeker zorgen, dat ik in de buurt ben, om te zien hoe jouw kleine, platte buik opzwelt . . . Misschien mag ik de volgende een naam geven, jij sluw, wantrouwend nest!'

Ze bloosde schuldig.

'Steve, ik . . .'

'Bewaar maar tot later. Heb je de sheriff en de soldaten vergeten? En mijn neef waarschijnlijk ook, die natuurlijk barst van de zorgen. Allemaal jouw schuld natuurlijk.' Met de terugkeer van zijn vroegere ongeduld stond hij al overeind en trok haar naar boven.

'Maar ze zoeken je. Wat ga je doen? Wanneer zij het eerst beginnen te schieten . . .'

'Waarom laat je voor de verandering niet een paar dingen aan mij over? Jij bent veel te onafhankelijk geworden, Ginny, en ik ben van plan om daar iets aan te doen.'

Naakt, haar voeten uiteen, begon ze uitdagend haar kin naar voren te steken, tot hij haar gezicht in zijn handen nam en haar kalmeerde.

'Luister groenoog, en ga niet met me redeneren of ik verlies mijn humeur weer misschien. Zo gauw jij dat overhemd aangetrokken hebt, gaan we op zoek. Ik twijfel er niet aan of ik zal heel veel moeten uitleggen, maar Renaldo zal wel helpen. En daarna...'

Al haar resolute, reeds halfgeformuleerde argumenten verstierven tot stilte, toen hij zijn hoofd boog en zijn mond over de hare streek. Al wat ze kon doen was om te herhalen, buiten adem: 'En daarna?'

'Daarna ga ik je weer met me meenemen – wat denk jij wel, jij opwindende kleine verleidster? En dan gaan we een boel tijd verspillen om je te zeggen, hoeveel ik van je houd, als je althans lang genoeg je mond kunt houden om te luisteren.'

De lippen van Ginny weken uiteen en sloten zich toen weer vastberaden. Maar haar groene ogen fonkelden als smaragden. Zonder een woord, alsof ze terug waren in een of andere elegante salon, stak ze haar armen naar hem uit en precies even plechtig, met spottende lippen, liet hij het met mos bedekte overhemd over haar schouders glijden.

Het lange moerasgras golfde in een plotselinge bries en de waterhyacinten dansten over een langzaam golfje. Maar waar zij liepen, met Steve's hand stevig over de hare, was de bodem stevig en het zonlicht wachtte achter de bomen.